풍산자
일등급유형

엄선된 기출문제는 자신감으로

명쾌한 해설은 실력으로 쌓이는

〈풍산자 일등급유형〉입니다.

미래는 이제 시작되었다. −R. 융

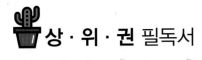

상·위·권 필독서

풍산자
일등급유형

풍산자의 일등급 도전 로드맵

| 필수 개념과 유형으로 **상위권 실력 입문** | 상 수준의 문제로 **상위권 실력 완성** | 최고난도 문제로 **최상위권 정복** | 미니 모의고사로 **상위권 실력 점검** |

출제율 높은 필수 문제 엄선

최신 학교 시험, 평가원, 교육청 기출 문제 철저 분석, 출제율 높은 문제 엄선

상위권 문제 단계별 공략

필수 기출 – 일등급 완성 – 도전 문제의 단계별 공략으로 1등급 실력 완성

일등급 사고력, 창의력 강화

실전에서 만나는 일등급 문제 해결을 위한 사고력, 창의력 강화 문제 다수 수록

풍산자

일등급
유형

수학 II

구성과 특징

1. 일등급 실력 완성을 위한 집중 학습

학교 시험과 수능에서 일등급 실력을 완성하기 위한 문항 대비 집중서로 중상위 수준의 다양한 문제 풀이를 통해 중위권 학생들은 상위권 실력으로 향상될 수 있고, 상위권 학생들은 상위권 실력을 유지할 수 있도록 구성하였습니다.

2. 다양한 유형의 문항으로 학교시험 & 학력평가 대비

학교 시험과 수능/모의고사/학력평가를 분석하여 출제 빈도가 높고 반드시 알아야 할 유형, 다양한 문제 해결력이 필요한 유형을 체계적으로 수록하여 학교 시험과 수능을 동시에 대비할 수 있습니다. 또한 최신 기출 문제를 연습하고 실전에 대비할 수 있도록 신경향 문제를 수록하였습니다.

3. 점진적 학습이 가능한 단계별 문제 구성

실전 개념이 문제에 어떻게 활용되는지를 정리하였고, 중 수준, 상 수준, 최상위 수준의 문제를 단계별로 수록하여 문제를 풀면서 일등급 실력에 도달할 수 있도록 구성하였습니다

STEP A | 상위권 보장 개념+필수 기출 문제

- 학교 시험/평가원/교육청 기출 문제를 체계적으로 분석하여 실전 개념을 정리하였고, 출제 가능성이 높은 유형으로 구성하였습니다.
- **등급업 TIP** 실전에 자주 이용되는 개념, 공식, 비법 등을 제시하였습니다.
- STEP A, STEP B에서는 실제 시험에 출제되는 문제를 수록하여 실전 감각을 기를 수 있습니다.

  평가원 기출 , **교육청 기출** , 평가원/ 교육청 기출 문제 중에서 중요한 유형의 문제입니다.

  학교 기출 신 유형 최신 학교 시험 기출 문제 중에서 새로운 유형의 문제로 정답과 풀이에서 접근 방법을 확인할 수 있습니다.

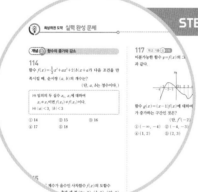

STEP B | 최상위권 도약 실력 완성 문제

- 개념별로 상 수준의 문제를 구성하여 탄탄한 상위권 실력을 완성할 수 있도록 하였습니다.

  다빈출 출제 비중이 높은 유형의 문제입니다.

STEP C | 상위 1% 도전 문제

- 대단원별 최고난도 문항으로 일등급 대비와 최상위 실력을 기를 수 있도록 하였습니다.

| 미니 모의고사

- 대단원별로 실력을 점검할 수 있는 문항을 엄선하여 구성하였습니다.

차례

III | 적분

어제는 역사이고

내일은 미래이며,

그리고 오늘은 선물입니다.

그렇기에 우리는

현재(present)를 선물(present)이라고 말합니다.

 명석한 두뇌도 뛰어난 체력도 타고난 재능도 끝없는 노력을 이길 순 없다.
아무 것도 변하지 않을지라도 내가 변하면 모든 것이 변한다.

풍산자 일등급유형과 함께
까다로운 문제를 정복해 볼까요?

_계산 실수와 개념의 잘못된 적용을 유도하는 문제

_개념은 단순한데 사고의 전환이 필요한 신경향 문제

_익숙한 문제인데 풀이 방법은 다른 접근이 필요한 문제

_여러 가지 개념의 응용을 해야 하는데 적용에 실패하는 문제

_문제 해결을 위한 조건과 추론 과정에서 변형과 해석을 요구하는 문제

함수의 극한과 연속

상위권 보장 개념+필수 기출 문제

개념 1 **함수의 극한**

(1) **함수의 수렴**: 함수 $f(x)$에서 x가 a가 아니면서 a에 한없이 가까워질 때 $f(x)$의 값이 일정한 값 α에 한없이 가까워지면 함수 $f(x)$는 α에 수렴한다고 하고, α를 $x=a$에서의 함수 $f(x)$의 극한 또는 극한값이라고 한다.

$$\lim_{x \to a} f(x) = \alpha \quad \text{또는} \quad \underline{x \to a일 \ 때 \ f(x) \to \alpha}$$

└─ $x \neq a$이면서 x가 a에 한없이 가까워짐을 나타내는 기호

(2) **함수의 발산**: 함수 $f(x)$에서 x가 a가 아니면서 a에 한없이 가까워질 때 $f(x)$의 값이 수렴하지 않으면 함수 $f(x)$는 발산한다고 한다.

① 양의 무한대로 발산

$$\lim_{x \to a} f(x) = \infty \quad \text{또는} \quad x \to a일 \ 때 \ f(x) \to \infty$$

└─ 한없이 커지는 상태를 나타내는 기호

② 음의 무한대로 발산

$$\lim_{x \to a} f(x) = -\infty \quad \text{또는} \quad x \to a일 \ 때 \ f(x) \to -\infty$$

(3) **좌극한과 우극한**: 함수 $f(x)$에 대하여 $x=a$에서 함수 $f(x)$의 좌극한과 우극한이 존재하고 그 값이 α로 일치하면 $x=a$에서의 함수 $f(x)$의 극한값은 α이다.

$$\underline{\lim_{x \to a-} f(x)} = \underline{\lim_{x \to a+} f(x)} = \alpha \iff \lim_{x \to a} f(x) = \alpha$$

└─ 좌극한 └─ 우극한

[주의] 좌극한과 우극한이 모두 존재하더라도 그 값이 서로 다르면 극한값은 존재하지 않는다.

등급업 TIP 함수 $f(x)$에서 $x=a$에서의 함숫값이 존재하지 않더라도 $x \to a$일 때의 극한값은 존재할 수 있으며, $x=a$에서의 함숫값과 $x \to a$일 때의 극한값은 서로 다를 수 있다.

---

001 출제율 ●●●○○

$\lim\limits_{x \to 3} \dfrac{x^2+1}{x-2}$의 값은?

① 0 　　　② 5 　　　③ 10
④ 15 　　　⑤ 20

---

002 출제율 ●●●○○

극한값이 존재하는 것만을 |보기|에서 있는 대로 고른 것은?

┌─ **보기** ─────────────────────────┐

ㄱ. $\lim\limits_{x \to 0}(x^2-2x)$ 　　　ㄴ. $\lim\limits_{x \to 2} \dfrac{1}{|x-2|}$

ㄷ. $\lim\limits_{x \to \infty} \sqrt{5x+1}$ 　　　ㄹ. $\lim\limits_{x \to 0} \dfrac{x}{x+3}$

└──────────────────────────────┘

① ㄱ, ㄴ 　　　② ㄱ, ㄹ 　　　③ ㄴ, ㄷ
④ ㄴ, ㄹ 　　　⑤ ㄷ, ㄹ

003 　평가원 기출 　　　　　　출제율 ●●●○○

$\lim\limits_{x \to 1} \dfrac{x+1}{x^2+ax+1} = \dfrac{1}{9}$일 때, 상수 a의 값을 구하여라.

---

004 출제율 ●●●○○

함수 $y=f(x)$의 그래프가 다음 그림과 같다.

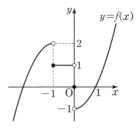

$\lim\limits_{x \to -1-} f(x) + \lim\limits_{x \to 0+} f(x)$의 값은?

① -2 　　　② -1 　　　③ 0
④ 1 　　　⑤ 2

005

출제율 ◖▬▬▬▬◗

함수 $f(x)=\begin{cases} 1-3x^2 & (x<0) \\ 2x+5 & (0\le x<3) \\ -6 & (x\ge 3) \end{cases}$ 에 대하여

$\displaystyle\lim_{x\to 0-}f(x)+\lim_{x\to 3+}f(x)$ 의 값은?

① -10 ② -5 ③ 0

④ 5 ⑤ 10

006

출제율 ◖▬▬▬▬◗

함수 $f(x)=\begin{cases} 2x-k & (x<1) \\ x^2+x-4 & (x\ge 1) \end{cases}$ 에 대하여 $\displaystyle\lim_{x\to 1}f(x)$

의 값이 존재하도록 하는 상수 k의 값을 구하여라.

007

출제율 ◖▬▬▬▬◗

함수 $f(x)=\dfrac{\sqrt{x}-|\sqrt{x}-2|-2}{\sqrt{x}-2}$ 에 대하여

$\displaystyle\lim_{x\to 4+}f(x)+\lim_{x\to 4-}f(x)$ 의 값은?

① 1 ② 2 ③ 3

④ 4 ⑤ 5

개념 ② 함수의 극한에 대한 성질

두 함수 $f(x)$, $g(x)$에서 극한값 $\displaystyle\lim_{x\to a}f(x)$, $\displaystyle\lim_{x\to a}g(x)$가 존재할 때

(1) $\displaystyle\lim_{x\to a}cf(x)=c\lim_{x\to a}f(x)$ (단, c는 상수이다.)

(2) $\displaystyle\lim_{x\to a}\{f(x)\pm g(x)\}=\lim_{x\to a}f(x)\pm\lim_{x\to a}g(x)$

(복부호동순)

(3) $\displaystyle\lim_{x\to a}f(x)g(x)=\lim_{x\to a}f(x)\times\lim_{x\to a}g(x)$

(4) $\displaystyle\lim_{x\to a}\frac{f(x)}{g(x)}=\frac{\displaystyle\lim_{x\to a}f(x)}{\displaystyle\lim_{x\to a}g(x)}$ (단, $g(x)\ne 0$, $\displaystyle\lim_{x\to a}g(x)\ne 0$)

참고 함수의 극한에 대한 성질은 극한값이 존재할 때에만 성립하고, $x\to a+$, $x\to a-$, $x\to\infty$, $x\to -\infty$일 때에도 성립한다.

등급업 TIP 두 함수 $f(x)$, $g(x)$에 대하여

$\displaystyle\lim_{x\to a}f(x)=\alpha$, $\displaystyle\lim_{x\to a}\{f(x)-g(x)\}=\beta$ (α, β는 실수)

가 주어졌을 때

➡ $f(x)-g(x)=h(x)$로 놓으면 두 함수 $f(x)$, $h(x)$는 수렴하므로, 극한값을 구하려는 함수를 $f(x)$와 $h(x)$로 나타낸 후 함수의 극한에 대한 성질을 이용한다.

008

출제율 ◖▬▬▬▬◗

함수 $f(x)$에 대하여

$$\lim_{x\to 0}\frac{f(x)}{x}=-2$$

일 때, $\displaystyle\lim_{x\to 0}\frac{x^4-2f(x)}{4x+3f(x)}$ 의 값은?

① -5 ② -4 ③ -3

④ -2 ⑤ -1

009
출제율

두 함수 $y=f(x)$, $y=g(x)$의 그래프가 다음 그림과 같을 때, $\lim\limits_{x \to 3}[\{f(x)\}^2+\{g(x)\}^2]$의 값은?

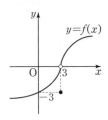 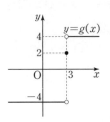

① 4 ② 8 ③ 12

④ 16 ⑤ 20

010
출제율

두 함수

$$f(x)=|x-1|, \ g(x)=[x]$$

에 대하여 $x \to 1$일 때, 극한값이 존재하는 것만을 |보기|에서 있는 대로 고른 것은?

(단, $[x]$는 x보다 크지 않은 최대의 정수이다.)

┌─ **보기** ─────────────
│ ㄱ. $f(x)$ ㄴ. $g(x)$
│ ㄷ. $f(x)g(x)$ ㄹ. $g(f(x))$
└────────────────────

① ㄱ ② ㄷ ③ ㄱ, ㄷ

④ ㄴ, ㄹ ⑤ ㄷ, ㄹ

011
출제율

함수 $y=f(x)$의 그래프가 다음 그림과 같다.

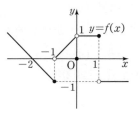

$\lim\limits_{x \to -1-}f(x)f(2+x)$의 값은?

① -2 ② -1 ③ 0

④ 1 ⑤ 2

012
출제율

함수 $f(x)$에 대하여 $\lim\limits_{x \to 2}\dfrac{f(x-2)}{x-2}=5$일 때,

$\lim\limits_{x \to 0}\dfrac{2x+f(x)}{3x^2+2f(x)}$의 값을 구하여라.

013
출제율

두 함수 $f(x)$, $g(x)$에 대하여

$$\lim_{x \to 2}f(x)=3, \ \lim_{x \to 2}\dfrac{g(x)}{f(x)}=5$$

일 때, $\lim\limits_{x \to 3}\dfrac{2x-3}{g(x-1)}$의 값은?

① $\dfrac{1}{5}$ ② $\dfrac{2}{5}$ ③ $\dfrac{3}{5}$

④ $\dfrac{4}{5}$ ⑤ 1

개념 ③ 극한값의 계산

(1) $\dfrac{0}{0}$ 꼴: 분자, 분모가 모두 다항식이면 분자, 분모를 각각 인수분해한 후 약분하고, 분자, 분모 중 무리식이 있으면 근호가 있는 쪽을 유리화한다.

(2) $\dfrac{\infty}{\infty}$ 꼴: 분모의 최고차항으로 분자, 분모를 나눈다.
 ① (분자의 차수)=(분모의 차수)이면 극한값은 최고 차항의 계수의 비이다.
 ② (분자의 차수)<(분모의 차수)이면 극한값은 0이다.
 ③ (분자의 차수)>(분모의 차수)이면 극한값은 없다.

(3) $\infty-\infty$ 꼴: 다항식은 최고차항으로 묶고, 무리식은 근호가 있는 쪽을 유리화한다.

(4) $\infty\times 0$ 꼴: $\infty\times c$, $\dfrac{c}{\infty}$, $\dfrac{0}{0}$, $\dfrac{\infty}{\infty}$ 꼴로 변형한다.

(단, c는 상수이다.)

014 평가원 기출   출제율 ▭▭▭▭▭

$\displaystyle\lim_{x\to 7}\dfrac{(x-7)(x+3)}{x-7}$의 값은?

① 6   ② 8   ③ 10

④ 12   ⑤ 14

015   출제율 ▭▭▭▭▭

$\displaystyle\lim_{x\to 3}\dfrac{\sqrt{x^2+4x}-\sqrt{x^2+2x+6}}{x-3}$의 값을 구하여라.

016   출제율 ▭▭▭▭▭

함수 $f(x)=x^2+2ax$가 $\displaystyle\lim_{x\to 0}\dfrac{f(x)}{x}=6$을 만족시킬 때, 상수 a의 값은?

① 1   ② 2   ③ 3

④ 4   ⑤ 5

017   출제율 ▭▭▭▭▭

$\displaystyle\lim_{x\to\infty}\dfrac{12x-5}{\sqrt{x^2+2x+1}+\sqrt{4x^2-2x-1}}$의 값은?

① 2   ② 4   ③ 6

④ 8   ⑤ 10

018   출제율 ▭▭▭▭▭

$\displaystyle\lim_{x\to-\infty}\dfrac{x-\sqrt{x^2-4}}{x+2}$의 값은?

① -2 ② -1 ③ 0

④ 1   ⑤ 2

019

출제율

$\displaystyle\lim_{x\to-\infty}\dfrac{1}{\sqrt{x^2-3x+3}+x+2}$의 값은?

① -1 　　② $-\dfrac{2}{7}$ 　　③ $\dfrac{2}{7}$

④ 1 　　⑤ $\dfrac{12}{7}$

020

출제율

다음 중 옳지 않은 것은?

① $\displaystyle\lim_{x\to2}(x^2-4x+2)=-2$

② $\displaystyle\lim_{x\to1}\dfrac{x^3-x^2+x-1}{x-1}=2$

③ $\displaystyle\lim_{x\to\infty}\dfrac{(x+1)(4x-1)}{x^2-x+1}=4$

④ $\displaystyle\lim_{x\to3}\dfrac{6}{x-3}\left(x-\dfrac{6}{x-1}\right)=10$

⑤ $\displaystyle\lim_{x\to2}\dfrac{x^2-2x}{\sqrt{x+2}-2}=8$

021

출제율

$\displaystyle\lim_{x\to\infty}x\left(3-\dfrac{\sqrt{9x-3}}{\sqrt{x+1}}\right)$의 값은?

① 1 　　② $\dfrac{3}{2}$ 　　③ 2

④ $\dfrac{5}{2}$ 　　⑤ 3

022 학교 기출 신유형

출제율

$\displaystyle\lim_{x\to\infty}(\sqrt{x^2+ax}-bx-1)=3$일 때, 상수 a, b에 대하여 $a+b$의 값은?

① 7 　　② 9 　　③ 11

④ 13 　　⑤ 15

023

출제율

함수 $f(x)=x^2-2x+3$일 때,

$\displaystyle\lim_{t\to\infty}t^2\left\{f\left(\dfrac{1}{t}-2\right)-f(-2)\right\}^2$의 값을 구하여라.

024 학교 기출 신유형

출제율

음수 k에 대하여 이차방정식 $kx^2-6x+18=0$의 서로 다른 두 실근 중 작은 근을 α라고 할 때, $\displaystyle\lim_{k\to0-}\alpha$의 값을 구하여라.

개념 4 미정계수의 결정

두 함수 $f(x)$, $g(x)$에 대하여

(1) $\lim\limits_{x \to a} \dfrac{f(x)}{g(x)} = a$ (a는 실수)이고 $\lim\limits_{x \to a} g(x) = 0$이면
$\lim\limits_{x \to a} f(x) = 0$이다.

(2) $\lim\limits_{x \to a} \dfrac{f(x)}{g(x)} = a$ (a는 0이 아닌 실수)이고
$\lim\limits_{x \to a} f(x) = 0$이면 $\lim\limits_{x \to a} g(x) = 0$이다.

참고 $\lim\limits_{x \to a} \dfrac{f(x)}{g(x)}$의 극한값

(1) $\lim\limits_{x \to a} g(x) = 0$, $\lim\limits_{x \to a} f(x) = k$ ($k \neq 0$)이면 극한값은 없다.

(2) $\lim\limits_{x \to a} f(x) = 0$, $\lim\limits_{x \to a} g(x) = k$ ($k \neq 0$)이면 극한값은 0이다.

등급업 TIP

$x \to \infty$일 때 $\dfrac{f(x)}{g(x)} \to a$ (a는 0이 아닌 실수), 즉 $\lim\limits_{x \to \infty} \dfrac{f(x)}{g(x)} = a$ (a는 0이 아닌 실수)이면 두 다항함수 $f(x)$와 $g(x)$의 차수는 같고, a는 $f(x)$와 $g(x)$의 최고차항의 계수의 비이다.

---

025 교육청 기출   출제율 ◖▬▬◗

$\lim\limits_{x \to 3} \dfrac{2x^2 + ax + b}{x^2 - 9} = 3$일 때, $a+b$의 값은?

(단, a, b는 상수이다.)

① -33 ② -30 ③ -27
④ -24 ⑤ -21

---

026   출제율 ◖▬▬◗

$\lim\limits_{x \to 3} \dfrac{\sqrt{x+a} - b}{x-3} = \dfrac{1}{2}$일 때, 상수 a, b에 대하여 $\dfrac{a}{b}$의 값은?

① -2 ② $-\dfrac{1}{2}$ ③ $\dfrac{1}{2}$
④ 1 ⑤ 2

---

027   출제율 ◖▬▬◗

$\lim\limits_{x \to -5} \dfrac{\sqrt{x+a} - 5}{\sqrt{x+9} - 2} = b$일 때, $a - 5b$의 값을 구하여라.

(단, a, b는 상수이다.)

---

028   출제율 ◖▬▬◗

$\lim\limits_{x \to -2} \dfrac{\sqrt{x^2 - x - 2} + ax}{x+2} = b$가 성립하도록 상수 a, b의 값을 정할 때, $a + 4b$의 값은?

① -2 ② -1 ③ 0
④ 1 ⑤ 2

---

029   출제율 ◖▬▬◗

상수 a, b에 대하여 $\lim\limits_{x \to 2} \dfrac{x^2 - 4}{x^3 - ax^2 - b} = -1$일 때, $a + b$의 값은?

① -4 ② -2 ③ 0
④ 2 ⑤ 4

030 출제율 ▮▮▮▮▮

함수 $f(x)=x^2+ax+b$에 대하여 $\lim\limits_{x\to 2}\dfrac{f(x)}{x-2}=5$가 성립할 때, $f(1)$의 값은? (단, a, b는 상수이다.)

① -5 ② -4 ③ -3

④ -2 ⑤ -1

031 출제율 ▮▮▮▮▮

다항함수 $f(x)$가

$$\lim_{x\to\infty}\frac{f(x)}{x^2-2x}=5,\quad \lim_{x\to 2}\frac{f(x)}{x-2}=20$$

을 만족시킬 때, $f(4)$의 값은?

① 20 ② 30 ③ 40

④ 50 ⑤ 60

032 출제율 ▮▮▮▮▮

다항함수 $f(x)$가

$$\lim_{x\to\infty}\frac{x^2-2x+1}{f(x)}=\frac{1}{3},\quad \lim_{x\to 1}\frac{x^2-2x+1}{f(x)}=\frac{1}{3}$$

을 만족시킬 때, $f(2)$의 값은?

① 3 ② 4 ③ 5

④ 6 ⑤ 7

개념 ⑤ 함수의 극한의 대소 관계

세 함수 $f(x)$, $g(x)$, $h(x)$에서
$$\lim_{x\to a}f(x)=\alpha,\ \lim_{x\to a}g(x)=\beta\ (\alpha,\ \beta\text{는 실수})$$
일 때, a에 가까운 모든 실수 x에 대하여
(1) $f(x)\le g(x)$이면 $\alpha\le\beta$이다.
(2) $f(x)\le h(x)\le g(x)$이고 $\alpha=\beta$이면 $\lim\limits_{x\to a}h(x)=\alpha$이다.

참고 함수의 극한의 대소 관계는 $x\to a+$, $x\to a-$, $x\to\infty$, $x\to-\infty$일 때에도 성립한다.

 등급업 TIP a에 가까운 모든 실수 x에 대하여 $f(x)<g(x)$이지만 $\lim\limits_{x\to a}f(x)=\lim\limits_{x\to a}g(x)$인 경우도 있다.

033 출제율 ▮▮▮▮▮

함수 $f(x)$가 모든 실수 x에 대하여
$$x^2-9\le f(x)\le 2x^2-6x$$
를 만족시킬 때, $\lim\limits_{x\to 3}\dfrac{f(x)}{x-3}$의 값을 구하여라.

034 학교 기출 신 유형   출제율 ▮▮▮▮▮

$\lim\limits_{x\to 0}x^3\left[\dfrac{1}{4x^3}\right]$의 극한값은?

(단, $[x]$는 x보다 크지 않은 최대 정수이다.)

① $\dfrac{1}{2}$ ② $\dfrac{1}{4}$ ③ $\dfrac{1}{8}$

④ $\dfrac{1}{16}$ ⑤ $\dfrac{1}{32}$

개념 6 함수의 극한의 활용

$a \to \triangle$일 때, 그래프에서 선분의 길이 또는 도형의 넓이의 극한을 구하는 문제는 다음과 같은 순서로 해결한다.

(i) 그래프 위의 점의 좌표를 이용하여 구하려는 선분의 길이 또는 도형의 넓이를 a에 대한 식으로 나타낸다.

(ii) 함수의 극한의 성질을 이용하여 극한값을 구한다.

참고 교점의 좌표, 교점의 개수 등의 극한값을 구하는 경우에도 주어진 조건을 이용하여 교점의 좌표, 개수 등을 주어진 문자로 나타낸 후, 함수의 극한의 성질을 이용하여 극한값을 구한다.

035

출제율 ◖████◗

오른쪽 그림과 같이 함수 $y = 2\sqrt{x}$의 그래프 위의 점 $P(t, 2\sqrt{t})$와 x축 위의 점 $A(1, 0)$이 있다. 점 P에서 y축 위에 내린 수선의 발을 H라고 할 때, $\lim\limits_{t \to \infty} (\overline{PA} - \overline{PH})$의 값은?

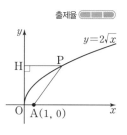

① $\dfrac{1}{4}$ ② $\dfrac{1}{2}$ ③ $\dfrac{3}{4}$

④ 1 ⑤ $\dfrac{5}{4}$

036

출제율 ◖███◗

오른쪽 그림과 같이 세 점 $O(0, 0)$, $A(0, 4)$, $B(t, 0)$을 꼭짓점으로 하는 삼각형 OAB와 그 삼각형에 내접하는 반지름의 길이가 r인 원이 있다. $\lim\limits_{t \to 0+} \dfrac{r}{t}$의 값을 구하여라.

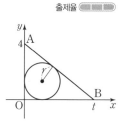

037 교육청 기출

출제율 ◖████◗

다음 그림과 같이 두 곡선 $y = x^2 - x$, $y = \sqrt{2x+1} - 1$이 직선 $x = t$ $(0 < t < 1)$와 만나는 점을 각각 P, Q라 하고, 직선 $x = t$가 x축과 만나는 점을 H라고 하자. 원점 O에 대하여 두 삼각형 OPH, OHQ의 넓이를 각각 $A(t)$, $B(t)$라고 할 때, $\lim\limits_{t \to 0+} \dfrac{B(t)}{A(t)}$의 값은?

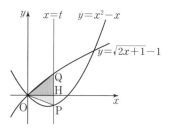

① 1 ② $\dfrac{5}{4}$ ③ $\dfrac{3}{2}$

④ $\dfrac{7}{4}$ ⑤ 2

038

출제율 ◖███◗

오른쪽 그림에서 $A(4, 0)$, $B(0, 2)$이고 두 점 C, D는 각각 x축, y축 위의 점이다. 점 P가 $\overline{AB}$, $\overline{CD}$의 교점이고, 두 점 C, D가 $\overline{AC} = \overline{BD}$를 만족시키면서 두 점 A, B에 각각 가까워질 때, 점 P는 점 (a, b)에 가까워진다. $a + b$의 값을 구하여라.

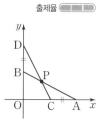

최상위권 도약 실력 완성 문제

개념 1 함수의 극한

039

$a>1$일 때, $\lim\limits_{x \to 2} \dfrac{|x-2a|-2(a-1)}{x-2}$의 값은?

① -2 ② -1 ③ 0

④ 1 ⑤ 2

040 학교 기출 신유형

함수 $f(x)=\dfrac{[x]^2+x}{[x]}$에 대하여 $\lim\limits_{x \to n} f(x)$의 값이 존재할 때, 정수 n의 값을 구하여라. (단, $[x]$는 x보다 크지 않은 최대의 정수이고, $n>1$이다.)

041

함수 $f(x)=\begin{cases} \dfrac{x^2-1}{|x-1|} & (x \neq 1) \\ 2 & (x=1) \end{cases}$에 대하여 |보기|에서 옳은 것만을 있는 대로 고른 것은?

┌─ 보기 ────────────────────────┐
ㄱ. $\lim\limits_{x \to \infty} f(x)=\infty$ ㄴ. $\lim\limits_{x \to -\infty} f(x)=-\infty$

ㄷ. $\lim\limits_{x \to 1} f(x)=2$ ㄹ. $\lim\limits_{x \to 2} f(x)=3$
└──────────────────────────────┘

① ㄱ   ② ㄷ   ③ ㄱ, ㄹ

④ ㄴ, ㄹ   ⑤ ㄷ, ㄹ

042

$\lim\limits_{x \to 1} \dfrac{[x-2]}{[x-1]-1} + \lim\limits_{x \to -1} [x^2+2x+1]$의 값은?

(단, $[x]$는 x보다 크지 않은 최대의 정수이다.)

① -2 ② -1 ③ 0

④ 1 ⑤ 2

043 다빈출

정의역이 $\{x \mid -3 \leq x \leq 3\}$인 함수 $y=f(x)$의 그래프가 $0 \leq x \leq 3$에서 다음 그림과 같고, 정의역에 속하는 모든 실수 x에 대하여 $f(-x)=-f(x)$이다.

$\lim\limits_{x \to -1+} f(x) + \lim\limits_{x \to 3-} f(x) + f(-3)$의 값은?

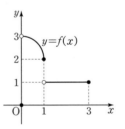

① -3 ② -2 ③ -1

④ 0 ⑤ 1

044

두 함수 $y=f(x)$, $y=g(x)$의 그래프가 다음 그림과 같을 때, |보기|에서 옳은 것만을 있는 대로 고른 것은?

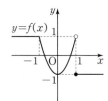 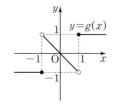

┌── 보기 ●─────────────────────────────
│ ㄱ. $\lim\limits_{x \to -1+} f(g(x))=1$
│ ㄴ. $\lim\limits_{x \to -1-} f(x)g(x)=1$
│ ㄷ. $\lim\limits_{x \to 1+} f(f(x))=\lim\limits_{x \to 1-} f(g(x))$
└──────────────────────────────────────

① ㄱ   ② ㄷ   ③ ㄱ, ㄷ
④ ㄴ, ㄷ   ⑤ ㄱ, ㄴ, ㄷ

045

함수 $f(x)=\begin{cases} 3 & (x<2) \\ x^2-7 & (x \geq 2) \end{cases}$ 에 대하여 |보기|에서 옳은 것만을 있는 대로 고른 것은?

┌── 보기 ●─────────────────────────────
│ ㄱ. $\lim\limits_{x \to 2} f(x)=3$
│ ㄴ. $\lim\limits_{x \to 2-} f(f(x))=2$
│ ㄷ. $\lim\limits_{x \to 3+} f(f(x))=-3$
└──────────────────────────────────────

① ㄱ   ② ㄴ   ③ ㄷ
④ ㄱ, ㄷ   ⑤ ㄴ, ㄷ

046

실수 t에 대하여 직선 $y=t$가 함수 $y=|x^2-4|$의 그래프와 만나는 점의 개수를 $f(t)$라고 할 때,
$\lim\limits_{t \to 4-} f(t)+\lim\limits_{t \to 4+} f(f(t))$의 값을 구하여라.

047 교육청 기출

$-3<x<3$에서 정의된 함수 $y=f(x)$의 그래프가 다음 그림과 같다.

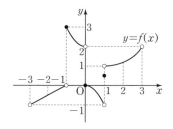

부등식 $\lim\limits_{x \to a-} f(x)>\lim\limits_{x \to a+} f(x)$를 만족시키는 상수 a의 값은? (단, $-3<a<3$)

① -2 ② -1 ③ 0
④ 1 ⑤ 2

●개념 **2** 함수의 극한에 대한 성질

048

함수 $f(x)$가 $\lim\limits_{x \to 2} (x+2)f(x)=2$를 만족시킬 때,
$\lim\limits_{x \to 3} (3x^2-1)f(x-1)$의 값을 구하여라.

049

함수 $f(x)$에 대하여 $\lim\limits_{x \to 3} \dfrac{f(x-3)}{x-3} = 2$일 때,

$$\lim_{x \to 0} \frac{\{f(x)\}^2}{x\{x+2f(x)\}} = a, \quad \lim_{x \to 0} \frac{4xf(x)}{\{f(x)\}^2 - 3x^2} = b$$

이다. $5a-b$의 값은?

① -4　　　　② -2　　　　③ 0

④ 2　　　　⑤ 4

050 ◀다빈출

두 함수 $f(x)$, $g(x)$에 대하여 |보기|에서 옳은 것만을 있는 대로 고른 것은? (단, a는 실수이다.)

┌───── • 보기 • ─────┐

ㄱ. $\lim\limits_{x \to a} f(x)$와 $\lim\limits_{x \to a} g(x)$의 값이 각각 존재하면

$\lim\limits_{x \to a} \dfrac{f(x)}{g(x)}$의 값도 존재한다.

ㄴ. $\lim\limits_{x \to a} f(x)$와 $\lim\limits_{x \to a} f(x)g(x)$의 값이 존재하면

$\lim\limits_{x \to a} g(x)$의 값도 존재한다.

ㄷ. $\lim\limits_{x \to a} f(x)$와 $\lim\limits_{x \to a} \{f(x)+g(x)\}$의 값이 존재하

면 $\lim\limits_{x \to a} g(x)$의 값이 존재한다.

└────────────────┘

① ㄱ　　　　② ㄴ　　　　③ ㄷ

④ ㄱ, ㄷ　　　　⑤ ㄴ, ㄷ

051

두 함수 $f(x)$, $g(x)$에 대하여

$$\lim_{x \to \infty} f(x) = \infty, \quad \lim_{x \to \infty} \{4f(x) - g(x)\} = 2$$

일 때, $\lim\limits_{x \to \infty} \dfrac{3f(x) - 4g(x)}{f(x) + 3g(x)}$의 값은?

① -5　　　　② -4　　　　③ -3

④ -2　　　　⑤ -1

052 ◀다빈출

두 함수 $y=f(x)$, $y=g(x)$의 그래프가 다음 그림과 같다.

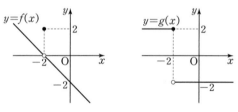

극한값이 존재하는 것만을 |보기|에서 있는 대로 고른 것은?

┌───── • 보기 • ─────┐

ㄱ. $\lim\limits_{x \to -2} f(x)g(x)$

ㄴ. $\lim\limits_{x \to -2} \dfrac{f(x)}{g(x)}$

ㄷ. $\lim\limits_{x \to -2} [\{f(x)\}^2 + \{g(x)\}^2]$

└────────────────┘

① ㄱ　　　　② ㄷ　　　　③ ㄱ, ㄷ

④ ㄴ, ㄷ　　　　⑤ ㄱ, ㄴ, ㄷ

053

두 함수 $f(x)$, $g(x)$가 다음 조건을 만족시킨다.

> (가) $f(x)\{g(x)-2\}=x\{g(x)+2\}$
> (나) $\lim\limits_{x\to 0}g(x)=4$

$\lim\limits_{x\to 0}\dfrac{f(x)g(x)-3x}{f(x)+x^2}$의 값은?

① 1   ② 2   ③ 3

④ 4   ⑤ 5

개념 3 극한값의 계산

054 다빈출

$\lim\limits_{x\to 2}\dfrac{\sqrt{x+7}-3}{x^2-4}=a$, $\lim\limits_{x\to 1}\dfrac{x-1}{2-\sqrt{3+x}}=b$라고 할 때, ab의 값은?

① $-\dfrac{5}{6}$ ② $-\dfrac{2}{3}$ ③ $-\dfrac{1}{2}$

④ $-\dfrac{1}{3}$ ⑤ $-\dfrac{1}{6}$

055

$\lim\limits_{x\to\infty}\dfrac{4x+1}{x^2-2x+3}=a$, $\lim\limits_{x\to\infty}\dfrac{7x^2+4x-5}{3x^2-x}=b$,

$\lim\limits_{x\to\infty}\dfrac{\sqrt{4x^2+1}-3}{2x}=c$일 때, a, b, c의 대소 관계를 바르게 나타낸 것은?

① $a<b<c$ ② $a<c<b$ ③ $b<a<c$

④ $b<c<a$ ⑤ $c<a<b$

056

상수 a, b에 대하여

$$\lim\limits_{x\to\infty}\dfrac{ax^2}{2x^2-1}=3,\quad \lim\limits_{x\to 2}\dfrac{a(x-2)}{x^2-4}=b$$

일 때, $a+2b$의 값은?

① 3   ② 6   ③ 9

④ 12   ⑤ 15

057

$\lim\limits_{x\to\infty}\dfrac{f(x)}{x}$의 값이 0이 아닌 실수일 때,

$\lim\limits_{x\to\infty}\dfrac{3x^2+2f(x)}{f(x)-6x^2}$의 값을 구하여라.

058

$\displaystyle\lim_{x\to\infty}\dfrac{\left[\dfrac{x}{3}\right]}{\dfrac{x}{5}}$의 값은?

(단, $[x]$는 x보다 크지 않은 최대의 정수이다.)

① $\dfrac{1}{3}$ ② $\dfrac{2}{5}$ ③ 1

④ $\dfrac{4}{3}$ ⑤ $\dfrac{5}{3}$

059 학교 기출 신유형

함수 $f(x)=2x^3+x^2+x$의 역함수를 $f^{-1}(x)$라고 할 때, $\displaystyle\lim_{x\to0}\dfrac{f^{-1}(3x)}{2x}$의 값은?

① $\dfrac{2}{3}$ ② $\dfrac{3}{4}$ ③ $\dfrac{3}{2}$

④ $\dfrac{5}{3}$ ⑤ $\dfrac{7}{4}$

060

$\displaystyle\lim_{x\to-\infty}\dfrac{\sqrt{9x^2+1}+[1-9x]}{2x}$의 값을 구하여라.

(단, $[x]$는 x보다 크지 않은 최대의 정수이다.)

061 교육청 기출

함수 $f(x)=a(x-1)^2+1$에 대하여
$$\lim_{x\to\infty}\left\{\sqrt{f(-x)}-\sqrt{f(x)}\right\}=6$$
일 때, 양수 a의 값은?

① 3 ② 5 ③ 7

④ 9 ⑤ 11

062

$\displaystyle\lim_{x\to\infty}\left(\sqrt{x^2+\left[\dfrac{x}{2}\right]}-x\right)$의 값은?

(단, $[x]$는 x보다 크지 않은 최대의 정수이다.)

① $\dfrac{1}{5}$ ② $\dfrac{1}{4}$ ③ $\dfrac{1}{3}$

④ $\dfrac{1}{2}$ ⑤ 1

063

$\lim\limits_{x \to \infty} \{f(x) - 2x\} = 2$일 때, $\lim\limits_{x \to \infty} \dfrac{\sqrt{f(x)+1} - \sqrt{2x}}{\sqrt{f(x)} - \sqrt{2x+1}}$의

값은?

① 1   ② 2   ③ 3

④ 4   ⑤ 5

개념 ④ 미정계수의 결정

064

상수 a, b, c에 대하여

$$\lim\limits_{x \to 0} \dfrac{\sqrt{(1+x)^3} - (ax+b)}{x^2} = c$$

일 때, $2a+4b+8c$의 값은?

① 4   ② 6   ③ 8

④ 10   ⑤ 12

065

함수 $f(x) = x^4 - x^3 + 2$가 $\lim\limits_{x \to 1} \dfrac{\{f(x)\}^3 - a}{x-1} = b$를 만족

시킬 때, 상수 a, b의 값을 구하여라.

066

다항함수 $f(x)$가 다음 조건을 만족시킬 때, $f(2)$의 값은?

> (가) $\lim\limits_{x \to \infty} \left\{ \dfrac{f(x)}{x^2} - 3 \right\} = 0$
>
> (나) $\lim\limits_{x \to 1} \dfrac{f(x)+1}{x^2-1} = -2$

① -5 ② -4 ③ -3

④ -2 ⑤ -1

067

$\lim\limits_{x \to 1} \dfrac{f(x)}{x-1} = 3$을 만족시키는 삼차함수 $f(x)$에 대하여

$$\lim\limits_{x \to 2} \dfrac{x^2-4}{f(x)} = p, \quad \lim\limits_{x \to -3} \dfrac{f(x)}{x+3} = q$$

일 때, pq의 값은? (단, $p \neq 0$)

① -16 ② -8 ③ 0

④ 8   ⑤ 16

068 학교 기출 신유형

다항함수 $f(x)$가

$$\lim_{x \to \infty} \frac{2x^2+x-3}{f(x)} = 2,$$

$$\lim_{x \to 1} \frac{f\left(\dfrac{2}{x}\right)}{2x^2+x-3} = \frac{12}{5}$$

를 만족시킬 때, $f(x)$의 최솟값은?

① -9 ② -8 ③ -7

④ -6 ⑤ -5

069

최고차항의 계수가 1인 이차함수 $f(x)$가

$$\lim_{x \to 2a} \frac{f(x)-(x-2a)}{f(x)+(x-2a)} = \frac{3}{4}$$

을 만족시킨다. 방정식 $f(x)=0$의 두 근을 α, β라고 할 때, $(\alpha-\beta)^2$의 값은? (단, a는 상수이다.)

① 16 ② 25 ③ 36

④ 49 ⑤ 64

070

최고차항의 계수가 3인 삼차함수 $f(x)$가 다음 조건을 만족시킬 때, $f(-3)$의 값은?

> (가) $\displaystyle\lim_{x \to \infty}\left\{f\left(\frac{1}{x}\right)+2\right\}=0$
>
> (나) $\displaystyle\lim_{x \to -2}\frac{f(x)}{x+2} \times \lim_{x \to 1}\frac{f(x)}{x-1}=24$

① -35 ② -34 ③ -33

④ -32 ⑤ -31

071

다항함수 $f(x)$가

$$\lim_{x \to 0+} \frac{x^2 f\left(\dfrac{1}{x}\right)-2}{x^3+2x} = 4,$$

$$\lim_{x \to 1} \frac{f(x)}{x^2+2x-3} = 3$$

을 만족시킬 때, $\displaystyle\lim_{x \to -5}\frac{f(x)}{x^2+x-20}$의 값은?

① $\dfrac{1}{3}$ ② $\dfrac{2}{3}$ ③ 1

④ $\dfrac{4}{3}$ ⑤ $\dfrac{5}{3}$

072

삼차함수 $f(x)$가

$$\lim_{x \to 0} \frac{f(x)}{x} = \lim_{x \to -2} \frac{f(x)}{x+2} = 5$$

를 만족시킬 때, $\displaystyle\lim_{x \to -2} \frac{\{f(f(x))-2\}f(x+2)}{x^2-4}$의 값은?

① $\dfrac{1}{2}$　　　　② 1　　　　③ $\dfrac{3}{2}$

④ 2　　　　⑤ $\dfrac{5}{2}$

073

자연수 n에 대하여

$$\lim_{x \to 0} \frac{a-x^n-\sqrt{a^2-x^3}}{x^3} = \frac{1}{3}$$

일 때, $n-a$의 최솟값은? (단, $a>0$)

① $\dfrac{19}{8}$　　　　② $\dfrac{5}{2}$　　　　③ $\dfrac{21}{8}$

④ $\dfrac{11}{4}$　　　　⑤ $\dfrac{23}{8}$

074

최고차항의 계수가 2인 이차함수 $f(x)$가 다음 조건을 만족시킨다.

> (가) $\displaystyle\lim_{x \to \infty} f\left(\dfrac{1}{x}\right) = -6$
>
> (나) $\displaystyle\lim_{x \to 0} |x| \left\{ f\left(\dfrac{1}{x}\right) - f\left(-\dfrac{1}{x}\right) \right\}$의 값이 존재한다.

함수 $y=f(x)$의 그래프가 x축과 만나는 두 점을 A, B라고 할 때, $\overline{AB}$의 길이는?

① 1　　　　② $\sqrt{3}$　　　　③ 2

④ $2\sqrt{2}$　　　　⑤ $2\sqrt{3}$

075 　평가원 기출

다음 조건을 만족시키는 모든 다항함수 $f(x)$에 대하여 $f(1)$의 최댓값은?

> $$\lim_{x \to \infty} \frac{f(x)-4x^3+3x^2}{x^{n+1}+1} = 6, \quad \lim_{x \to 0} \frac{f(x)}{x^n} = 4$$ 인 자연수 n이 존재한다.

① 12　　　　② 13　　　　③ 14

④ 15　　　　⑤ 16

개념 5 함수의 극한의 대소 관계

076

다항함수 $f(x)$가 양의 실수 x에 대하여

$$3x^2-4x\le f(x)\le 3x^2+5,$$

$$\lim_{x\to 2}\frac{f(x)}{x^2+x-6}=\frac{3}{5}$$

을 만족시킬 때, $f(5)$의 값은?

① 28   ② 32   ③ 36

④ 40   ⑤ 44

077

함수 $y=g(x)$의 그래프가 다음 그림과 같다.

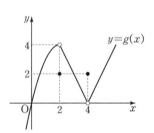

$x\ge 2$에서 함수 $f(x)$가

$$g\left(1+\frac{x}{1+x}\right)<f(x)<g\left(2+\frac{1}{1+x}\right)$$

을 만족시킬 때, $\displaystyle\lim_{x\to\infty}f(x)$의 값을 구하여라.

개념 6 함수의 극한의 활용

078 다빈출

오른쪽 그림과 같이 곡선 $y=3x^2$ 위의 제1사분면 위의 점 P에서 y축에 내린 수선의 발을 H라 하고, 선분 OH를 $1:2$로 내분하는 점을 Q라고 하자. 점 P의 x좌표의 값이 한없이 커질 때, $\overline{PQ}-\overline{QH}$의 극한값을 구하여라. (단, O는 원점이다.)

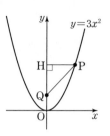

079

오른쪽 그림과 같이 점 $C_1(-1, 0)$을 중심으로 하고 반지름의 길이가 r인 원 C_1과 점 $C_2(-2, 3)$을 중심으로 하고 반지름의 길이가 $f(r)$인 원 C_2가 있다. 두 원이 모두 기울기가 2인 직선 l에 접할 때, $\displaystyle\lim_{r\to 0+}f(r)$의 값은?

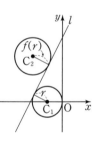

① $\sqrt{2}$ ② $\sqrt{3}$ ③ 2

④ $\sqrt{5}$ ⑤ $\sqrt{6}$

080 다빈출

다음 그림과 같이 직선 $y=x+1$ 위의 두 점 A$(-1, 0)$, P$(t, t+1)$이 있다. 점 P를 지나고 직선 $y=x+1$에 수직인 직선이 y축과 만나는 점을 Q, 삼각형 APQ의 넓이를 $S(t)$라고 할 때, $\lim\limits_{t\to\infty}\dfrac{\overline{\text{AQ}}^2}{S(t)}$의 값은? (단, $t>0$)

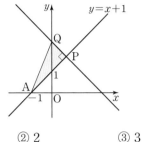

① 1　　　　② 2　　　　③ 3

④ 4　　　　⑤ 5

081

오른쪽 그림과 같이 중심이 C$(-r, 0)$이고 반지름의 길이가 r인 원 C와 점 A$(3, 0)$에서 원 C에 그은 접선 중 기울기가 음수인 접선 l이 있다. 직선 l이 y축과 만나는 점을 B, 원 C와의 접점을 D라 하고, 직선 CD가 y축과 만나는 점을 E라고 할 때, $\lim\limits_{r\to\infty}\dfrac{\overline{\text{OE}}}{\overline{\text{OB}}}$의 값을 구하여라. (단, O는 원점이고, $r>0$이다.)

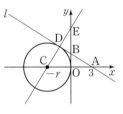

082

다음 그림과 같은 두 삼각형 ABC, A′B′C′에서
$$\overline{\text{AB}}\,/\!/\,\overline{\text{A}'\text{B}'}, \ \overline{\text{BC}}\,/\!/\,\overline{\text{B}'\text{C}'}, \ \overline{\text{CA}}\,/\!/\,\overline{\text{C}'\text{A}'}$$
이고 평행한 두 변 사이의 거리는 모두 x이다. 삼각형 ABC에 대하여 그 둘레의 길이를 24, 내접원의 반지름의 길이를 2라 하고, 색칠한 부분의 넓이를 $S(x)$라고 할 때, $\lim\limits_{x\to\infty}\dfrac{S(x)}{x^2}$의 값은?

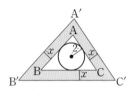

① 2　　　　② 4　　　　③ 6

④ 8　　　　⑤ 10

083 교육청 기출

다음 그림과 같이 원 $x^2+y^2=1$과 곡선 $y=\sqrt{x+1}$이 직선 $x=t$ $(0<t<1)$와 제1사분면에서 만나는 점을 각각 P, Q라고 하자. 삼각형 OPQ의 넓이를 $S(t)$라고 할 때, $\lim\limits_{t\to 0+}\dfrac{S(t)}{t^2}$의 값은? (단, O는 원점이다.)

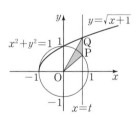

① $\dfrac{1}{8}$　　　② $\dfrac{1}{4}$　　　③ $\dfrac{3}{8}$

④ $\dfrac{1}{2}$　　　⑤ $\dfrac{5}{8}$

상위권 보장 **개념+필수 기출 문제**

개념 ① 함수의 연속

(1) **함수의 연속**: 함수 $f(x)$가 실수 a에 대하여 다음 세 조건을 모두 만족시킬 때, 함수 $f(x)$는 $x=a$에서 연속이라고 한다.

  (ⅰ) 함수 $f(x)$가 $x=a$에서 정의되어 있다.

  (ⅱ) 극한값 $\lim\limits_{x \to a} f(x)$가 존재한다.

  (ⅲ) $\lim\limits_{x \to a} f(x)=f(a)$

(2) **함수의 불연속**: 함수 $f(x)$가 $x=a$에서 연속이 아닐 때, 함수 $f(x)$는 $x=a$에서 불연속이라고 한다.

> 참고 함수 $f(x)$가 함수의 연속 조건 (ⅰ), (ⅱ), (ⅲ) 중 어느 하나라도 만족시키지 않으면 함수 $f(x)$는 $x=a$에서 불연속이다.

(3) **구간**: 두 실수 a, $b(a<b)$에 대하여 실수의 집합

$$\{x|a \le x \le b\}, \ \{x|a<x<b\},$$
$$\{x|a \le x<b\}, \ \{x|a<x \le b\}$$

를 구간이라고 하며, 이것을 각각 기호

$$[a, b], \ (a, b), \ [a, b), \ (a, b]$$
    └ 닫힌구간   └ 열린구간   └ 반닫힌 구간 또는 반열린 구간

로 나타낸다.

(4) **연속함수**: 함수 $f(x)$가 어떤 구간에 속하는 모든 실수 x에서 연속일 때, 함수 $f(x)$는 그 구간에서 연속 또는 그 구간에서 연속함수라고 한다.

> **등급업 TIP** 함수 $f(x)$의 그래프가 주어진 경우
> (1) $x=a$에서 그래프가 끊어져 있지 않고 이어져 있으면
>   ➡ 함수 $f(x)$는 $x=a$에서 연속이다.
> (2) $x=a$에서 그래프가 끊어져 있으면
>   ➡ 함수 $f(x)$는 $x=a$에서 불연속이다.

---

084   출제율 ◖▭▭▭◗

다음 중 $x=1$에서 연속이 <u>아닌</u> 함수는?

① $f(x)=x^3$ ② $f(x)=\dfrac{|x|}{x}$

③ $f(x)=\dfrac{x-1}{x^2-1}$ ④ $f(x)=\sqrt{2x+1}$

⑤ $f(x)=\begin{cases} \dfrac{1}{x} & (x \ge 1) \\ 2x-1 & (x<1) \end{cases}$

---

085   평가원 기출   출제율 ◖▭▭▭◗

함수 $y=f(x)$의 그래프가 다음 그림과 같다.

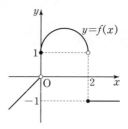

|보기|에서 옳은 것만을 있는 대로 고른 것은?

> **보기**
>
> ㄱ. $\lim\limits_{x \to 0+} f(x)=1$
>
> ㄴ. $\lim\limits_{x \to 2-} f(x)=-1$
>
> ㄷ. 함수 $|f(x)|$는 $x=2$에서 연속이다.

① ㄱ   ② ㄴ   ③ ㄱ, ㄷ

④ ㄴ, ㄷ   ⑤ ㄱ, ㄴ, ㄷ

---

086   출제율 ◖▭▭▭◗

실수 전체의 집합에서 연속인 함수인 것만을 |보기|에서 있는 대로 고른 것은?

> **보기**
>
> ㄱ. $f(x)=\begin{cases} \dfrac{x^2-9}{x-3} & (x \ne 3) \\ 6 & (x=3) \end{cases}$
>
> ㄴ. $f(x)=\begin{cases} \sqrt{x-2}+1 & (x \ge 2) \\ -x+3 & (x<2) \end{cases}$
>
> ㄷ. $f(x)=\begin{cases} \dfrac{|x|}{x} & (x \ne 0) \\ 0 & (x=0) \end{cases}$

① ㄱ   ② ㄴ .   ③ ㄱ, ㄴ

④ ㄱ, ㄷ   ⑤ ㄱ, ㄴ, ㄷ

개념 2 연속함수의 성질

두 함수 $f(x)$, $g(x)$가 $x=a$에서 연속이면 다음 함수도 $x=a$에서 연속이다.

(1) $cf(x)$ (단, c는 상수이다.)

(2) $f(x)+g(x)$, $f(x)-g(x)$

(3) $f(x)g(x)$

(4) $\dfrac{f(x)}{g(x)}$ (단, $g(a)\neq0$)

 등급업 TIP 여러 가지 함수의 연속

(1) 다항함수 $y=a_nx^n+a_{n-1}x^{n-1}+\cdots+a_1x+a_0$

         (단, a_0, a_1, $\cdots$, a_{n-1}, a_n은 상수이다.)

    ➡ $(-\infty, \infty)$에서 연속

(2) 유리함수 $y=\dfrac{f(x)}{g(x)}$ ➡ $g(x)\neq0$인 모든 실수에서 연속

(3) 무리함수 $y=\sqrt{f(x)}$ ➡ $f(x)\geq0$인 모든 실수에서 연속

(4) 가우스 기호를 포함한 함수 $y=[x]$

         (단, $[x]$는 x보다 크지 않은 최대의 정수이다.)

    ➡ $x\neq n$ (n은 정수)인 모든 실수에서 연속

087

출제율 ◖■■■□◗

함수 $f(x)=\dfrac{x^2+2x-3}{x^2+3x-k}$이 모든 실수 x에서 연속일 때, 정수 k의 최댓값을 구하여라.

088

출제율 ◖■■■□◗

함수 $f(x)$가 $x=2$에서 연속일 때, 다음 중 $x=2$에서 항상 연속인 함수가 <u>아닌</u> 것은? (단, $f(2)\neq0$)

① $y=\dfrac{1}{f(x)}$ ② $y=2x-f(x)$

③ $y=3xf(x)$ ④ $y=\{f(x)\}^3$

⑤ $y=f(f(x))$

---

089 학교 기출 신 유형

출제율 ◖■■□□◗

함수 $y=f(x)$에 대하여 |보기|에서 옳은 것만을 있는 대로 고른 것은?

• 보기 •

ㄱ. $y=f(x)$가 $x=1$에서 연속이면 $y=\dfrac{|f(x)|}{x}$는 $x=1$에서 연속이다.

ㄴ. $y=|f(x)|$가 $x=1$에서 연속이면 $y=f(x)$는 $x=1$에서 연속이다.

ㄷ. $y=|f(x)|$가 $x=1$에서 연속이면 $y=x-2\{f(x)\}^4$은 $x=1$에서 연속이다.

① ㄱ   ② ㄴ   ③ ㄱ, ㄷ

④ ㄴ, ㄷ   ⑤ ㄱ, ㄴ, ㄷ

090

출제율 ◖■■■□◗

실수 전체의 집합에서 정의된 두 함수 $f(x)$, $g(x)$에 대하여 |보기|에서 옳은 것만을 있는 대로 고른 것은?

• 보기 •

ㄱ. $f(x)$, $g(x)$가 연속함수이면 $(g\circ f)(x)$도 연속함수이다.

ㄴ. $f(x)$와 $f(x)-g(x)$가 연속함수이면 $g(x)$도 연속함수이다.

ㄷ. $g(x)$와 $f(x)g(x)$가 연속함수이면 $f(x)$도 연속함수이다.

ㄹ. $f(x)$와 $\dfrac{f(x)}{g(x)}$가 연속함수이면 $g(x)$도 연속함수이다. (단, $f(x)\neq0$)

① ㄱ, ㄴ   ② ㄴ, ㄷ   ③ ㄱ, ㄴ, ㄷ

④ ㄱ, ㄴ, ㄹ   ⑤ ㄴ, ㄷ, ㄹ

개념 ③ 함수가 연속일 조건

(1) 함수 $f(x)$가 $x=a$에서 연속이면
$$\lim_{x \to a} f(x) = f(a)$$

(2) $x \neq a$에서 연속인 함수 $g(x)$에 대하여 함수
$$f(x) = \begin{cases} g(x) & (x \neq a) \\ k & (x = a) \end{cases}$$
가 모든 실수 x에서 연속이면
$$\lim_{x \to a} g(x) = k \ (\text{단, } k\text{는 상수이다.})$$

(3) 연속함수 $g(x)$, $h(x)$에 대하여 함수
$$f(x) = \begin{cases} g(x) & (x \geq a) \\ h(x) & (x < a) \end{cases}$$
가 실수 전체의 집합에서 연속이면 함수 $f(x)$가 $x=a$에서 연속이어야 하므로
$$\lim_{x \to a+} g(x) = \lim_{x \to a-} h(x) = g(a)$$

참고 구간에 따라 다르게 정의되는 함수의 연속성을 조사할 때에는 각 구간의 경곗값에서의 연속성을 조사한다.

등급업 TIP 가우스 기호를 포함한 함수의 연속성 조사
함수 $g(x) = [f(x)]$의 연속을 조사하려면 $f(x) = n$ (n은 정수)을 만족시키는 x의 값에서의 연속성을 조사한다.
(단, $[x]$는 x보다 크지 않은 최대의 정수이다.)

091 출제율 ◖▬▬▭◗

함수 $f(x) = \begin{cases} \dfrac{x^2-ax-1}{x-1} & (x \neq 1) \\ b & (x = 1) \end{cases}$ 가 모든 실수 x에서 연속일 때, $a+b$의 값을 구하여라.
(단, a, b는 상수이다.)

092 출제율 ◖▬▬▭◗

실수 전체의 집합에서 연속인 함수 $f(x)$가
$$(x-3)f(x) = x^2 + ax - 6$$
을 만족시킬 때, $a+f(3)$의 값을 구하여라.
(단, a는 상수이다.)

093 출제율 ◖▬▬▭◗

함수 $f(x) = \begin{cases} x+a & (|x| \geq 1) \\ -x^2+bx+4 & (|x| < 1) \end{cases}$ 가 모든 실수 x에서 연속일 때, a^2+b^2의 값은? (단, a, b는 상수이다.)

① 5   ② 10   ③ 15

④ 20   ⑤ 25

094  출제율 ◖▬▬▭◗

모든 실수에서 연속인 함수 $f(x)$가 닫힌구간 $[1, 4]$에서
$$f(x) = \begin{cases} x+a & (1 \leq x \leq 3) \\ bx^2+1 & (3 < x \leq 4) \end{cases}$$
이다. 함수 $f(x)$가 모든 실수 x에 대하여
$$f(x+3) = f(x)$$
를 만족시킬 때, $a+b$의 값은? (단, a, b는 상수이다.)

① $-\dfrac{26}{7}$ ② -4 ③ $-\dfrac{30}{7}$

④ $-\dfrac{32}{7}$ ⑤ $-\dfrac{34}{7}$

095 평가원 기출 출제율 ◖▬▬▭◗

함수 $f(x) = \begin{cases} x+2 & (x \leq 0) \\ -\dfrac{1}{2}x & (x > 0) \end{cases}$

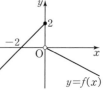

의 그래프가 오른쪽 그림과 같다.
함수 $g(x) = f(x)\{f(x)+k\}$가 $x=0$에서 연속이 되도록 하는 상수 k의 값은?

① -2 ② -1 ③ 0

④ 1   ⑤ 2

096

출제율 ●●●●○

최고차항의 계수가 1인 이차함수 $f(x)$와 함수

$$g(x) = \begin{cases} 2 & (x \le -1) \\ x+1 & (-1 < x < 1) \\ -2 & (x \ge 1) \end{cases}$$

에 대하여 함수 $f(x)g(x)$가 실수 전체의 집합에서 연속이다. $f(-3)$의 값은?

① 6   ② 8   ③ 10

④ 12   ⑤ 14

097

출제율 ●●●●○

함수 $f(x) = [x]^2 - a[x] + 3$이 $x = 1$에서 연속이고 $f(2) = b$일 때, 상수 a, b에 대하여 $a - b$의 값은?

(단, $[x]$는 x보다 크지 않은 최대의 정수이다.)

① -5 ② -4 ③ -3

④ -2 ⑤ -1

098

출제율 ●●●●○

두 함수

$$f(x) = \begin{cases} -x^2 + 2 & (x \ne 0) \\ 1 & (x = 0) \end{cases}, \quad g(x) = x^2 - ax + 2$$

에 대하여 합성함수 $(g \circ f)(x)$가 실수 전체의 집합에서 연속일 때, 상수 a의 값은?

① 1   ② 2   ③ 3

④ 4   ⑤ 5

개념 ④ 불연속인 점

함수 $f(x)$가 다음 세 조건 중 어느 한 가지라도 만족시킬 때, 함수 $f(x)$는 $x = a$에서 불연속이다.

(i) $x = a$에서 함수 $f(x)$가 정의되어 있지 않다.

(ii) 극한값 $\lim_{x \to a} f(x)$가 존재하지 않는다.

(iii) $\lim_{x \to a} f(x) \ne f(a)$

등급업 TIP

두 함수 $f(x)$, $g(x)$에 대하여 합성함수 $y = (g \circ f)(x)$가 불연속인 점을 찾을 때

(1) $y = f(x)$가 불연속인 x의 값에서 $y = (g \circ f)(x)$의 연속성을 조사한다.

(2) $y = f(x)$가 불연속인 x의 값이 a일 때, $f(x) = a$인 x의 값에서 $y = (g \circ f)(x)$의 연속성을 조사한다.

099

출제율 ●●●●○

열린구간 $(-1, 5)$에서 함수 $y = f(x)$의 그래프가 오른쪽 그림과 같다. 함수 $f(x)$의 극한값이 존재하지 않는 x의 값의 개수를 a, $f(x)$가 불연속인 x의 값의 개수를 b라고 할 때, $a + b$의 값을 구하여라.

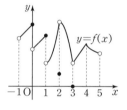

100

출제율 ●●●●●

다음 중 $x = -3$에서 불연속인 함수는?

① $f(x) = x^2 - 3$

② $f(x) = \dfrac{1}{x - 3}$

③ $f(x) = \begin{cases} \dfrac{|x+3|}{x+3} & (x \ne -3) \\ 0 & (x = -3) \end{cases}$

④ $f(x) = \begin{cases} \sqrt{x+3} & (x \ge -3) \\ x^2 - 9 & (x < -3) \end{cases}$

⑤ $f(x) = \begin{cases} \dfrac{x^2 + 4x + 3}{x + 3} & (x \ne -3) \\ -2 & (x = -3) \end{cases}$

101

출제율

함수 $f(x)=\dfrac{1}{x-\dfrac{3}{x-2}}$ 이 불연속이 되는 x의 값의 개수는?

① 0   ② 1   ③ 2

④ 3   ⑤ 4

102

출제율

구간 $(-1, 3)$에서 정의된 함수 $f(x)=[x^2-6x]$의 불연속인 점의 개수는?

(단, $[x]$는 x보다 크지 않은 최대의 정수이다.)

① 11   ② 12   ③ 13

④ 14   ⑤ 15

103 [학교 기출] [신 유형]

출제율

이차함수 $f(x)$가 다음 조건을 만족시킨다.

> (가) 함수 $\dfrac{x}{f(x)}$는 $x=1$, $x=2$에서 불연속이다.
>
> (나) $\displaystyle\lim_{x\to 2}\dfrac{f(x)}{x-2}=4$

$f(4)$의 값을 구하여라.

104

출제율

함수 $y=f(x)$의 그래프가 오른쪽 그림과 같다. 함수

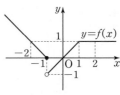

$g(x)=\begin{cases} f(x) & (|x|>2) \\ -f(x) & (|x|\le 2) \end{cases}$ 라

고 할 때, |보기|에서 옳은 것만을 있는 대로 고른 것은?

> • 보기 •
>
> ㄱ. $g(2)=-1$
>
> ㄴ. $\displaystyle\lim_{x\to 2-} g(x)=-1$
>
> ㄷ. $\displaystyle\lim_{x\to -2+} g(x)=1$
>
> ㄹ. 실수 전체의 집합에서 함수 $g(x)$가 불연속이 되는 x의 값은 3개이다.

① ㄱ, ㄴ   ② ㄴ, ㄷ   ③ ㄱ, ㄴ, ㄷ

④ ㄱ, ㄴ, ㄹ   ⑤ ㄴ, ㄷ, ㄹ

105

출제율

함수 $f(x)=\begin{cases} x+2 & (x<-1) \\ 0 & (x=-1) \\ |x-1|-1 & (x>-1) \end{cases}$ 의 그래프는 다음

그림과 같다. 함수 $(f\circ f)(x)$가 불연속이 되는 모든 x의 값의 개수를 a, 불연속이 되는 모든 x의 값의 합을 b라고 할 때, $a+b$의 값을 구하여라.

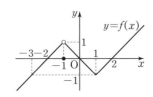

개념 5 최대·최소 정리와 사잇값의 정리

(1) **최대·최소 정리**: 함수 $f(x)$가 닫힌구간 $[a, b]$에서 연속이면 함수 $f(x)$는 이 구간에서 반드시 최댓값과 최솟값을 갖는다.

> 참고 닫힌구간이 아닌 구간에서 정의된 연속함수는 최댓값 또는 최솟값을 갖지 않을 수도 있다. 또, 함수 $f(x)$가 연속이 아니면 닫힌구간에서 정의되어 있더라도 최댓값 또는 최솟값을 갖지 않을 수도 있다.

(2) **사잇값의 정리**: 함수 $f(x)$가 닫힌구간 $[a, b]$에서 연속이고 $f(a) \neq f(b)$이면 $f(a)$와 $f(b)$ 사이의 임의의 실수 k에 대하여 $f(c) = k$인 c가 열린구간 (a, b)에 적어도 하나 존재한다.

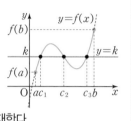

등급업 TIP 사잇값의 정리의 활용

함수 $f(x)$가 닫힌구간 $[a, b]$에서 연속이고
$$f(a)f(b) < 0$$
(L $f(a)$와 $f(b)$의 부호가 서로 다르다.)
이면 방정식 $f(x) = 0$은 열린구간 (a, b)에서 적어도 하나의 실근을 갖는다.

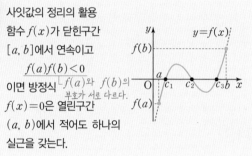

106

출제율 ▨▨▨▨

열린구간 $(-3, 6)$에서 정의된 함수 $y = f(x)$의 그래프가 오른쪽 그림과 같을 때, 다음 중 옳지 않은 것은?

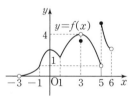

① $\lim\limits_{x \to 5} f(x)$의 값은 존재하지 않는다.

② 불연속이 되는 x의 값은 2개이다.

③ $f(x)$는 구간 $[1, 3]$에서 최댓값을 갖는다.

④ $f(x)$는 구간 $[-1, 1]$에서 최솟값을 갖는다.

⑤ $f(x)$는 구간 $[5, 6]$에서 최댓값을 갖는다.

107

출제율 ▨▨▨▨

닫힌구간 $[1, 3]$에서 함수 $f(x) = \dfrac{4x}{3x-1}$의 최댓값과 최솟값의 차를 구하여라.

108

출제율 ▨▨▨▨

방정식 $x^3 - 9x^2 + 24x - 10 = 0$이 오직 하나의 실근을 가질 때, 다음 중 이 방정식의 실근이 존재하는 구간은?

① $(-1, 0)$ ② $(0, 1)$ ③ $(1, 2)$

④ $(2, 3)$ ⑤ $(3, 4)$

109 교육청 기출

출제율 ▨▨▨▨

P역을 출발하여 Q역에 도착한 기차가 있다. 세 지점 A, B, C를 차례로 통과할 때의 속력은 각각 시속 100 km, 시속 130 km, 시속 80 km이었다. 각 구간에서의 기차의 속력에 대한 설명으로 항상 옳은 것은?

① 구간 AB에서 시속 110 km인 지점이 적어도 두 곳 있었다.

② 구간 AB에서 시속 140 km인 지점이 적어도 한 곳 있었다.

③ 구간 AC에서 시속 110 km인 지점이 적어도 두 곳 있었다.

④ 구간 BC에서 시속 90 km인 지점이 적어도 세 곳 있었다.

⑤ 구간 BC에서 시속 110 km인 지점이 적어도 두 곳 있었다.

최상위권 도약 **실력 완성 문제**

개념 ① 함수의 연속

110 학교 기출 신 유형

$-2<x<3$에서 정의된 함수 $y=f(x)$의 그래프가 오른쪽 그림과 같다. $-2<a<3$인 a에 대하여 $f(a)-\lim\limits_{x\to a}f(x)$ 의 모든 값의 합을 구하여라.

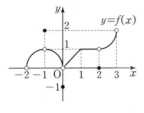

111 다빈출

함수 $f(x)$를 $f(x)=\begin{cases} g(x) & (x\neq 0) \\ 0 & (x=0) \end{cases}$으로 정의할 때, 함수 $f(x)$가 $x=0$에서 연속이 되도록 하는 함수 $g(x)$인 것만을 |보기|에서 있는 대로 고른 것은?

┌─ 보기 ────────────────────┐
ㄱ. $g(x)=\dfrac{x^2}{\sqrt{1+x}-\sqrt{1-x}}$

ㄴ. $g(x)=\dfrac{x^2-|x|}{x}$

ㄷ. $g(x)=\dfrac{\sqrt{x+1}-1}{x}$
└─────────────────────────┘

① ㄱ   ② ㄴ   ③ ㄷ
④ ㄱ, ㄴ   ⑤ ㄴ, ㄷ

---

112 교육청 기출

두 함수 $y=f(x)$, $y=g(x)$의 그래프가 다음 그림과 같을 때, |보기|에서 옳은 것만을 있는 대로 고른 것은?

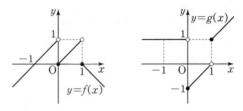

┌─ 보기 ────────────────────┐
ㄱ. $\lim\limits_{x\to 0+}f(x)=0$

ㄴ. $\lim\limits_{x\to 1-}f(x)g(x)=0$

ㄷ. 함수 $f(x)g(x)$는 $x=1$에서 연속이다.
└─────────────────────────┘

① ㄱ   ② ㄷ   ③ ㄱ, ㄴ
④ ㄴ, ㄷ   ⑤ ㄱ, ㄴ, ㄷ

113

닫힌구간 $[-1,1]$에서 정의된 함수 $y=f(x)$의 그래프가 오른쪽 그림과 같다. 닫힌구간 $[-1,1]$에서 두 함수 $g(x)$, $h(x)$가

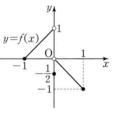

$$g(x)=f(x)+|f(x)|,$$
$$h(x)=f(x)+f(-x)$$

일 때, |보기|에서 옳은 것만을 있는 대로 고른 것은?

┌─ 보기 ────────────────────┐
ㄱ. $\lim\limits_{x\to 0}g(x)=0$

ㄴ. $\lim\limits_{x\to 0}h(x)=1$

ㄷ. 함수 $|h(x)|$는 $x=0$에서 연속이다.

ㄹ. 함수 $g(x)h(x)$는 $x=0$에서 연속이다.
└─────────────────────────┘

① ㄱ, ㄴ   ② ㄴ, ㄷ   ③ ㄴ, ㄹ
④ ㄱ, ㄴ, ㄷ   ⑤ ㄴ, ㄷ, ㄹ

114

함수 $y=f(x)$, $y=g(x)$의 그래프가 다음 그림과 같을 때, |보기|에서 옳은 것만을 있는 대로 고른 것은?

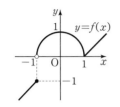 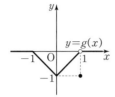

• 보기 •

ㄱ. 함수 $f(x)g(x)$는 $x=-1$에서 연속이다.
ㄴ. 함수 $(f \circ g)(x)$는 $x=-1$에서 연속이다.
ㄷ. 함수 $(g \circ f)(x)$는 $x=-1$에서 연속이다.

① ㄱ   ② ㄴ   ③ ㄷ
④ ㄱ, ㄴ   ⑤ ㄴ, ㄷ

개념 ② 연속함수의 성질

115

두 함수 $f(x)$, $g(x)$에 대하여 |보기|에서 옳은 것만을 있는 대로 고른 것은?

• 보기 •

ㄱ. 함수 $f(x)$와 $g(x)$가 모두 $x=0$에서 불연속이면 함수 $f(x)-g(x)$도 $x=0$에서 불연속이다.
ㄴ. 함수 $f(x)$와 $g(x)$가 모두 $x=0$에서 연속이면 함수 $\{f(x)+g(x)\}g(x)$도 $x=0$에서 연속이다.
ㄷ. 함수 $f(x)$가 $x=0$에서 연속이고 함수 $f(x)g(x)$가 $x=0$에서 불연속이면 함수 $g(x)$는 $x=0$에서 불연속이다.

① ㄱ   ② ㄴ   ③ ㄷ
④ ㄱ, ㄷ   ⑤ ㄴ, ㄷ

116

두 함수 $y=f(x)$, $y=g(x)$의 그래프가 다음 그림과 같을 때, |보기|에서 옳은 것만을 있는 대로 고른 것은?

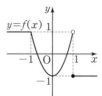 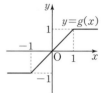

• 보기 •

ㄱ. 함수 $f(x)g(x)$는 $x=1$에서 연속이다.
ㄴ. 함수 $(f \circ g)(x)$는 $x=0$에서 연속이다.
ㄷ. 함수 $g(f(x))$는 $x=-1$에서 연속이다.

① ㄱ   ② ㄴ   ③ ㄷ
④ ㄱ, ㄴ   ⑤ ㄴ, ㄷ

117

실수 전체의 집합에서 정의된 두 함수 $f(x)$, $g(x)$에 대하여 $f(1)=0$, $\lim\limits_{x \to 1} \dfrac{f(x)}{x-1}=2$일 때, |보기|에서 옳은 것만을 있는 대로 고른 것은?

• 보기 •

ㄱ. $\lim\limits_{x \to 1} \{f(x)+g(x)\}=f(1)+g(1)$이면 함수 $g(x)$는 $x=1$에서 연속이다.
ㄴ. $\lim\limits_{x \to 1} f(x)g(x)=f(1)g(1)$이면 함수 $g(x)$는 $x=1$에서 연속이다.
ㄷ. 함수 $g(x)$가 $x=1$에서 연속이면 함수 $(f \circ g)(x)$가 $x=1$에서 연속이다.

① ㄱ   ② ㄴ   ③ ㄷ
④ ㄱ, ㄷ   ⑤ ㄴ, ㄷ

개념 ③ 함수가 연속일 조건

118

실수 전체의 집합에서 정의된 두 함수 $f(x)$와 $g(x)$에 대하여

$x<1$일 때, $f(x)+g(x)=(x-1)^2+3$

$x>1$일 때, $f(x)-g(x)=x^2-3x+5$

이다. 함수 $f(x)$가 $x=1$에서 연속이고

$$\lim_{x\to1-}g(x)-\lim_{x\to1+}g(x)=5$$

일 때, $f(1)$의 값은?

① -1 ② $-\dfrac{1}{2}$ ③ 0

④ $\dfrac{1}{2}$ ⑤ 1

119

실수 전체의 집합에서 연속인 함수 $f(x)$가

$$(\sqrt{x^2+x+2}-\sqrt{x^2+5})f(x)=x^2+ax+6$$

을 만족시킬 때, $f(3)$의 값은?

① $-2\sqrt{14}$ ② $-\sqrt{14}$ ③ 0

④ $\sqrt{14}$ ⑤ $2\sqrt{14}$

120 교육청 기출

함수 $f(x)=\begin{cases} x+2 & (x\leq a) \\ x^2-4 & (x>a) \end{cases}$ 에 대하여 함수 $|f(x)|$

가 실수 전체의 집합에서 연속이 되도록 하는 모든 실수 a의 값의 합은?

① -3 ② -2 ③ -1

④ 1 ⑤ 2

121

함수 $f(x)=\begin{cases} x(x-3) & (x\leq 2) \\ x(x-3)+8 & (x>2) \end{cases}$ 에 대하여 함수

$f(x)\{f(x)+a\}$가 실수 전체의 집합에서 연속이 되도록 하는 상수 a의 값을 구하여라.

122 다빈출

함수 $f(x)=\begin{cases} ax^2+bx & (|x|\geq 3) \\ \dfrac{|x^2-9|}{x-3} & (|x|<3) \end{cases}$ 가 실수 전체의 집합

에서 연속일 때, 상수 a, b에 대하여 $3a-2b$의 값은?

① -2 ② -1 ③ 0

④ 1 ⑤ 2

123

함수 $y=f(x)$의 그래프가 오른쪽 그림과 같다. 일차함수 $g(x)$에 대하여

$$g(0)=\lim_{x\to 2+}f(x)$$

이고 $f(x)g(x)$가 실수 전체의 집합에서 연속일 때, $g(6)$의 값은?

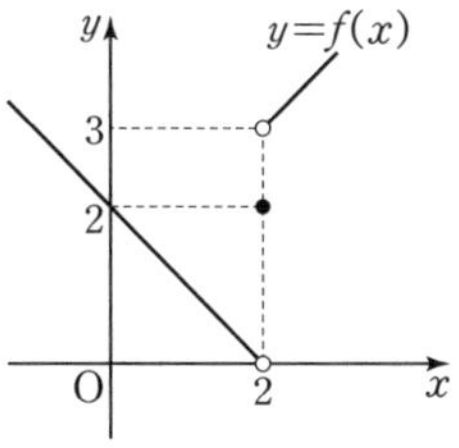

① -18 ② -12 ③ -6

④ 6 ⑤ 12

124

함수 $y=f(x)$의 그래프가 오른쪽 그림과 같다. 함수

$$g(x)=(x^2+ax+b)f(x)$$

가 모든 실수 x에서 연속일 때, $g(0)$의 값은?

(단, a, b는 상수이다.)

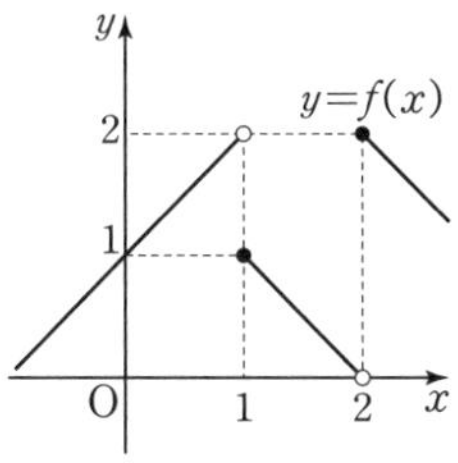

① -2 ② -1 ③ 0

④ 1 ⑤ 2

125

함수 $f(x)=\begin{cases} a[x]^2+2[x] & (x\neq 5) \\ b & (x=5) \end{cases}$ 가 $x=5$에서 연속

일 때, 상수 a, b에 대하여 $\dfrac{b}{a}$의 값은?

(단, $[x]$는 x보다 크지 않은 최대의 정수이다.)

① -50 ② -40 ③ -30

④ -20 ⑤ -10

126 학교 기출 신유형

최고차항의 계수가 1인 삼차함수 $f(x)$와 함수 $g(x)=x-[x]$에 대하여 함수 $f(x)g(x)$가 열린구간 $(-1, 3)$에서 연속일 때, $f(-1)$의 값은?

(단, $[x]$는 x보다 크지 않은 최대의 정수이다.)

① -6 ② -4 ③ -2

④ 0 ⑤ 2

127

실수 전체의 집합에서 정의된 함수

$$f(x) = \begin{cases} -x^2+9 & (|x| \ge 2) \\ \frac{1}{4}x^2-1 & (|x| < 2) \end{cases}$$

의 그래프가 오른쪽 그림과 같다.

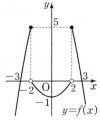

함수 $f(x)f(kx)$가 $x=-2$에서 연속이 되도록 하는 모든 상수 k의 값의 제곱의 합은?

① 3   ② $\frac{7}{2}$ ③ 4

④ $\frac{9}{2}$ ⑤ 5

128

x에 대한 이차방정식 $x^2-2tx+4=0$의 서로 다른 실근의 개수를 $f(t)$라고 할 때, |보기|에서 옳은 것만을 있는 대로 고른 것은? (단, t는 실수이다.)

• 보기 •
ㄱ. $\lim\limits_{t \to 2+} \{f(t)+f(-t)\}=4$
ㄴ. 다항함수 $g(t)$에 대하여 함수 $f(t)g(t)$가 $t=2$에서 연속이면 $g(2)=0$이다.
ㄷ. 방정식 $f(t)-|t-1|=0$의 서로 다른 실근의 개수는 3이다.

① ㄱ   ② ㄴ   ③ ㄱ, ㄴ

④ ㄴ, ㄷ   ⑤ ㄱ, ㄴ, ㄷ

129 ◀ 다빈출

다음 조건을 만족시키는 함수 $f(x)$와 함수

$$g(x) = \begin{cases} x & (x \ne 2) \\ a & (x=2) \end{cases}$$ 에 대하여 함수 $(f \circ g)(x)$가 $x=2$

에서 연속일 때, a의 최솟값을 구하여라. (단, $a>2$)

(가) $-1 < x \le 2$일 때, $f(x)=x^3-2x^2-x+2$
(나) 모든 실수 x에 대하여 $f(x+3)=f(x)$

130

함수 $y=f(x)$의 그래프가 오른쪽 그림과 같다. 실수 t에 대하여 직선 $y=t$와 함수 $y=f(x)$의 그래프의 교점의 개수를 $g(t)$라고

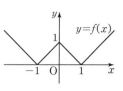

할 때, 함수 $h(t)=g(t)(t^2+at+b)$가 모든 실수 t에서 연속이다. 상수 a, b에 대하여 $a-b$의 값은?

① -2   ② -1   ③ 0

④ 1   ⑤ 2

131

두 함수

$$f(x)=x^2+ax+b, \ g(x)=\begin{cases} x^2+4 & (x \geq 3) \\ x-5 & (x < 3) \end{cases}$$

에 대하여 함수 $\dfrac{f(x)}{g(x)}$가 $x=3$에서 연속일 때, $\sqrt{a^2+b^2}$ 의 최솟값은? (단, a, b는 실수이다.)

① $\dfrac{\sqrt{10}}{2}$ 　② $\dfrac{3\sqrt{10}}{5}$ 　③ $\dfrac{7\sqrt{10}}{10}$

④ $\dfrac{4\sqrt{10}}{5}$ 　⑤ $\dfrac{9\sqrt{10}}{10}$

개념 ④ 불연속인 점

132

실수 k에 대하여 집합

$$\{x \mid kx^2+2(k-4)x-k+4=0, \ x는 \ 실수\}$$

의 원소의 개수를 $f(k)$라고 할 때, 함수 $f(k)$의 불연속인 점의 개수는?

① 0 　② 1 　③ 2

④ 3 　⑤ 4

133

실수 전체의 집합에서 정의된 함수 $f(x)$가 다음 조건을 만족시킬 때, $-5 < x < 5$에서 함수 $[f(x)]$가 불연속인 점의 개수는?

(단, $[x]$는 보다 크지 않은 최대의 정수이다.)

(가) $-1 < x \leq 1$일 때, $f(x)=2x^2+1$
(나) 모든 실수 x에 대하여 $f(x+2)=f(x)$

① 9 　② 10 　③ 14

④ 19 　⑤ 20

134 학교 기출 신유형

함수

$$f(x)=\begin{cases} -x^2+2x+15 & (x가 \ 정수가 \ 아닐 \ 때) \\ -x+a & (x가 \ 정수일 \ 때) \end{cases}$$

에 대하여 닫힌구간 $[-3, 5]$에서 함수 $f(x)$가 불연속인 점의 개수가 7이 되도록 하는 모든 자연수 a의 값의 합은?

① 42 　② 44 　③ 46

④ 48 　⑤ 50

135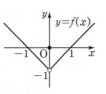

함수 $y=f(x)$의 그래프가 오른쪽 그림과 같다. 두 함수 $f(x)$, $g(x)$에 대하여 합성함수 $(f \circ g)(x)$가 $x=0$에서 불연속이 되는 함수 $g(x)$의 그래프인 것만을 |보기|에서 있는 대로 고른 것은?

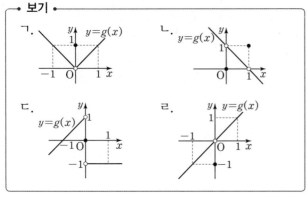

- 보기 -

① ㄱ, ㄴ   ② ㄱ, ㄹ   ③ ㄴ, ㄷ
④ ㄴ, ㄹ   ⑤ ㄷ, ㄹ

136

실수 전체의 집합에서 정의된 함수 $y=f(x)$의 그래프가 오른쪽 그림과 같다. 함수 $f(x)$가 $x=0$, $x=1$, $x=3$에서만 불연속일 때, 이차함수 $g(x)=x^2-6x+a$에 대하여 함수 $(f \circ g)(x)$가 $x=3$에서 불연속이 되도록 하는 모든 실수 a의 값의 합은?

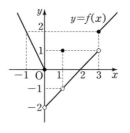

① 15   ② 17   ③ 19
④ 21   ⑤ 23

137 학교 기출 신유형

실수 전체의 집합에서 정의된 함수 $y=f(x)$의 그래프가 오른쪽 그림과 같다. 합성함수 $(f \circ f)(x)$가 $x=a$에서 불연속이 되는 모든 a의 값의 합을 구하여라.

(단, $-1 \le a \le 5$)

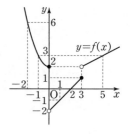

138

오른쪽 그림과 같이 세 점 $A(0, 4)$, $B(-2, 0)$, $C(2, 0)$을 꼭짓점으로 하는 삼각형 ABC가 있다. 이 삼각형과 원 $C: x^2+(y-2)^2=r^2 \ (r>0)$의 교점의 개수를 $f(r)$라고 할 때, 열린구간 $(0, \infty)$에서 함수 $f(r)$가 불연속인 모든 r^2의 값의 합은?

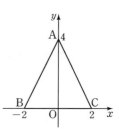

① 8   ② $\dfrac{41}{5}$ ③ $\dfrac{42}{5}$
④ $\dfrac{43}{5}$ ⑤ $\dfrac{44}{5}$

개념 5 최대·최소 정리와 사잇값의 정리

139

다음 함수 $f(x)$ 중에서 닫힌구간 $[-3, 1]$에서 최대·최소 정리의 역이 성립하지 않음을 보이는 예로 알맞은 것은? (단, $[x]$는 x보다 크지 않은 최대의 정수이다.)

① $f(x) = -x^2 - 2x + 1$ ② $f(x) = \dfrac{1}{x+2}$

③ $f(x) = [x^2 + 4x]$ ④ $f(x) = \sqrt{x+4}$

⑤ $f(x) = |x+1|$

140

함수 $f(x) = x^2 + 2x + 3\sqrt{x} + k$는 임의의 두 양수 x_1, x_2에 대하여 $x_1 < x_2$일 때, $f(x_1) < f(x_2)$를 만족시킨다. 방정식 $f(x) = 0$이 열린구간 $(1, 4)$에서 하나의 실근을 갖도록 하는 정수 k의 최솟값은?

① -30 ② -29 ③ -28

④ -7 ⑤ -6

141   다빈출

닫힌구간 $[0, 1]$에서 연속인 함수 $f(x)$가 $f(0) = 1$, $f(1) = 0$을 만족시킬 때, 열린구간 $(0, 1)$에서 반드시 실근을 갖는 방정식인 것만을 |보기|에서 있는 대로 고른 것은?

┌─ 보기 ────────────────────
│ ㄱ. $x + f(1-x) = 0$
│ ㄴ. $2x - f(x) = 0$
│ ㄷ. $f(1-x) - 2x + 1 = 0$
└──────────────────────────

① ㄱ   ② ㄴ   ③ ㄱ, ㄴ

④ ㄴ, ㄷ   ⑤ ㄱ, ㄴ, ㄷ

142

함수 $f(x) = x^2 - 8x + a$에 대하여 함수 $g(x)$를

$$g(x) = \begin{cases} 3x - 2a & (x \geq a) \\ f(x+3) & (x < a) \end{cases}$$

이라고 할 때, 다음 조건을 만족시키는 모든 실수 a의 값의 합은?

┌────────────────────────────
│ (가) 방정식 $f(x) = 0$은 열린구간 $(-1, 1)$에서 적어도 하나의 실근을 갖는다.
│ (나) 함수 $f(x)g(x)$는 $x = a$에서 연속이다.
└────────────────────────────

① 2   ② 5   ③ 8

④ 11   ⑤ 14

143

다항함수 $f(x)$에 대하여

$$\lim_{x \to 1} \frac{f(x)}{x-1} = \lim_{x \to 2} \frac{f(x)}{x-2} = \lim_{x \to 3} \frac{f(x)}{x-3} = -2$$

일 때, 방정식 $f(x)=0$은 열린구간 $(0, 4)$에서 적어도 n개의 실근을 갖는다. 자연수 n의 값은?

① 1　　　　　② 2　　　　　③ 3

④ 4　　　　　⑤ 5

144

다항함수 $g(x)$에 대하여 함수 $f(x)$를

$$f(x) = \begin{cases} \dfrac{g(x)-1}{x-1} & (-3 \leq x < 1,\ 1 < x \leq 2) \\ 2 & (x=1) \end{cases}$$

라고 하자. 닫힌구간 $[-3, 2]$에서 함수 $f(x)$가 연속일 때, |보기|에서 옳은 것만을 있는 대로 고른 것은?

• 보기 •

ㄱ. $g(1)=1$

ㄴ. 닫힌구간 $[-3, 2]$에서 함수 $f(x)$의 최솟값은 존재하지 않는다.

ㄷ. $f(-3)<0$, $f(2)<0$이면 방정식 $f(x)=0$은 열린구간 $(-3, 2)$에서 적어도 두 개의 실근을 갖는다.

① ㄱ　　　　　② ㄴ　　　　　③ ㄷ

④ ㄱ, ㄴ　　　　⑤ ㄱ, ㄷ

145

이차함수 $f(x)$에 대하여 방정식 $f(x+2)-f(x)=0$이 열린구간 $(-2, 2)$에서 적어도 하나의 실근을 갖는다고 할 때, |보기|에서 옳은 것만을 있는 대로 고른 것은?

• 보기 •

ㄱ. 임의의 실수 x에 대하여 $f(x)<f(x+2)$

ㄴ. $\{f(0)-f(-2)\}\{f(4)-f(2)\}<0$

ㄷ. $f(4)>0$, $f(2)<0$이면 방정식 $f(x)=0$은 열린구간 $(-2, 0)$에서 실근을 갖는다.

① ㄱ　　　　　② ㄴ　　　　　③ ㄷ

④ ㄱ, ㄴ　　　　⑤ ㄴ, ㄷ

146 교육청 기출

2가 아닌 양수 a에 대하여 함수

$$f(x) = \begin{cases} (x-a)^2 & (x \leq a) \\ (x-2)(x-a) & (x>a) \end{cases}$$

가 다음 조건을 만족시킬 때, $f(3a)$의 값은?

㉮ $f(c)=0$인 c가 0과 $1+\dfrac{a}{2}$ 사이에 적어도 하나 존재한다.

㉯ 세 점 $(2, f(2))$, $(a, f(a))$, $\left(1+\dfrac{a}{2}, f\left(1+\dfrac{a}{2}\right)\right)$ 를 꼭짓점으로 하는 삼각형의 넓이는 $\dfrac{1}{8}$이다.

① 2　　　　　② 4　　　　　③ 8

④ 16　　　　　⑤ 32

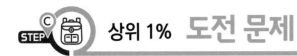
147

최고차항의 계수가 1인 두 삼차함수 $f(x)$, $g(x)$가 다음 조건을 만족시킬 때, $g(1)$의 값은?

> (가) $g(2)=0$
>
> (나) $\displaystyle\lim_{x \to a}\frac{f(x)}{g(x)}=(a-2)(a-3)$ (단, $a=2$, 3, 4, 5)

① -26 ② -13 ③ 0

④ 13 ⑤ 26

148

세 직선

$$l: y=-x+1,$$
$$m: y=2kx-k,$$
$$n: y=2x+t \ (t는 \ 실수)$$

에 대하여 직선 n이 두 직선 l, m과 만나는 점의 개수를 $f(t)$라고 하자. 함수 $f(t)$가 $t=4$에서만 불연속이 되도록 하는 상수 k의 값을 구하여라. (단, $k \neq 1$)

149

실수 a, b, c와 두 함수

$$f(x) = \begin{cases} x+a & (x<-2) \\ bx & (-2 \le x < 2), \\ x+c & (x \ge 2) \end{cases}$$

$$g(x) = |x-2| - |x+2| + x$$

에 대하여 합성함수 $(g \circ f)(x)$가 실수 전체의 집합에서 정의된 역함수를 가질 때, $f(-3)+f(0)+f(5)$의 값은?

① -2 ② -1 ③ 0

④ 1 ⑤ 2

150

닫힌구간 $[-2, 2]$에서 정의된 두 함수 $y=f(x)$와 $y=g(x)$의 그래프가 다음 그림과 같을 때, |보기|에서 옳은 것만을 있는 대로 고른 것은?

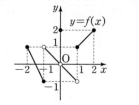 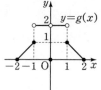

┌─ 보기 ────────────────────┐

ㄱ. $\lim\limits_{x \to -1} g(f(x)) = 2$

ㄴ. 함수 $(f \circ g)(x)$는 $x=0$에서 불연속이다.

ㄷ. 방정식 $g(f(x)) = \dfrac{1}{3}$은 열린구간 $(1, 2)$에서 적어도 한 개의 실근을 갖는다.

└──────────────────────────┘

① ㄱ   ② ㄴ   ③ ㄷ

④ ㄱ, ㄷ   ⑤ ㄴ, ㄷ

미니 모의고사 - 1회

제한시간 : 30분

정답과 풀이 039쪽

01

함수 $y=f(x)$의 그래프가 오른쪽 그림과 같을 때,

$$\lim_{x\to 1+} f(x)f(1-x)$$

의 값은? **[3점]**

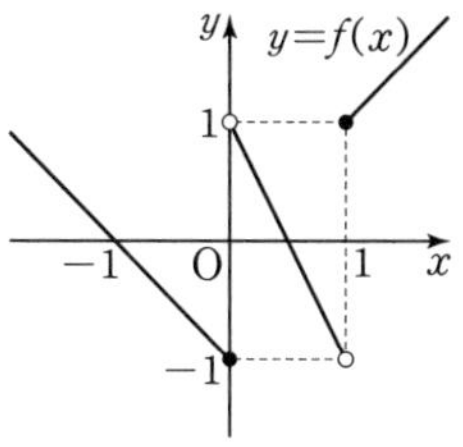

① -2 ② -1 ③ 0 ④ 1 ⑤ 2

02

함수 $f(x)$가 $\lim_{x\to 1}\frac{f(x-1)}{x-1}=5$를 만족시킬 때,

$\lim_{x\to 1}\frac{3xf(x-1)}{x^2+3x-4}$의 값을 구하여라. **[3점]**

03

다항함수 $f(x)$가

$$\lim_{x\to 3}\frac{(x^2-x-6)f(x)}{x-3}=15$$

를 만족시킬 때, $f(3)$의 값은? **[3점]**

① 1 ② 2 ③ 3 ④ 4 ⑤ 5

04

다항함수 $f(x)$가

$$\lim_{x\to\infty}\frac{f(x)-x^3}{x}=5,\ \lim_{x\to 2}f(x)=3$$

을 만족시킬 때, $f(1)$의 값은? **[3점]**

① -12 ② -9 ③ -6 ④ -3 ⑤ 0

05

다항함수 $f(x)$에 대하여 $f(-2)=2$, $f(2)=-2$일 때, 열린구간 $(-2, 2)$에서 적어도 하나의 실근을 갖는 방정식인 것만을 |보기|에서 있는 대로 고른 것은? **[3점]**

보기

ㄱ. $f(x)-2x=0$

ㄴ. $(x^2-3)f(x)=0$

ㄷ. $f(x)-(f\circ f)(x)=0$

① ㄱ ② ㄴ ③ ㄷ ④ ㄱ, ㄴ ⑤ ㄱ, ㄴ, ㄷ

06

$-4<x<4$에서 정의된 함수 $y=f(x)$의 그래프가 다음 그림과 같다.

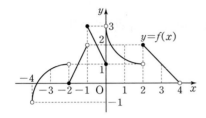

부등식 $\lim\limits_{x \to a-} f(x) < \lim\limits_{x \to a+} f(x)$를 만족시키는 모든 실수 a의 값의 합은? [4점]

① -3 ② -1 ③ 1

④ 3 ⑤ 5

07

두 다항함수 $f(x)$와 $g(x)$가 다음 조건을 만족시킨다.

> (가) $f(x)+x-2=(x-2)g(x)$
> (나) $\lim\limits_{x \to 2} \dfrac{g(x)-3x}{x-2}$의 값이 존재한다.

$\lim\limits_{x \to 2} \dfrac{f(x)g(x)}{x^2+x-6}$의 값은? [4점]

① 2 ② 4 ③ 6

④ 8 ⑤ 10

08

함수

$$f(x)=\begin{cases} x^2-16 & (x \le a) \\ x+4 & (x>a) \end{cases}$$

에 대하여 함수 $|f(x)|$가 실수 전체의 집합에서 연속이 되도록 하는 모든 실수 a의 값의 합은? [4점]

① -4 ② -2 ③ 0

④ 2 ⑤ 4

09

이차함수 $f(x)$가 다음 조건을 만족시킬 때, $f(5)$의 값을 구하여라. [4점]

> (가) 함수 $\dfrac{1}{f(x)}$은 $x=-1$, $x=2$에서 불연속이다.
> (나) $\lim\limits_{x \to 2} \dfrac{f(x)}{x-2}=9$

10

연립부등식 $\begin{cases} x^2-2x-8<0 \\ x^2-tx \le 0 \end{cases}$ 을 만족시키는 정수 x의 개수를 $f(t)$라고 할 때, 함수 $f(t)$의 불연속인 점의 개수는? [4점]

① 1 ② 2 ③ 3

④ 4 ⑤ 5

✔ 실력점검

맞힌 개수	/10개	점수	/35점

미니 모의고사 – 2회

제한시간 : 30분

01

함수 $y=f(x)$의 그래프가 다음 그림과 같다.

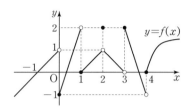

$-1<k<4$일 때, $\lim\limits_{x\to k} f(x)$의 값이 존재하지 않는 모든
실수 k의 값의 합은? [3점]

① 2   ② 3   ③ 4

④ 5   ⑤ 6

02

함수 $f(x)$가 모든 양의 실수 x에 대하여
$$4x+1<f(x)<4x+3$$
을 만족시킬 때, $\lim\limits_{x\to\infty}\dfrac{\{f(x)\}^2}{2x^2-x+1}$의 값은? [3점]

① 2   ② 4   ③ 6

④ 8   ⑤ 10

03

함수 $f(x)$가 $x=1$에서 연속이고
$$\lim\limits_{x\to1-} f(x)=k+5,\ \lim\limits_{x\to1+} f(x)=2k-1$$
을 만족시킬 때, $k+f(1)$의 값은? [3점]

① 11   ② 14   ③ 17

④ 20   ⑤ 23

04

$-4<x<5$에서 두 함수
$$f(x)=\dfrac{x^2-4}{x+2},\ g(x)=[x-1]$$
이 연속인 점들의 집합을 각각 A, B라고 할 때, 집합 $A\cap B^C$의 원소의 개수를 구하여라. [3점]
(단, $[x]$는 x보다 크지 않은 최대의 정수이다.)

05

함수 $f(x)=\begin{cases} \dfrac{x-1}{x+2} & (x\neq-2) \\ 4 & (x=-2) \end{cases}$에 대하여 함수
$g(x)=(x^2+ax+b)f(x)$가 실수 전체의 집합에서 연속일 때, $a+b$의 값은? (단, a, b는 상수이다.) [3점]

① 6   ② 8   ③ 10

④ 12   ⑤ 14

06

$x\neq3$인 모든 실수 x에서 정의된 두 함수 $f(x)$, $g(x)$가
다음 조건을 만족시킬 때, $\lim\limits_{x\to3}\dfrac{6f(x)-24g(x)}{3f(x)-g(x)}$의 값을
구하여라. [4점]

> (가) $\lim\limits_{x\to3}\{3f(x)+g(x)\}=2$
>
> (나) $\lim\limits_{x\to3} g(x)=\infty$

정답과 풀이 042쪽

07

다항함수 $f(x)$가

$$\lim_{x \to \infty} \frac{f(x) - x^3}{x^2} = -5, \quad \lim_{x \to 2} \frac{f(x)}{x-2} = -2$$

를 만족시킬 때, $\lim_{x \to \infty} x^2 f\left(\frac{1}{x^2}\right)$의 값을 구하여라. [4점]

08

다음 그림과 같이 곡선 $y = x^3 - 7x^2 + 10x + 25$ 위의 두 점 A, B에서 x축에 내린 수선의 발을 각각 C, D라고 하자. 두 점 A, B의 x좌표는 각각 2, a이고 사각형 ACDB와 삼각형 BCD의 넓이를 각각 $S(a)$, $T(a)$라 고 할 때, $\lim_{a \to 2} \frac{S(a)}{T(a)}$의 값은? (단, $a > 2$) [4점]

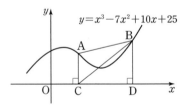

① 2   ② 4   ③ 6
④ 8   ⑤ 10

09

닫힌구간 $[-1, 4]$에서 연속인 함수

$$f(x) = \begin{cases} -x + a & (x < 1) \\ x^2 - 4x + b & (x \geq 1) \end{cases}$$

가 있다. 함수 $f(x)$의 최솟값이 -3일 때, 최댓값은?

[4점]

① -2 ② -1 ③ 0
④ 1   ⑤ 2

10

다항함수 $g(x)$에 대하여 함수

$$f(x) = \begin{cases} \dfrac{g(x) - 1}{x - 2} & (x \neq 2) \\ 1 & (x = 2) \end{cases}$$

가 닫힌구간 $[-4, 4]$에서 연속일 때, |보기|에서 옳은 것만을 있는 대로 고른 것은? [4점]

┌─── 보기 ───
│ ㄱ. $g(2) = 1$
│ ㄴ. 함수 $f(x)$는 최댓값과 최솟값을 갖는다.
│ ㄷ. $g(-1) < 0$, $g(2) > 0$이면 방정식 $f(x) = 0$은 열린
│   구간 $(-1, 2)$에서 적어도 하나의 실근을 갖는다.
└─────────────

① ㄱ   ② ㄴ   ③ ㄷ
④ ㄱ, ㄴ   ⑤ ㄴ, ㄷ

✓ 실력점검

맞힌 개수	/10개	점수	/35점

미분

STEP A 상위권 보장 **개념+필수 기출 문제**

개념 ① 평균변화율과 미분계수

(1) **평균변화율:** 함수 $y=f(x)$에서 x의 값이 a에서 b까지 변할 때의 평균변화율은

$$\frac{\Delta y}{\Delta x}=\frac{f(b)-f(a)}{b-a}=\frac{f(a+\Delta x)-f(a)}{\Delta x}$$

└ Δx, Δy는 각각 x의 증분, y의 증분을 나타낸다.

(2) **미분계수 (순간변화율):** 함수 $y=f(x)$의 $x=a$에서의 미분계수는

$$f'(a)=\lim_{\Delta x\to 0}\frac{\Delta y}{\Delta x}=\lim_{x\to a}\frac{f(x)-f(a)}{x-a}$$

└ 평균변화율의 극한값

$$=\lim_{h\to 0}\frac{f(a+h)-f(a)}{h}$$

참고 미분계수를 나타내는 식의 변형

(1) $f'(a)=\lim_{\blacksquare\to 0}\dfrac{f(a+\blacksquare)-f(a)}{\blacksquare}$ ← ■부분을 같게 만든다.

(2) $f'(a)=\lim_{\bullet\to a}\dfrac{f(\bullet)-f(a)}{\bullet-a}$ ← ●부분을 같게 만든다.

등급업 TIP 평균변화율과 미분계수의 기하적 의미

(1) 함수 $y=f(x)$에서 x의 값이 a에서 b까지 변할 때의 평균변화율은 그래프 위의 두 점 $(a, f(a))$, $(b, f(b))$를 지나는 직선의 기울기와 같다.

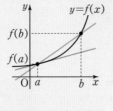

(2) $x=a$에서의 미분계수 $f'(a)$는 곡선 $y=f(x)$ 위의 점 $(a, f(a))$에서의 접선의 기울기와 같다.

001 출제율 ◖▭▭▭◗

함수 $f(x)=x^3-3x^2$에 대하여 x의 값이 0에서 a까지 변할 때의 평균변화율이 4일 때, 상수 a의 값은?

(단, $a>0$)

① 1 　　　② 2 　　　③ 3

④ 4 　　　⑤ 5

002 출제율 ◖▭▭▭◗

함수 $f(x)=x(x+2)(x-3)$에 대하여 x의 값이 -1에서 2까지 변할 때의 평균변화율과 x의 값이 0에서 a까지 변할 때의 평균변화율이 서로 같을 때, 양수 a의 값은?

① $\dfrac{1}{2}$ 　　　② 1 　　　③ $\dfrac{3}{2}$

④ 2 　　　⑤ $\dfrac{5}{2}$

003 출제율 ◖▭▭▭◗

함수 $f(x)=x^2+4x+4$에 대하여 x의 값이 -2에서 a까지 변할 때의 평균변화율과 $x=2$에서의 미분계수가 서로 같을 때, 상수 a의 값은?

① 2 　　　② 4 　　　③ 6

④ 8 　　　⑤ 10

004 출제율 ◖▭▭▭◗

함수 $f(x)=x^2-4x+1$에 대하여

$\lim\limits_{h\to 0}\dfrac{f(1-2h)-f(1)}{h}$의 값을 구하여라.

005

출제율 ●●●○

다항함수 $f(x)$에 대하여 $f'(1)=-2$, $f'(9)=2$일 때,
$\lim\limits_{x\to 1}\dfrac{f(x)-f(1)}{x^2-1}+\lim\limits_{x\to 3}\dfrac{f(x^2)-f(9)}{x-3}$의 값을 구하여라.

006

출제율 ●●●●

다항함수 $f(x)$가 모든 실수 x에 대하여
$$f(x+2)-f(2)=x^3+10x^2+15x$$
를 만족시킬 때, $f'(2)$의 값은?

① 12　　　② 13　　　③ 14

④ 15　　　⑤ 16

007 학교 기출 신유형

출제율 ●●●●

다항함수 $f(x)$에 대하여
$$\lim_{x\to -2}\frac{f(2x^2+5x)-f(-2)}{x+2}=9$$
일 때, $f'(-2)$의 값은?

① -3　　　② -1　　　③ 1

④ 3　　　⑤ 5

008 교육청 기출

출제율 ●●●●

다항함수 $f(x)$에 대하여 $\lim\limits_{x\to 1}\dfrac{f(x)-f(1)}{x^2-1}=-1$일 때,
$\lim\limits_{h\to 0}\dfrac{f(1-2h)-f(1+5h)}{h}$의 값을 구하여라.

009

출제율 ●●●●

다항함수 $f(x)$에서 $a<b$인 모든 실수 a, b에 대하여 x의 값이 a에서 b까지 변할 때의 평균변화율이 $x=a$에서의 순간변화율보다 더 클 때, 다음 중 함수 $y=f(x)$의 그래프로 가장 적당한 것은?

① 　　②

③ 　　④

⑤

개념 2 미분가능성과 연속성

(1) **미분가능**: 함수 $y=f(x)$의 $x=a$에서의 미분계수 $f'(a)$가 존재할 때, 함수 $f(x)$는 $x=a$에서 미분가능하다고 한다.

[참고] 미분계수 $f'(a)$가 존재하지 않을 때, 함수 $f(x)$는 $x=a$에서 미분가능하지 않다고 한다.

(2) **미분가능성과 연속성**: 함수 $f(x)$가 $x=a$에서 미분가능하면 $f(x)$는 $x=a$에서 연속이다.
그러나 일반적으로 그 역은 성립하지 않는다.
└ 함수 $f(x)$가 $x=a$에서 연속이라고 해서 반드시 $x=a$에서 미분가능한 것은 아니다.

[참고] 함수 $f(x)$가 $x=a$에서 미분가능하지 않은 경우
(1) 함수 $f(x)$가 $x=a$에서 불연속인 경우
(2) 함수 $f(x)$의 그래프가 $x=a$에서 꺾인 경우
└ 뾰족한 점에서 미분가능하지 않다.

등급업 TIP 두 다항함수 $g(x)$, $h(x)$에 대하여 함수
$$f(x)=\begin{cases} g(x) & (x \geq a) \\ h(x) & (x < a) \end{cases}$$ 가 $x=a$에서 미분가능하면
(1) 함수 $f(x)$가 $x=a$에서 연속이다.
$$\Rightarrow \lim_{x \to a-} h(x)=g(a)$$
(2) 함수 $f(x)$의 $x=a$에서의 미분계수가 존재한다.
$$\Rightarrow \lim_{x \to a+} \frac{g(x)-g(a)}{x-a}=\lim_{x \to a-} \frac{h(x)-h(a)}{x-a}$$

010

출제율 ▰▰▰▱▱

$0<x<7$에서 정의된 함수 $y=f(x)$의 그래프가 오른쪽 그림과 같을 때, |보기|에서 옳은 것만을 있는 대로 고른 것은?

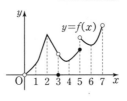

보기
ㄱ. $f'(1)>0$
ㄴ. $f(x)$가 불연속인 점은 2개이다.
ㄷ. $f(x)$가 미분가능하지 않은 점은 2개이다.

① ㄱ   ② ㄴ   ③ ㄷ
④ ㄱ, ㄴ   ⑤ ㄴ, ㄷ

011

출제율 ▰▰▰▱▱

$x=0$에서 연속이지만 미분가능하지 않은 함수인 것만을 |보기|에서 있는 대로 고른 것은?

보기
ㄱ. $f(x)=|x|^3$ ㄴ. $f(x)=x+|x|$
ㄷ. $f(x)=\dfrac{|x|}{x}$

① ㄱ   ② ㄴ   ③ ㄷ
④ ㄱ, ㄴ   ⑤ ㄴ, ㄷ

012   평가원 기출

출제율 ▰▰▰▰▱

함수 $f(x)=\begin{cases} ax^2+1 & (x<1) \\ x^4+a & (x \geq 1) \end{cases}$ 가 $x=1$에서 미분가능할 때, 상수 a의 값을 구하여라.

013

출제율 ▰▰▰▰▱

함수 $f(x)=(x-a)|x+2|$가 실수 전체의 집합에서 미분가능할 때, $a+f'(-2)$의 값은?
(단, a는 상수이다.)

① -5 ② -4 ③ -3
④ -2 ⑤ -1

014

출제율 ▰▰▰▱▱

함수 $f(x)=|x+1|$일 때, $x=-1$에서 미분가능한 함수인 것만을 |보기|에서 있는 대로 고른 것은?

┌─ 보기 ────────────────────
│ ㄱ. $f(x)$ ㄴ. $xf(x)$
│ ㄷ. $(x+1)f(x)$ ㄹ. $(x^2-2x-3)f(x)$
└──────────────────────────

① ㄱ, ㄴ   ② ㄱ, ㄷ   ③ ㄴ, ㄷ
④ ㄴ, ㄹ   ⑤ ㄷ, ㄹ

015

출제율 ▰▰▰▰▱

함수 $y=f(x)$의 그래프가 오른쪽 그림과 같을 때, $x=0$에서 미분가능한 함수인 것만을 |보기|에서 있는 대로 고른 것은?

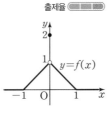

┌─ 보기 ────────────────────
│ ㄱ. $g(x)=xf(x)$
│ ㄴ. $h(x)=(x-2)f(x)$
│ ㄷ. $k(x)=|x|f(x)$
└──────────────────────────

① ㄱ   ② ㄴ   ③ ㄷ
④ ㄱ, ㄴ   ⑤ ㄱ, ㄷ

개념 ③ 도함수

(1) **도함수**: 미분가능한 함수 $y=f(x)$의 도함수는
$$f'(x)=\lim_{h \to 0}\frac{f(x+h)-f(x)}{h}$$
이때 함수 $y=f(x)$의 도함수 $f'(x)$를 구하는 것을 함수 $y=f(x)$를 x에 대하여 미분한다고 하고, 그 계산법을 미분법이라고 한다.

> **참고** 함수 $y=f(x)$의 도함수 $f'(x)$를 y', $\dfrac{dy}{dx}$, $\dfrac{d}{dx}f(x)$로 나타내기도 한다.

(2) **함수 $y=x^n$과 상수함수의 도함수**
① $y=x^n$ (n은 자연수) ➡ $y'=nx^{n-1}$
② $y=c$ (c는 상수) ➡ $y'=0$

(3) **함수의 실수배, 합, 차의 미분법**
두 함수 $f(x)$, $g(x)$가 미분가능할 때
① $\{cf(x)\}'=cf'(x)$ (단, c는 상수이다.)
② $\{f(x)+g(x)\}'=f'(x)+g'(x)$
③ $\{f(x)-g(x)\}'=f'(x)-g'(x)$

> **참고** 함수의 합, 차의 미분법은 세 개 이상의 함수에 대해서도 성립한다.

016 평가원 기출

출제율 ▰▰▰▰▱

함수 $f(x)=x^2+5x+6$에 대하여
$\lim\limits_{h \to 0}\dfrac{f(3+h)-f(3)}{h}$의 값을 구하여라.

017

출제율 ▰▰▰▰▱

$\lim\limits_{x \to 1}\dfrac{2x^3-3x+1}{x-1}$의 값을 구하여라.

018

출제율

함수 $f(x)=x^3-3x^2-45x+7$에 대하여 방정식

$f'(x)=0$이 두 근 α, β를 가질 때, $f(\alpha+\beta)+f\left(\dfrac{\alpha\beta}{3}\right)$

의 값을 구하여라.

019

출제율

함수 $f(x)=ax^2+bx-3$에 대하여 $y=f(x)$의 그래프

위의 점 $(-1, -1)$에서의 접선의 기울기가 -3일 때,

$f'(1)$의 값은? (단, a, b는 상수이다.)

① 1   ② 2   ③ 3

④ 4   ⑤ 5

020

출제율

함수 $f(x)=x^3+ax^2+bx+5$에 대하여

$\displaystyle\lim_{x\to 3}\dfrac{f(x-2)-4}{x-3}=6$일 때, $f(3)$의 값은?

(단, a, b는 상수이다.)

① 48   ② 52   ③ 56

④ 60   ⑤ 64

개념 4 곱의 미분법

두 함수 $f(x)$, $g(x)$가 미분가능할 때

$$\{f(x)g(x)\}'=f'(x)g(x)+f(x)g'(x)$$

참고 함수의 곱의 미분법은 세 개 이상의 함수에 대해서도 성립한다. 즉,

$$\{f(x)g(x)h(x)\}'=f'(x)g(x)h(x)+f(x)g'(x)h(x)$$
$$+f(x)g(x)h'(x)$$

등급업 TIP

(1) 함수 $f(x)$가 미분가능할 때

$y=\{f(x)\}^n$ (n은 자연수)

➡ $y'=n\{f(x)\}^{n-1}f'(x)$

(2) 다항식 $f(x)$가 $(x-a)^2$으로 나누어떨어질 조건

➡ $f(a)=0, f'(a)=0$

021

출제율

오른쪽 그림과 같이 다항함수

$y=f(x)$의 그래프 위의 점

$(3, 4)$에서의 접선은 원점을 지난

다. $g(x)=2x^2f(x)$일 때, $g'(3)$

의 값은?

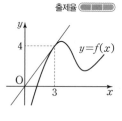

① 64   ② 66   ③ 68

④ 70   ⑤ 72

022

출제율

두 다항함수 $f(x)$, $g(x)$가 다음 조건을 만족시킬 때,

$f'(2)$의 값을 구하여라.

㈎ 모든 실수 x에 대하여 $(x^2-2x+1)f(x)=g(x)$

㈏ $g(2)=-2$, $g'(2)=2$

023

출제율 ▭▭▭▭

함수 $f(x)=\dfrac{1}{18}(x^2-3)(x-2)$에 대하여

$\displaystyle\lim_{x\to3}\dfrac{6f(x)-2}{x^2-2x-3}$의 값은?

① -1 ② $-\dfrac{1}{2}$ ③ $\dfrac{1}{2}$

④ 1 ⑤ $\dfrac{3}{2}$

024

출제율 ▭▭▭▭

두 다항함수 $f(x)$, $g(x)$가

$$\lim_{x\to2}\frac{f(x)-5}{x-2}=8,\ \lim_{x\to2}\frac{g(x)+3}{x-2}=10$$

을 만족시킬 때, 함수 $y=f(x)g(x)$의 $x=2$에서의 미분계수는?

① 20 ② 22 ③ 24

④ 26 ⑤ 28

025

출제율 ▭▭▭▭

다항함수 $f(x)$가 $\displaystyle\lim_{x\to1}\dfrac{f(x)-4}{x-1}=5$를 만족시키고 모든

실수 x에 대하여 $f(x)=-f(-x)$이다. 함수

$g(x)=\{f(x)\}^2$일 때, $g'(-1)$의 값은?

① -50 ② -40 ③ -30

④ -20 ⑤ -10

026

출제율 ▭▭▭▭

다항식 x^4+ax^3+bx-8을 $(x+2)^2$으로 나누었을 때의 나머지가 $-4x-8$일 때, 상수 a, b에 대하여 $a+b$의 값은?

① -10 ② -5 ③ 0

④ 5 ⑤ 10

027 학교 기출 신유형

출제율 ▭▭▭▭

두 함수

$$f(x)=x^3-2x+4,\ g(x)=-3x^2+2x+1$$

에 대하여 $\displaystyle\lim_{h\to0}\dfrac{f(1+3h)g(1+3h)}{h}$의 값은?

① -40 ② -39 ③ -38

④ -37 ⑤ -36

최상위권 도약 실력 완성 문제

개념 1 평균변화율과 미분계수

028

함수 $y=f(x)$의 그래프가 오른쪽 그림과 같다. 함수 $f(x)$의 역함수를 $g(x)$라고 할 때, x의 값이 a에서 d까지 변할 때의 함수 $g(x)$의 평균변화율은?

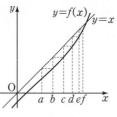

(단, 모든 점선은 x축 또는 y축과 평행하다.)

① $\dfrac{c-b}{b-a}$ ② $\dfrac{d-b}{c-a}$ ③ $\dfrac{e-b}{d-a}$

④ $\dfrac{f-c}{e-b}$ ⑤ $\dfrac{f-e}{e-d}$

029

함수 $f(x)=-\dfrac{1}{x-1}$에 대하여 $g(x)=f^{11}(x)$라고 할 때, x의 값이 -1에서 2까지 변할 때의 함수 $g(x)$의 평균변화율은? (단, $f^1=f$, $f^{n+1}=f\circ f^n$, n은 자연수이다.)

① -1 ② $-\dfrac{1}{2}$ ③ $\dfrac{1}{2}$

④ 1 ⑤ $\dfrac{3}{2}$

030

함수 $f(x)=x^2+3x-5$의 그래프와 직선 $y=mx$가 서로 다른 두 점에서 만날 때, 그 두 점의 x좌표를 각각 a, b $(a<b)$라고 하자. 구간 $[a, b]$에서 함수 $f(x)$의 평균변화율이 -1일 때, 구간 $[a+b, 3]$에서 함수 $f(x)$의 평균변화율을 구하여라. (단, m은 상수이다.)

031 학교 기출 신유형

다항함수 $f(x)$에 대하여 $\displaystyle\lim_{x\to3}\dfrac{f(x-3)}{x-3}=2$일 때, $\displaystyle\lim_{x\to0}\dfrac{\{f(x)\}^2}{x\{x+2f(x)\}}$의 값은?

① $-\dfrac{4}{5}$ ② $-\dfrac{2}{5}$ ③ $\dfrac{2}{5}$

④ $\dfrac{4}{5}$ ⑤ 1

032

다항함수 $f(x)$가 다음 조건을 만족시킬 때, $\displaystyle\lim_{x\to-3}\dfrac{f(x)+f(3)}{x^3+27}$의 값은?

(가) 모든 실수 x에 대하여 $f(-x)=-f(x)$
(나) $\displaystyle\lim_{h\to0}\dfrac{f(-3+2h)+f(3)}{3h}=10$

① $\dfrac{2}{9}$ ② $\dfrac{1}{3}$ ③ $\dfrac{4}{9}$

④ $\dfrac{5}{9}$ ⑤ $\dfrac{2}{3}$

정답과 풀이 050쪽

033

다항함수 $y=f(x)$의 그래프와 직선 $y=x$가 오른쪽 그림과 같다. $0<a<1<b$일 때, |보기|에서 옳은 것만을 있는 대로 고른 것은?

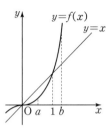

• 보기 •
ㄱ. $f(b)-f(a)>b-a$
ㄴ. $f'(b)<1$
ㄷ. $\dfrac{f(a)}{a}>\dfrac{f(b)}{b}$

① ㄱ   ② ㄴ   ③ ㄱ, ㄴ
④ ㄴ, ㄷ   ⑤ ㄱ, ㄴ, ㄷ

034 ◀다빈출

미분가능한 함수 $f(x)$가 모든 실수 x, y에 대하여
$$f(x+y)=f(x)+f(y)+2xy(x+y)+2$$
를 만족시키고, $f'(2)=9$일 때, $f'(1)$의 값은?

① -1 ② 0 ③ 1
④ 2 ⑤ 3

035

미분가능한 함수 $f(x)$가 모든 실수 x, y에 대하여
$$f(x+y)=f(x)+f(y)+3$$
을 만족시키고, $f'(0)=5$일 때,
$f'(1)+f'(3)+f'(5)+\cdots+f'(19)$의 값을 구하여라.

036

실수 전체의 집합에서 함수 $f(x)$가 미분가능하고 도함수 $f'(x)$가 연속이다. 함수 $f(x)$가 다음 조건을 만족시킬 때,
$$\lim_{x\to 1}\{f'(-x)-f'(x-1)+f(3x-4)-f(x)\}$$
의 값은?

(가) $f(2)=12$
(나) 모든 실수 x, y에 대하여
$$f(x+y)=f(x)+f(y)+xy(3x+3y+2)$$

① -6 ② -5 ③ -3
④ -2 ⑤ -1

037 ◦교육청 기출

두 다항함수 $f(x)$, $g(x)$에 대하여
$$f(1)=2, f'(1)=3, g(1)=5, g'(1)=2$$
일 때, $\lim\limits_{n\to\infty} n\left\{f\left(1+\dfrac{1}{n}\right)g\left(1+\dfrac{3}{n}\right)-f(1)g(1)\right\}$의 값을 구하여라.

038

다항함수 $f(x)$에 대하여 함수 $y=f(x)$의 그래프가 y축에 대하여 대칭이고

$$f'(1)=2, f'(4)=-1$$

일 때, $\displaystyle\lim_{x \to -2} \frac{f(x^2)-f(4)}{f(x+3)-f(-1)}$의 값은?

① -1 ② 0 ③ 1

④ 2 ⑤ 3

039

미분가능한 함수 $f(x)$가 다음 조건을 만족시킨다.

> ㈎ $f'(x)$는 $x=2$에서 연속이다.
> ㈏ 모든 실수 x에 대하여
> $$4xf(x)=(x^3-8)f'(x)+24$$

$15f'(2)$의 값은?

① 35 ② 40 ③ 45

④ 50 ⑤ 55

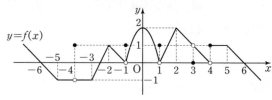

개념 ❷ 미분가능성과 연속성

040

함수 $y=f(x)$의 그래프가 다음 그림과 같다.

$-6<k<6$인 정수 k에 대하여 $\displaystyle\lim_{x \to k}\{f(x)-f(k)\}=0$

을 만족시키는 k의 집합을 A라 하고, $\displaystyle\lim_{x \to k} \frac{f(x)-f(k)}{x-k}$

의 값이 존재하는 k의 집합을 B라고 할 때, 집합 $A-B$의 원소의 개수를 구하여라.

041

함수 $f(x)=\begin{cases} (x^n+a)(x^3+2) & (x<0) \\ (x^n+a)(x+1) & (x\geq0) \end{cases}$ 이 $x=0$에서

미분가능하도록 하는 자연수 n의 최솟값은?

(단, a는 상수이다.)

① 1 ② 2 ③ 3

④ 4 ⑤ 5

042 〈다빈출〉

두 함수

$$f(x)=x^2+ax+b, \; g(x)=\begin{cases} x & (x\geq-1) \\ -x & (x<-1) \end{cases}$$

에 대하여 함수 $f(x)g(x)$가 $x=-1$에서 미분가능할 때, $a+b$의 값을 구하여라. (단, a, b는 상수이다.)

043

함수 $f(x)=\begin{cases} 2x+a & (x>3) \\ 8-4x & (x\le 3) \end{cases}$ 에 대하여 함수 $g(x)$를

$$g(x)=\begin{cases} (ax+b)f(x) & (x>3) \\ (x^2-3x)f(x) & (x\le 3) \end{cases}$$

로 정의할 때, 함수 $g(x)$는 $x=3$에서 미분가능하다. 정수 a, b에 대하여 $a+b$의 값은?

① 2 　　　　② 4 　　　　③ 6

④ 8 　　　　⑤ 10

044

두 함수

$$f(x)=|x-1|, \quad g(x)=\begin{cases} x-4 & (x\ge 1) \\ x+2 & (x<1) \end{cases}$$

에 대하여 |보기|에서 옳은 것만을 있는 대로 고른 것은?

━● 보기 ●━
ㄱ. 함수 $f(x)-g(x)$는 $x=1$에서 연속이다.
ㄴ. 함수 $f(x)g(x)$는 $x=1$에서 미분가능하다.
ㄷ. 함수 $|f(x)g(x)|$가 미분가능하지 않은 점의 개수는 3이다.

① ㄱ 　　　② ㄴ 　　　③ ㄷ

④ ㄱ, ㄴ 　　⑤ ㄴ, ㄷ

045

실수 전체의 집합에서 정의된 두 함수 $f(x)$, $g(x)$에 대하여

$$f(0)=0, \lim_{x\to 0}\frac{f(x)}{x}=5, \lim_{x\to 0}\frac{g(x)-4}{x}=2$$

일 때, |보기|에서 옳은 것만을 있는 대로 고른 것은?

━● 보기 ●━
ㄱ. $f'(0)+g'(0)=7$
ㄴ. 함수 $f(x)g(x)$는 $x=0$에서 미분가능하다.
ㄷ. 함수 $|f(x)|$는 $x=0$에서 미분가능하다.

① ㄱ 　　　② ㄴ 　　　③ ㄷ

④ ㄱ, ㄴ 　　⑤ ㄴ, ㄷ

046 교육청 기출

함수 $f(x)=\dfrac{1}{2}x^2$에 대하여 실수 전체의 집합에서 정의된 함수 $g(x)$를

$$g(x)=\begin{cases} f(x) & (f(x)\le x) \\ x & (f(x)>x) \end{cases}$$

라고 할 때, |보기|에서 옳은 것만을 있는 대로 고른 것은?

━● 보기 ●━
ㄱ. $g(1)=\dfrac{1}{2}$
ㄴ. 모든 실수 x에 대하여 $g(x)\le x$
ㄷ. 실수 전체의 집합에서 함수 $g(x)$가 미분가능하지 않은 점의 개수는 2이다.

① ㄱ 　　　　② ㄷ 　　　　③ ㄱ, ㄴ

④ ㄴ, ㄷ 　　⑤ ㄱ, ㄴ, ㄷ

047 학교 기출 신유형

함수 $f(x)$가 $x=1$에서 미분가능하고 함수 $g(x)$가 $x=1$에서 불연속일 때, |보기|에서 옳은 것만을 있는 대로 고른 것은? (단, $g(1)$의 값은 존재한다.)

— 보기 •

ㄱ. $\lim\limits_{x\to 1}g(x)$의 값이 존재하면 함수 $f(x)g(x)$는 $x=1$에서 연속이다.

ㄴ. $f(1)=0$이면 함수 $f(x)g(x)$는 $x=1$에서 연속이다.

ㄷ. $\lim\limits_{x\to 1}g(x)$의 값이 존재하고 $f(1)=0$이면 함수 $f(x)g(x)$는 $x=1$에서 미분가능하다.

① ㄱ   ② ㄷ   ③ ㄱ, ㄴ
④ ㄴ, ㄷ   ⑤ ㄱ, ㄴ, ㄷ

개념 3 도함수

048

삼차함수 $f(x)$가
$$f(0)=-1,\ f(-1)=f(1)=f(2)=5$$
를 만족시킨다. $f'(3)$의 값은?

① -50 ② -46 ③ -42
④ -38 ⑤ -34

049 다빈출

함수
$$f(x)=\begin{cases} x^3-3x & (x\le 0 \text{ 또는 } x\ge 1) \\ x^3-3x-1 & (0<x<1) \end{cases}$$
에 대하여 |보기|에서 옳은 것만을 있는 대로 고른 것은?

— 보기 •

ㄱ. 함수 $f(x)$는 $x=1$에서 미분가능하다.

ㄴ. $\lim\limits_{x\to 0}f'(x)=-3$

ㄷ. $\lim\limits_{x\to 1+}f(f'(x))=-1$

① ㄱ   ② ㄷ   ③ ㄱ, ㄴ
④ ㄴ, ㄷ   ⑤ ㄱ, ㄴ, ㄷ

050

상수가 아닌 다항함수 $f(x)$가
$$\{f'(x)\}^2=f(x)$$
를 만족시킬 때, $f(x)$의 최고차항의 계수는?

① $\dfrac{1}{4}$ ② $\dfrac{1}{2}$ ③ 1
④ 2 ⑤ 4

051

함수 $f(x)=[x-1](x^2+2ax+b)$가 $x=2$에서 미분가능할 때, 상수 a, b에 대하여 $a+b$의 값을 구하여라.
(단, $[x]$는 x보다 크지 않은 최대의 정수이다.)

052 교육청 기출

다항함수 $f(x)$가 다음 조건을 만족시킨다.

> (가) $\lim\limits_{x \to \infty} \dfrac{f(x)-2x^2}{x^2-1}=2$
>
> (나) $\lim\limits_{x \to 1} \dfrac{f(x)-2x^2}{x^2-1}=2$

$f'(5)$의 값을 구하여라.

053

실수 a, b, c에 대하여 함수

$$f(x)=\begin{cases} x^2-2x+1 & (x<0) \\ |ax+b| & (0 \le x < 2) \\ -\dfrac{1}{2}x^2+4x-3 & (x \ge 2) \end{cases}$$

가 실수 전체의 집합에서 연속이다. 함수 $f(x)$가 오직 $x=c$에서만 미분가능하지 않을 때, abc의 값은?

① -2 ② -1 ③ 0

④ 1 ⑤ 2

054

삼차함수 $f(x)=x^3+3x^2-9x$에 대하여 함수 $g(x)$를

$$g(x)=\begin{cases} f(x) & (x<a) \\ 9m-f(x) & (a \le x < b) \\ 16n+f(x) & (x \ge b) \end{cases}$$

라고 하자. 함수 $g(x)$가 모든 실수 x에서 미분가능하도록 하는 상수 a, b, m, n에 대하여 $a+b+m+n$의 값을 구하여라. (단, $a<b$)

055

최고차항의 계수가 1인 삼차함수 $f(x)$에 대하여 함수 $g(x)$를

$$g(x)=\begin{cases} f(x-3) & (x \ge 2) \\ f(x+3) & (x<2) \end{cases}$$

이라고 하자. 함수 $g(x)$가 실수 전체의 집합에서 미분 가능할 때, $f'(3)$의 값은?

① -12 ② -6 ③ 0

④ 6 ⑤ 12

056 학교 기출 신 유형

자연수 n에 대하여 n차함수 $f(x)$와 일차함수 $g(x)$가 다음 조건을 만족시킨다.

> (가) $f(0)=12$
>
> (나) $g(0)=0$
>
> (다) $\lim\limits_{x \to k} \dfrac{f(x)}{g(x-k)}=k-2$ (단, $k=1$, 2, 3)

n이 최소일 때, $g'(x)$를 구하여라.

최상위권 도약 **실력 완성 문제**

057

두 함수 $f(x)=x^3-x^2+x+3$,

$g(x)=\begin{cases} f(x) & (x \geq k) \\ f(x-k)+f(k)-f(0) & (x<k) \end{cases}$ 에 대하여

$g(x)$가 실수 전체의 집합에서 미분가능하도록 하는 상수 k의 값을 구하여라. (단, $k \neq 0$)

058 학교 기출 신 유형

다항함수 $f(x)$가 다음 조건을 만족시킨다.

> (가) 모든 실수 x에 대하여 $f(-x)=-f(x)$
>
> (나) 모든 실수 x에 대하여
> $$9xf(x)=\{f'(x)\}^2-15x^2-25$$

$f(2)$의 값은?

① -2 ② -1 ③ 0

④ 1 ⑤ 2

059

삼차함수 $f(x)=x^3+ax^2+bx+c$에 대하여 $y=f(x)$의 그래프가 직선 $y=k$와 서로 다른 세 점 A(α, k), B(β, k), C(γ, k)에서 만난다. $\overline{AB}=3$, $\overline{BC}=1$일 때, 점 A(α, k)에서 $y=f(x)$에 접하는 접선의 기울기를 구하여라. (단, $\alpha<\beta<\gamma$이고, a, b, c, k는 상수이다.)

개념 **4** 곱의 미분법

060 교육청 기출

최고차항의 계수가 1인 삼차함수 $f(x)$가 있다. 양수 t에 대하여 곡선 $y=f(x)$와 x축이 만나는 서로 다른 세 점의 x좌표가 $-2t$, 0, t일 때, $f'(4)$의 최댓값을 구하여라.

061 학교 기출 신 유형

미분가능한 함수 $y=f(x)$의 그래프가 오른쪽 그림과 같다. $g(x)=xf(x)$라고 할 때, |보기|에서 옳은 것만을 있는 대로 고른 것은?

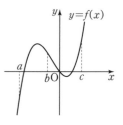

> **보기**
>
> ㄱ. $f(a)+g'(a)<0$
> ㄴ. $g(b)g'(b)<0$
> ㄷ. $f(c)+g'(c)>0$

① ㄱ   ② ㄱ, ㄴ   ③ ㄱ, ㄷ

④ ㄴ, ㄷ   ⑤ ㄱ, ㄴ, ㄷ

062 다빈출

최고차항의 계수가 1이고 $f(2)=0$인 삼차함수 $f(x)$가

$$\lim_{x \to 1} \frac{f(x)}{(x-1)\{f'(x)\}^2}=\frac{1}{3}$$

을 만족시킬 때, $f(-1)$의 값은?

① -30 ② -15 ③ 0

④ 15 ⑤ 30

063

어느 공장에서 0시를 기준으로 x시간 후의 전력 사용량을 $f(x)$ kWh라고 하면

$$f(x)=-(x-8)(x-15)(x-18)+4000$$
$$(0 \le x \le 24)$$

이다. 전력 사용량 kWh의 순간변화율이 최대가 되는 시각은?

① 오전 9시 40분   ② 오전 10시 20분

③ 오후 1시 40분   ④ 오후 3시 30분

⑤ 오후 4시 20분

064

미분가능한 두 함수 $f(x)$, $g(x)$가

$$\lim_{x \to 4} \frac{f(x)-5}{x-4}=6, \quad \lim_{x \to 4} \frac{g(x)-3}{\sqrt{x}-2}=8$$

을 만족시킬 때, 함수 $y=f(x)g(x)$의 그래프 위의 점 $(4, f(4)g(4))$에서의 접선의 기울기는?

① 24 ② 28 ③ 32

④ 36 ⑤ 40

065

자연수 n에 대하여 다항식 $x^{n+2}+ax^{n+1}+bx^n+2$가 $(x-1)^2$으로 나누어떨어질 때, $a=f(n)$이라고 하자. $f(20)$의 값은?

① 30 ② 34 ③ 38

④ 42 ⑤ 46

066

두 다항함수 $f(x)$, $g(x)$가 모든 양수 x에 대하여 다음 조건을 만족시킨다.

> (가) $f'(x)g(x)-f(x)g'(x)=-18x^3$
> (나) $g(x)=(x^2+2)f(x)$

함수 $f(x)g(x)$의 $x=2$에서의 미분계수를 구하여라.

상위권 보장 개념+필수 기출 문제

STEP A

개념 1 접선의 방정식

(1) 함수 $f(x)$가 $x=a$에서 미분가능할 때, 곡선 $y=f(x)$ 위의 점 $(a, f(a))$에서의 접선의 방정식은

$$y-f(a)=\underbrace{f'(a)}_{\text{점 }(a, f(a))\text{에서의 접선의 기울기}}(x-a)$$

참고 곡선 $y=f(x)$ 위의 점 $(a, f(a))$를 지나고, 이 점에서의 접선에 수직인 직선의 방정식은

$$y-f(a)=-\frac{1}{f'(a)}(x-a) \text{ (단, }f'(a)\neq0)$$

(2) 곡선 $y=f(x)$에 접하고 기울기가 m인 접선의 방정식은 다음과 같이 구한다.

 (i) 접점의 좌표를 $(a, f(a))$로 놓고, $f'(a)=m$임을 이용하여 접점의 좌표 $(a, f(a))$를 구한다.

 (ii) $y-f(a)=m(x-a)$를 이용하여 접선의 방정식을 구한다.

(3) 곡선 $y=f(x)$ 밖의 한 점 (x_1, y_1)에서 그은 접선의 방정식은 다음과 같이 구한다.

 (i) 접점의 좌표를 $(a, f(a))$로 놓고, $y-f(a)=f'(a)(x-a)$에 점 (x_1, y_1)의 좌표를 대입하여 a의 값을 구한다.

 (ii) a의 값을 $y-f(a)=f'(a)(x-a)$에 대입하여 접선의 방정식을 구한다.

등급업 TIP

(1) 두 곡선 $y=f(x)$, $y=g(x)$가 $x=a$에서 공통인 접선을 가지면

➡ $f(a)=g(a), f'(a)=g'(a)$

(2) 두 곡선 $y=f(x)$, $y=g(x)$가 점 (a, b)에서 만나고 이 점에서의 두 곡선에 그은 접선이 서로 수직이면

➡ $f(a)=g(a)=b, f'(a)g'(a)=-1$

---

067   출제율 ◖▬▬▬◗

곡선 $y=2x^3-3x$ 위의 점 $(1, -1)$에서의 접선의 방정식이 $y=mx+n$일 때, 상수 m, n에 대하여 $m-n$의 값은?

① 5   ② 6   ③ 7

④ 8   ⑤ 9

---

068   출제율 ◖▬▬▬◗

곡선 $y=x^3-2x^2+a$ 위의 점 $(2, a)$에서의 접선이 점 $(0, 10)$을 지날 때, 상수 a의 값을 구하여라.

---

069   출제율 ◖▬▬▬◗

곡선 $y=x^3-2x+7$ 위의 점 $P(-1, 8)$에서의 접선이 점 P가 아닌 점 (a, b)에서 곡선과 만날 때, $a+b$의 값은?

① 11   ② 12   ③ 13

④ 14   ⑤ 15

---

070   출제율 ◖▬▬▬◗

직선 $y=-\frac{1}{3}x-2$와 수직이고, 곡선 $y=2x^2-5x+1$에 접하는 직선의 y절편은?

① -10 ② -9 ③ -8

④ -7 ⑤ -6

071 학교 기출 신 유형

출제율 ▭▭▭▭

함수 $f(x)=-\dfrac{5}{6}x^3+ax$의 그래프 위의 두 점

$(0,\ f(0))$, $(-1,\ f(-1))$에서의 접선이 서로 수직이

되도록 하는 모든 실수 a의 값의 곱은?

① -3 ② -2 ③ -1

④ 1 ⑤ 2

072

출제율 ▭▭▭▭

점 $(0,\ -2)$에서 곡선 $y=x^2+x-1$에 그은 접선이 x축

과 만나는 점을 P, y축과 만나는 점을 Q라고 할 때, $\overline{\text{PQ}}$

의 길이는? (단, 접선의 기울기는 양수이다.)

① $\dfrac{2\sqrt{10}}{3}$ ② $\dfrac{4\sqrt{10}}{3}$ ③ $\dfrac{2\sqrt{10}}{3}$

④ $\dfrac{8\sqrt{10}}{3}$ ⑤ $\dfrac{10\sqrt{10}}{3}$

073

출제율 ▭▭▭▭

곡선 $y=-x^3-6x^2-4x+7$의 접선 중에서 기울기가

가장 큰 접선의 방정식이 $y=ax+b$일 때, $a+b$의 값

은? (단, a, b는 상수이다.)

① 17 ② 23 ③ 27

④ 32 ⑤ 36

074

출제율 ▭▭▭▭

곡선 $y=2x^2-1$ 위의 점 $(1,\ 1)$에서의 접선이 곡선

$y=x^3-ax+13$에 접할 때, 상수 a의 값은?

① 2 ② 4 ③ 6

④ 8 ⑤ 10

075 평가원 기출

출제율 ▭▭▭▭

삼차함수 $f(x)=x(x-1)(ax+1)$의 그래프 위의 점

P$(1,\ 0)$을 접점으로 하는 접선을 l이라고 하자. 직선 l

에 수직이고 점 P를 지나는 직선이 곡선 $y=f(x)$와 서

로 다른 세 점에서 만나도록 하는 실수 a의 값의 범위는?

① $-1<a<-\dfrac{1}{3}$ 또는 $0<a<1$

② $-\dfrac{1}{3}<a<0$ 또는 $0<a<1$

③ $-1<a<0$ 또는 $0<a<\dfrac{1}{3}$

④ $-1<a<0$ 또는 $\dfrac{1}{3}<a<1$

⑤ $-2<a<-\dfrac{1}{3}$ 또는 $\dfrac{1}{3}<a<2$

 개념 ② 평균값 정리

(1) **롤의 정리**: 함수 $f(x)$가
닫힌구간 $[a, b]$에서 연
속이고 열린구간 (a, b)
에서 미분가능할 때,
$f(a)=f(b)$이면
$$f'(c)=0$$
인 c가 열린구간 (a, b)에 적어도 하나 존재한다.

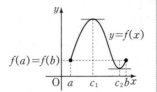

(2) **평균값 정리**: 함수 $f(x)$가 닫힌
구간 $[a, b]$에서 연속이고 열린
구간 (a, b)에서 미분가능할 때,
$$\frac{f(b)-f(a)}{b-a}=f'(c)$$
인 c가 열린구간 (a, b)에 적어도 하나 존재한다.

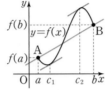

참고 평균값 정리에서 $f(a)=f(b)$인 경우가 롤의 정리이다.

등급업 TIP 롤의 정리와 평균값 정리는 함수 $f(x)$가 열린구간 (a, b)에서 미분가능하지 않으면 성립하지 않는다.
예를 들어, $f(x)=|x|$는 닫힌
구간 $[-1, 1]$에서 연속이고
$f(-1)=f(1)=1$이지만
$x=0$에서 미분가능하지 않으
므로 $f'(c)=0$인 c가 열린구간
$(-1, 1)$에 존재하지 않는다.

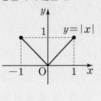

076

출제율 ◖▬▬▬◗

함수 $f(x)=x^3-2x^2-3x+3$에 대하여 닫힌구간
$[-1, 3]$에서 롤의 정리를 만족시키는 모든 실수 c의 값
의 합은?

① $\dfrac{2}{3}$ ② 1 ③ $\dfrac{4}{3}$

④ $\dfrac{5}{3}$ ⑤ 2

077

출제율 ◖▬▬▬◗

함수 $y=f(x)$의 그래프가
오른쪽 그림과 같을 때, 열린
구간 (a, b)에서 평균값 정
리를 만족시키는 실수 c의
개수는?

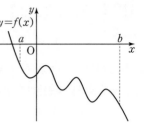

① 2 ② 3

③ 4 ④ 5

⑤ 6

078

출제율 ◖▬▬▬◗

함수 $f(x)=x^3-2$일 때, 닫힌구간 $[0, 3]$에서 평균값
정리를 만족시키는 상수 c의 값은?

① $-\sqrt{3}$ ② $\dfrac{3}{2}$ ③ $\sqrt{3}$

④ 2 ⑤ $\dfrac{3\sqrt{3}}{2}$

079

출제율 ◖▬▬▬◗

함수 $f(x)=x^2+4x$에 대하여
$$f(a+h)-f(a)=hf'(a+\theta h)$$
를 만족시키는 θ의 값은? (단, $h>0$, $0<\theta<1$)

① $\dfrac{1}{4}$ ② $\dfrac{1}{3}$ ③ $\dfrac{1}{2}$

④ $\dfrac{2}{3}$ ⑤ $\dfrac{3}{4}$

개념 ③ 함수의 증가와 감소

(1) **함수의 증가와 감소**: 함수 $f(x)$가 어떤 구간에 속하는 임의의 두 실수 x_1, x_2에 대하여

① $x_1 < x_2$일 때 $f(x_1) < f(x_2)$이면 함수 $f(x)$는 이 구간에서 증가한다고 한다.

② $x_1 < x_2$일 때 $f(x_1) > f(x_2)$이면 함수 $f(x)$는 이 구간에서 감소한다고 한다.

(2) **함수의 증가와 감소의 판정**: 함수 $f(x)$가 어떤 열린구간에서 미분가능하고, 이 구간에 속하는 모든 x에 대하여

① $f'(x) > 0$이면 함수 $f(x)$는 이 구간에서 증가한다.

② $f'(x) < 0$이면 함수 $f(x)$는 이 구간에서 감소한다.

> **주의** 위의 역은 성립하지 않는다. 예를 들어 함수 $f(x) = x^3$은 구간 $(-\infty, \infty)$에서 증가하지만 $f'(x) = 3x^2$에서 $f'(0) = 0$이다.

등급업 TIP 함수 $f(x)$가 어떤 열린구간에서 미분가능하고, 이 구간에서

(1) 함수 $f(x)$가 증가하면 이 구간의 모든 x에 대하여 $f'(x) \geq 0$이다.

(2) 함수 $f(x)$가 감소하면 이 구간의 모든 x에 대하여 $f'(x) \leq 0$이다.

080

출제율 ●●●○

다항함수 $y = f(x)$의 도함수 $y = f'(x)$의 그래프가 오른쪽 그림과 같을 때, 다음 중 함수 $y = f(x)$에 대한 설명으로 옳지 않은 것은?

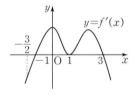

① 함수 $f(x)$는 열린구간 $\left(-\dfrac{3}{2}, -1\right)$에서 감소한다.

② 함수 $f(x)$는 열린구간 $(-1, 0)$에서 증가한다.

③ 함수 $f(x)$는 열린구간 $(0, 1)$에서 감소한다.

④ 함수 $f(x)$는 열린구간 $(1, 3)$에서 증가한다.

⑤ 함수 $f(x)$는 열린구간 $(3, \infty)$에서 감소한다.

081 교육청 기출

출제율 ●●●○

이차함수 $y = f(x)$의 그래프와 직선 $y = 2$가 다음 그림과 같다.

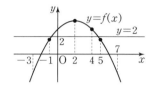

열린구간 $(-3, 7)$에서 부등식 $f'(x)\{f(x) - 2\} \leq 0$을 만족시키는 정수 x의 개수는? (단, $f'(2) = 0$)

① 4   ② 5   ③ 6

④ 7   ⑤ 8

082

출제율 ●●●○

함수 $f(x) = -2x^3 + 9x^2 - 12x + 4$가 증가하는 구간은?

① $[1, 2]$ ② $[0, 1]$ ③ $(-\infty, 0]$

④ $[1, \infty)$ ⑤ $[2, \infty)$

083

출제율 ●●●○

함수 $f(x) = \dfrac{1}{3}x^3 - 2x^2 - 12x$가 열린구간 $(-a, a)$에서 감소할 때, 양수 a의 최댓값은?

① 1   ② 2   ③ 3

④ 4   ⑤ 5

084 출제율 ▰▰▱▱▱

함수 $f(x)=x^3+3ax^2+2$가 닫힌구간 $[1, 2]$에서 감소하고, 반닫힌 구간 $[3, \infty)$에서 증가하도록 하는 정수 a의 값은?

① -5 ② -4 ③ -3
④ -2 ⑤ -1

085 학교 기출 신 유형 출제율 ▰▰▰▱▱

함수 $f(x)=x^3-ax^2-ax+1$이 다음 조건을 만족시킬 때, 정수 a의 개수는?

> 임의의 두 실수 x_1과 x_2에 대하여
> $x_1<x_2$이면 $f(x_1)<f(x_2)$이다.

① 1   ② 2   ③ 3
④ 4   ⑤ 5

086 출제율 ▰▰▰▱▱

삼차함수 $f(x)=-x^3+2ax^2-5ax+4$의 역함수가 존재하도록 하는 정수 a의 개수를 구하여라.

개념 ④ 함수의 극대와 극소

(1) **함수의 극대와 극소**: 함수 $f(x)$가 $x=a$를 포함하는 어떤 열린구간에 속하는 모든 x에 대하여
① $f(x) \leq f(a)$이면 $f(x)$는 $x=a$에서 극대라 하고 $f(a)$를 극댓값이라고 한다.
② $f(x) \geq f(a)$이면 $f(x)$는 $x=a$에서 극소라 하고 $f(a)$를 극솟값이라고 한다.
이때 극댓값과 극솟값을 통틀어 극값이라고 한다.

(2) **극값과 미분계수 사이의 관계**: 함수 $f(x)$가 $x=a$에서 미분가능하고 $x=a$에서 극값을 가지면 $f'(a)=0$이다.

> 주의 위의 역은 성립하지 않는다. 예를 들어, 함수 $f(x)=x^3$에서 $f'(x)=3x^2$이므로 $f'(0)=0$이지만 함수 $f(x)$는 $x=0$에서 극값을 갖지 않는다.

(3) **함수의 극대와 극소의 판정**: 미분가능한 함수 $f(x)$에 대하여 $f'(a)=0$이고 $x=a$의 좌우에서
① $f'(x)$의 부호가 양에서 음으로 바뀌면 $f(x)$는 $x=a$에서 극대이다.
② $f'(x)$의 부호가 음에서 양으로 바뀌면 $f(x)$는 $x=a$에서 극소이다.

> **등급업 TIP** 미분가능한 함수 $f(x)$에 대하여
> (1) $x=a$에서 극값을 갖는다. ➡ $f'(a)=0$
> (2) $x=a$에서 극값 b를 갖는다. ➡ $f'(a)=0, f(a)=b$

087 출제율 ▰▰▰▱▱

함수 $f(x)=ax^3+bx^2+4bx+5$가 $x=-1$에서 극솟값 -2를 가질 때, 극댓값은? (단, a, b는 상수이다.)

① 15   ② 18   ③ 20
④ 23   ⑤ 25

088 출제율 ▰▰▰▱▱

함수 $f(x)=-2x^3+6x+3$이 $x=\alpha$, $x=\beta$에서 극값을 가질 때, 두 점 $A(\alpha, f(\alpha))$, $B(\beta, f(\beta))$를 지나는 직선의 기울기를 구하여라.

089 학교 기출 신 유형 출제율 ━━━━

삼차함수 $f(x)$에 대하여 방정식 $f'(x)=0$의 두 실근 α, β는 다음 조건을 만족시킨다.

> (개) $\alpha-\beta=10$ (단, $\alpha>\beta$)
> (내) 두 점 $(\alpha, f(\alpha))$, $(\beta, f(\beta))$ 사이의 거리는 15이다.

함수 $f(x)$의 극댓값과 극솟값의 차는?

① $\sqrt{23}$ ② 5 ③ $5\sqrt{2}$
④ $5\sqrt{3}$ ⑤ $5\sqrt{5}$

090 교육청 기출 출제율 ━━━━

함수 $f(x)=x^3+ax^2+(a^2-4a)x+3$이 극값을 갖도록 하는 모든 정수 a의 개수는?

① 5 ② 6 ③ 7
④ 8 ⑤ 9

091 출제율 ━━━━

함수 $f(x)=x^3-x^2+ax-1$이 열린구간 $(-1, 2)$에서 극댓값과 극솟값을 모두 갖도록 하는 실수 a의 값의 범위를 구하여라.

092 출제율 ━━━━

함수 $f(x)=3x^4-4x^3+ax^2+3$이 극댓값을 갖기 위한 정수 a의 최댓값은?

① -1 ② 1 ③ 2
④ 3 ⑤ 4

093 출제율 ━━━━

함수
$f(x)=-x^4+10x^3-2(3a+4)x^2-2(3a+8)x-1$
이 극솟값을 갖지 않도록 하는 양의 정수 a의 최솟값은?

① 1 ② 2 ③ 3
④ 4 ⑤ 5

최상위권 도약 실력 완성 문제

개념 **1** 접선의 방정식

094

곡선 $y=x^3+ax^2-3x+2$ 위의 어떤 점에서도 기울기가 -4인 접선을 그을 수 없도록 하는 정수 a의 개수는?

① 1   ② 2   ③ 3

④ 4   ⑤ 5

095 교육청 기출

최고차항의 계수가 1이고 $f(0)=2$인 삼차함수 $f(x)$가
$$\lim_{x \to 1} \frac{f(x)-x^2}{x-1}=-2$$
를 만족시킨다. 곡선 $y=f(x)$ 위의 점 $(3, f(3))$에서의 접선의 기울기를 구하여라.

096 다빈출

두 함수 $f(x)=-2x^3$, $g(x)=-2x^3+64$의 그래프와 모두 접하는 직선이 있다. 이 직선과 두 함수 $y=f(x)$, $y=g(x)$의 그래프의 접점의 x좌표를 각각 a, b라고 할 때, $a-b$의 값은?

① -4 ② -2 ③ 1

④ 2   ⑤ 4

097

오른쪽 그림과 같이 $x=-3$, $x=-2$, $x=1$에서 기울기가 0인 접선을 갖는 함수 $y=f(x)$의 그래프가 있다. $g(x)=x^2f(x)$라고 할 때, 함수 $y=g(x)$의 그래프 위의 점 $(-2, g(-2))$에서의 접선의 방정식은?

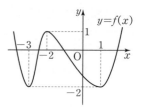

① $y=-2x-4$ ② $y=-4x-4$

③ $y=-2x+2$ ④ $y=-4x+4$

⑤ $y=-2x+4$

098

오른쪽 그림과 같이 곡선 $y=-x^2$ 위의 점 $P(t, -t^2)$이 있다. 점 P를 지나고 점 P에서의 접선에 수직인 직선이 y축과 만나는 점을 $Q(0, f(t))$라고 할 때, $\lim_{t \to 0} f(t)$의 값은? (단, $t>0$)

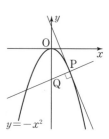

① $-\dfrac{5}{2}$ ② -2 ③ $-\dfrac{3}{2}$

④ -1 ⑤ $-\dfrac{1}{2}$

099

$x>0$에서 함수 $f(x)$가 미분가능하고

$$\frac{1}{2}x \le f(x) \le \frac{3}{2}x$$

이다. $f(2)=1$, $f(4)=6$일 때, $f'(2)+f'(4)$의 값을 구하여라.

100 학교 기출 신 유형

직선 $y=x+2$를 x축의 방향으로 $-k$만큼 평행이동하면 곡선 $y=x^3-x^2+2$와 접한다. 양수 k에 대하여 $k=\dfrac{q}{p}$라고 할 때, $p+q$의 값은?

(단, p와 q는 서로소인 자연수이다.)

① 31　　② 32　　③ 33

④ 34　　⑤ 35

101 다빈출

오른쪽 그림과 같이 곡선 $y=x^3-6x-1$ 위의 점 $\mathrm{P}(1,\ -6)$에서의 접선이 y축과 만나는 점을 Q, 곡선과 다시 만나는 점을 R라고 할 때, $\dfrac{\overline{\mathrm{QR}}}{\overline{\mathrm{PQ}}}$의 값을 구하여라.

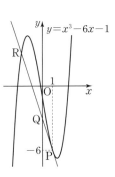

102

곡선 $y=x^3-x^2+2x-1$ 위의 서로 다른 두 점 A, B에서의 접선이 서로 평행하다. 점 A의 x좌표가 1일 때, 점 B에서의 접선의 방정식은?

① $y=3x-\dfrac{20}{27}$　　② $y=3x-\dfrac{7}{9}$

③ $y=3x-\dfrac{22}{27}$　　④ $y=3x-\dfrac{23}{27}$

⑤ $y=3x-\dfrac{8}{9}$

103

곡선 $y=x^3+4x^2+3x$의 접선 중에서 이 곡선과 접점 이외의 다른 점에서 만나지 않는 접선의 방정식은?

① $y=-\dfrac{7}{3}x-\dfrac{16}{27}$　　② $y=\dfrac{7}{3}x-\dfrac{16}{27}$

③ $y=-\dfrac{7}{3}x-\dfrac{64}{27}$　　④ $y=\dfrac{7}{3}x-\dfrac{64}{27}$

⑤ $y=-\dfrac{7}{3}x+\dfrac{64}{27}$

104

함수 $y=-x^3+3x^2+3x$에 대하여 곡선 $y=f(x)$ 위의 원점 O에서의 접선과 곡선 $y=f(x)$가 원점 이외의 점 A에서 만난다. 점 P가 곡선 위에서 원점과 점 A 사이를 움직일 때, 삼각형 OAP의 넓이의 최댓값을 구하여라.

105 교육청 기출

함수 $f(x)=x^2$과 $g(x)=-(x-3)^2+k$ $(k>0)$에 대하여 곡선 $y=f(x)$ 위의 점 P(1, 1)에서의 접선을 l이라고 하자. 직선 l에 대하여 곡선 $y=g(x)$가 접할 때의 접점을 Q, 곡선 $y=g(x)$와 x축이 만나는 두 점을 각각 R, S라고 할 때, 삼각형 QRS의 넓이는?

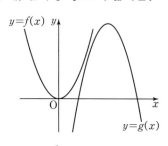

① 4   ② $\dfrac{9}{2}$ ③ 5

④ $\dfrac{11}{2}$ ⑤ 6

106

두 곡선 $y=f(x)$, $y=g(x)$가 점 $(2, a)$ $(a\neq0)$에서 만나고, 이 점에서의 접선은 서로 수직이다. 곡선 $y=f(x)g(x)$ 위의 점 $(2, a^2)$에서의 접선의 방정식이 $y=a^2$일 때, $\{f'(2)\}^2+\{g'(2)\}^2$의 값은?

(단, $f'(2)>g'(2)$)

① 2   ② 4   ③ 6

④ 8   ⑤ 10

107

두 곡선 $y=-x^2+2x$, $y=x^2-4$는 서로 다른 두 점에서 만난다. 이때 두 교점 중 제3사분면 위의 점을 P라 하고, 점 P에서의 두 곡선 $y=-x^2+2x$, $y=x^2-4$의 접선을 각각 l, m이라고 할 때, 두 직선 l, m과 y축으로 둘러싸인 도형의 넓이는?

① 1   ② 2   ③ 3

④ 4   ⑤ 5

108

곡선 $y=-2x^3+1$ 위의 점 $(1, -1)$에서의 접선에 접하고 중심이 y축 위에 있는 원의 넓이가 $\dfrac{q}{p}\pi$일 때, $p+q$의 값을 구하여라. (단, p와 q는 서로소인 자연수이다.)

개념 ② 평균값 정리

109

함수 $f(x)$에 대하여

$$\frac{f(1)-f(-1)}{2}=f'(c)$$

를 만족시키는 c가 열린구간 $(-1,\ 1)$에 존재하는 함수
인 것만을 |보기|에서 있는 대로 고른 것은?

┌ 보기 •
ㄱ. $f(x)=-x^2+2$

ㄴ. $f(x)=\begin{cases} x^2 & (x<0) \\ x & (x\geq0) \end{cases}$

ㄷ. $f(x)=x^3-x$
└

① ㄱ   ② ㄴ   ③ ㄷ

④ ㄱ, ㄴ   ⑤ ㄱ, ㄷ

110

함수 $f(x)=\frac{2}{3}x^3-2x^2+2$에 대하여 집합 S를

$$S=\left\{t\ \middle|\ t=\frac{f(b)-f(a)}{b-a},\ 0\leq a\leq b\leq2\right\}$$

로 정의할 때, 집합 S의 원소 t의 값의 범위는?

① $-2<t<0$ ② $-2<t<1$

③ $-2\leq t<0$ ④ $-2\leq t<1$

⑤ $-2\leq t\leq0$

111

미분가능한 함수 $f(x)$가 다음 조건을 만족시킨다.

┌─────────────────────────────┐
(가) $f(3)=2$

(나) 모든 실수 x에 대하여 $|f'(x)|\leq3$
└─────────────────────────────┘

$f(-1)=k$라고 할 때, 다음 중 k의 값이 될 수 없는 것
은?

① 11   ② 12   ③ 13

④ 14   ⑤ 15

112

미분가능한 함수 $f(x)$에 대하여 $f(-2)=3$, $f(2)=-1$
일 때, 함수 $g(x)=(x^2+1)f(x)$라고 하자. 함수 $g(x)$
에 대하여 닫힌구간 $[-2,\ 2]$에서 평균값 정리를 만족
시키는 실수 c의 값이 존재할 때, $g'(c)$의 값을 구하여
라.

113

함수 $f(x)$가 모든 실수 x에 대하여 미분가능하고
$\lim\limits_{x\to\infty}f'(x)=2$를 만족시킬 때,

$$\lim_{x\to0+}\left\{f\left(\frac{1+2x}{x}\right)-f\left(\frac{1-2x}{x}\right)\right\}$$의 값은?

① 2   ② 4   ③ 6

④ 8   ⑤ 10

개념 ③ 함수의 증가와 감소

114

함수 $f(x)=\dfrac{1}{3}x^3+ax^2+2|b|x+a$가 다음 조건을 만족시킬 때, 순서쌍 (a, b)의 개수는?

(단, a, b는 정수이다.)

(가) 임의의 두 실수 x_1, x_2에 대하여
$x_1 \neq x_2$이면 $f(x_1) \neq f(x_2)$이다.
(나) $|a|<3$, $|b|<3$

① 14   ② 15   ③ 16
④ 17   ⑤ 18

115

최고차항의 계수가 음수인 사차함수 $f(x)$의 도함수 $f'(x)$의 그래프가 x축과 세 점 $(2a, 0)$, $(b, 0)$, $(2b, 0)$에서 만나고, 함수 $f(x)$가 $x \leq -4$, $2 \leq x \leq 4$에서 증가할 때, $\dfrac{b}{a}$의 최댓값을 구하여라. (단, $a<0$, $b>0$)

116 〈다빈출〉

함수 $f(x)=x^3+2x^2+15|x-a|+1$이 실수 전체의 집합에서 증가할 때, 실수 a의 최댓값을 구하여라.

117 〈학교 기출〉〈신유형〉

미분가능한 함수 $y=f(x)$의 그래프의 개형이 다음 그림과 같다.

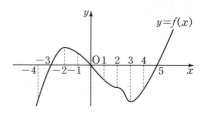

함수 $g(x)=(x-1)f(x)$에 대하여 다음 중 함수 $g(x)$가 증가하는 구간인 것은?

(단, $f'(-2)=f'(2)=f'(3)=0$)

① $(-\infty, -4)$ ② $(-4, -3)$ ③ $(-1, 0)$
④ $(1, 2)$ ⑤ $(2, 3)$

118 〈평가원 기출〉

사차함수 $f(x)$의 도함수 $f'(x)$가
$$f'(x)=(x+1)(x^2+ax+b)$$
이다. 함수 $y=f(x)$가 구간 $(-\infty, 0)$에서 감소하고 구간 $(2, \infty)$에서 증가하도록 하는 실수 a, b의 순서쌍 (a, b)에 대하여 a^2+b^2의 최댓값을 M, 최솟값을 m이라고 하자. $M+m$의 값은?

① $\dfrac{21}{4}$ ② $\dfrac{43}{8}$ ③ $\dfrac{11}{2}$
④ $\dfrac{45}{8}$ ⑤ $\dfrac{23}{4}$

119

함수 $f(x)=-x^3+ax^2+(a^2-3)x+8$에 대하여 다음 조건을 만족시키는 함수 $g(x)$가 존재할 때, $f'(2)$의 값을 구하여라.

> ㈎ $g(0)=2$
> ㈏ 모든 실수 x에 대하여 $(f \circ g)(x)=(g \circ f)(x)=x$

120

함수 $f(x)=x^3-(2a-1)x^2+3ax$에 대하여 곡선 $y=f(x)$ 위의 점 $(t, f(t))$에서의 접선의 y절편을 $g(t)$라고 하자. 함수 $g(t)$가 닫힌구간 $[0, 2]$에서 증가할 때, 실수 a의 최솟값을 구하여라.

121

함수 $f(x)=2x^3-6x$에 대하여 구간 $[0, a_1]$에서의 평균변화율과 같은 순간변화율을 갖는 점의 x좌표를 a_2, 구간 $[0, a_2]$에서의 평균변화율과 같은 순간변화율을 갖는 점의 x좌표를 a_3이라고 하자. 이와 같이 계속하여 a_4, a_5, a_6, …을 정할 때, |보기|에서 옳은 것만을 있는 대로 고른 것은? (단, a_1, a_2, a_3, …은 양수이다.)

> ― 보기 ●
> ㄱ. 모든 자연수 n에 대하여 $f(a_n)<f(a_{n+1})$이다.
> ㄴ. 모든 자연수 n에 대하여 $f'(a_n)<f'(a_{n+1})$이다.
> ㄷ. $\lim\limits_{n \to \infty} f'(a_n)=-6$

① ㄱ   ② ㄴ   ③ ㄱ, ㄷ
④ ㄴ, ㄷ   ⑤ ㄱ, ㄴ, ㄷ

개념 ④ 함수의 극대와 극소

122 〈다빈출〉

미분가능한 함수 $f(x)$의 도함수 $y=f'(x)$의 그래프가 오른쪽 그림과 같을 때, 함수 $f(x)$의 극값의 개수는?

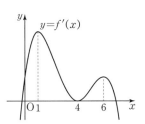

① 0   ② 1
③ 2   ④ 3
⑤ 4

123

함수 $f(x)$의 도함수 $y=f'(x)$의 그래프가 오른쪽 그림과 같을 때, |보기|에서 항상 성립하는 것의 개수는?

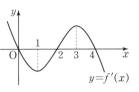

> ― 보기 ●
> ㄱ. 함수 $f(x)$는 $x=3$에서 극대이다.
> ㄴ. 함수 $f(x)$는 $0<x<2$에서 감소한다.
> ㄷ. 함수 $f(x)$는 세 개의 극값을 갖는다.
> ㄹ. 함수 $f(x)$는 $x>4$에서 감소한다.
> ㅁ. 함수 $f(x)$는 $x=2$에서 극소이다.

① 1   ② 2   ③ 3
④ 4   ⑤ 5

124

함수 $y=f(x)$의 도함수 $y=f'(x)$의 그래프가 오른쪽 그림과 같을 때, 다음 중 함수 $y=f(x)$의 그래프의 개형이 될 수 있는 것은?

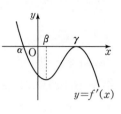

① 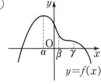   ②

③   ④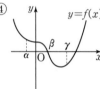

⑤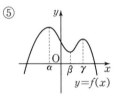

125 평가원 기출

함수 $f(x)=x^3-3ax^2+3(a^2-1)x$의 극댓값이 4이고 $f(-2)>0$일 때, $f(-1)$의 값은? (단, a는 상수이다.)

① 1   ② 2   ③ 3

④ 4   ⑤ 5

126 『다빈출』

최고차항의 계수가 1인 삼차함수 $f(x)$가 다음 조건을 만족시킬 때, $f(x)$의 극댓값을 구하여라.

> (가) 모든 실수 x에 대하여 $f'(x)=f'(-x)$
> (나) $f(x)$는 $x=1$에서 극솟값 16을 갖는다.

127

삼차함수 $f(x)$가 다음 조건을 만족시킬 때, $f(1)$의 값은?

> (가) $\lim_{x \to 0} \dfrac{f(x)}{x}=6$
> (나) $f(x)$는 $x=-1$, $x=1$에서 극값을 갖는다.

① 1   ② 2   ③ 3

④ 4   ⑤ 5

128

함수 $f(x)=x^3+2x^2-4x-6$에 대하여 $y=f(x)$의 그래프에서 극대가 되는 점을 P라고 할 때, 점 P를 지나고 곡선에 접하는 직선은 2개 있다. 이 두 직선 중 기울기가 0이 아닌 직선의 기울기는?

① -8 ② -6 ③ -4

④ -2 ⑤ -1

129

함수 $f(x)=x^4-12ax^3+4x^2+7$이 극값을 하나만 갖도록 하는 실수 a의 최댓값을 M, 최솟값을 m이라고 할 때, Mm의 값은?

① $-\dfrac{4}{27}$ ② $-\dfrac{11}{81}$ ③ $-\dfrac{10}{81}$

④ $-\dfrac{1}{9}$ ⑤ $-\dfrac{8}{81}$

130

이차함수 $y=f(x)$의 그래프가 오른쪽 그림과 같고, $f(-4)=f(2)=0$이다. 함수 $\{f(x)\}^2$이 $x=a$, $x=b$에서 극솟값을 가질 때, ab의 값을 구하여라.

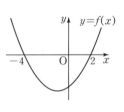

131

함수 $f(x)=\dfrac{3}{4}x^4+\dfrac{2}{3}ax^3+bx^2+3x$가 다음 조건을 만족시킨다.

> ㈎ $x=-1$에서 극값을 갖는다.
> ㈏ $f'(c)=0$이지만 $x=c$에서 극값을 갖지 않는다.

상수 a, b, c에 대하여 $a+b+c$의 값을 구하여라.

(단, $a\neq0$, $c\neq-1$)

132 학교 기출 신유형

함수 $f(x)=-x^3+3kx^2+6x+3$이 극대, 극소가 되는 점이 각각 A, B이다. 선분 AB를 삼등분한 점을 차례로 P, Q라고 할 때, 선분 PQ가 y축과 만나도록 하는 실수 k의 값의 범위는?

① $-1\le k\le\dfrac{1}{2}$ ② $-\dfrac{1}{2}\le k\le\dfrac{1}{2}$

③ $-\dfrac{1}{2}\le k\le1$ ④ $\dfrac{1}{2}\le k\le1$

⑤ $-1\le k\le1$

133

최고차항의 계수가 1인 사차함수 $f(x)$가 다음 조건을 만족시킬 때, $f(4)$의 값은?

> ㈎ 함수 $f(x)$는 $x=-1$에서 극댓값 6을 갖는다.
> ㈏ 함수 $f(x)$의 극솟값은 오직 -10뿐이다.

① 425   ② 431   ③ 437

④ 443   ⑤ 449

STEP A 상위권 보장 **개념+필수 기출 문제**

(1) 함수의 그래프

함수 $y=f(x)$의 그래프의 개형은 함수의 증가와 감소, 극대와 극소, 좌표축과의 교점 등을 이용하여 그린다.

(2) 함수의 최댓값과 최솟값

함수 $f(x)$가 닫힌구간 $[a, b]$에서 연속일 때, 최댓값과 최솟값은 다음과 같이 구한다.

(i) 주어진 구간에서 함수 $f(x)$의 극댓값과 극솟값을 구한다.

(ii) 양 끝 점에서의 함숫값 $f(a), f(b)$를 구한다.

(iii) 극댓값, 극솟값, $f(a), f(b)$ 중에서 가장 큰 값이 최댓값이고 가장 작은 값이 최솟값이다.

> **참고** 함수 $f(x)$가 닫힌구간 $[a, b]$에서 연속이면 최대·최소 정리에 의하여 $f(x)$는 이 구간에서 반드시 최댓값과 최솟값을 갖는다.

(3) 함수의 최대·최소의 활용

길이, 넓이, 부피 등의 최댓값 또는 최솟값은 다음과 같이 구한다.

(i) 적당한 변수를 미지수 x로 놓고 식을 세운다. 이때 변수의 제한 조건이 있으면 변수의 범위를 정한다.

(ii) 구한 식의 최댓값 또는 최솟값을 구한다.

등급업 TIP 닫힌구간 $[a, b]$에서 연속함수 $f(x)$의 극값이 오직 하나 존재할 때

(1) 극값이 극댓값이면 (극댓값)＝(최댓값)이다.

(2) 극값이 극솟값이면 (극솟값)＝(최솟값)이다.

---

134 출제율 ◯◯◯◯◯

닫힌구간 $[-2, 1]$에서 함수 $f(x)=x^3-2x^2-1$의 최댓값과 최솟값의 곱은?

① 15　　　　② 16　　　　③ 17

④ 18　　　　⑤ 19

---

135 출제율 ◯◯◯◯◯

닫힌구간 $[0, 3]$에서 함수 $f(x)=-x^3+12x+k$의 최댓값과 최솟값의 합이 18일 때, 상수 k의 값은?

① 1　　　　② 2　　　　③ 3

④ 4　　　　⑤ 5

---

136 출제율 ◯◯◯◯◯

닫힌구간 $[-2, 2]$에서 함수 $f(x)=-x^3+3x^2-k$의 최솟값이 -6일 때, $f(x)$의 최댓값은?

(단, k는 상수이다.)

① 14　　　　② 10　　　　③ 7

④ 0　　　　⑤ -2

---

137 출제율 ◯◯◯◯◯

$-1 \leq x \leq 2$에서 함수 $f(x)=ax^4-2ax^2+b$가 최댓값 10, 최솟값 -8을 가질 때, 상수 a, b에 대하여 $a+b$의 값은? (단, $a>0$)

① -5　　　　② -4　　　　③ -3

④ -2　　　　⑤ -1

138 학교 기출 신 유형　　　　출제율

오른쪽 그림은 미분가능한 함수 $f(x)$의 도함수 $y=f'(x)$의 그래프이다. 구간 $[0, 4]$에서 함수 $y=f(x)$는 $x=a$에서 최솟값을 가질 때, 상수 a의 값은?

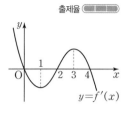

① 0　　　② 1　　　③ 2
④ 3　　　⑤ 4

139 평가원 기출　　　　출제율

좌표평면 위에 점 A$(0, 2)$가 있다. $0<t<2$일 때, 원점 O와 직선 $y=2$ 위의 점 P$(t, 2)$를 잇는 선분 OP의 수직이등분선과 y축의 교점을 B라고 하자. 삼각형 ABP의 넓이를 $f(t)$라고 할 때, $f(t)$의 최댓값은 $\dfrac{b}{a}\sqrt{3}$이다. $a+b$의 값을 구하여라.

(단, a와 b는 서로소인 자연수이다.)

140　　　　출제율

오른쪽 그림과 같이 모든 모서리의 길이가 $3\sqrt{2}$인 정사각뿔에 내접하는 직육면체의 부피의 최댓값을 구하여라.

개념 ② 방정식과 함수의 그래프

(1) 방정식의 실근과 함수의 그래프

① 방정식 $f(x)=0$의 실근은 함수 $y=f(x)$의 그래프와 x축의 교점의 x좌표와 같다.
② 방정식 $f(x)=g(x)$의 실근은 두 함수 $y=f(x)$, $y=g(x)$의 그래프의 교점의 x좌표와 같다.

(2) 삼차방정식의 근의 판별

삼차함수 $f(x)$가 극값을 가질 때, 삼차방정식 $f(x)=0$의 근은 극값을 이용하여 다음과 같이 판별할 수 있다.
① (극댓값)×(극솟값)<0 ⟺ 서로 다른 세 실근
② (극댓값)×(극솟값)=0 ⟺ 서로 다른 두 실근 (중근과 다른 한 실근)
③ (극댓값)×(극솟값)>0 ⟺ 한 실근과 두 허근

등급업 TIP 삼차함수 $f(x)$의 극값이 존재하지 않으면 삼차방정식 $f(x)=0$은 삼중근 또는 한 실근과 두 허근을 갖는다.

141　　　　출제율

x에 대한 방정식 $2x^3-6x-a=0$이 서로 다른 세 실근을 갖도록 하는 정수 a의 개수는?

① 4　　　② 5　　　③ 6
④ 7　　　⑤ 8

142　　　　출제율

x에 대한 방정식 $3x^4+4x^3-12x^2-k=0$이 서로 다른 네 실근을 갖도록 하는 정수 k의 개수를 구하여라.

143

출제율 〔▭▭▭▭〕

방정식 $x^3-9x+2=-3x^2+k$가 서로 다른 두 개의 양의 근과 한 개의 음의 근을 갖도록 하는 정수 k의 개수는?

① 1   ② 2   ③ 3

④ 4   ⑤ 5

144

출제율 〔▭▭▭▭〕

곡선 $y=x^3+8$과 직선 $y=12x+k$가 한 점에서 만나고 다른 한 점에서는 접하도록 하는 모든 실수 k의 값의 합을 구하여라.

145

출제율 〔▭▭▭▭〕

실수 k와 함수 $f(x)=x^3-6x^2+9x-3$에 대하여 x에 대한 방정식 $|f(x)|=k$의 서로 다른 실근의 개수를 a_k라고 하자. $a_1+a_2+a_3+a_4$의 값은?

① 13   ② 14   ③ 15

④ 16   ⑤ 17

146

출제율 〔▭▭▭▭〕

사차함수 $f(x)$의 도함수 $y=f'(x)$의 그래프가 오른쪽 그림과 같을 때, |보기|에서 옳은 것만을 있는 대로 고른 것은?

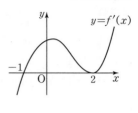

• 보기 •

ㄱ. $f(-1)>0$이면 방정식 $f(x)=0$은 실근을 갖지 않는다.

ㄴ. $f(-1)f(2)=0$이면 방정식 $f(x)=0$은 서로 다른 세 실근을 갖는다.

ㄷ. $f(-1)f(2)<0$이면 방정식 $f(x)=0$은 서로 다른 두 실근을 갖는다.

① ㄱ   ② ㄴ   ③ ㄷ

④ ㄱ, ㄷ   ⑤ ㄴ, ㄷ

147

출제율 〔▭▭▭▭〕

점 $(1, a)$에서 곡선 $y=2x^3$에 서로 다른 세 개의 접선을 그을 수 있도록 하는 정수 a의 값을 구하여라.

개념 ③ 부등식에의 활용

(1) 어떤 구간에서 부등식 $f(x) \geq 0$임을 보일 때
→ 그 구간에서 $(f(x)$의 최솟값$) \geq 0$임을 보인다.

(2) 어떤 구간에서 부등식 $f(x) \leq 0$임을 보일 때
→ 그 구간에서 $(f(x)$의 최댓값$) \leq 0$임을 보인다.

(3) 두 함수 $f(x)$, $g(x)$에 대하여 어떤 구간에서
$f(x) \geq g(x)$임을 보일 때
→ $h(x) = f(x) - g(x)$로 놓고 그 구간에서
$h(x) \geq 0$임을 보인다.

[참고] 어떤 구간에서 $f(x)$의 최솟값이 a이면 그 구간에서
$f(x) \geq a$이다.

[등급업 TIP] $x > a$에서 부등식 $f(x) \geq 0$이 성립함을 다음의 두 가지
방법으로 보일 수 있다.
(1) $x > a$에서 $(f(x)$의 최솟값$) \geq 0$임을 보인다.
(2) $x > a$에서 $f'(x) \geq 0$이면 $f(a) \geq 0$임을 보인다.

148
출제율 ▮▮▮▯▯

$x > 2$일 때, 부등식 $x^3 - 3x^2 > a$가 항상 성립하도록 하는 실수 a의 값의 범위는?

① $a > -4$
② $a > -2$
③ $a > 0$
④ $a \leq -4$
⑤ $a \leq -2$

149 교육청 기출
출제율 ▮▮▮▯▯

모든 실수 x에 대하여 부등식 $x^4 - 4x - a^2 + a + 9 \geq 0$이 항상 성립하도록 하는 정수 a의 개수는?

① 6
② 7
③ 8
④ 9
⑤ 10

150
출제율 ▮▮▮▯▯

$x < -2$일 때, 부등식 $4x^3 - 24x + k < 6x^2$이 항상 성립하도록 하는 실수 k의 최댓값은?

① 6
② 7
③ 8
④ 9
⑤ 10

151
출제율 ▮▮▮▯▯

두 함수 $f(x) = x^3 + 2x^2 - x + 3$, $g(x) = -x^2 + 8x + k$에 대하여 $0 \leq x \leq 3$일 때, $f(x) \leq g(x)$가 항상 성립하도록 하는 실수 k의 최솟값을 구하여라.

152
출제율 ▮▮▮▯▯

함수 $f(x) = -x^2(x+3)^2$에 대하여 $-3 \leq x \leq 0$일 때,
$$f'(t)(x-t) + f(t) \leq f(x)$$
가 항상 성립하도록 하는 실수 t의 값의 범위를 구하여라.

개념 ④ 속도와 가속도

수직선 위를 움직이는 점 P의 시각 t에서의 위치를 $x=f(t)$라고 할 때

(1) 시각 $t=a$에서 시각 $t=b$까지의 평균속도는

$$\frac{\Delta x}{\Delta t}=\frac{f(b)-f(a)}{b-a} \leftarrow \text{평균속도는 평균변화율}$$

(2) 시각 t에서의 속도 v는

$$v=\lim_{\Delta t \to 0}\frac{\Delta x}{\Delta t}=\frac{dx}{dt}=f'(t) \leftarrow \text{속도는 위치의 변화율}$$

참고 속도의 절댓값 $|v|$를 시각 t에서의 속력이라고 한다.

(3) 시각 t에서의 가속도 a는

$$a=\lim_{\Delta t \to 0}\frac{\Delta v}{\Delta t}=\frac{dv}{dt}=v'(t) \leftarrow \text{가속도는 속도의 변화율}$$

참고 위치 x —미분→ 속도 v —미분→ 가속도 a

등급업 TIP

(1) 수직선 위를 움직이는 점 P의 시각 t에서의 위치가 $x=f(t)$일 때, 시각 t에서의 점 P의 속도를 $v=f'(t)$라고 하면
 ① $v>0$ ➡ 점 P가 양의 방향으로 움직인다.
 ② $v<0$ ➡ 점 P가 음의 방향으로 움직인다.
 ③ $v=0$ ➡ 점 P가 운동 방향을 바꾸거나 운동을 정지한다.
(2) 수직으로 던져 올린 물체의 운동에서
 ① 최고점에 도달할 때 ➡ 속도 $v=0$
 ② 땅에 떨어질 때 ➡ 높이 $h=0$

153

출제율 ●●●●○

수직선 위를 움직이는 점 P의 시각 t에서의 위치가 $x(t)=t^2-4t+2$일 때, $t=3$에서의 속도를 a, 가속도를 b라 하고, 점 P가 운동 방향을 바꿀 때의 시각을 c라 할 때, $a+b+c$의 값은?

① 6   ② 7   ③ 8
④ 9   ⑤ 10

154

출제율 ●●●●○

수직선 위를 움직이는 두 점 P, Q의 시각 t일 때의 위치가 각각 $f(t)=2t^2-2t$, $g(t)=t^2-8t$이다. 두 점 P와 Q가 서로 반대 방향으로 움직이는 시각 t의 범위가 $a<t<b$일 때, 상수 a, b에 대하여 $a+b$의 값은?

① 3   ② $\frac{7}{2}$ ③ 4
④ $\frac{9}{2}$ ⑤ 5

155 학교 기출 신유형

출제율 ●●●●○

항공기의 이륙 거리는 여러 가지 요인에 의하여 달라지지만, 일반적으로 항공기의 무게, 기후, 활주로의 상태에 따라 다르다. 항공기가 이륙하기 위하여 t초 동안 활주로 상을 이동한 거리가 $D(t)=\frac{10}{9}t^2$ (m)라고 하자. 비행기의 속도가 200 km/h에 도달하면 활주로 상공으로 이륙하기 시작한다고 할 때, 비행기가 활주로 상에서 이동한 거리를 구하여라.

(단, t는 브레이크를 놓는 순간부터 측정한 시간이다.)

156

출제율 ●●●●○

원점을 동시에 출발하여 수직선 위를 움직이는 두 점 P, Q의 시각 t에서의 위치가 각각 $x_P=\frac{1}{3}t^3-3t$, $x_Q=t^2$이다. 선분 PQ의 중점을 M이라 하고 점 M의 시각 t에서의 위치를 x_M이라고 하자. $0<t<3$에서 세 점 P, Q, M이 움직이는 방향을 바꾼 횟수를 각각 a, b, c라 할 때, $a+b+c$의 값을 구하여라.

개념 5 길이, 넓이, 부피의 변화율

어떤 물체의 시각 t에서의 길이를 l, 넓이를 S, 부피를 V라고 할 때, 시간이 Δt만큼 경과한 후 길이, 넓이, 부피가 각각 Δl, ΔS, ΔV만큼 변했다고 하면

(1) 시각 t에서의 길이의 변화율은

$$\lim_{\Delta t \to 0} \frac{\Delta l}{\Delta t} = \frac{dl}{dt}$$ ← 길이의 변화율은 길이의 미분

(2) 시각 t에서의 넓이의 변화율은

$$\lim_{\Delta t \to 0} \frac{\Delta S}{\Delta t} = \frac{dS}{dt}$$ ← 넓이의 변화율은 넓이의 미분

(3) 시각 t에서의 부피의 변화율은

$$\lim_{\Delta t \to 0} \frac{\Delta V}{\Delta t} = \frac{dV}{dt}$$ ← 부피의 변화율은 부피의 미분

157

한 변의 길이가 4 cm인 정사각형을 밑면으로 하고, 높이가 8 cm인 직육면체가 있다. 이 직육면체의 밑면인 정사각형의 한 변의 길이는 매초 1 cm씩 길어지고, 높이는 매초 1 cm씩 짧아진다. 이 직육면체의 부피의 변화율이 0이 될 때, 직육면체의 부피를 구하여라.

158

가로의 길이가 18 cm, 세로의 길이가 8 cm인 직사각형이 있다. 이 직사각형의 가로의 길이는 매초 1 cm씩 짧아지고, 세로의 길이는 매초 $\frac{3}{2}$ cm씩 길어진다고 할 때, 이 직사각형이 정사각형이 되는 순간의 직사각형의 넓이의 변화율은?

① 5 cm²/s   ② 6 cm²/s   ③ 7 cm²/s
④ 8 cm²/s   ⑤ 9 cm²/s

159

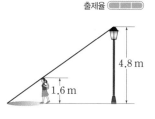

오른쪽 그림과 같이 키가 1.6 m인 영미가 높이가 4.8 m인 가로등 바로 밑에서 출발하여 일직선으로 매초 1.2 m의 속도로 걸어가고 있다. 영미의 그림자의 길이의 변화율은?

① $\frac{1}{3}$ m/s   ② $\frac{1}{2}$ m/s   ③ $\frac{3}{7}$ m/s
④ $\frac{5}{9}$ m/s   ⑤ $\frac{3}{5}$ m/s

160

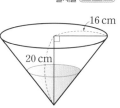

오른쪽 그림과 같이 밑면의 반지름의 길이가 16 cm, 깊이가 20 cm인 원뿔 모양의 그릇에 수면의 상승 속도가 $\frac{9}{4}$ cm/s가 되도록 물을 붓는다고 한다. 물의 깊이가 10 cm가 될 때, 물의 부피의 변화율을 구하여라. (단, 그릇의 두께는 무시한다.)

161 교육청 기출

한 변의 길이가 $12\sqrt{3}$인 정삼각형과 그 정삼각형에 내접하는 원으로 이루어진 도형이 있다. 이 도형에서 정삼각형의 각 변의 길이가 매초 $3\sqrt{3}$씩 늘어남에 따라 원도 정삼각형에 내접하면서 반지름의 길이가 늘어난다. 정삼각형의 한 변의 길이가 $24\sqrt{3}$이 되는 순간, 정삼각형에 내접하는 원의 넓이의 시간(초)에 대한 변화율이 $a\pi$이다. 상수 a의 값을 구하여라.

최상위권 도약 **실력 완성 문제**

개념 ① 함수의 그래프와 최대·최소

162

닫힌구간 $[-k, k]$에서 함수 $f(x)=-x^4+4x^2-2$의 최댓값을 $M(k)$라고 할 때, $M(1)+M(2)+M(3)$의 값은?

① 3   ② 4   ③ 5

④ 6   ⑤ 7

163

양수 a에 대하여 함수 $f(x)=4x^3+3ax^2-6a^2x+3$이 닫힌구간 $[-a, a]$에서 최댓값 M과 최솟값 $\dfrac{5}{4}$를 갖는다. $a+M$의 값을 구하여라.

164

함수 $f(x)=\dfrac{1}{3}x^3-2x^2+3x+a$의 그래프가 직선 $y=1$과 서로 다른 두 점에서 만난다. 닫힌구간 $[0, b]$에서 함수 $f(x)$의 최댓값과 최솟값의 차가 $\dfrac{4}{3}$일 때, 두 양수 a, b에 대하여 $a+b$의 최댓값을 구하여라.

165

등식 $x^2+4y^2=16$을 만족시키는 실수 x, y에 대하여 x^2+xy^2의 최댓값을 M, 최솟값을 m이라고 하자. $M+\dfrac{27}{4}m$의 값은?

① -5 ② -4 ③ -3

④ -2 ⑤ -1

166

닫힌구간 $[0, 3]$에서 함수
$$f(x)=2(x^2-4x+1)^3-24(x^2-4x+1)$$
의 최댓값과 최솟값의 합은?

① 8   ② 10   ③ 12

④ 14   ⑤ 16

167

$x>0$일 때, 함수

$$f(x)=x^3+\frac{1}{x^3}-45\left(x+\frac{1}{x}\right)+120$$

의 최솟값은?

① -10 ② -8 ③ -6

④ -4 ⑤ -2

168 〈다빈출〉

최고차항의 계수가 -1인 삼차함수 $f(x)$의 도함수 $f'(x)$에 대하여 방정식 $f'(x)=0$이 -3과 2를 두 실근으로 갖는다. 닫힌구간 $[-1, 3]$에서 함수 $f(x)$의 최댓값이 $\frac{41}{2}$일 때, 이 구간에서 함수 $f(x)$의 최솟값은?

① -25 ② -23 ③ -20

④ -16 ⑤ -13

169

함수 $f(x)=-x^3+3ax^2+(a^3-9a+1)x$에 대하여 곡선 $y=f(x)$ 위의 점에서의 접선의 기울기의 최댓값을 $M(a)$라고 하자. $-1\le a\le 2$에서 $M(a)$의 최댓값과 최솟값의 합을 구하여라.

170 〈교육청 기출〉

다음은 양수 k에 대하여 함수

$$f(x)=2kx^3-3(3k+1)x^2+18x-2$$

가 닫힌구간 $[0, 3]$에서 최댓값 12를 가질 때, k의 값을 구하는 과정이다.

함수 $f(x)$에서

$f'(x)=6kx^2-6(3k+1)x+18=6(kx-1)(x-3)$

$k=$ [(가)] 인 경우를 제외하고 함수 $f(x)$는 실수 전체의 집합에서 극댓값과 극솟값을 모두 가지므로

(ⅰ) $0<k\le$ [(가)] 일 때

    $0<x<3$에서 $f'(x)>0$이므로 함수 $f(x)$는 증가한다.

    따라서 닫힌구간 $[0, 3]$에서 함수 $f(x)$의 최댓값은 [(나)] 이다. 그러나 [(나)] $=12$를 만족시키는 k의 값은 $0<k\le$ [(가)] 에 존재하지 않는다.

(ⅱ) $k>$ [(가)] 일 때

    닫힌구간 $[0, 3]$에서 함수 $f(x)$의 증가와 감소를 표로 나타내면 다음과 같다.

x	0	$\cdots$	$\frac{1}{k}$	$\cdots$	3
$f'(x)$	$+$	$+$	0	$-$	0
$f(x)$		↗	극대	↘	

    따라서 함수 $f(x)$는 $x=\frac{1}{k}$에서 극대이면서 최대이다.

(ⅰ), (ⅱ)에 의하여 함수 $f(x)$가 닫힌구간 $[0, 3]$에서 최댓값 12를 가질 때, $k=$ [(다)] 이다.

위의 (가), (다)에 알맞은 수를 각각 a, b라 하고, (나)에 알맞은 식을 $g(k)$라고 할 때, $\frac{g(a)}{b}$의 값은?

① 24 ② 26 ③ 28

④ 30 ⑤ 32

171

점 P가 $0<x<3$에서 곡선 $y=\dfrac{1}{3}(x-3)^2$ 위를 움직이고 있다. 점 P에서 이 곡선에 그은 접선이 x축과 만나는 점을 A, y축과 만나는 점을 B라고 할 때, 삼각형 OAB의 넓이의 최댓값은 $\dfrac{q}{p}$이다. $p+q$의 값을 구하여라. (단, O는 원점이고, p, q는 서로소인 자연수이다.)

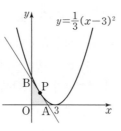

172

닫힌구간 $[-2, 2]$에서 정의되는 함수 $f(x)$와 실수 전체의 집합에서 정의되는 함수 $g(x)$가
$$f(x)=3-2x-x^2,\ g(x)=2x^3-3x^2-12x+5$$
일 때, 합성함수 $(g\circ f)(x)$의 최댓값은?

① 12   ② 20   ③ 25

④ 32   ⑤ 37

173

오른쪽 그림과 같이 한 변의 길이가 10인 정삼각형 모양의 종이가 있다. 이 종이의 세 귀퉁이에서 같은 크기의 사각형을 잘라 내고 남은 부분을 접어서 뚜껑이 없는 상자를 만들려고 한다. 상자의 부피가 최대가 될 때의 높이를 구하여라.

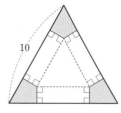

개념 ② 방정식과 함수의 그래프

174

사차함수 $f(x)$의 도함수 $y=f'(x)$의 그래프가 오른쪽 그림과 같다.
$f(-1)<f(3)<0<f(1)$일 때, |보기|에서 옳은 것만을 있는 대로 고른 것은?

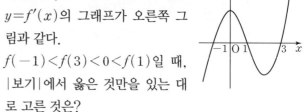

> **― 보기 ―**
> ㄱ. $f(2)>0$
> ㄴ. 함수 $f(x)$는 $x=1$에서 극대이다.
> ㄷ. 방정식 $f(x)=0$은 서로 다른 네 실근을 갖는다.

① ㄱ   ② ㄱ, ㄴ   ③ ㄱ, ㄷ

④ ㄴ, ㄷ   ⑤ ㄱ, ㄴ, ㄷ

175

자연수 k에 대하여 삼차방정식 $2x^3+3x^2-12x+10-3k=0$의 서로 다른 실근의 개수를 $f(k)$라고 할 때, $f(1)+f(2)+f(3)+\cdots+f(10)$의 값은?

① 16   ② 20   ③ 24

④ 28   ⑤ 32

176 다빈출

곡선 $y=x^3+x^2-6x-k$가 두 점 A$(-2, 3)$, B$(3, -2)$를 이은 선분과 서로 다른 두 점에서 만나도록 하는 정수 k의 개수를 구하여라.

177 학교 기출 신유형

x에 대한 삼차방정식 $2x^3-3x^2-12x-k=0$이 서로 다른 세 실근을 갖는다. 이때 가장 큰 근 a의 값의 범위는?
(단, k는 상수이다.)

① $-2<a<-1$　　② $-1<a<-\dfrac{1}{2}$

③ $0<a<1$　　　④ $\dfrac{1}{2}<a<2$

⑤ $2<a<\dfrac{7}{2}$

178

x에 대한 삼차방정식 $3x^3-9x-k=0$이 세 실근 α, β, γ를 갖는다. 실수 k에 대하여 $|\alpha|+|\beta|+|\gamma|$의 최댓값과 최솟값의 곱을 구하여라.

179

최고차항의 계수가 1인 삼차함수 $f(x)$가 다음 조건을 만족시킬 때, $f(3)$의 값은?

> ⑷ 모든 실수 x에 대하여 $f(-x)=-f(x)$
> ⑷ 방정식 $|f(x)|=2$의 서로 다른 실근의 개수가 4이다.

① 6　　　　② 12　　　　③ 18

④ 24　　　　⑤ 30

180 교육청 기출

오른쪽 그림과 같이 두 삼차함수 $f(x)$, $g(x)$의 도함수 $y=f'(x)$, $y=g'(x)$의 그래프가 만나는 서로 다른 두 점의 x좌표는 a, b $(0<a<b)$이다. 함수 $h(x)$를 $h(x)=f(x)-g(x)$라고 할 때, |보기|에서 옳은 것만을 있는 대로 고른 것은? (단, $f'(0)=7$, $g'(0)=2$)

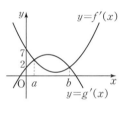

> ─ 보기 ─
> ㄱ. 함수 $h(x)$는 $x=a$에서 극댓값을 갖는다.
> ㄴ. $h(b)=0$이면 방정식 $h(x)=0$의 서로 다른 실근의 개수는 2이다.
> ㄷ. $0<a<\beta<b$인 두 실수 α, β에 대하여 $h(\beta)-h(\alpha)<5(\beta-\alpha)$이다.

① ㄱ　　　　② ㄷ　　　　③ ㄱ, ㄴ

④ ㄴ, ㄷ　　　　⑤ ㄱ, ㄴ, ㄷ

181

곡선 $y = x^2 - \dfrac{3}{2}$ 위의 점 P에서의 접선과 수직이면서 점 P를 지나는 직선을 l이라고 하자. 점 $A(a, 2)$를 지나는 서로 다른 직선 l이 3개 존재하도록 하는 실수 a의 값의 범위는?

① $-5 < a < 3$　　　　② $-\dfrac{7}{2} < a < 4$

③ $-4 < a < 4$　　　　④ $-\dfrac{3}{2} < a < \dfrac{7}{2}$

⑤ $-\dfrac{3}{2} < a < 5$

182 `교육청 기출`

함수 $f(x) = \dfrac{1}{3}x^3 + a$의 역함수를 $g(x)$라고 하자. 두 함수 $y = f(x)$와 $y = g(x)$의 그래프가 서로 다른 두 점에서 만나도록 하는 모든 상수 a의 값의 곱은?

① $-\dfrac{25}{36}$　　② $-\dfrac{4}{9}$　　③ $-\dfrac{1}{4}$

④ $-\dfrac{1}{9}$　　⑤ $-\dfrac{1}{36}$

183

최고차항의 계수가 양수인 삼차함수 $f(x)$에 대하여 삼차방정식 $f(x) = 0$은 한 개의 음의 실근과 서로 다른 두 양의 실근을 갖는다. 함수 $g(x) = f(x) + xf'(x)$에 대하여 |보기|에서 옳은 것만을 있는 대로 고른 것은?

> • 보기 •
>
> ㄱ. $g(0) > 0$
> ㄴ. 방정식 $g(x) = 0$은 한 개의 음의 실근과 서로 다른 두 양의 실근을 갖는다.
> ㄷ. 방정식 $f(x) = 0$과 $g(x) = 0$은 공통인 음의 실근을 갖는다.

① ㄱ　　　　② ㄴ　　　　③ ㄷ

④ ㄱ, ㄴ　　　⑤ ㄴ, ㄷ

184

x에 대한 사차방정식 $x^4 - 2x^2 + 1 - t = 0$의 서로 다른 실근의 개수를 $f(t)$라고 할 때, 실수 t에 대한 방정식 $f(t) = kt + k$의 서로 다른 실근의 개수가 2가 되기 위한 정수 k의 최댓값을 구하여라.

개념 ③ 부등식에의 활용

185

$-2 \le x \le 1$일 때, 부등식 $x^3 - 3x^2 + 10 \ge k$가 항상 성립하도록 하는 실수 k의 최댓값은?

① -10　　　② -5　　　③ 0

④ 5　　　⑤ 10

186

$x>0$일 때, 함수 $y=x^{n+1}-n(n-6)$의 그래프가 직선 $y=(n+1)x$보다 항상 위쪽에 있도록 하는 자연수 n의 개수는?

① 1   ② 2   ③ 3

④ 4   ⑤ 5

187 〈다빈출〉

두 함수
$$f(x)=x^4-2x^2+2a-15, \ g(x)=-x^2+6x+a$$
가 임의의 두 실수 x_1, x_2에 대하여 부등식 $f(x_1) \geq g(x_2)$를 만족시킬 때, 실수 a의 최솟값을 구하여라.

188

$-2 \leq x \leq 2$일 때, 부등식
$$-5 \leq x^3-3x^2-9x+k \leq 25$$
가 항상 성립하도록 하는 실수 k의 최댓값과 최솟값의 합은?

① 27   ② 32   ③ 37

④ 42   ⑤ 47

189

두 함수 $f(x)=x^3+3x^2-5x+2$, $g(x)=x^2-x$에 대하여 닫힌구간 $[-4, 0]$에서 부등식
$$g(x)-k \leq f(x) \leq g(x)+k$$
가 항상 성립하도록 하는 양수 k의 최솟값은?

① 10   ② 11   ③ 12

④ 13   ⑤ 14

190

삼차함수 $f(x)$와 이차함수 $g(x)$가 다음 조건을 만족시킨다.

> ㈎ 두 함수의 최고차항의 계수는 1이다.
> ㈏ 두 함수의 그래프는 y축에서 만난다.
> ㈐ x좌표가 4인 점에서 두 함수는 공통접선을 갖는다.

$x \geq k$일 때, 부등식 $f(x) \geq g(x)+5$가 항상 성립하도록 하는 실수 k의 최솟값은?

① 3   ② 5   ③ 7

④ 9   ⑤ 11

191

사차함수 $f(x)$의 도함수가

$$f'(x)=(x-1)^2(x-2)$$

일 때, |보기|에서 옳은 것만을 있는 대로 고른 것은?

── • 보기 • ──

ㄱ. $f(2)>0$이면 모든 실수 x에 대하여 부등식
$f(x)>0$이 성립한다.

ㄴ. $f(2)=0$이면 모든 실수 x에 대하여 부등식
$f(x)<0$은 성립하지 않는다.

ㄷ. $f(1)=0$이면 부등식 $f(x)\leq0$을 만족시키는 x의
최솟값은 1이다.

ㄹ. $f(1)=-f(2)$이면 방정식 $|f(x)|=f(1)$은 서
로 다른 두 실근을 갖는다.

① ㄱ, ㄷ　　　　② ㄴ, ㄹ　　　　③ ㄷ, ㄹ
④ ㄱ, ㄴ, ㄷ　　⑤ ㄴ, ㄷ, ㄹ

개념 ④ 속도와 가속도

192

원점을 출발하여 수직선 위를 움직이는 점 P의 시각 t에
서의 위치 $x(t)$가 $x(t)=\dfrac{1}{3}t^3-2t^2+3t$이다. $0\leq t\leq5$
에서 점 P의 속도가 최대가 될 때의 시각을 a, 그때의
최대 속도를 b라고 할 때, $a+b$의 값을 구하여라.

193

원점을 출발하여 수직선 위를 움직이는 점 P의 시각 t에
서의 위치 $x(t)$가 $x(t)=2t^3-12t^2+18t$이고, 점 P는
출발 후 운동 방향을 두 번 바꾼다. 운동 방향을 바꾸는
순간의 위치를 각각 A, B라고 할 때, 두 점 A, B 사이
의 거리를 구하여라.

194

지면에서 25 m/s의 속도로 수직으로 쏘아 올린 물체의
t초 후의 높이 $f(t)$ m는 $f(t)=25t-5t^2$일 때, 이 물체
의 최고 높이는 a m이고, 물체가 지면에 떨어질 때의 속
도는 b m/s이다. $a+b$의 값은?

① $\dfrac{49}{8}$　　　　② $\dfrac{25}{4}$　　　　③ $\dfrac{51}{8}$

④ $\dfrac{13}{2}$　　　　⑤ $\dfrac{53}{8}$

195 　평가원 기출

수직선 위를 움직이는 점 P의 시각 t $(t\geq0)$에서의 위
치 x가 $x=t^3-5t^2+at+5$이다. 점 P가 움직이는 방향
이 바뀌지 않도록 하는 자연수 a의 최솟값은?

① 9　　　　② 10　　　　③ 11
④ 12　　　　⑤ 13

196 다빈출

원점을 출발하여 수직선 위를 8초 동안 움직이는 점 P에 대하여 시각 t에서의 속도 $v(t)$의 그래프가 오른쪽 그림과 같을 때, |보기|에서 옳은 것만을 있는 대로 고른 것은?

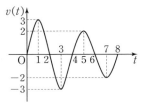

• 보기 •

ㄱ. 8초 동안 점 P의 가속도가 0이 되는 순간은 3번 있다.

ㄴ. 8초 동안 점 P는 운동 방향을 3번 바꾼다.

ㄷ. 출발 후 2초가 되었을 때 점 P의 위치는 원점이다.

① ㄱ   ② ㄴ   ③ ㄷ

④ ㄱ, ㄴ   ⑤ ㄴ, ㄷ

197

원점을 출발하여 수직선 위를 7초 동안 움직이는 점 P의 시각 t에서의 위치 $x(t)$의 그래프가 오른쪽 그림과 같을 때, |보기|에서 옳은 것만을 있는 대로 고른 것은?

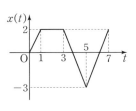

• 보기 •

ㄱ. $0<t<7$에서 점 P는 $t=5$일 때 원점에서 가장 멀리 있다.

ㄴ. 7초 동안 점 P는 운동 방향을 두 번 바꾼다.

ㄷ. $t=4$일 때, 점 P의 속도는 $-\dfrac{5}{2}$이다.

① ㄱ   ② ㄴ   ③ ㄱ, ㄷ

④ ㄴ, ㄷ   ⑤ ㄱ, ㄴ, ㄷ

198

원점을 출발하여 수직선 위를 움직이는 두 점 P, Q의 시각 t에서의 위치는 각각 $f(t)$, $g(t)$이다. 두 함수 $y=f(t)$, $y=g(t)$의 그래프가 오른쪽 그림과 같을 때, |보기|에서 옳은 것만을 있는 대로 고른 것은?

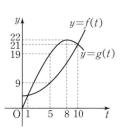

• 보기 •

ㄱ. $0<t<10$에서 점 P의 속도는 감소한다.

ㄴ. 두 점 P, Q는 모두 두 번 만난다.

ㄷ. $5\le t\le10$일 때, 점 P가 움직인 거리는 점 Q가 움직인 거리보다 길다.

① ㄴ   ② ㄷ   ③ ㄱ, ㄷ

④ ㄴ, ㄷ   ⑤ ㄱ, ㄴ, ㄷ

개념 **5** 길이, 넓이, 부피의 변화율

199

오른쪽 그림과 같이 좌표평면 위의 원점 O를 동시에 출발하여 각각 x축, y축 위를 움직이는 두 점 P, Q가 있다. 점 P는 x축의 양의 방향으로 매초 3의 속력으로 움직이고, 점 Q는 y축의 양의 방향으로 매초 2의 속력으로 움직인다. 선분 PQ와 직선 $y=x$가 만나는 점을 A라고 할 때, 선분 OA의 길이의 변화율을 구하여라.

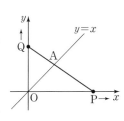

200

오른쪽 그림과 같이 한 변의 길이가 10인 정사각형 OABC에서 점 P는 점 O에서 출발하여 선분 OA 위를 매초 $\dfrac{4}{3}$씩 움직여 점 A까지, 점 Q는 점 A에서 출발하여 선분 AB 위를 매초 1씩 움직여 점 B까지 간다. 선분 PQ의 길이가 최소일 때, 삼각형 PAQ의 넓이의 변화율은?

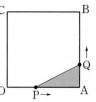

① $-\dfrac{1}{5}$ ② $-\dfrac{3}{5}$ ③ -1

④ $-\dfrac{7}{5}$ ⑤ $-\dfrac{9}{5}$

201 학교 기출 신유형

오른쪽 그림과 같이 한 변의 길이가 10인 정사각형 ABCD와 한 변의 길이가 5인 정사각형 EFGH가 직선 AF 위에 놓여 있다. $\overline{BE}=5$이고 두 점 P, Q가 다음의 규칙으로 움직일 때, 출발한 후 9초가 되는 순간의 $\overline{PQ}^2$의 변화율을 구하여라.

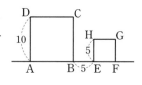

> (개) 점 P는 점 A를 출발하여 매초 3씩 정사각형 ABCD의 변을 따라 A → B → C → D → A → …의 방향으로 움직인다.
> (내) 점 Q는 점 E를 출발하여 매초 2씩 정사각형 EFGH의 변을 따라 E → F → G → H → E → …의 방향으로 움직인다.
> (대) 두 점 P, Q는 동시에 출발한다.

202

좌표평면에서 원점을 출발하여 x축의 양의 방향으로 매초 2의 속력으로 움직이는 점 P가 있다. 오른쪽 그림은 원점 O와 점 P를 지나고 최고차항의 계수가 -1인 이차함수의 그래프를 그린 것이다. 선분 OP를 $1:3$, $3:1$로 내분하는 점을 각각 A, B라 하고, 사각형 ABCD가 직사각형이 되도록 이차함수의 그래프 위의 두 점 C, D를 잡자. 사각형 ABCD가 정사각형이 되는 순간의 사각형 ABCD의 넓이의 변화율을 구하여라.

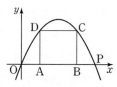

203

오른쪽 그림과 같이 밑면의 반지름의 길이가 각각 12 cm, 8 cm이고 높이가 16 cm인 원뿔대 모양의 그릇이 있다. 이 그릇에 수면의 높이가 매초 $\dfrac{1}{4}$ cm씩 증가하도록 물을 부을 때, 수면의 높이가 그릇의 높이의 $\dfrac{1}{4}$이 되는 순간의 부피의 변화율은? (단, 그릇의 두께는 무시한다.)

① 20π cm^3/s   ② $\dfrac{81}{4}\pi$ cm^3/s   ③ $\dfrac{41}{2}\pi$ cm^3/s

④ $\dfrac{83}{4}\pi$ cm^3/s   ⑤ 21π cm^3/s

204

함수 $f(x)=x^3+x^2-x+1$에 대하여 함수 $g(x)$를

$$g(x)=\begin{cases} -f(-x+a)+b & (x<1) \\ f(x) & (x\geq 1) \end{cases}$$

로 정의한다. 함수 $g(x)$가 실수 전체의 집합에서 미분 가능할 때, 상수 a, b에 대하여 $a+b$의 값을 구하여라.

(단, $a>0$)

205

최고차항의 계수가 1인 사차함수 $f(x)$가 다음 조건을 만족시킨다.

⑦ 네 개의 수 $f(-2)$, $f(-1)$, $f(0)$, $f(1)$이 이 순서 대로 등차수열을 이룬다.

⑭ 곡선 $y=f(x)$ 위의 점 $(-1, f(-1))$에서의 접선과 점 $(1, f(1))$에서의 접선이 점 $(a, 0)$에서 만난다.

$f\left(\dfrac{3}{2}a\right)=100$일 때, $f(2a)$의 값을 구하여라.

(단, a는 상수이다.)

206

함수

$$f(x)=\begin{cases} 3x^4+4x^3 & (x<0) \\ 3x^4-4(1-a)x^3 & (x\geq 0) \end{cases}$$

이 극댓값을 가질 때, $f(x)$의 최솟값을 $g(a)$라고 하자. $g(-1)+g\left(\dfrac{1}{2}\right)$의 값은? (단, a는 실수이다.)

① -20 ② -19 ③ -18

④ -17 ⑤ -16

207

다음 그림과 같이 직선 $y=2x+k$ $(8<k<16)$가 곡선 $y=-x^2+16$과 만나는 두 점을 A, B라 하고, y축과 만나는 점을 C라고 하자. 점 A의 x좌표가 점 B의 x좌표보다 클 때, |보기|에서 옳은 것만을 있는 대로 고른 것은? (단, O는 원점이다.)

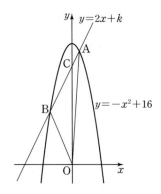

• 보기 •

ㄱ. 선분 AB의 중점의 x좌표는 -1이다.

ㄴ. $k=13$일 때, 삼각형 OCB의 넓이는 삼각형 OAC의 넓이의 3배이다.

ㄷ. 삼각형 OAB의 넓이는 $k=\dfrac{34}{3}$일 때 최대이다.

① ㄱ   ② ㄴ   ③ ㄷ

④ ㄱ, ㄴ   ⑤ ㄱ, ㄴ, ㄷ

208

함수 $f(x)=-x^3+12x^2+px+q$가 다음 조건을 만족시킨다.

(가) 함수 $|f(x)|$는 $x=6$에서 극댓값을 갖는다.

(나) 함수 $|f(x)|$는 $x=t$ $(t>6)$에서만 미분가능하지 않다.

(다) 방정식 $f(x)=6$은 서로 다른 두 개의 실근을 갖는다.

n이 자연수일 때, x에 대한 방정식 $|f(x)|=n$의 서로 다른 실근의 개수를 a_n이라고 하자. $\displaystyle\sum_{k=1}^{50} a_k$의 값을 구하여라. (단, p, q는 상수이다.)

미니 모의고사 - 1회

01

함수 $f(x)=x^3-ax^2+bx$에 대하여 x의 값이 0에서 2까지 변할 때의 평균변화율을 m이라 하고, 곡선 $y=f(x)$ 위의 점 $(2, 2)$에서의 접선의 기울기를 n이라고 하자. $m+n=-2$일 때, $a+b$의 값은?
(단, a, b는 상수이다.) [3점]

① 11   ② 12   ③ 13

④ 14   ⑤ 15

02

$f'(2)=f'(3)=4$인 미분가능한 함수 $f(x)$에 대하여
$$\lim_{x \to 2}\frac{f(x+1)-3}{f(x)-f(2)}=k$$
일 때, $f(3)+k$의 값은? (단, k는 상수이다.) [3점]

① 1   ② 2   ③ 3

④ 4   ⑤ 5

03

곡선 $y=(x-1)(x+2)(x-3)$ 위의 점 P에서의 접선의 기울기가 -1이라고 할 때, 점 P의 모든 x좌표의 합은? [3점]

① -2 ② $-\dfrac{4}{3}$ ③ $-\dfrac{2}{3}$

④ 2   ⑤ $\dfrac{4}{3}$

04

다항식 $x^{2021}-x^{2020}+x^{10}+3$을 $(x-1)^2$으로 나누었을 때의 몫을 $Q(x)$, 나머지를 $R(x)$라고 할 때, $R(2)$의 값을 구하여라. [3점]

05

두 곡선 $y=x^2+ax+b$, $y=-x^2+x+3$이 점 P에서 만나고 점 P에서의 접선이 서로 수직일 때, 두 상수 a, b에 대하여 $a+2b$의 값은? [3점]

① 5   ② 6   ③ 7

④ 8   ⑤ 9

06

곡선 $y=f(x)$와 직선 $y=3x$가 오른쪽 그림과 같이 원점에서 접한다. $0<a<b$일 때, |보기|에서 옳은 것만을 있는 대로 고른 것은? [4점]

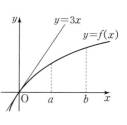

┌ 보기 ┐

ㄱ. $f'(0)=2$ ㄴ. $\dfrac{f(b)}{b}<\dfrac{f(a)}{a}<3$

ㄷ. $\dfrac{f(b)-f(a)}{b-a}<3$ ㄹ. $f'(a)<f'(b)$

① ㄴ   ② ㄷ   ③ ㄴ, ㄷ

④ ㄷ, ㄹ   ⑤ ㄱ, ㄴ, ㄹ

07

함수 $f(x)$의 도함수 $f'(x)$는 이차함수이고, $y=f'(x)$의 그래프는 오른쪽 그림과 같다. $f(x)$의 극댓값이 0, 극솟값이 -4일 때, $f(1)$의 값은?

[4점]

① -2 ② 0 ③ 2

④ 4 ⑤ 6

08

오른쪽 그림과 같이 곡선 $y=1-x^2$과 x축으로 둘러싸인 도형에 내접하는 사다리꼴이 있다. 이 사다리꼴의 넓이의 최댓값이 $\dfrac{q}{p}$일 때, $p+q$의 값은?

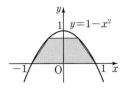

(단, p와 q는 서로소인 자연수이다.) [4점]

① 53 ② 55 ③ 57

④ 59 ⑤ 61

09

수직선 위를 움직이는 두 점 P, Q의 시각 t $(t>0)$에서의 위치는 각각

$$x_{\mathrm{P}}=t^4-8t^3+18t^2, \quad x_{\mathrm{Q}}=mt$$

이다. 두 점 P, Q의 속도가 같게 될 때의 횟수를 $f(m)$이라고 할 때, 실수 m에 대한 방정식 $f(m)=km+1$의 서로 다른 실근의 개수가 3이 되기 위한 실수 k의 최솟값을 구하여라. [4점]

10

오른쪽 그림과 같이 두 점 $\mathrm{P}(50,\,0)$, $\mathrm{Q}(0,\,50)$에 대하여 두 선분 OP, OQ를 이웃한 두 변으로 하는 정사각형이 있다. 점 P는 x축을 따라 음의 방향으로 매초 2씩 움직이고, 점 Q는 y축을 따라 양의 방향으로 매초 3씩 움직이는데, 직사각형의 모양을 유지하며 움직인다. t초 후의 직사각형을 밑면으로 하고 t초 후의 선분 OQ의 길이를 높이로 하는 직육면체에 대하여 이 직육면체의 부피가 최대가 될 때의 시각은 몇 초 후인가?

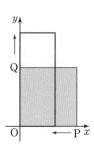

(단, $0<t<25$) [4점]

① $\dfrac{100}{9}$초   ② 12초   ③ $\dfrac{41}{3}$초

④ 15초   ⑤ $\dfrac{52}{3}$초

✅ 실력점검

맞힌 개수	/10개	점수	/35점

미니 모의고사 - 2회

01

함수 $f(x)=x^2+3x+2$에 대하여 x의 값이 -2에서 a까지 변할 때의 평균변화율과 $x=-3$에서의 미분계수가 같을 때, 상수 a의 값은? [3점]

① -5 ② -4 ③ -3
④ -2 ⑤ -1

02

함수 $f(x)=\begin{cases} ax^2+1 & (x \geq 1) \\ x^3+bx & (x<1) \end{cases}$ 가 실수 전체의 집합에서 미분가능할 때, $a+b$의 값은?

(단, a, b는 상수이다.) [3점]

① 6   ② 7   ③ 8
④ 9   ⑤ 10

03

실수 전체의 집합에서 정의된 함수
$$f(x)=-2x^3+x^2+ax+2021$$
의 역함수가 존재하기 위한 정수 a의 최댓값은? [3점]

① -1 ② 1   ③ 0
④ 2   ⑤ 3

04

함수 $f(x)=x^3+2ax^2+bx+c$가 $x=1$에서 극댓값 2를 갖고, 곡선 $y=f(x)$ 위의 $x=0$인 점에서의 접선의 기울기가 4일 때, $f(3)$의 값은? (단, a, b, c는 상수이다.) [3점]

① 8   ② 11   ③ 14
④ 17   ⑤ 20

05

두 함수
$$f(x)=4x^4-x^3+x^2+k, \quad g(x)=2x^4+3x^3+x^2$$
에 대하여 부등식 $f(x) \geq g(x)$가 모든 실수 x에 대하여 항상 성립하도록 하는 정수 k의 최솟값은? [3점]

① 2   ② 3   ③ 4
④ 5   ⑤ 6

06

미분가능한 함수 $f(x)$가 모든 실수 x, y에 대하여
$$f(x+y)=f(x)+f(y)-xy$$
를 만족시킨다. $f'(2)=4$일 때, $f'(x)$를 구하여라. [4점]

07

함수 $f(x)=(2x+1)(x+3)$과 $\lim_{x\to 1}\dfrac{g(x)-3}{x^2-1}=2$를 만족시키는 다항함수 $g(x)$에 대하여 함수 $h(x)$를 $h(x)=f(x)g(x)$라고 정의할 때, $h'(1)$의 값은? [4점]

① 75 　　　　② 77 　　　　③ 79

④ 81 　　　　⑤ 83

08

오른쪽 그림과 같이 정사각형 ABCD의 두 꼭짓점 A, C는 y축 위에 있고, 두 꼭짓점 B, D는 x축 위에 있다. 두 변 AB와 CD가 각각 삼차함수 $y=x^3-11x$의 그래프에 접할 때, 정사각형 ABCD의 한 변의 길이는? [4점]

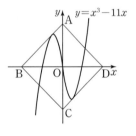

① $8\sqrt{2}$ 　　　　② 16 　　　　③ $16\sqrt{2}$

④ 32 　　　　⑤ $32\sqrt{2}$

09

사차함수 $y=f(x)$의 그래프가 원점을 지나고 그 도함수 $y=f'(x)$의 그래프가 오른쪽 그림과 같을 때, |보기|에서 옳은 것만을 있는 대로 고른 것은? [4점]

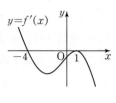

┌─ 보기 ────────────────────────
│ ㄱ. $x>0$일 때, $f(x)<0$이다.
│ ㄴ. 함수 $f(x)$의 최댓값은 $f(-4)$이다.
│ ㄷ. 방정식 $f(x)=f(-1)$은 서로 다른 두 실근을 갖는다.
└──────────────────────────────

① ㄱ 　　　　② ㄴ 　　　　③ ㄱ, ㄴ

④ ㄴ, ㄷ 　　　　⑤ ㄱ, ㄴ, ㄷ

10

원점에서 출발하여 수직선 위를 움직이는 두 점 P, Q의 t초 후의 위치를 각각 $f(t)$, $g(t)$라고 할 때, 두 함수 $y=f(t)$, $y=g(t)$의 그래프가 다음 그림과 같다. |보기|에서 옳은 것만을 있는 대로 고른 것은?

(단, $f'(a)=f'(d)=0$, $g'(a)=g'(e)=0$) [4점]

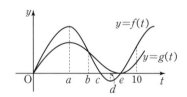

┌─ 보기 ────────────────────────
│ ㄱ. 두 점 P, Q는 $0<t<10$에서 두 번 만난다.
│ ㄴ. 점 P는 $b<t<e$에서 점 Q의 왼쪽에 있다.
│ ㄷ. 두 점 P, Q는 $d<t<e$에서 서로 반대 방향으로 움직인다.
└──────────────────────────────

① ㄱ 　　　　② ㄴ 　　　　③ ㄷ

④ ㄴ, ㄷ 　　　　⑤ ㄱ, ㄴ, ㄷ

✅ 실력점검

맞힌 개수	/10개	점수	/35점

적분

상위권 보장 개념+필수 기출 문제

개념 1 부정적분

(1) 부정적분의 정의

① 함수 $F(x)$의 도함수가 $f(x)$일 때, 즉
$F'(x)=f(x)$일 때, $F(x)$를 $f(x)$의 부정적분이라
하고, $F(x)$를 기호로 $\int f(x)dx$와 같이 나타낸다.

② 함수 $f(x)$의 부정적분 중 하나를 $F(x)$라고 하면

$$\int f(x)dx = F(x)+C \Longleftrightarrow F'(x)=f(x)$$

(적분한다. / 미분한다.)

이때 C를 적분상수라고 한다.

참고 함수 $f(x)$의 부정적분을 구하는 것을 $f(x)$를 적분한다고
하며, 그 계산법을 적분법이라고 한다.

(2) 부정적분과 미분의 관계

① $\int \left\{ \dfrac{d}{dx} f(x) \right\} dx = f(x)+C$

(단, C는 적분상수이다.)

② $\dfrac{d}{dx} \left\{ \int f(x)dx \right\} = f(x)$

주의 $\int \left\{ \dfrac{d}{dx} f(x) \right\} dx \neq \dfrac{d}{dx} \left\{ \int f(x)dx \right\}$

등급업 TIP

도함수 $f'(x)$가 주어질 때, 함수 $f(x)$는 다음과 같은 순
서로 구한다.

(i) $f(x)=\int f'(x)dx$임을 이용하여 $f(x)$를 적분상수
C를 포함한 식으로 나타낸다.

(ii) (i)에서 구한 식에 주어진 함숫값을 대입하여 C의 값
을 구한 후, (i)의 식에 대입하여 $f(x)$를 구한다.

---

001 출제율 ●●●●○

모든 실수 x에 대하여

$$\frac{d}{dx}\int (ax^2+3x+b)dx = 5x^2+cx-1$$

이 성립할 때, $a+b+c$의 값은?

(단, a, b, c는 상수이다.)

① 3   ② 4   ③ 5

④ 6   ⑤ 7

---

002 출제율 ●●●●○

함수 $f(x)$에 대하여 $\int (x+1)f(x)dx = x^4+4x-3$일
때, $f(2)$의 값은?

① 0   ② 4   ③ 8

④ 12   ⑤ 16

---

003 출제율 ●●●●○

함수 $f(x)$에 대하여

$$\int \left\{ \frac{d}{dx} f(x) \right\} dx = 3x^2-4x+C$$

이고, $f(2)=-1$일 때, $f(3)$의 값을 구하여라.

(단, C는 상수이다.)

---

004 출제율 ●●●●○

두 함수 $F(x)$, $G(x)$가 함수 $f(x)$의 부정적분이고,
$$F(x)=x^3+3x-4, \quad G(1)=1$$
일 때, $G(0)$의 값은?

① -5 ② -4 ③ -3

④ -2 ⑤ -1

005

함수 $f(x)$에 대하여

$$\int f(x)dx = x^5 - 2x^3 + 3x + C$$

가 성립할 때, $\lim\limits_{x \to 1} \dfrac{f(x) - f(1)}{x - 1}$의 값을 구하여라.

(단, C는 상수이다.)

006 학교 기출 신 유형

함수 $f(x)$에 대하여

$$\int f(x)dx = x^3 - 2x^2 + x + C$$

가 성립한다. $f(\alpha) = 0$, $f(\beta) = 0$일 때, $\alpha^2 + \beta^2$의 값은?

(단, α, β, C는 상수이다.)

① $\dfrac{2}{3}$ ② $\dfrac{7}{9}$ ③ $\dfrac{8}{9}$

④ 1 ⑤ $\dfrac{10}{9}$

개념 ② 부정적분의 계산

(1) 함수 $y = x^n$의 부정적분: n이 음이 아닌 정수일 때

$$\int x^n dx = \frac{1}{n+1}x^{n+1} + C \ (\text{단, } C\text{는 적분상수이다.})$$

참고 $\int 1dx$는 보통 $\int dx$로 나타낸다.

(2) 함수 $y = (ax+b)^n$ 꼴의 부정적분

$a \neq 0$이고, n이 음이 아닌 정수일 때

$$\int (ax+b)^n dx = \frac{1}{a} \times \frac{1}{n+1}(ax+b)^{n+1} + C$$

(단, C는 적분상수이다.)

(3) 함수의 실수배, 합, 차의 부정적분

두 함수 $f(x)$, $g(x)$의 부정적분이 존재할 때

① $\int kf(x)dx = k\int f(x)dx$ (단, k는 상수이다.)

② $\int \{f(x)+g(x)\}dx = \int f(x)dx + \int g(x)dx$

③ $\int \{f(x)-g(x)\}dx = \int f(x)dx - \int g(x)dx$

참고 위의 ②, ③은 세 개 이상의 함수에 대해서도 성립한다. 또, 적분상수가 여러 개 있을 때에는 이들을 묶어서 하나의 적분상수 C로 나타낸다.

등급업 TIP

함수 $f(x)$에 대하여 $f'(x) = \begin{cases} g(x) & (x > a) \\ h(x) & (x < a) \end{cases}$ 이고,

$f(x)$가 $x = a$에서 연속이면

(1) $f(x) = \begin{cases} \displaystyle\int g(x)dx & (x > a) \\ \displaystyle\int h(x)dx & (x < a) \end{cases}$

(2) $f(a) = \lim\limits_{x \to a+} \displaystyle\int g(x)dx = \lim\limits_{x \to a-} \displaystyle\int h(x)dx$

007

곡선 $y = f(x)$ 위의 임의의 점 (x, y)에서의 접선의 기울기가 $4x - 3$이고 $f(2) = 3$일 때, $f(-1)$의 값은?

① -2 ② 0 ③ 2

④ 4 ⑤ 6

008

출제율 ◖◗◗◗◗

함수 $f(x)=\displaystyle\int \frac{x^3}{x-1}dx-\int \frac{1}{x-1}dx$ 에 대하여
$f(0)=-3$일 때, $f(6)$의 값을 구하여라.

009

출제율 ◖◗◗◗◗

다항함수 $f(x)$의 도함수가 $f'(x)=4ax$이고,
$f'(1)=8$, $f(1)=4$일 때, $a+f(a)$의 값은?

(단, a는 상수이다.)

① 12　　　　② 15　　　　③ 18

④ 21　　　　⑤ 24

010

출제율 ◖◗◗◗◗

상수함수가 아닌 두 다항함수 $f(x)$, $g(x)$에 대하여

$$\frac{d}{dx}\{f(x)g(x)\}=3x^2$$

이 성립하고 $f(1)=13$, $g(1)=-2$일 때,
$f(-1)+g(2)$의 값은?

(단, $f(x)$, $g(x)$의 모든 계수와 상수항은 모두 실수이다.)

① 2　　　　② 3　　　　③ 4

④ 5　　　　⑤ 6

011

출제율 ◖◗◗◗◗

다항함수 $f(x)$와 그 부정적분 $F(x)$ 사이에

$$F(x)=xf(x)+2x^3-x^2+5$$

인 관계가 성립한다. $f(1)=2$일 때, 방정식 $f(x)=0$의
모든 근의 합은?

① $\dfrac{1}{3}$　　　　② $\dfrac{2}{3}$　　　　③ 1

④ $\dfrac{4}{3}$　　　　⑤ $\dfrac{5}{3}$

012

출제율 ◖◗◗◗◗

실수 전체의 집합에서 미분가능한 함수 $f(x)$의 도함수
가

$$f'(x)=\begin{cases} -2x+1 & (x<0) \\ 2x+a & (x>0) \end{cases}$$

이고 $f(-2)=-1$일 때, $(f\circ f)(-1)$의 값을 구하여
라. (단, a는 상수이다.)

013

출제율 ◖◼◼◼◻◗

실수 전체의 집합에서 미분가능한 함수 $f(x)$가 다음 조건을 만족시킬 때, $f(1)$의 값은?

(가) $f'(0)=5$
(나) 모든 실수 x, y에 대하여
$$f(x+y)=f(x)+f(y)-2xy$$

① 1   ② 2   ③ 3
④ 4   ⑤ 5

014

출제율 ◖◼◼◼◻◗

함수 $f(x)$의 도함수 $f'(x)$에 대하여 $y=f'(x)$의 그래프가 오른쪽 그림과 같은 포물선이고 $f(x)$의 극댓값이 4, 극솟값이 -4일 때, $f(-1)$의 값을 구하여라.

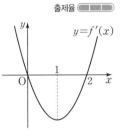

015 교육청 기출

출제율 ◖◼◼◼◻◗

함수 $f(x)$에 대하여 $f'(x)=(x-1)^3$이다. 함수 $f(x)$의 극값을 M, 함수 $y=f(x)$의 그래프 위의 두 점 $A(0, f(0))$, $B(2, f(2))$에서 접하는 두 접선의 교점의 y좌표를 N이라고 할 때, $16(M-N)$의 값을 구하여라.

개념 3 정적분

(1) 정적분의 정의

함수 $f(x)$가 닫힌구간 $[a, b]$에서 연속일 때, $f(x)$의 한 부정적분 $F(x)$에 대하여 $F(b)-F(a)$를 $f(x)$의 a에서 b까지의 정적분이라고 한다.

$$\int_a^b f(x)dx=\Big[F(x)\Big]_a^b=F(b)-F(a)$$

└ a를 아래끝, b를 위끝이라고 한다.

참고 정적분에서 변수를 x 대신 다른 문자를 사용해도 값은 변하지 않는다.

➡ $\int_a^b f(x)dx=\int_a^b f(y)dy=\int_a^b f(t)dt$

(2) 적분과 미분의 관계

함수 $f(x)$가 닫힌구간 $[a, b]$에서 연속일 때

$$\frac{d}{dx}\int_a^x f(t)dt=f(x)\ (단,\ a<x<b)$$

(3) 정적분의 성질

세 실수 a, b, c를 포함하는 닫힌구간에서 두 함수 $f(x)$, $g(x)$가 연속일 때

① $\int_a^b kf(x)dx=k\int_a^b f(x)dx$ (단, k는 상수이다.)

② $\int_a^b \{f(x)+g(x)\}dx=\int_a^b f(x)dx+\int_a^b g(x)dx$

③ $\int_a^b \{f(x)-g(x)\}dx=\int_a^b f(x)dx-\int_a^b g(x)dx$

④ $\int_a^c f(x)dx+\int_c^b f(x)dx=\int_a^b f(x)dx$

└ a, b, c의 대소에 관계없이 성립한다.

등급업 TIP 절댓값 기호를 포함한 함수는 절댓값 기호 안의 식의 값을 0으로 하는 x의 값을 경계로 구간을 나누어 정적분의 값을 구한다.

016

출제율 ◖◼◼◼◻◗

$\int_0^2 (4x+2)dx-\int_k^2 (4y+2)dy=24$를 만족시키는 양수 k의 값은?

① 1   ② 2   ③ 3
④ 4   ⑤ 5

017
출제율 ▰▰▰▱▱

두 다항함수 $f(x)$, $g(x)$가

$$\int_{-3}^{5} \{f(x)+g(x)\}dx=10,$$

$$\int_{5}^{-3} \{f(x)-g(x)\}dx=4$$

를 만족시킬 때, $\int_{-3}^{5} \{f(x)-2g(x)\}dx$의 값은?

① -11 ② -6 ③ -1

④ 4 ⑤ 9

018 학교 기출 신 유형
출제율 ▰▰▱▱▱

함수 $y=4x^3-6x^2$의 그래프를 y축의 방향으로 n만큼 평행이동한 그래프를 나타내는 함수를 $y=f(x)$라고 할 때, $\int_{0}^{3} f(x)dx=0$을 만족시키는 상수 n의 값을 구하여라.

019
출제율 ▰▰▰▰▱

다음 그림과 같이 삼차함수 $y=f(x)$가

$$f(-2)=f(2)=f(3)=0, f(0)=3$$

을 만족시킬 때, $\int_{0}^{3} f'(x)dx$의 값은?

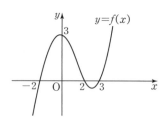

① -3 ② -1 ③ 0

④ 1 ⑤ 3

020
출제율 ▰▰▱▱▱

$\int_{0}^{1} (9a^2x^2-12ax-1)dx$의 값이 최소가 되는 실수 a의 값을 m, 그때의 정적분의 값을 n이라고 할 때, $m+n$의 값은?

① -5 ② -3 ③ -1

④ 1 ⑤ 3

021 학교 기출 신 유형
출제율 ▰▰▱▱▱

자연수 n에 대하여 $f(n)=\int_{0}^{1} \frac{1}{n}x^n dx$일 때, $f(1)+f(2)+f(3)+\cdots+f(100)$의 값은?

① $\frac{1}{99}$ ② $\frac{1}{100}$ ③ $\frac{1}{101}$

④ $\frac{99}{100}$ ⑤ $\frac{100}{101}$

022 · 평가원 기출 · 출제율 ▭▭▭▭▭

모든 다항함수 $f(x)$에 대하여 |보기|에서 옳은 것만을 있는 대로 고른 것은?

┌─ 보기 ─────────────────────────┐

ㄱ. $\displaystyle\int_0^3 f(x)dx = 3\int_0^1 f(x)dx$

ㄴ. $\displaystyle\int_0^1 f(x)dx = \int_0^2 f(x)dx + \int_2^1 f(x)dx$

ㄷ. $\displaystyle\int_0^1 \{f(x)\}^2 dx = \left\{\int_0^1 f(x)dx\right\}^2$

└────────────────────────────┘

① ㄴ   ② ㄷ   ③ ㄱ, ㄴ
④ ㄱ, ㄷ   ⑤ ㄴ, ㄷ

023 출제율 ▭▭▭▭▭

연속함수 $f(x)$가 모든 실수 x에 대하여 $f(x+3)=f(x)$ 를 만족시킨다. $\displaystyle\int_{-2}^1 f(x)dx = 4$일 때, $\displaystyle\int_{-2}^{10} f(x)dx$의 값은?

① 15   ② 16   ③ 17
④ 18   ⑤ 19

024 출제율 ▭▭▭▭▭

$\displaystyle\int_{-1}^2 |x^2(x-1)| dx = \dfrac{q}{p}$일 때, $p+q$의 값을 구하여라.

(단, p와 q는 서로소인 자연수이다.)

개념 우함수와 기함수의 정적분

함수 $f(x)$가 닫힌구간 $[-a, a]$에서 연속일 때

(1) $f(x)$가 우함수, 즉 $f(-x)=f(x)$이면

└ 우함수의 그래프는 y축에 대하여 대칭이다.

$$\int_{-a}^a f(x)dx = 2\int_0^a f(x)dx$$

(2) $f(x)$가 기함수, 즉 $f(-x)=-f(x)$이면

└ 기함수의 그래프는 원점에 대하여 대칭이다.

$$\int_{-a}^a f(x)dx = 0$$

등급업 TIP 자연수 n에 대하여

$$\int_{-a}^a (x^{2n}+x^{2n-1}+\cdots+x+1)dx$$
$$= 2\int_0^a (x^{2n}+x^{2n-2}+\cdots+x^2+1)dx$$

025 출제율 ▭▭▭▭▭

함수 $f(x)=10x^5-5x^4+x^3+2x-4$에 대하여 $\displaystyle\int_{-1}^0 f(x)dx + \int_0^1 f(t)dt$의 값은?

① -10 ② -5 ③ 0
④ 5   ⑤ 10

026 출제율 ▭▭▭▭▭

실수 a에 대하여 $\displaystyle\int_{-a}^a (7x^3-10x+4)dx = 16$일 때, a^2의 값을 구하여라.

027 출제율 〈████〉

다항함수 $f(x)$가 모든 실수 x에 대하여 $f(-x)=f(x)$를 만족시킨다. $\int_0^3 f(x)dx=5$, $\int_{-5}^5 f(x)dx=16$일 때, $\int_3^5 f(x)dx$의 값은?

① 1   ② 2   ③ 3
④ 4   ⑤ 5

028 출제율 〈████〉

다항함수 $f(x)$가 모든 실수 x에 대하여 $f(x)=f(-x)$를 만족시킨다. $\int_{-2}^0 f(x)dx=4$일 때, $\int_{-2}^2 (3x-2)f(x)dx$의 값을 구하여라.

029 출제율 〈████〉

다항함수 $f(x)$가 다음 조건을 만족시킬 때, $\int_{-1}^1 (x+3)(x-2)f(x)dx$의 값은?

> (가) $\int_0^1 xf(x)dx=5$, $\int_0^1 x^2f(x)dx=25$
>
> (나) 모든 실수 x에 대하여 $f(-x)=-f(x)$

① 2   ② 4   ③ 6
④ 8   ⑤ 10

개념 5 정적분으로 정의된 함수

(1) 정적분으로 정의된 함수의 미분

① $\dfrac{d}{dx}\displaystyle\int_a^x f(t)dt=f(x)$ (단, a는 상수이다.)

② $\dfrac{d}{dx}\displaystyle\int_x^{x+a} f(t)dt=f(x+a)-f(x)$

(단, a는 상수이다.)

(2) 정적분으로 정의된 함수의 극한

① $\displaystyle\lim_{x\to0}\dfrac{1}{x}\int_a^{x+a} f(t)dt=f(a)$

② $\displaystyle\lim_{x\to a}\dfrac{1}{x-a}\int_a^x f(t)dt=f(a)$

등급업 TIP 정적분으로 정의된 함수는 다음과 같이 구한다.

(1) $f(x)=g(x)+\displaystyle\int_a^b f(t)dt$ (a, b는 상수) 꼴

➡ $\displaystyle\int_a^b f(t)dt=k$ (k는 상수)로 놓고 $f(x)=g(x)+k$임을 이용하여 k의 값을 구한다.

(2) $\displaystyle\int_a^x f(t)dt=g(x)$ (a는 상수) 꼴

➡ $\displaystyle\int_a^a f(t)dt=0$, $f(x)=g'(x)$임을 이용한다.

030 출제율 〈████〉

함수 $f(x)=x^4+2x^2-3x-4$에 대하여 $\displaystyle\lim_{x\to1}\dfrac{1}{x^2-1}\int_1^x f(t)dt$의 값을 구하여라.

031 출제율 〈████〉

함수 $f(x)=3x^2-4x+2\displaystyle\int_0^1 f(t)dt$일 때, $f(-1)+f'(-1)$의 값은?

① -2 ② -1 ③ 0
④ 1   ⑤ 2

032

출제율 ◖▬▬▭▭◗

함수 $f(x)=\int_0^x (t-1)(t-2)dt$의 극댓값과 극솟값의 합은?

① 1

② $\dfrac{3}{2}$

③ 2

④ $\dfrac{5}{2}$

⑤ 3

033

출제율 ◖▬▬▬▭◗

미분가능한 함수 $f(x)$가 모든 실수 x에 대하여

$$\int_a^x (x-t)f(t)dt = x^3 - 2x^2 - 3x + 6$$

을 만족시킬 때, $f(3)$의 값을 구하여라.

(단, a는 상수이다.)

034 학교 기출 신 유형

출제율 ◖▬▬▬▭◗

실수 전체의 집합에서 미분가능한 함수 $f(x)$가 모든 실수 x에 대하여

$$x^2 f(x) = \dfrac{3}{4}x^4 + 2\int_1^x t f(t)dt - 1$$

을 만족시킬 때, 방정식 $f(x)=2$의 모든 근의 곱은?

① $-\dfrac{5}{2}$

② $-\dfrac{3}{2}$

③ $-\dfrac{1}{2}$

④ $\dfrac{1}{2}$

⑤ $\dfrac{3}{2}$

035 교육청 기출

출제율 ◖▬▬▭▭◗

상수함수가 아닌 다항함수 $f(x)$가 모든 실수 x에 대하여

$$\int_1^x f(t)dt = \{f(x)\}^2$$

을 만족시킬 때, $f(3)$의 값은?

① 1

② 2

③ 3

④ 4

⑤ 5

036

출제율 ◖▬▬▬▭◗

미분가능한 함수 $f(x)$가 $f(4)=5$, $f'(4)=1$을 만족시킬 때, $\displaystyle\lim_{x\to 2}\dfrac{1}{x-2}\int_4^{x^2} f(t)\{f'(t)\}^3 dt$의 값을 구하여라.

037 평가원 기출

출제율 ◖▬▬▬▭◗

다항함수 $f(x)$가 모든 실수 x에 대하여

$$\int_1^x \left\{\dfrac{d}{dt}f(t)\right\}dt = x^3 + ax^2 - 2$$

를 만족시킬 때, $f'(a)$의 값은? (단, a는 상수이다.)

① 1

② 2

③ 3

④ 4

⑤ 5

개념 1 부정적분

038 교육청 기출

함수 $f(x)=\int\left\{\dfrac{d}{dx}(x^2-6x)\right\}dx$에 대하여 $f(x)$의 최솟값이 8일 때, $f(1)$의 값을 구하여라.

039

함수 $f(x)=x^9+2x^8+3x^7+\cdots+9x+10$에 대하여

$$F(x)=\int\left[\dfrac{d}{dx}\int\left\{\dfrac{d}{dx}f(x)\right\}dx\right]dx$$

라고 하자. $F(0)=-10$일 때, 함수 $F(x)$의 모든 계수와 상수항의 합은?

① 30   ② 35   ③ 40

④ 45   ⑤ 50

040

다항함수 $f(x)$가

$$3\int f(x)dx=(x-2)f(x)$$

를 만족시키고 $f(0)=2$일 때, $f(8)$의 값을 구하여라.

041 다빈출

함수 $f(x)=\int(x^5+3x^2+9)dx$에 대하여

$\displaystyle\lim_{h\to0}\dfrac{f(-2+h)-f(-2-h)}{h}$의 값은?

① -22 ② -18 ③ -14

④ -10 ⑤ -6

042

이차함수 $f(x)$가 다음 조건을 만족시킨다.

> (가) $f(0)=-8$
> (나) 모든 실수 x에 대하여 $f(-x)=f(x)$
> (다) $f(f'(x))=f'(f(x))$

함수 $F(x)=\int f(x)dx$가 감소하는 x의 값의 범위가 $p\le x\le q$일 때, $q-p$의 값은?

① 4   ② 5   ③ 6

④ 7   ⑤ 8

043 학교 기출 신유형

최고차항의 계수가 1인 다항함수 $f(x)$의 한 부정적분 $F(x)$에 대하여

$$2F(x)=(x-1)\{f(x)-4\}$$

가 성립할 때, 함수 $F(x)$의 상수항은?

① $\dfrac{5}{2}$ ② $\dfrac{7}{2}$ ③ $\dfrac{9}{2}$

④ $\dfrac{11}{2}$ ⑤ $\dfrac{13}{2}$

개념 2 부정적분의 계산

044

도함수가 $f'(x)=3x^2+2ax-1$인 함수 $f(x)$가 $x-1$, $x+2$를 인수로 가질 때, 함수 $y=f(x)$의 그래프가 y축과 만나는 점의 y좌표는? (단, a는 상수이다.)

① -3 ② $-\dfrac{5}{2}$ ③ -2

④ $-\dfrac{3}{2}$ ⑤ -1

045

삼차함수 $y=f(x)$의 도함수 $y=f'(x)$의 그래프는 다음 그림과 같다.

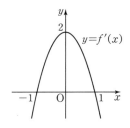

$f(0)=0$일 때, x에 대한 방정식 $f(x)=kx$가 서로 다른 세 실근을 갖기 위한 실수 k의 값의 범위는?

① $k>1$ ② $k>2$ ③ $k<2$

④ $-3<k<3$ ⑤ $k<-1$ 또는 $k>1$

046

함수 $f(x)$의 도함수가 $f'(x)=2x+a$이고

$$\lim_{x\to 1}\frac{f(x)}{x-1}=2a-1$$

일 때, $a+f(-5)$의 값은? (단, a는 상수이다.)

① 1 ② 3 ③ 5

④ 7 ⑤ 9

047 학교 기출 신 유형

이차함수 $f(x)$에 대하여 함수 $g(x)$가

$$g(x)=\int \{x^2+f(x)\}dx,$$
$$f(x)g(x)=-2x^4+6x^3+12x^2+4x$$

일 때, 다음 중 함수 $g(x)$는?

① $g(x)=x^2-x$ ② $g(x)=x^2+x$

③ $g(x)=x^2-2x$ ④ $g(x)=2x^2-2x$

⑤ $g(x)=2x^2+2x$

048

함수 $f(x)$의 도함수가 $f'(x)=x^2-4x$이고, $f(x)$의 극 댓값이 극솟값의 2배일 때, $f(x)$의 극댓값과 극솟값의 합은?

① 20   ② 24   ③ 28

④ 32   ⑤ 36

049

다항함수 $f(x)$가 모든 실수 k, h에 대하여

$$f(k+h)=f(k)+ak^2h+6kh^2+2h^3$$

을 만족시킨다. $f(-1)=-9$, $f(1)=-5$일 때, $f(2)$의 값을 구하여라. (단, a는 상수이다.)

050 교육청 기출

최고차항의 계수가 1인 삼차함수 $f(x)$가 $f(0)=0$, $f(\alpha)=0$, $f'(\alpha)=0$이고 함수 $g(x)$가 다음 조건을 만족 시킬 때, $g\left(\dfrac{\alpha}{3}\right)$의 값은? (단, α는 양수이다.)

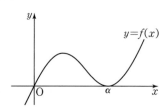

| ㈎ $g'(x)=f(x)+xf'(x)$ |
| ㈏ $g(x)$의 극댓값이 81이고 극솟값이 0이다. |

① 56   ② 58   ③ 60

④ 62   ⑤ 64

051

실수 전체의 집합에서 연속인 함수 $f(x)$의 도함수가

$$f'(x)=4x+|x^2-1|$$

이고, $f(0)=1$일 때, $f(-2)+f(2)$의 값을 구하여라.

052

두 다항함수 $f(x)$, $g(x)$의 도함수가 각각

$$f'(x)=x^2-2,\ g'(x)=x$$

이다. 방정식 $f(x)=g(x)$가 서로 다른 두 실근 α, β를 가질 때, $\alpha+\beta$의 값은? (단, $\alpha+\beta>0$)

① 1　　　　② $\dfrac{3}{2}$　　　　③ 2

④ $\dfrac{5}{2}$　　　　⑤ 3

개념 3 정적분

053

함수 $f(x)=x^2$의 그래프를 x축의 방향으로 m만큼, y축의 방향으로 n만큼 평행이동한 그래프가 나타내는 식을 $y=g(x)$라고 하자. 곡선 $y=g(x)$는 원점을 지나고

$$\int_0^m f(x)dx-\int_m^{2m} g(x)dx=27$$

일 때, 실수 m의 값은?

① 1　　　　② 2　　　　③ 3

④ 4　　　　⑤ 5

054

이차함수 $f(x)=ax^2-4ax\ (a>0)$에 대하여

$\displaystyle\int_2^k f(x)dx=0$이다. $\displaystyle\int_0^2 |f(x)|\,dx=A$,

$\displaystyle\int_2^k |f(x)|\,dx=B$라고 할 때, $\dfrac{A}{B}$의 값은?

(단, a, k는 상수이고, $k>2$이다.)

① $\dfrac{1}{2}$　　　　② 1　　　　③ $\dfrac{3}{2}$

④ 2　　　　⑤ $\dfrac{5}{2}$

055

상수함수가 아닌 함수 $f(x)$가 다음 조건을 만족시킬 때, $f(7)$의 값은?

(가) 모든 실수 x에 대하여
$$\int \{f'(x)\}^2 dx = 3f(x) - 8$$
(나) $\int_0^2 f(x)dx - 2\int_1^3 f(x)dx = 0$

① 4   ② 8   ③ 12
④ 16   ⑤ 20

056

함수 $f(x) = \int_0^2 |2t - x| dt$일 때, $\int_2^5 f(x)dx = \dfrac{q}{p}$이다. $p+q$의 값은? (단, p와 q는 서로소인 자연수이다.)

① 30   ② 32   ③ 34
④ 36   ⑤ 38

057

$0 < a < 1$에서 함수 $f(a) = \int_0^1 (x+a)|x-a| dx$의 최솟값을 m이라고 할 때, $20m$의 값을 구하여라.

058 학교 기출 신유형

삼차함수 $y = f(x)$의 그래프가 y축과 만나는 점의 y좌표가 -3이고, 함수 $f(x)$가 $x=1$에서 극댓값 1, $x=3$에서 극솟값 -3을 가질 때, $\int_0^3 |f'(x)| dx$의 값은?

① 8   ② 9   ③ 10
④ 11   ⑤ 12

059 다빈출

함수 $f(x) = \begin{cases} 1 & (|x| > 1) \\ |x| & (|x| \le 1) \end{cases}$에 대하여
$\int_0^2 x^2 f(2-x)dx$의 값은?

① 1   ② $\dfrac{5}{4}$ ③ $\dfrac{3}{2}$
④ $\dfrac{7}{4}$ ⑤ 2

060

함수 $f(x)=\begin{cases} 2x+4 & (x<0) \\ -x^2+2x+4 & (x\geq0) \end{cases}$에 대하여

$\displaystyle\int_{-a}^{a} f(x)dx$의 최댓값을 구하여라. (단, $a>0$)

061

다항함수 $f(x)$에 대하여 $f(0)=1$, $f'(0)=-3$일 때,

$\displaystyle\lim_{x\to0}\frac{1}{x}\int_{f(0)}^{f(x)}(3t^2-2t)dt$의 값을 구하여라.

062

x에 대한 이차방정식 $x^2-2kx+k-1=0$의 두 실근을

α, β ($\alpha<\beta$)라고 할 때, $\displaystyle\int_{\alpha}^{\beta}|x-k|\,dx$의 최솟값은?

(단, k는 실수이다.)

① $\dfrac{1}{4}$ ② $\dfrac{1}{2}$ ③ $\dfrac{3}{4}$

④ 1 ⑤ $\dfrac{5}{4}$

063

실수 전체의 집합에서 연속인 함수 $f(x)$가 다음 조건

을 만족시킬 때, $\displaystyle\int_{-2}^{1} f(x)dx$의 값은?

> (가) 임의의 실수 x에 대하여
> $$f(x+3)-f(x)=2x+1$$
> (나) $\displaystyle\int_{-2}^{7} f(x)dx=21$

① -3 ② -1 ③ 1

④ 3 ⑤ 5

064

삼차함수 $f(x)=x^3+ax^2+bx$가 $x\geq0$에서 $f(x)\geq0$이

고 $f(1)=16$일 때, $\displaystyle\int_{-1}^{1} f(x)dx$의 최댓값과 최솟값의

합은? (단, a, b는 상수이다.)

① $\dfrac{10}{3}$ ② $\dfrac{11}{3}$ ③ 4

④ $\dfrac{13}{3}$ ⑤ $\dfrac{14}{3}$

065

실수 전체의 집합에서 연속인 함수 $f(x)$가 $0 \leq x < 2$에서 $f(x) = ax^2$이고, 모든 실수 x에 대하여

$$f(x+2) = f(x) + 2$$

를 만족시킬 때, $\int_1^{13} f(x)dx$의 값을 구하여라.

(단, a는 상수이다.)

066

함수 $f(x) = \int_0^1 t|t-x|dt$의 최솟값을 m, 그때의 x의 값을 n이라고 할 때, $mn = a + b\sqrt{2}$이다. 유리수 a, b에 대하여 $a+b$의 값은?

① -2 ② -1 ③ 0

④ 1 ⑤ 2

개념 ④ 우함수와 기함수의 정적분

067 학교 기출 신 유형

다항함수 $f(x)$에 대하여

$$\int_{-3}^3 \{f(x) + f(-x)\}dx = 4,$$

$$\int_{-3}^0 \{f(x) - f(-x)\}dx = -8$$

일 때, $\int_0^3 f(x)dx$의 값을 구하여라.

068

두 다항함수 $f(x)$, $g(x)$가 모든 실수 x에 대하여

$$f(-x) = -f(x), \quad g(-x) = g(x)$$

를 만족시킬 때, |보기|에서 옳은 것만을 있는 대로 고른 것은? (단, $a > 0$)

┌─ 보기 ──────────────────────┐

ㄱ. $\int_{-a}^a \{f(x) + g(x)\}dx = 2\int_0^a g(x)dx$

ㄴ. $\int_{-a}^a g(f(x))dx = 0$

ㄷ. $\dfrac{1}{2}\int_{-a}^a g(f(x))dx$

     $= \int_{-\frac{a}{2}}^0 g(f(x))dx + \int_{\frac{a}{2}}^a g(f(x))dx$

└──────────────────────────┘

① ㄱ   ② ㄷ   ③ ㄱ, ㄷ

④ ㄴ, ㄷ   ⑤ ㄱ, ㄴ, ㄷ

069

두 다항함수 $f(x)$, $g(x)$가 모든 실수 x에 대하여
$$f(-x) = -f(x), \ g(-x) = g(x)$$
를 만족시킨다. 함수 $h(x) = f(x)g(x)$에 대하여
$$\int_{-1}^{1} (4x+5)h'(x)dx = 10$$일 때, $h(1)$의 값은?

① -2 ② -1 ③ 0

④ 1 ⑤ 2

070

다항함수 $f(x)$에 대하여
$$f(x) + f(-x) = 5x^4 + 3x^2 + 2$$
가 성립할 때, $\int_{-2}^{2} f(-x)dx$의 값을 구하여라.

071   ○평가원 기출

이차함수 $f(x)$는 $f(0) = -1$이고,
$$\int_{-1}^{1} f(x)dx = \int_{0}^{1} f(x)dx = \int_{-1}^{0} f(x)dx$$
를 만족시킨다. $f(2)$의 값은?

① 11 ② 10 ③ 9

④ 8 ⑤ 7

072

삼차함수 $f(x)$가 다음 조건을 만족시킬 때,
$$\int_{-1}^{1} (x-2)|f'(x)|dx$$의 값을 구하여라.

> ㈎ 모든 실수 x에 대하여 $f(-x) = -f(x)$이다.
> ㈏ $f(x)$는 $x=1$에서 극솟값 -4를 갖는다.

개념 5 정적분으로 정의된 함수

073

함수 $f(x) = 3x^2 + 4ax + b$가
$$\int_{0}^{n} f(x)dx = n^2 \ (n=1, \ 2)$$
을 만족시킨다. $g(x) = \int_{-1}^{x} f(x)f'(t)dt$일 때, $g(3)$의 값을 구하여라. (단, a, b는 상수이다.)

074

함수 $f(x)=x^2+ax+2$에 대하여

$\displaystyle\lim_{h\to 0}\frac{1}{h}\int_{2-3h}^{2+h}f(x)dx=8$일 때, 상수 a의 값을 구하여라.

075

이차함수 $f(x)=x^2+4x+k$에 대하여 함수

$F(x)=\displaystyle\int_0^x f(t)dt$가 극값을 갖지 않도록 하는 실수 k

의 최솟값은?

① 1   ② 2   ③ 3

④ 4   ⑤ 5

076 〈다빈출〉

함수 $f(x)=\displaystyle\int_0^x (t^2+at+b)dt$가 $x=3$에서 극솟값 0

을 가질 때, $f(x)$의 극댓값은? (단, a, b는 상수이다.)

① $\dfrac{2}{3}$ ② 1   ③ $\dfrac{4}{3}$

④ $\dfrac{5}{3}$ ⑤ 2

077

함수 $f(x)=6x^2+x+\displaystyle\int_0^2 (x+1)f(t)dt$일 때,

$f(2)$의 값은?

① 2   ② 4   ③ 6

④ 8   ⑤ 10

078

함수 $f(x)=6x^6+5x^5+4x^4+2x$에 대하여

$$\lim_{x\to 0}\frac{1}{x}\int_0^x (x+t+2)f'(t)dt$$

의 값을 구하여라.

079 {교육청 기출}

다항함수 $f(x)$가

$$\lim_{x \to 1} \frac{\int_1^x f(t)dt - f(x)}{x^2 - 1} = 2$$

를 만족시킬 때, $f'(1)$의 값은?

① -4 ② -3 ③ -2

④ -1 ⑤ 0

081

두 연속함수 $f(x)$, $g(x)$가

$$f(x) = 3x^2 + \int_0^1 \{f(t) + g(t)\}dt,$$

$$g(x) = -2x^3 + \int_0^1 \{f(t) + 2g(t)\}dt$$

를 만족시킬 때, $\dfrac{g(0)}{f(0)}$의 값은?

① -2 ② -1 ③ 0

④ 1 ⑤ 2

082

함수 $f(x) = x(x-2)$에 대하여

$g(x) = \int_0^x (x-t)f(t)dt$라고 할 때, $g(n) > 0$을 만족

시키는 자연수 n의 최솟값을 구하여라.

080 {학교 기출} {신 유형}

다항함수 $f(x)$에 대하여 다항식

$$F(x) = f(x) - 4x + 3\int_2^x f(t)dt$$

가 $(x-2)^2$으로 나누어떨어질 때, $f(2)f'(2)$의 값은?

① -160 ② -80 ③ -40

④ -20 ⑤ -10

083

다항함수 $f(x)$가 모든 실수 x에 대하여

$$xf(x) = 4x^3 + x^2\int_0^2 f'(t)dt + \int_2^x f(t)dt$$

를 만족시킬 때, 방정식 $f(x) = 0$의 모든 실근의 합은?

① 2 ② $\dfrac{7}{3}$ ③ $\dfrac{8}{3}$

④ 3 ⑤ $\dfrac{10}{3}$

STEP A 상위권 보장 **개념+필수 기출 문제**

(1) x축 적분꼴

함수 $y=f(x)$가 닫힌구간 $[a, b]$에서 연속일 때, 곡선 $y=f(x)$와 x축 및 두 직선 $x=a$, $x=b$로 둘러싸인 부분의 넓이 S는

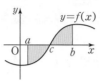

$$S=\int_a^b |f(x)|dx$$

$\int_a^b |f(x)|dx = -\int_a^c f(x)dx + \int_c^b f(x)dx$

참고 구간 $[a, b]$에서 $f(x)$의 값이 양수인 경우와 음수인 경우가 모두 있을 때에는 $f(x)$의 값이 양수인 구간과 음수인 구간으로 나누어 넓이를 구한다.

(2) y축 적분꼴

함수 $x=f(y)$가 닫힌구간 $[a, b]$에서 연속일 때, 곡선 $x=f(y)$와 y축 및 두 직선 $y=a$, $y=b$로 둘러싸인 부분의 넓이 S는

$$S=\int_a^b |f(y)|dy$$

$\int_a^b |f(y)|dy = -\int_a^c f(y)dy + \int_c^b f(y)dy$

등급업 TIP

포물선 $y=a(x-\alpha)(x-\beta)$ $(a\neq0)$와 x축으로 둘러싸인 도형의 넓이 S는

$$S=\int_\alpha^\beta |a(x-\alpha)(x-\beta)|dx$$
$$=\left|\frac{a}{6}(\beta-\alpha)^3\right|$$

084 출제율 ●●●○○

곡선 $y=-x^2+a^2$과 x축으로 둘러싸인 부분의 넓이가 36일 때, 양수 a의 값은?

① 1 ② 2 ③ 3
④ 4 ⑤ 5

085 출제율 ●●●○○

곡선 $y=\sqrt{x-1}$과 y축 및 두 직선 $y=2$, $y=5$로 둘러싸인 부분의 넓이를 구하여라.

086 출제율 ●●●○○

최고항의 계수가 1인 이차함수 $f(x)$가 $f(4)=3$이고
$$\int_0^{2020} f(x)dx = \int_3^{2020} f(x)dx$$
일 때, 곡선 $y=f(x)$와 x축으로 둘러싸인 부분의 넓이는?

① $\dfrac{1}{3}$ ② $\dfrac{2}{3}$ ③ 1
④ $\dfrac{4}{3}$ ⑤ $\dfrac{5}{3}$

087 출제율 ●●●○○

이차함수 $f(x)=-x^2+(a+2)x-2a$의 그래프와 x축 및 y축으로 둘러싸인 두 부분의 넓이가 같을 때, $f(1)$의 값을 구하여라. (단, $0<a<2$)

088

출제율

오른쪽 그림과 같이 곡선 $y=f(x)$와 x축으로 둘러싸인 두 도형의 넓이를 각각 S_1, S_2라고 하자. $S_1=6$, $S_2=15$일 때, 정적분 $\int_{-2}^{3} \{f(x)-1\}dx$의 값을 구하여라.

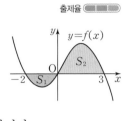

089

출제율

오른쪽 그림과 같이 이차함수 $y=-x^2+8x+a$의 그래프와 x축 및 y축으로 둘러싸인 부분 P의 넓이와 $y=-x^2+8x+a$의 그래프와 x축으로 둘러싸인 부분 Q의 넓이의 비가 $1:2$일 때, 상수 a의 값은?

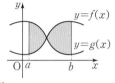

① -11 ② $-\dfrac{32}{3}$ ③ $-\dfrac{31}{3}$

④ -10 ⑤ $-\dfrac{29}{3}$

개념 ② 두 곡선 사이의 넓이

(1) x축 적분꼴

두 함수 $y=f(x)$와 $y=g(x)$가 닫힌구간 $[a, b]$에서 연속일 때, 두 곡선 $y=f(x)$, $y=g(x)$ 및 두 직선 $x=a$, $x=b$로 둘러싸인 부분의 넓이 S는

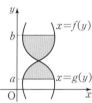

$$S=\int_{a}^{b}|f(x)-g(x)|dx$$
$$\int_{a}^{b}\{(위쪽의 식)-(아래쪽의 식)\}dx$$

참고 구간 $[a, b]$에서 $f(x)$와 $g(x)$의 값의 대소 관계가 바뀔 때에는 $f(x)-g(x)$의 값이 양수인 구간과 음수인 구간으로 나누어 넓이를 구한다.

(2) y축 적분꼴

두 함수 $x=f(y)$와 $x=g(y)$가 닫힌구간 $[a, b]$에서 연속일 때, 두 곡선 $x=f(y)$, $x=g(y)$ 및 두 직선 $y=a$, $y=b$로 둘러싸인 부분의 넓이 S는

$$S=\int_{a}^{b}|f(y)-g(y)|dy$$
$$\int_{a}^{b}\{(오른쪽의 식)-(왼쪽의 식)\}dy$$

등급업 TIP 함수 $f(x)$의 역함수가 $g(x)$일 때, 두 곡선 $y=f(x)$, $y=g(x)$로 둘러싸인 부분의 넓이 S는

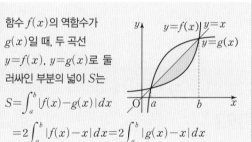

$$S=\int_{a}^{b}|f(x)-g(x)|dx$$
$$=2\int_{a}^{b}|f(x)-x|dx=2\int_{a}^{b}|g(x)-x|dx$$

090

출제율

곡선 $y=-3x^2+4x$와 직선 $y=x$로 둘러싸인 부분의 넓이는?

① $\dfrac{1}{4}$ ② $\dfrac{1}{3}$ ③ $\dfrac{1}{2}$

④ $\dfrac{2}{3}$ ⑤ $\dfrac{3}{4}$

091

출제율

두 곡선 $y=x^2-4x-9$, $y=-3x^2+4x+3$으로 둘러싸인 부분의 넓이를 S라고 할 때, $3S$의 값을 구하여라.

092

출제율

곡선 $y=3x-x^2$과 직선 $y=mx$로 둘러싸인 부분의 넓이가 $\dfrac{1}{6}$일 때, 상수 m의 값은? (단, $0<m<3$)

① $\dfrac{1}{3}$ ② $\dfrac{1}{2}$ ③ 1

④ $\dfrac{3}{2}$ ⑤ 2

093

출제율

곡선 $y=x^2$을 x축에 대하여 대칭이동한 다음, 다시 x축의 방향으로 1만큼, y축의 방향으로 5만큼 평행이동한 그래프의 식을 $y=g(x)$라고 할 때, 두 곡선 $y=x^2$과 $y=g(x)$로 둘러싸인 부분의 넓이는?

① 3 ② 6 ③ 9

④ 12 ⑤ 15

094

출제율

함수 $f(x)=x^2+3x$에 대하여 두 곡선 $y=f(x)$, $y=-f(x-1)+4$로 둘러싸인 부분의 넓이가 $\dfrac{q}{p}$일 때, $q-p$의 값을 구하여라.

(단, p와 q는 서로소인 자연수이다.)

095

출제율

2 이상의 자연수 n에 대하여 오른쪽 그림과 같이 $x\geq 0$에서 함수 $y=x^n$의 그래프와 y축 및 $y=1$로 둘러싸인 부분의 넓이를 S_n이라고 할 때, $S_2\times S_3\times S_4\times\cdots\times S_{99}$의 값은?

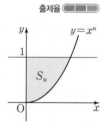

① $\dfrac{2}{97}$ ② $\dfrac{1}{49}$ ③ $\dfrac{2}{99}$

④ $\dfrac{1}{50}$ ⑤ $\dfrac{2}{101}$

096

출제율 ▭▭▭▭

두 함수 $f(x)=x^4+a$, $g(x)=-x^4+x^2$의 그래프가 $x=t$에서 같은 직선에 접할 때, 두 곡선 $y=f(x)$, $y=g(x)$로 둘러싸인 부분의 넓이는? (단, $a>0$)

① $\dfrac{1}{15}$ ② $\dfrac{2}{15}$ ③ $\dfrac{1}{5}$

④ $\dfrac{4}{15}$ ⑤ $\dfrac{1}{3}$

097 ✎ 평가원 기출

출제율 ▭▭▭▭

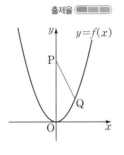

자연수 n에 대하여 좌표가 $(0, 2n+1)$인 점을 P라 하고, 함수 $f(x)=nx^2$의 그래프 위의 점 중 y좌표가 1이고 제1사분면에 있는 점을 Q라고 하자. $n=1$일 때, 선분 PQ와 곡선 $y=f(x)$ 및 y축으로 둘러싸인 부분의 넓이는?

① $\dfrac{3}{2}$ ② $\dfrac{19}{12}$ ③ $\dfrac{5}{3}$

④ $\dfrac{7}{4}$ ⑤ $\dfrac{11}{6}$

개념 ③ 수직선 위를 움직이는 점의 위치와 움직인 거리

수직선 위를 움직이는 점 P의 시각 t에서의 속도를 $v(t)$, 위치를 $x(t)$라고 하면

(1) $t=0$에서의 점 P의 위치가 $x(0)$일 때, $t=a$에서 점 P의 위치 $x(a)$는

$$x(a)=\underbrace{x(0)}_{\text{출발 위치}}+\underbrace{\int_0^a v(t)dt}_{\text{위치의 변화량}}$$

(2) $t=a$에서 $t=b$까지 점 P의 위치의 변화량은

$$\int_a^b v(t)dt$$

(3) $t=a$에서 $t=b$까지 점 P가 움직인 거리는

$$\underbrace{\int_a^b |v(t)|dt}_{y=v(t)\text{의 그래프와 }t\text{축 및 직선 }t=a,\ t=b\text{로 둘러싸인 부분의 넓이}}$$

주의 속도를 정적분하면 위치의 변화량이 되고, 절댓값을 취하여 정적분하면 움직인 거리가 된다. 따라서 위치의 변화량은 음수일 수 있지만 움직인 거리는 항상 양수이다.

등급업 TIP 위치, 속도, 가속도의 관계

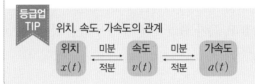

098

출제율 ▭▭▭▭

수직선 위를 움직이는 점 P의 시각 t에서의 속도는 $v(t)=5-2t$이고 $t=4$에서 점 P의 위치가 12일 때, 점 P의 처음 위치는?

① 4 ② 5 ③ 6

④ 7 ⑤ 8

099

출제율 ▭▭▭▭

지상 35 m의 높이에서 초속 30 m의 속도로 똑바로 위로 쏘아 올린 물체의 t초 후의 속도가

$$v(t)=30-10t\ (\text{m/s})$$

이다. 이 물체의 최고 높이를 구하여라.

100

출제율 ▰▰▰▱▱

직선 도로를 24 m/s의 속도로 달리는 자동차가 있다. 이 자동차에 제동을 건 후 t초 후의 속도가 $v(t)=24-3t$ (m/s)일 때, 제동을 건 후 자동차가 정지할 때까지 움직인 거리를 구하여라. (단, $0 \leq t \leq 8$)

101 [학교 기출] [신]유형

출제율 ▰▰▰▰▰

시각 $t=0$일 때 동시에 원점을 출발하여 수직선 위를 움직이는 두 점 P, Q의 시각 t $(t \geq 0)$에서의 속도가 각각

$$v_1(t)=3t^2+t, \ v_2(t)=2t^2+3t$$

이다. 두 점 P, Q가 출발 후 $t=a$에서 다시 만날 때, a의 값을 구하여라.

102

출제율 ▰▰▰▱▱

원점을 출발하여 수직선 위를 움직이는 점 P의 시각 t에서의 속도가 $v(t)=2t-t^2$일 때, 점 P가 다시 원점으로 돌아올 때까지 움직인 거리는?

① $\dfrac{4}{3}$ ② 2 ③ $\dfrac{8}{3}$

④ $\dfrac{10}{3}$ ⑤ 4

개념 4   그래프에서의 위치와 움직인 거리

수직선 위를 움직이는 점 P의 시각 t에서의 속도 $v(t)$의 그래프가 오른쪽 그림과 같을 때

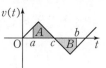

(1) 시각 $t=a$에서 $t=b$까지 점 P의 위치의 변화량은

$$\int_a^b v(t)dt=\int_a^c v(t)dt+\int_c^b v(t)dt=A-B$$

(2) 시각 $t=a$에서 $t=b$까지 점 P가 움직인 거리는

$$\int_a^b |v(t)|dt=\int_a^c v(t)dt-\int_c^b v(t)dt=\underline{A+B}$$

 두 넓이의 합

[참고] 위의 그림에서 $\underline{A=B}$이면 $t=a$에서의 점 P의 위치와 $t=b$에서의 점 P의 위치가 서로 같다. $\int_a^b v(t)dt=0$

103

출제율 ▰▰▰▱▱

원점을 출발하여 수직선 위를 움직이는 점 P의 시각 t $(0 \leq t \leq 4)$에서의 속도 $v(t)$의 그래프가 오른쪽 그림과 같다. 점 P의 시각 $t=4$에서의 위치를 구하여라.

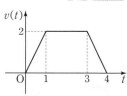

104

출제율 ▰▰▰▱▱

원점을 출발하여 수직선 위를 움직이는 점 P의 시각 t $(0 \leq t \leq 7)$에서의 속도 $v(t)$의 그래프가 오른쪽 그림과 같다. 점 P가 시각 $t=0$에서 시각 $t=7$까지 움직인 거리는?

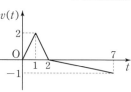

① $\dfrac{5}{2}$ ② $\dfrac{7}{2}$ ③ $\dfrac{9}{2}$

④ $\dfrac{11}{2}$ ⑤ $\dfrac{13}{2}$

105

출제율 ▨▨▨

어느 승강기가 1층에서 출발하여 멈추지 않고 꼭대기 층까지 올라갈 때, t초 후의 속도는

$$v(t) = \begin{cases} 3t & (0 \le t \le 2) \\ 6 & (2 < t \le 10) \\ -2t+26 & (10 < t \le 13) \end{cases}$$

이다. 이 승강기가 1층에서 꼭대기 층까지 움직인 거리는? (단, 속도의 단위는 m/s이다.)

① 61 m ② 63 m ③ 65 m
④ 67 m ⑤ 69 m

106

출제율 ▨▨▨▨

원점을 출발하여 수직선 위를 6초 동안 움직이는 점 P의 t초 후의 속도 $v(t)$의 그래프가 다음 그림과 같을 때, |보기|에서 옳은 것만을 있는 대로 고른 것은?

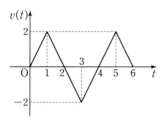

• 보기 •

ㄱ. 점 P는 움직이는 동안 방향을 4번 바꿨다.

ㄴ. 점 P는 출발하고 나서 4초 후 원점에 있다.

ㄷ. 시각 $t=0$에서 $t=6$까지 점 P가 움직인 거리는 6이다.

① ㄱ ② ㄴ ③ ㄱ, ㄴ
④ ㄴ, ㄷ ⑤ ㄱ, ㄴ, ㄷ

107 학교 기출 신유형

출제율 ▨▨▨

원점을 출발하여 수직선 위를 움직이는 점 P의 시각 t에서의 위치 $f(t)$에 대하여 이차함수 $y=f'(t)$의 그래프는 오른쪽 그림과 같다. 점 P가 출발할 때의 운동 방향에 대하여 반대 방향으로 움직인 거리를 구하여라.

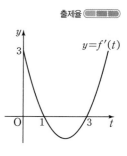

108 평가원 기출

출제율 ▨▨▨▨

다음은 원점을 출발하여 수직선 위를 움직이는 점 P의 시각 t $(0 \le t \le d)$에서의 속도 $v(t)$를 나타내는 그래프이다.

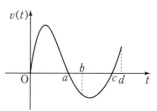

$\int_0^a |v(t)| dt = \int_a^d |v(t)| dt$일 때, |보기|에서 옳은 것만을 있는 대로 고른 것은? (단, $0 < a < b < c < d$)

• 보기 •

ㄱ. 점 P는 출발하고 나서 원점을 다시 지난다.

ㄴ. $\int_0^c v(t) dt = \int_c^d v(t) dt$

ㄷ. $\int_0^b v(t) dt = \int_b^d |v(t)| dt$

① ㄴ ② ㄷ ③ ㄱ, ㄴ
④ ㄴ, ㄷ ⑤ ㄱ, ㄴ, ㄷ

최상위권 도약 실력 완성 문제

STEP B

개념 1 곡선과 좌표축 사이의 넓이

109

곡선 $y=3x^2+2$와 x축 및 두 직선 $x=1-h$, $x=1+h$ 로 둘러싸인 부분의 넓이를 $S(h)$라고 할 때,

$\lim\limits_{h \to 0+} \dfrac{S(h)}{h}$의 값을 구하여라.

110 다빈출

곡선 $y=x|x-1|$과 x축 및 직선 $x=2$로 둘러싸인 부분의 넓이는?

① $\dfrac{5}{6}$ ② 1 ③ $\dfrac{7}{6}$

④ $\dfrac{4}{3}$ ⑤ $\dfrac{3}{2}$

111

삼차함수 $f(x)$의 도함수가 $f'(x)=3x^2-2x-2$이고, 함수 $y=f(x)$의 그래프가 점 $(2, 0)$을 지날 때, 곡선 $y=f(x)$와 x축으로 둘러싸인 부분의 넓이를 구하여라.

112 평가원 기출

실수 전체의 집합에서 증가하는 연속함수 $f(x)$가 다음 조건을 만족시킨다.

> (가) 모든 실수 x에 대하여 $f(x)=f(x-3)+4$이다.
>
> (나) $\displaystyle\int_0^6 f(x)dx=0$

함수 $y=f(x)$의 그래프와 x축 및 두 직선 $x=6$, $x=9$ 로 둘러싸인 부분의 넓이는?

① 9 ② 12 ③ 15

④ 18 ⑤ 21

113 학교 기출 신유형

오른쪽 그림과 같이 함수 $f(x)=(x^2-4)(x^2-k)$의 그래프와 x축으로 둘러싸인 세 부분의 넓이를 각각 A, B, C라고 하자. $A+C=B$일 때, 상수 k의 값은? (단, $0<k<4$)

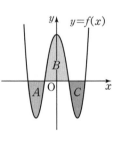

① $\dfrac{2}{5}$ ② $\dfrac{4}{5}$ ③ $\dfrac{6}{5}$

④ $\dfrac{8}{5}$ ⑤ 2

114

삼차함수 $y=f(x)$의 그래프가 오른쪽 그림과 같다.

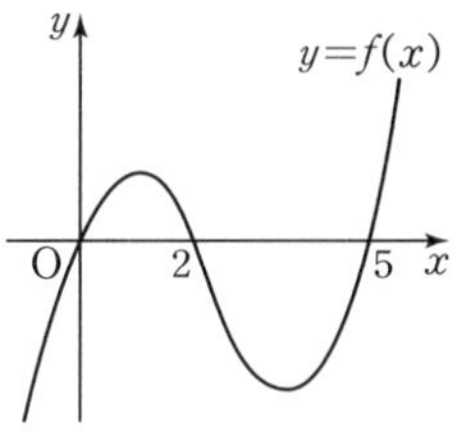

$\displaystyle\int_0^5 f(x)dx<0$일 때,

$\displaystyle\int_0^t f(x)dx=0$을 만족시키는 양수 t의 개수는?

① 1   ② 2   ③ 3

④ 4   ⑤ 5

115

함수 $f(x)=|x^2-2|$의 그래프와 직선 $y=k$가 서로 다른 세 점에서 만날 때, 곡선 $y=f(x)$와 직선 $y=k$로 둘러싸인 부분의 넓이는 $a+b\sqrt{2}$이다. 유리수 a, b에 대하여 $a+b$의 값을 구하여라. (단, k는 상수이다.)

116 〈다빈출〉

함수 $f(x)=x^2+2 \ (x\geq0)$의 역함수를 $g(x)$라고 할 때, $\displaystyle\int_0^2 f(x)dx+\int_2^6 g(x)dx$의 값을 구하여라.

117

함수 $f(x)=[x]+(x-[x])^2$의 그래프와 x축 및 직선 $x=2$로 둘러싸인 부분의 넓이가 $\dfrac{q}{p}$일 때, 서로소인 두 자연수 p, q에 대하여 $p+q$의 값을 구하여라.

(단, $[x]$는 x보다 크지 않은 최대의 정수이다.)

118

다항함수 $f(x)$에 대하여

$$\lim_{x \to \infty}\frac{f(x)}{x^2}=-1, \ \lim_{x \to 1}\frac{f(x)}{x-1}=-6$$

이 성립할 때, 함수 $y=f(x)$의 그래프와 x축으로 둘러싸인 부분의 넓이는?

① 32   ② 34   ③ 36

④ 38   ⑤ 40

119

다음 그림은 아치(Arch) 모양의 포물선인 다리의 단면이다. 아치의 높이가 2 m이고 폭이 4 m일 때, 색칠한 부분의 넓이는? (단, 다리는 좌우대칭이다.)

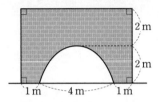

① $\dfrac{55}{3}$ m²   ② $\dfrac{56}{3}$ m²   ③ 19 m²

④ $\dfrac{58}{3}$ m²   ⑤ $\dfrac{59}{3}$ m²

120

오른쪽 그림과 같이 한 변의 길이가 $2\sqrt{3}$인 정사각형 ABCD의 내부에 곡선 $y=f(x)$의 일부분이 정사각형의 각 변과 한 점에서 만나고 있다. 두 선분 AB, CD의 중점을 각각 M, N이라고 할 때, 곡선 $y=f(x)$는 두 점 M, N을 지난다. $f(x)=ax(x^2-3)$일 때, 색칠한 부분의 넓이는? (단, $a\neq0$)

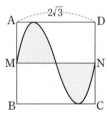

① $\dfrac{3\sqrt{3}}{8}$ ② $\dfrac{3\sqrt{3}}{4}$ ③ $\dfrac{9\sqrt{3}}{8}$

④ $\dfrac{9\sqrt{3}}{4}$ ⑤ $\dfrac{9\sqrt{3}}{2}$

개념 2 두 곡선 사이의 넓이

121 학교 기출 신유형

두 함수 $f(x)=x^2-4$, $g(x)=2x+3$에 대하여 합성함수 $y=(f\circ g)(x)$와 $y=(g\circ f)(x)$의 그래프로 둘러싸인 부분의 넓이는?

① $\dfrac{61}{3}$ ② $\dfrac{62}{3}$ ③ 21

④ $\dfrac{64}{3}$ ⑤ $\dfrac{65}{3}$

122

함수 $f(x)=x^4-2x^2+2$가 극솟값을 갖는 두 점을 각각 A, B라고 할 때, 두 점 A, B를 이은 직선과 곡선 $y=f(x)$로 둘러싸인 부분의 넓이는?

① $\dfrac{13}{15}$ ② $\dfrac{14}{15}$ ③ 1

④ $\dfrac{16}{15}$ ⑤ $\dfrac{17}{15}$

123

곡선 $y=x^2-\dfrac{3}{n^2}$과 직선 $y=\dfrac{1}{n^2}$로 둘러싸인 부분의 넓이를 $S(n)$이라고 할 때, $S(n)<\dfrac{1}{18}$을 만족시키는 자연수 n의 최솟값을 구하여라.

124

함수 $f(x)=x^3+x^2+x$의 역함수를 $g(x)$라고 할 때, 두 곡선 $y=f(x)$, $y=g(x)$로 둘러싸인 부분의 넓이는?

① $\dfrac{1}{12}$ ② $\dfrac{1}{6}$ ③ $\dfrac{1}{3}$

④ $\dfrac{2}{3}$ ⑤ $\dfrac{4}{3}$

125

오른쪽 그림과 같이 좌표평면에서 한 변의 길이가 1인 정사각형의 둘레 및 내부를 두 곡선 $y=\sqrt[m]{x}$, $y=x^n$으로 나눈 세 부분의 넓이를 각각 S_1, S_2, S_3이

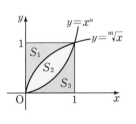

라고 할 때, $S_1 : S_2 : S_3 = 4 : 5 : 3$이다. 두 자연수 m, n에 대하여 $m-n$의 값은? (단, $m \geq 2$, $n \geq 2$)

① -2 ② -1 ③ 0

④ 1 ⑤ 2

126

오른쪽 그림과 같이 최고차항의 계수가 음수인 이차함수 $f(x)$에 대하여 두 곡선 $y=x^2$, $y=f(x)$가 두 점 $A(-1, 1)$, $B(2, 4)$에서 만난다. 두 곡선 $y=x^2$, $y=f(x)$로 둘러싸인 부분의 넓이가 직선 AB에 의하여 이등분될 때,

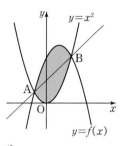

$$\int_{-1}^{2} \{f(x)+x^2+2x-4\}\,dx$$의 값은?

① 6 ② 7 ③ 8

④ 9 ⑤ 10

127

다음 그림과 같이 곡선 $y=x^2$과 직선 $y=1$로 둘러싸인 부분의 넓이를 곡선 $y=ax^2$ $(a>1)$이 삼등분할 때, 상수 a의 값은?

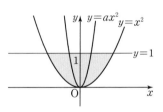

① 3 ② 5 ③ 7

④ 9 ⑤ 11

128

다항함수 $f(x)$에 대하여 $f(0)=2$이고 곡선 $y=f(x)$ 위의 $x=t$인 점에서의 접선의 방정식이 $y=(t+1)x+g(t)$일 때, 두 곡선 $y=f(x)$, $y=g(x)$로 둘러싸인 부분의 넓이는?

① $\dfrac{1}{10}$ ② $\dfrac{1}{8}$ ③ $\dfrac{1}{6}$

④ $\dfrac{1}{4}$ ⑤ $\dfrac{1}{2}$

129

곡선 $y=2x^2-10x+13$과 점 $(3, -1)$에서 이 곡선에 그은 두 접선으로 둘러싸인 부분의 넓이는?

① 1 ② $\dfrac{4}{3}$ ③ $\dfrac{5}{3}$

④ 2 ⑤ $\dfrac{7}{3}$

130

자연수 n에 대하여 곡선 $y=ax^2$ $(a>0)$ 위의 점 P_n을 다음 규칙에 따라 정한다.

> (가) 점 P_1의 좌표는 $(x_1, ax_1{}^2)$이다.
> (나) 점 P_{n+1}은 점 $P_n(x_n, ax_n{}^2)$을 지나는 직선 $y=-ax_nx+2ax_n{}^2$과 곡선 $y=ax^2$이 만나는 점 중에서 점 P_n이 아닌 점이다.

점 P_1의 좌표가 $\left(1, \dfrac{1}{3}\right)$일 때,

곡선 $y=ax^2$과 직선 P_1P_2로 둘러싸인 부분 중에서 제2사분면에 있는 부분의 넓이는?

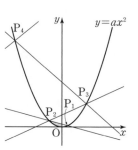

① $\dfrac{4}{3}$ ② $\dfrac{10}{9}$

③ $\dfrac{8}{9}$ ④ $\dfrac{2}{3}$

⑤ $\dfrac{4}{9}$

131

오른쪽 그림과 같이 직선 l이 y축과 만나는 점을 A라 하고, 점 B$(6, 0)$을 지나고 y축에 평행하게 그은 직선과 만나는 점을 C라고 하자. 사다리꼴 OACB의 넓이가 함수 $f(x)=x^3-6x^2$의 그래프와 x축으로 둘러싸인 부분의 넓이와 같을 때, 직선 l은 항상 일정한 점 D를 지난다. 이때 삼각형 ODB의 넓이를 구하여라.

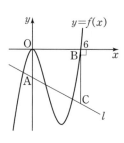

(단, $\overline{AC}$는 $\overline{OB}$의 아래에 위치하고, O는 원점이다.)

개념 ③ 수직선 위를 움직이는 점의 위치와 움직인 거리

132

좌표가 10인 점을 출발하여 수직선 위를 움직이는 점 A의 시각 t에서의 속도가 $v(t) = 2t - 4$일 때, 점 A가 원점에 가장 가까이 있을 때의 점 A의 위치는?

① -2　　　　② 2　　　　③ 4

④ 6　　　　⑤ 8

133

수직선 위를 움직이는 점 P의 시각 t에서의 속도가 $v(t) = 2t^2 - 8t + a$이다. 시각 $t = 0$에서 $t = 3$까지 점 P의 위치의 변화량과 시각 $t = 0$에서 $t = 3$까지 점 P가 움직인 거리가 같을 때, 실수 a의 최솟값을 구하여라.

134

지면에서 a m/s의 속도로 똑바로 위로 던진 물체의 t초에서의 속도가 $v(t) = a - 10t$ (m/s)일 때, 이 물체의 최고 높이가 20 m 이상이 되도록 하는 양수 a의 최솟값은?

① 10　　　　② 15　　　　③ 20

④ 25　　　　⑤ 30

135

원점을 출발하여 수직선 위를 움직이는 점 P의 t초에서의 속도가 $v(t) = t^4 - 8t^3 + 16t^2$ (m/s)일 때, 점 P의 속도가 감소하기 시작하여 다시 증가할 때까지 점 P가 움직인 거리는 $\dfrac{q}{p}$ m이다. $q - p$의 값은?

(단, p와 q는 서로소인 자연수이다.)

① 240　　　　② 241　　　　③ 242

④ 243　　　　⑤ 244

136

좌표가 $-\dfrac{5}{2}$인 점을 출발하여 수직선 위를 움직이는 점 P의 시각 t에서의 속도가 $v(t) = 3t^2 - 9t + 6$일 때, 점 P의 위치가 원점인 모든 시각의 합은?

① 2　　　　② $\dfrac{5}{2}$　　　　③ 3

④ $\dfrac{7}{2}$　　　　⑤ 4

137

어느 놀이공원에서 운행하는 꼬마 열차의 속도가

$$v(t)=\begin{cases} t & (0\le t<10) \\ k & (10\le t<100) \\ \dfrac{1}{2}(120-t) & (100\le t\le 120) \end{cases}$$

일 때, 이 꼬마 열차가 출발 후 정지할 때까지 운행한 거리를 구하여라. (단, k는 상수이다.)

138 _교육청 기출_

원점을 동시에 출발하여 수직선 위를 움직이는 두 점 P, Q의 시각 t $(0\le t\le 8)$에서의 속도가 각각

$$2t^2-8t,\ t^3-10t^2+24t$$

이다. 두 점 P, Q 사이의 거리의 최댓값을 구하여라.

139 **다빈출**

직선 궤도를 달리는 어떤 자동차가 출발하여 30 m까지는 시각 t초에서의 속도가 $v(t)=\dfrac{3}{5}t^2+\dfrac{2}{5}t$ (m/s)가 되도록 달리고, 그 이후로는 일정한 속도로 달린다고 한다. 출발 후 15초 동안 이 자동차가 달린 거리는?

① 100 m ② 125 m ③ 150 m
④ 175 m ⑤ 200 m

140

반지름의 길이가 2인 원기둥 모양의 수도관에서 물이 가득 차서 흐르고 있다. 흐르는 물의 시각 t에서의 속도가 $v(t)=3t-t^2$일 때, 이 물이 흐르기 시작하여 멈출 때까지 흘러나온 물의 양은?

① 12π ② 14π ③ 16π
④ 18π ⑤ 20π

141

수직선 위를 움직이는 두 점 P, Q의 시각 t에서의 속도는 각각

$$v_P(t)=3t^2-4t+1,\ v_Q(t)=6t^2-16t+10$$

이다. 점 Q는 원점, 점 P는 점 Q보다 4만큼 앞선 위치에서 두 점 P, Q가 동시에 출발하였을 때, 두 점 P, Q는 n번 만난다. 자연수 n의 값은?

① 1 ② 2 ③ 3
④ 4 ⑤ 5

142

A지점에서 공을 직선 궤도를 따라 $4\,\mathrm{m/s}$의 속도로 B 지점으로 굴렸을 때, 공의 속도는 매초 $1\,\mathrm{m/s}$의 비율로 줄어들어 B지점에서 멈춘다고 한다. 다시 B지점에서 공을 직선 궤도를 따라 $a\,\mathrm{m/s}$의 속도로 A지점으로 굴렸을 때, 공의 속도가 매초 $0.5\,\mathrm{m/s}$의 비율로 줄어들어 A 지점에서 멈춘다고 한다. 이때 상수 a의 값은?

① $\sqrt{5}$ ② $\sqrt{6}$ ③ $\sqrt{7}$

④ $2\sqrt{2}$ ⑤ 3

143

원점을 동시에 출발하여 수직선 위를 움직이는 두 점 P, Q의 t초에서의 속도는 각각

$$v_{\mathrm P}(t)=2t-1,\ v_{\mathrm Q}(t)=-6t^2+2t+5$$

이다. 선분 PQ의 중점을 M이라고 할 때, 점 M이 다시 원점을 지날 때까지 걸리는 시간은?

① $\dfrac{1}{2}$초   ② 1초   ③ $\dfrac{3}{2}$초

④ 2초   ⑤ $\dfrac{5}{2}$초

개념 4 그래프에서의 위치와 움직인 거리

144

오른쪽 그림과 같이 한 변의 길이가 10인 정사각형의 한 꼭짓점 A를 동시에 출발하여 화살표 방향으로 진행하는 두 점 P, Q가 있다. 두 점 P, Q의 t초에서의 속도가 각각 $v_{\mathrm P}(t)=7t+3$, $v_{\mathrm Q}(t)=3t+2$일 때, 10초 동안 점 P와 Q가 만나는 횟수를 구하여라.

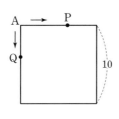

145 학교 기출 신유형

다음 그림은 수직선 위를 움직이는 어떤 물체의 시각 t에서의 속도 $v(t)$의 그래프의 일부이다.

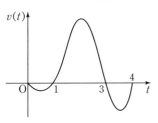

$v(t)$와 $x(a)=\displaystyle\int_0^a v(t)dt$가 다음 조건을 만족시킬 때, 점 P가 시각 $t=4$에서 $t=7$까지 움직인 거리는?

> (가) $\displaystyle\int_1^3 v(t)dt=\dfrac{17}{3}$
>
> (나) 모든 실수 t에 대하여 $v(4-t)=v(4+t)$
>
> (다) $x(1)=-\dfrac{1}{3}$, $x(4)=\dfrac{10}{3}$

① 7 ② $\dfrac{22}{3}$ ③ $\dfrac{23}{3}$

④ 8 ⑤ $\dfrac{25}{3}$

146

원점을 출발하여 수직선 위를 10초 동안 움직이다가 같은 지점에서 멈추는 세 점 A, B, C의 시각 t에서의 속도 $v(t)$의 그래프가 각각 다음 그림과 같을 때, |보기| 에서 옳은 것만을 있는 대로 고른 것은?

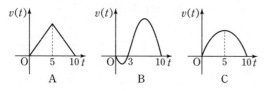

• 보기 •

ㄱ. 점 A와 점 C는 10초 동안 운동 방향이 바뀌지 않았다.

ㄴ. 세 점 A, B, C는 모두 가속도가 0인 순간이 적어도 한 번 존재한다.

ㄷ. 점 B는 출발하고 나서 다시 원점을 지난 적이 있다.

① ㄱ   ② ㄴ   ③ ㄱ, ㄷ

④ ㄴ, ㄷ   ⑤ ㄱ, ㄴ, ㄷ

147

출발한 지 10초 후에 최고 속도가 10 m/s인 드론으로 A 지점에서 B 지점까지 이동하는 데 20초가 걸린다. 이 드론의 t초에서

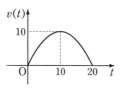

의 속도 $v(t)$의 그래프가 위의 그림과 같은 포물선일 때, 두 지점 A, B 사이의 거리를 구하여라.

148 평가원 기출

같은 높이의 지면에서 동시에 출발하여 지면과 수직인 방향으로 올라가는 두 물체 A, B가 있다. 다음 그림은 시각 t $(0 \le t \le c)$에서 물체 A의 속도 $f(t)$와 물체 B의 속도 $g(t)$를 나타낸 것이다.

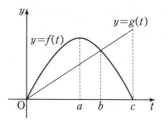

$\displaystyle\int_0^c f(t)dt = \int_0^c g(t)dt$이고 $0 \le t \le c$일 때, |보기|에서 옳은 것만을 있는 대로 고른 것은?

• 보기 •

ㄱ. $t=a$일 때, 물체 A는 물체 B보다 높은 위치에 있다.

ㄴ. $t=b$일 때, 물체 A와 물체 B의 높이의 차가 최대이다.

ㄷ. $t=c$일 때, 물체 A와 물체 B는 같은 높이에 있다.

① ㄴ   ② ㄷ   ③ ㄱ, ㄴ

④ ㄴ, ㄷ   ⑤ ㄱ, ㄴ, ㄷ

상위 1% 도전 문제

149

최고차항의 계수가 1인 삼차함수 $f(x)$가 다음 조건을 만족시킬 때, $\int_{-1}^{1} |f(x)| dx$의 값은?

(가) $f(0) < 0$
(나) 함수 $y = |f(x)|$는 $x = 0$에서만 극댓값을 갖고 $x = -1$, $x = 1$에서만 극솟값을 갖는다.

① 1   ② 2   ③ 3
④ 4   ⑤ 5

150

$-a \leq x \leq a$에서 정의된 함수 $f(x) = |x| - 1$과 실수 t에 대하여

$$g(t) = \left| \int_{-a}^{t} f(x)dx \right| + \left| \int_{t}^{a} f(x)dx \right|$$

의 최댓값을 $h(a)$라고 할 때, $\int_{0}^{2} h(a)da$의 값은?

(단, a는 음이 아닌 실수이다.)

① $\dfrac{1}{3}$ ② $\dfrac{5}{3}$ ③ $\dfrac{7}{3}$
④ $\dfrac{11}{3}$ ⑤ $\dfrac{13}{3}$

151

$-1 \leq x \leq 1$에서 함수

$$f(x) = \int_{1}^{x} 6(t^2 - 2at)dt$$

의 최댓값을 M, 최솟값을 m이라고 하면 $M - m = 4$이다. 양수 a의 최댓값은?

① $\dfrac{1}{3}$ ② $\dfrac{1}{2}$ ③ $\dfrac{2}{3}$
④ 1   ⑤ 2

152

음이 아닌 정수 n에 대하여 두 함수 $f(x)$, $g(x)$가

$$f(x) = \int_2^x (3t^2 - 2nt - 4)dt,$$

$$g(x) = \int_0^x (x-t)f(t)dt$$

일 때, |보기|에서 옳은 것만을 있는 대로 고른 것은?

┌─ 보기 ─────────────────────────┐

ㄱ. $n \geq 1$일 때, 방정식 $f(x) = 0$은 서로 다른 세 실근을 갖는다.

ㄴ. $n = 0$일 때, $f(x) = -f(-x)$이다.

ㄷ. $g(x) = -g(-x)$이면 $f(x) = -f(-x)$이다.

└───────────────────────────┘

① ㄱ   ② ㄴ   ③ ㄱ, ㄷ

④ ㄴ, ㄷ   ⑤ ㄱ, ㄴ, ㄷ

153

오른쪽 그림과 같이 중심이 y축 위에 있고 반지름의 길이가 1인 원이 곡선 $y = x^2$에 내접할 때, 색칠한 부분의 넓이는?

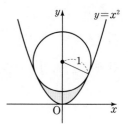

① $\dfrac{5\sqrt{3}}{4} - \dfrac{2\pi}{3}$

② $\dfrac{3\sqrt{3}}{4} - \dfrac{\pi}{3}$

③ $\dfrac{7\sqrt{3}}{8} - \dfrac{\pi}{3}$

④ $\dfrac{3\sqrt{3}}{2} - \dfrac{2\pi}{3}$

⑤ $\sqrt{3} - \dfrac{\pi}{3}$

01

연속함수 $f(x)$의 도함수 $y=f'(x)$의 그래프가 오른쪽 그림과 같고, 함수 $y=f(x)$의 그래프는 점 $(1, 1)$을 지난다. 이때 $f(-2)+f(2)$의 값은? [3점]

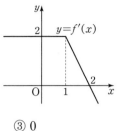

① -3 ② -1 ③ 0

④ 1 ⑤ 3

02

연속함수 $f(x)$가
$$\int_{-1}^{2} f(x)dx=3, \quad \int_{5}^{2} f(x)dx=-2, \quad \int_{1}^{5} f(x)dx=5$$
를 만족시킬 때, $\int_{-1}^{1} \{f(x)-2x+x^2\}dx$의 값은? [3점]

① $\dfrac{1}{3}$ ② $\dfrac{1}{2}$ ③ $\dfrac{2}{3}$

④ 2 ⑤ 3

03

두 양수 a, b에 대하여 삼차함수 $f(x)=x(x-a)(x+a)$가 $x=b$에서 극솟값을 갖고,
$$\int_{-a}^{0} f(x)dx=A, \quad \int_{-b}^{a} f(x)dx=B$$
일 때, $\int_{-a}^{b} |f(x)|dx$의 값은? [3점]

① $-A+2B$ ② $-A+B$ ③ $A+B$

④ $2A-B$ ⑤ $2A+B$

04

오른쪽 그림과 같이 곡선 $y=1-x^2$과 y축 및 두 직선 $x=1$, $y=k$ $(0<k<1)$로 둘러싸인 두 부분의 넓이가 서로 같을 때, 상수 k의 값은? [3점]

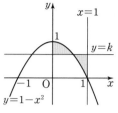

① $\dfrac{1}{2}$ ② $\dfrac{2}{3}$ ③ $\dfrac{3}{4}$

④ $\dfrac{4}{5}$ ⑤ $\dfrac{5}{6}$

05

지면에서 30 m/s의 속도로 똑바로 위로 던진 야구공의 t초에서의 속도가 $v(t)=30-10t$ (m/s)일 때, 공을 던진 후 처음 5초 동안 야구공이 움직인 거리는? [3점]

① 50 m   ② 55 m   ③ 60 m

④ 65 m   ⑤ 70 m

06

다음 조건을 만족시키는 삼차함수 $f(x)$에 대하여 $f(1)$의 값은? [4점]

(가) $f'(x)=3x(x-4)$
(나) $f(2)>0$
(다) 함수 $y=f(x)$의 그래프가 x축에 접한다.

① 26 ② 27 ③ 28

④ 29 ⑤ 30

07

이차함수 $f(x)=(x-1)(5-3x)$에 대하여 함수 $F(x)$와 $G(x)$를

$$F(x)=\int_1^x f(t)dt,\ G(x)=\int_1^x F(t)dt$$

라고 하면 함수 $G(x)$는 $x=a$에서 최댓값을 갖는다. 이때 상수 a의 값은? (단, $a>1$) **[4점]**

① $\sqrt{2}$ ② $\sqrt{3}$ ③ 2

④ $\sqrt{5}$ ⑤ $\sqrt{6}$

08

다항함수 $f(x)$와 상수 a에 대하여 함수 $g(x)$를

$$g(x)=\int_x^a f(t)dt$$

라고 할 때, 함수 $g(x)$가 다음 조건을 만족시킨다. $a+f(1)$의 값은? **[4점]**

> (가) 함수 $g(x)$가 일대일대응이다.
>
> (나) $\displaystyle\lim_{x\to 1}\frac{g(x)}{x^2-1}=-\frac{1}{2}$

① $\dfrac{1}{2}$ ② $\dfrac{3}{4}$ ③ $\dfrac{5}{4}$

④ $\dfrac{3}{2}$ ⑤ 2

09

함수 $f(x)=x^3+2$의 역함수를 $y=g(x)$라고 할 때, $\displaystyle\int_2^{10} g(x)dx$의 값은? **[4점]**

① 6 ② 9 ③ 12

④ 15 ⑤ 18

10

원점을 출발하여 수직선 위를 움직이는 점 P의 시각 t $(0\le t\le 7)$에서의 속도 $v(t)$의 그래프가 다음 그림과 같을 때, |보기|에서 옳은 것만을 있는 대로 고른 것은?

[4점]

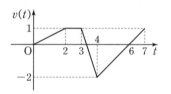

> ┌ 보기 ┐
>
> ㄱ. 점 P는 출발한 후 $t=7$일 때까지 운동 방향을 두 번 바꾼다.
>
> ㄴ. $t=2$에서 $t=3$까지 점 P가 움직인 거리는 0이다.
>
> ㄷ. $t=7$일 때, 점 P는 원점으로부터 가장 멀리 떨어져 있다.

① ㄱ   ② ㄴ   ③ ㄱ, ㄴ

④ ㄱ, ㄷ   ⑤ ㄱ, ㄴ, ㄷ

✅ 실력점검

맞힌 개수	/10개	점수	/35점

01

함수 $f(x) = \displaystyle\int (4x^3 + 3x^2 - 2x)dx$에 대하여 곡선 $y = f(x)$ 위의 점 $(1, f(1))$에서의 접선이 원점을 지날 때, $f(0)$의 값은? [3점]

① 1   ② 2   ③ 3

④ 4   ⑤ 5

02

오른쪽 그림과 같이 삼차함수 $y = f(x)$의 그래프와 직선 $y = g(x)$가 $x = -1$에서 접하고, $x = 3$에서 만날 때,

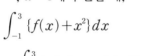

$$\int_{-1}^{3} \{f(x) + x^2\}dx$$

$$-\int_{-1}^{3} \{g(x) - 5x\}dx$$의 값은? [3점]

① 4   ② 6   ③ 8

④ 10   ⑤ 12

03

양수 a에 대하여 함수 $f(x) = x(x-a)$가

$$\int_0^a |f(x)|dx = \int_a^{a+2} f(x)dx$$

를 만족시킬 때, $f(2)$의 값은? [3점]

① -4 ② -2 ③ 2

④ 4   ⑤ 6

04

곡선 $y = x^2 - 4x$와 직선 $y = ax$로 둘러싸인 부분의 넓이가 36일 때, 양수 a의 값은? [3점]

① 1   ② $\dfrac{3}{2}$ ③ 2

④ $\dfrac{5}{2}$ ⑤ 3

05

원점을 출발하여 수직선 위를 6초 동안 움직이는 점 P의 t초에서의 위치를 $x = f(t)$라고 할 때, $y = f'(t)$의 그래프가 오른쪽 그림과 같다. 6초 후의 점 P의 위치를 a, 움직인 거리를 b라고 할 때, $a+b$의 값은? [3점]

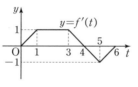

① 2   ② 4   ③ 6

④ 8   ⑤ 10

06

삼차함수 $y = f(x)$의 그래프가 오른쪽 그림과 같고, $f(x)$는

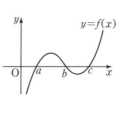

$$\int_a^b f(x)dx = 5,$$

$$\int_a^c f(x)dx = 2$$

를 만족시킨다. 함수 $f(x)$의 한 부정적분 $F(x)$에 대하여 $F(a) = 1$일 때, 방정식 $F(x) = k$가 서로 다른 네 실근을 갖도록 하는 모든 정수 k의 값의 합은? [4점]

① 6   ② 9   ③ 12

④ 15   ⑤ 18

07

실수 전체의 집합에서 정의된 함수

$f(x)=\int_0^1 t|t-x|dt$에 대하여 $\int_{-1}^2 f(x)dx$의 값은?

[4점]

① 1   ② $\dfrac{7}{6}$ ③ $\dfrac{4}{3}$

④ $\dfrac{3}{2}$ ⑤ $\dfrac{5}{3}$

08

이차함수 $y=f(x)$의 그래프와
일차함수 $y=g(x)$의 그래프가
오른쪽 그림과 같을 때, 함수

$F(x)=\int_0^x \{f(t)-g(t)\}dt$

에 대하여 |보기|에서 옳은 것
만을 있는 대로 고른 것은? [4점]

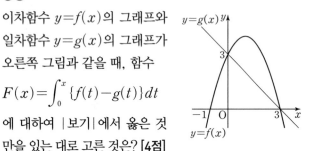

┌─ 보기 ─────────────────────
│ ㄱ. 함수 $F(x)$는 $1<x<3$에서 증가한다.
│ ㄴ. 함수 $F(x)$는 $x=0$에서 극솟값을 갖는다.
│ ㄷ. 방정식 $F(x)=3$의 실근의 개수는 2이다.
└──────────────────────────

① ㄱ   ② ㄴ   ③ ㄱ, ㄴ

④ ㄱ, ㄷ   ⑤ ㄱ, ㄴ, ㄷ

09

두 곡선 $y=ax^3$, $y=-\dfrac{1}{a}x^3$과 직선 $x=2$로 둘러싸인
부분의 넓이의 최솟값은? (단, $a>0$) [4점]

① 6   ② 7   ③ 8

④ 9   ⑤ 10

10

원점을 동시에 출발하여 수직선 위를 움직이는 두 점 P,
Q의 시각 t에서의 속도가 각각

$v_P(t)=-2t+4$, $v_Q(t)=2t-4$

이다. 원점을 출발한 후 두 점 P, Q가 만날 때의 시각을
t_1이라 하고, 두 점 사이의 거리가 최대일 때의 시각을 t_2
라고 할 때, t_1+t_2의 값을 구하여라. (단, $t_2<t_1$) [4점]

✅ 실력점검

맞힌 개수	/10개	점수	/35점

I 함수의 극한과 연속

001 ③ 002 ② 003 16 004 ④ 005 ②
006 4 007 ② 008 ④ 009 ④ 010 ③
011 ② 012 $\frac{7}{10}$ 013 ① 014 ③ 015 $\frac{\sqrt{21}}{21}$
016 ③ 017 ② 018 ⑤ 019 ③ 020 ④
021 ③ 022 ② 023 36 024 3 025 ②
026 ① 027 28 028 ③ 029 ① 030 ②
031 ⑤ 032 ① 033 6 034 ② 035 ④
036 $\frac{1}{2}$ 037 ① 038 $\frac{10}{3}$ 039 ② 040 2
041 ③ 042 ④ 043 ② 044 ③ 045 ⑤
046 8 047 ③ 048 13 049 ① 050 ③
051 ⑤ 052 ⑤ 053 ③ 054 ⑤ 055 ②
056 ③ 057 $-\frac{1}{2}$ 058 ⑤ 059 ③ 060 -6
061 ④ 062 ② 063 ③ 064 ④
065 $a=8$, $b=12$ 066 ④ 067 ⑤ 068 ①
069 ④ 070 ④ 071 ④ 072 ⑤ 073 ②
074 ⑤ 075 ③ 076 ③ 077 4 078 $\frac{1}{4}$
079 ④ 080 ④ 081 2 082 ③ 083 ②
084 ③ 085 ③ 086 ③ 087 -3 088 ⑤
089 ③ 090 ④ 091 2 092 4 093 ②
094 ⑤ 095 ① 096 ② 097 ② 098 ③
099 6 100 ③ 101 ④ 102 ⑤ 103 24
104 ④ 105 0 106 ③ 107 $\frac{1}{2}$ 108 ②
109 ③ 110 -1 111 ① 112 ⑤ 113 ④
114 ④ 115 ⑤ 116 ⑤ 117 ① 118 ④
119 ⑤ 120 ⑤ 121 -4 122 ④ 123 ③
124 ⑤ 125 ④ 126 ① 127 ④ 128 ⑤
129 4 130 ② 131 ⑤ 132 ④ 133 ③
134 ④ 135 ② 136 ③ 137 9 138 ⑤
139 ③ 140 ② 141 ② 142 ① 143 ⑤
144 ⑤ 145 ② 146 ①

상위 1% 도전 문제

147 ② 148 $-\frac{2}{3}$ 149 ⑤ 150 ④

미니 모의고사 - 1회

01 ② 02 3 03 ③ 04 ② 05 ⑤
06 ③ 07 ③ 08 ⑤ 09 54 10 ④

미니 모의고사 - 2회

01 ③ 02 ④ 03 ③ 04 7 05 ②
06 13 07 6 08 ① 09 ④ 10 ④

II 미분

001 ④ 002 ④ 003 ③ 004 4 005 11
006 ④ 007 ① 008 14 009 ④ 010 ④
011 ② 012 2 013 ④ 014 ⑤ 015 ①
016 11 017 3 018 -55 019 ③ 020 ②
021 ⑤ 022 6 023 ④ 024 ④ 025 ②
026 ② 027 ⑤ 028 ③ 029 ② 030 2
031 ④ 032 ④ 033 ① 034 ⑤ 035 50
036 ⑤ 037 27 038 ④ 039 ③ 040 5
041 ② 042 3 043 ③ 044 ⑤ 045 ④
046 ⑤ 047 ② 048 ③ 049 ④ 050 ①
051 2 052 40 053 ② 054 8 055 ②
056 2 057 $\frac{2}{3}$ 058 ① 059 12 060 56
061 ⑤ 062 ① 063 ③ 064 ② 065 ③
066 360 067 ③ 068 18 069 ③ 070 ④
071 ④ 072 ① 073 ④ 074 ④ 075 ④
076 ③ 077 ⑤ 078 ③ 079 ③ 080 ③
081 ② 082 ① 083 ② 084 ⑤ 085 ④
086 4 087 ⑤ 088 4 089 ③ 090 ①
091 $-5<a<\frac{1}{3}$ 092 ② 093 ③ 094 ③
095 20 096 ⑤ 097 ② 098 ⑤ 099 2
100 ② 101 2 102 ③ 103 ③ 104 6
105 ⑤ 106 ① 107 ③ 108 73 109 ⑤
110 ③ 111 ⑤ 112 -5 113 ④ 114 ④
115 -1 116 -3 117 ③ 118 ③ 119 -10
120 $\frac{7}{2}$ 121 ③ 122 ③ 123 ④ 124 ①
125 ② 126 20 127 ④ 128 ③ 129 ⑤
130 -8 131 -2 132 ③ 133 ③ 134 ③
135 ① 136 ① 137 ② 138 ③ 139 11
140 8 141 ④ 142 4 143 ④ 144 16
145 ② 146 ④ 147 1 148 ④ 149 ①
150 ③ 151 30 152 $-2\le t\le-1$ 153 ①
154 ④ 155 $\frac{6250}{9}$ m 156 2 157 256 cm^3
158 ③ 159 ⑤ 160 144π cm^3/s 161 36
162 ③ 163 9 164 5 165 ② 166 ②
167 ② 168 ③ 169 8 170 ⑤ 171 11
172 ⑤ 173 $\frac{5\sqrt{3}}{9}$ 174 ④ 175 ④ 176 8
177 ⑤ 178 $8\sqrt{3}$ 179 ③ 180 ⑤ 181 ③
182 ② 183 ④ 184 3 185 ① 186 ④
187 25 188 ③ 189 ⑤ 190 ② 191 ④
192 13 193 8 194 ② 195 ① 196 ②
197 ⑤ 198 ④ 199 $\frac{6\sqrt{2}}{5}$ 200 ④ 201 104
202 4 203 ②

상위 1% 도전 문제

204 6 **205** 326 **206** ④ **207** ⑤ **208** 164

미니 모의고사 - 1회

01 ⑤ **02** ④ **03** ⑤ **04** 15 **05** ①
06 ③ **07** ① **08** ④ **09** $\frac{1}{16}$ **10** ①

미니 모의고사 - 2회

01 ② **02** ① **03** ① **04** ① **05** ③
06 $f'(x)=6-x$ **07** ④ **08** ③ **09** ⑤
10 ⑤

III 적분

001 ⑤ **002** ④ **003** 10 **004** ③ **005** 8
006 ⑤ **007** ⑤ **008** 93 **009** ③ **010** ⑤
011 ② **012** 17 **013** ④ **014** -4 **015** 12
016 ③ **017** ① **018** -9 **019** ① **020** ②
021 ⑤ **022** ① **023** ② **024** 37 **025** ①
026 4 **027** ③ **028** -16 **029** ⑤ **030** -2
031 ② **032** ② **033** 14 **034** ① **035** ①
036 20 **037** ⑤ **038** 12 **039** ② **040** 18
041 ① **042** ② **043** ③ **044** ③ **045** ③
046 ⑤ **047** ⑤ **048** ④ **049** 9 **050** ⑤
051 18 **052** ④ **053** ③ **054** ① **055** ③
056 ③ **057** 5 **058** ① **059** ② **060** $\frac{32\sqrt{2}}{3}$
061 -3 **062** ③ **063** ③ **064** ① **065** 80
066 ③ **067** 5 **068** ③ **069** ④ **070** 44
071 ① **072** -16 **073** 136 **074** -2 **075** ④
076 ③ **077** ④ **078** 4 **079** ① **080** ①
081 ② **082** 5 **083** ③ **084** ③ **085** 42
086 ④ **087** $\frac{1}{3}$ **088** 4 **089** ② **090** ③
091 128 **092** ⑤ **093** ③ **094** 61 **095** ④
096 ① **097** ③ **098** ⑤ **099** 80 m **100** 96 m
101 3 **102** ③ **103** 6 **104** ③ **105** ②
106 ④ **107** $\frac{4}{3}$ **108** ④ **109** 10 **110** ②
111 $\frac{37}{12}$ **112** ④ **113** ② **114** ② **115** $\frac{16}{3}$
116 12 **117** 8 **118** ③ **119** ② **120** ④
121 ④ **122** ④ **123** 6 **124** ② **125** ②
126 ① **127** ④ **128** ③ **129** ② **130** ②
131 54 **132** ④ **133** 8 **134** ③ **135** ②
136 ④ **137** 1050 **138** 64 **139** ⑤ **140** ④
141 ② **142** ④ **143** ④ **144** 13 **145** ③
146 ③ **147** $\frac{400}{3}$ m **148** ⑤

상위 1% 도전 문제

149 ④ **150** ② **151** ① **152** ④ **153** ②

미니 모의고사 - 1회

01 ① **02** ③ **03** ⑤ **04** ② **05** ④
06 ② **07** ③ **08** ⑤ **09** ③ **10** ①

미니 모의고사 - 2회

01 ④ **02** ③ **03** ① **04** ③ **05** ③
06 ② **07** ② **08** ③ **09** ③ **10** 6

풍산자와 함께하면
어떤 시험 문제도 익숙해집니다.

> 풍산자 반복수학   > 풍산자 필수유형

**풍산자의
1등급 로드맵**

개념
기본서 1위

기초 반복
훈련서

단기
특강서

유형서
만족도 1위

상위권
필독서

> 풍산자   > 풍산자 라이트   > 풍산자 일등급유형

풍산자의 1등급 로드맵

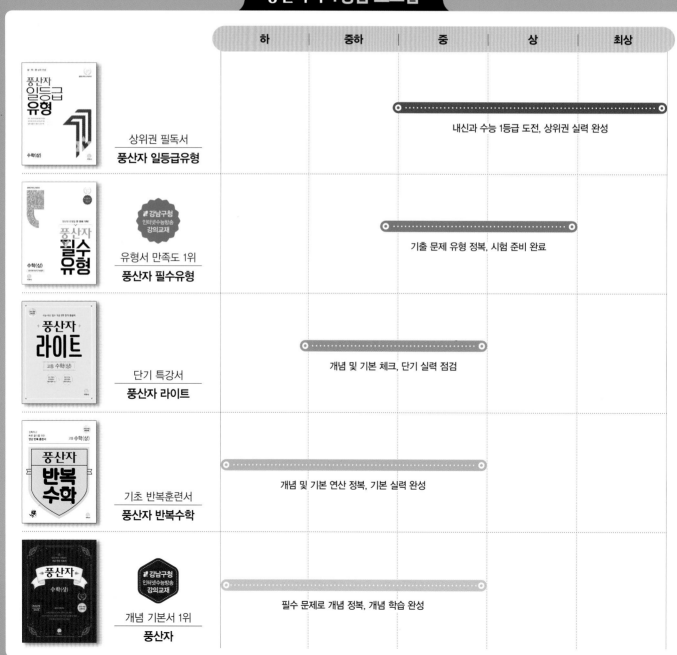

	하	중하	중	상	최상
상위권 필독서 **풍산자 일등급유형**			내신과 수능 1등급 도전, 상위권 실력 완성		
유형서 만족도 1위 **풍산자 필수유형**			기출 문제 유형 정복, 시험 준비 완료		
단기 특강서 **풍산자 라이트**		개념 및 기본 체크, 단기 실력 점검			
기초 반복훈련서 **풍산자 반복수학**	개념 및 기본 연산 정복, 기본 실력 완성				
개념 기본서 1위 **풍산자**	필수 문제로 개념 정복, 개념 학습 완성				

상 · 위 · 권 실력 완성

지학사

풍산자
일등급
유형

- 최신 기출 문제 분석을 통한 문제 엄선
- 난이도별 구성으로 상위권 실력 완성
- 실력 점검용 미니모의고사 2회 수록

정답과
풀이

수학Ⅱ

지학사

풍산자
일등급
유형

수학 II

001

$$\lim_{x \to 3} \frac{x^2+1}{x-2} = \frac{10}{1} = 10$$

답 ③

002

ㄱ. $\lim_{x \to 0}(x^2-2x)=0-0=0$

ㄴ. $\lim_{x \to 2}\dfrac{1}{|x-2|}=\infty$

ㄷ. $\lim_{x \to \infty}\sqrt{5x+1}=\infty$

ㄹ. $\lim_{x \to 0}\dfrac{x}{x+3}=\dfrac{0}{3}=0$

따라서 극한값이 존재하는 것은 ㄱ, ㄹ이다.

답 ②

003

$$\lim_{x \to 1}\frac{x+1}{x^2+ax+1}=\frac{1}{9}$$에서

극한값이 존재하고 $x \to 1$일 때
(분자) $\to 2$ (0이 아닌 상수)이므로
(분모) $\to a+2$에서 $a+2 \neq 0$이다.

$\dfrac{2}{a+2}=\dfrac{1}{9}$, $a+2=18$ $\therefore a=16$

답 16

풍쌤 비법

함수 $f(x)$, $g(x)$에 대하여 $\lim\limits_{x \to a}\dfrac{f(x)}{g(x)}$의 0이 아닌 극한값이 존재하고, $f(a)\neq 0$이면 $g(a)\neq 0$이다.

따라서 $\lim\limits_{x \to a}\dfrac{f(x)}{g(x)}=\dfrac{f(a)}{g(a)}$로 계산할 수 있다.

004

$\lim\limits_{x \to -1-}f(x)=2$, $\lim\limits_{x \to 0+}f(x)=-1$이므로

$\lim\limits_{x \to -1-}f(x)+\lim\limits_{x \to 0+}f(x)=1$

답 ④

참고

주어진 함수 $y=f(x)$의 그래프에서 $x=0$에서의 좌극한값과 우극한값, 함숫값은 모두 서로 다르다. 따라서 문제에서 무엇을 구하는지 분명하게 파악하고 그 값을 구할 수 있도록 해야 한다. lim 아래를 잘 보고 어떤 x의 값에서의 좌극한인지 우극한인지 정확히 확인하도록 한다.

005

$\lim\limits_{x \to 0-}f(x)=\lim\limits_{x \to 0-}(1-3x^2)=1$

$\lim\limits_{x \to 3+}f(x)=\lim\limits_{x \to 3+}(-6)=-6$

$\therefore \lim\limits_{x \to 0-}f(x)+\lim\limits_{x \to 3+}f(x)=-5$

답 ②

006

$\lim\limits_{x \to 1-}f(x)=\lim\limits_{x \to 1-}(2x-k)=2-k$

$\lim\limits_{x \to 1+}f(x)=\lim\limits_{x \to 1+}(x^2+x-4)=-2$

$\lim\limits_{x \to 1}f(x)$의 값이 존재하려면 $\lim\limits_{x \to 1-}f(x)=\lim\limits_{x \to 1+}f(x)$이어야 하므로

$2-k=-2$ $\therefore k=4$

답 4

007

$x \to 4+$일 때 $\sqrt{x}-2>0$이므로
$|\sqrt{x}-2|=\sqrt{x}-2$

$$\lim_{x \to 4+}f(x)=\lim_{x \to 4+}\frac{\sqrt{x}-|\sqrt{x}-2|-2}{\sqrt{x}-2}$$

$$=\lim_{x \to 4+}\frac{\sqrt{x}-(\sqrt{x}-2)-2}{\sqrt{x}-2}$$

$$=\lim_{x \to 4+}\frac{0}{\sqrt{x}-2}=0$$

$x \to 4-$일 때 $\sqrt{x}-2<0$이므로
$|\sqrt{x}-2|=-(\sqrt{x}-2)$

$$\lim_{x \to 4-}f(x)=\lim_{x \to 4-}\frac{\sqrt{x}-|\sqrt{x}-2|-2}{\sqrt{x}-2}$$

$$=\lim_{x \to 4-}\frac{\sqrt{x}+(\sqrt{x}-2)-2}{\sqrt{x}-2}$$

$$=\lim_{x \to 4-}\frac{2(\sqrt{x}-2)}{\sqrt{x}-2}=2$$

$\therefore \lim\limits_{x \to 4+}f(x)+\lim\limits_{x \to 4-}f(x)=2$

답 ②

008

주어진 식의 분자, 분모를 x로 나누면

$$\lim_{x \to 0}\frac{x^4-2f(x)}{4x+3f(x)}=\lim_{x \to 0}\frac{x^3-2\times\dfrac{f(x)}{x}}{4+3\times\dfrac{f(x)}{x}}$$

$$=\frac{0-2\times(-2)}{4+3\times(-2)}=-2$$

답 ④

009

$\lim\limits_{x \to 3}\{f(x)\}^2=0^2=0$이고

$\lim\limits_{x \to 3-}\{g(x)\}^2=(-4)^2=16$,

$\lim\limits_{x \to 3+}\{g(x)\}^2=4^2=16$에서

함수 $y=g(x)$의 그래프에서 $x=3$에서의 좌극한값과 우극한값이 서로 다르므로 모두 확인해야 한다.

$\lim\limits_{x \to 3}\{g(x)\}^2=16$이므로

$\lim\limits_{x \to 3}[\{f(x)\}^2+\{g(x)\}^2]=\lim\limits_{x \to 3}\{f(x)\}^2+\lim\limits_{x \to 3}\{g(x)\}^2=16$

답 ④

참고

주어진 함수 $y=f(x)$의 그래프에서 $x=3$에서의 함숫값과 극한값이 다르기도 하고, 함수 $y=g(x)$의 그래프에서 $x=3$에서의 함숫값, 좌극한값과 우극한값이 서로 다르게 존재하기도 하므로 실수하지 않도록 문제에서 구하는 것을 정확히 확인하도록 한다.

010

ㄱ. $\lim_{x \to 1} f(x) = \lim_{x \to 1} |x-1| = 0$

ㄴ. $\lim_{x \to 1-} g(x) = \lim_{x \to 1-} [x] = 0$, $\lim_{x \to 1+} g(x) = \lim_{x \to 1+} [x] = 1$

즉, $\lim_{x \to 1-} g(x) \neq \lim_{x \to 1+} g(x)$이므로 $\lim_{x \to 1} g(x)$의 값은 존재하지 않는다.

ㄷ. $\lim_{x \to 1-} f(x)g(x) = \lim_{x \to 1-} f(x) \lim_{x \to 1-} g(x) = 0 \times 0 = 0$

$\lim_{x \to 1+} f(x)g(x) = \lim_{x \to 1+} f(x) \lim_{x \to 1+} g(x) = 0 \times 1 = 0$

$\therefore \lim_{x \to 1} f(x)g(x) = 0$

ㄹ. $f(x) = t$라고 하면 $x \to 1$일 때 $t \to 0$이므로

$\lim_{x \to 1} g(f(x)) = \lim_{t \to 0} g(t)$

$\lim_{t \to 0-} g(t) = \lim_{t \to 0-} [t] = -1$, $\lim_{t \to 0+} g(t) = \lim_{t \to 0+} [t] = 0$

즉, $\lim_{t \to 0} g(t)$의 값은 존재하지 않으므로 $\lim_{x \to 1} g(f(x))$의 값은 존재하지 않는다.

따라서 극한값이 존재하는 것은 ㄱ, ㄷ이다.

답 ③

참고

$[x]$가 x보다 크지 않은 최대의 정수일 때, 정수 n에 대하여

(i) $n < x < n+1$이면 $[x] = n$

$\therefore \lim_{x \to n+} [x] = n$

(ii) $n-1 < x < n$이면 $[x] = n-1$

$\therefore \lim_{x \to n-} [x] = n-1$

풍쌤 비법

절댓값 기호, 가우스 기호를 포함한 함수는 x의 값의 범위에 따라 함수가 달라지므로 좌극한과 우극한을 모두 구하여 극한값의 존재 유무를 확인해야 한다.

011

$2+x = t$라고 하면 $x \to -1-$일 때 $t \to 1-$이므로

$\lim_{x \to -1-} f(2+x) = \lim_{t \to 1-} f(t) = 1$

$\therefore \lim_{x \to -1-} f(x)f(2+x) = \lim_{x \to -1-} f(x) \times \lim_{x \to -1-} f(2+x)$

$= (-1) \times 1 = -1$

답 ②

012

$x-2 = t$라고 하면 $x \to 2$일 때 $t \to 0$이므로

$\lim_{x \to 2} \dfrac{f(x-2)}{x-2} = \lim_{t \to 0} \dfrac{f(t)}{t} = 5$

주어진 식의 분자, 분모를 x로 나누면

$\lim_{x \to 0} \dfrac{2x+f(x)}{3x^2+2f(x)} = \lim_{x \to 0} \dfrac{2+\dfrac{f(x)}{x}}{3x+2 \times \dfrac{f(x)}{x}}$

$= \dfrac{2+5}{0+2 \times 5} = \dfrac{7}{10}$

답 $\dfrac{7}{10}$

013

$\lim_{x \to 2} f(x) = 3$, $\lim_{x \to 2} \dfrac{g(x)}{f(x)} = 5$이므로

$\lim_{x \to 2} g(x) = \lim_{x \to 2} \left\{ f(x) \times \dfrac{g(x)}{f(x)} \right\} = \lim_{x \to 2} f(x) \times \lim_{x \to 2} \dfrac{g(x)}{f(x)}$

$= 3 \times 5 = 15$

$x-1 = t$라고 하면 $x \to 3$일 때 $t \to 2$이므로

$\lim_{x \to 3} \dfrac{2x-3}{g(x-1)} = \lim_{t \to 2} \dfrac{2t-1}{g(t)} = \dfrac{3}{15} = \dfrac{1}{5}$

답 ①

다른 풀이

$x \to 2$일 때 $g(x)$가 수렴한다는 조건이 없으므로 위와 같이 풀어야 하지만 정답만 얻고자 할 때에는 $x \to 2$일 때 $g(x)$가 수렴한다는 가정 하에 다음과 같이 함수의 극한에 대한 성질을 이용하여 $\lim_{x \to 2} g(x)$의 값을 구할 수도 있다.

$\lim_{x \to 2} \dfrac{g(x)}{f(x)} = 5$에서 $\dfrac{\lim_{x \to 2} g(x)}{\lim_{x \to 2} f(x)} = 5$

$\therefore \lim_{x \to 2} g(x) = 5 \lim_{x \to 2} f(x) = 5 \times 3 = 15$

014

$\lim_{x \to 7} \dfrac{(x-7)(x+3)}{x-7} = \lim_{x \to 7} (x+3) = 10$

답 ③

015

$\lim_{x \to 3} \dfrac{\sqrt{x^2+4x}-\sqrt{x^2+2x+6}}{x-3}$

$= \lim_{x \to 3} \dfrac{(\sqrt{x^2+4x}-\sqrt{x^2+2x+6})(\sqrt{x^2+4x}+\sqrt{x^2+2x+6})}{(x-3)(\sqrt{x^2+4x}+\sqrt{x^2+2x+6})}$

$= \lim_{x \to 3} \dfrac{2(x-3)}{(x-3)(\sqrt{x^2+4x}+\sqrt{x^2+2x+6})}$

$= \lim_{x \to 3} \dfrac{2}{\sqrt{x^2+4x}+\sqrt{x^2+2x+6}}$

$= \dfrac{1}{\sqrt{21}} = \dfrac{\sqrt{21}}{21}$

답 $\dfrac{\sqrt{21}}{21}$

016

$\lim_{x \to 0} \dfrac{f(x)}{x} = 6$에서

$\lim_{x \to 0} \dfrac{x(x+2a)}{x} = 6$, $\lim_{x \to 0} (x+2a) = 6$

$2a = 6$ $\therefore a = 3$

답 ③

017

주어진 식의 분자, 분모를 $\sqrt{x^2} = x$로 나누면

$\lim_{x \to \infty} \dfrac{12x-5}{\sqrt{x^2+2x+1}+\sqrt{4x^2-2x-1}}$

$$=\lim_{x\to\infty}\dfrac{12-\dfrac{5}{x}}{\sqrt{1+\dfrac{2}{x}+\dfrac{1}{x^2}}+\sqrt{4-\dfrac{2}{x}-\dfrac{1}{x^2}}}$$

$$=\dfrac{12-0}{1+2}=4$$

답 ②

▶간단 풀이◀

$\dfrac{\infty}{\infty}$ 꼴에서 극한값을 구할 때에는 최고차항의 계수만 관찰하면 된다. 특히 (분모의 차수)=(분자의 차수)이면 극한값은

$\dfrac{(분자의\ 최고차항의\ 계수)}{(분모의\ 최고차항의\ 계수)}$이다.

$$\therefore \lim_{x\to\infty}\dfrac{12x-5}{\sqrt{x^2+2x+1}+\sqrt{4x^2-2x-1}}=\dfrac{12}{\sqrt{1}+\sqrt{4}}=\dfrac{12}{3}=4$$

018

$-x=t$라고 하면 $x\to-\infty$일 때 $t\to\infty$이므로

$$\lim_{x\to-\infty}\dfrac{x-\sqrt{x^2-4}}{x+2}=\lim_{t\to\infty}\dfrac{-t-\sqrt{t^2-4}}{-t+2}$$

$$=\lim_{t\to\infty}\dfrac{t+\sqrt{t^2-4}}{t-2}$$

분자, 분모를 $\sqrt{t^2}=t$로 나눈다.

$$=\lim_{t\to\infty}\dfrac{1+\sqrt{1-\dfrac{4}{t^2}}}{1-\dfrac{2}{t}}=\dfrac{1+1}{1-0}=2$$

답 ⑤

▶풍쌤 비법◀

$x\to-\infty$일 때, $\displaystyle\lim_{x\to-\infty}f(x)$는 $-x=t$로 치환하여 $\displaystyle\lim_{t\to\infty}f(-t)$의 값을 구한다.

019

$-x=t$라고 하면 $x\to-\infty$일 때 $t\to\infty$이므로

$$\lim_{x\to-\infty}\dfrac{1}{\sqrt{x^2-3x+3}+x+2}$$

$$=\lim_{t\to\infty}\dfrac{1}{\sqrt{t^2+3t+3}-t+2}$$

$$=\lim_{t\to\infty}\dfrac{\sqrt{t^2+3t+3}+(t-2)}{\{\sqrt{t^2+3t+3}-(t-2)\}\{\sqrt{t^2+3t+3}+(t-2)\}}$$

$$=\lim_{t\to\infty}\dfrac{\sqrt{t^2+3t+3}+t-2}{7t-1}$$

분자, 분모를 $\sqrt{t^2}=t$로 나눈다.

$$=\lim_{t\to\infty}\dfrac{\sqrt{1+\dfrac{3}{t}+\dfrac{3}{t^2}}+1-\dfrac{2}{t}}{7-\dfrac{1}{t}}$$

$$=\dfrac{1+1}{7}=\dfrac{2}{7}$$

답 ③

020

①은 옳다.

$$\lim_{x\to2}(x^2-4x+2)=2^2-4\times2+2=-2$$

②도 옳다.

$$\lim_{x\to1}\dfrac{x^3-x^2+x-1}{x-1}=\lim_{x\to1}\dfrac{(x-1)(x^2+1)}{x-1}$$

$$=\lim_{x\to1}(x^2+1)=2$$

③도 옳다.

$$\lim_{x\to\infty}\dfrac{(x+1)(4x-1)}{x^2-x+1}=\lim_{x\to\infty}\dfrac{4x^2+3x-1}{x^2-x+1}$$

분자, 분모를 x^2으로 나눈다.

$$=\lim_{x\to\infty}\dfrac{4+\dfrac{3}{x}-\dfrac{1}{x^2}}{1-\dfrac{1}{x}+\dfrac{1}{x^2}}=4$$

④는 옳지 않다.

$$\lim_{x\to3}\dfrac{6}{x-3}\Big(x-\dfrac{6}{x-1}\Big)=\lim_{x\to3}\Big\{\dfrac{6}{x-3}\times\dfrac{x(x-1)-6}{x-1}\Big\}$$

$$=\lim_{x\to3}\Big\{\dfrac{6}{x-3}\times\dfrac{(x-3)(x+2)}{x-1}\Big\}$$

$$=\lim_{x\to3}\dfrac{6(x+2)}{x-1}=\dfrac{6\times5}{2}=15$$

⑤도 옳다.

$$\lim_{x\to2}\dfrac{x^2-2x}{\sqrt{x+2}-2}=\lim_{x\to2}\dfrac{x(x-2)(\sqrt{x+2}+2)}{(\sqrt{x+2}-2)(\sqrt{x+2}+2)}$$

$$=\lim_{x\to2}\dfrac{x(x-2)(\sqrt{x+2}+2)}{x-2}$$

$$=\lim_{x\to2}x(\sqrt{x+2}+2)=2(2+2)=8$$

따라서 옳지 않은 것은 ④이다.

답 ④

021

$$\lim_{x\to\infty}x\Big(3-\dfrac{\sqrt{9x-3}}{\sqrt{x+1}}\Big)$$

$$=\lim_{x\to\infty}x\Big(\dfrac{3\sqrt{x+1}-\sqrt{9x-3}}{\sqrt{x+1}}\Big)$$

$$=\lim_{x\to\infty}x\Big\{\dfrac{(3\sqrt{x+1}-\sqrt{9x-3})(3\sqrt{x+1}+\sqrt{9x-3})}{\sqrt{x+1}(3\sqrt{x+1}+\sqrt{9x-3})}\Big\}$$

$$=\lim_{x\to\infty}\dfrac{12x}{3(x+1)+\sqrt{9x^2+6x-3}}$$

분자, 분모를 $\sqrt{x^2}=x$로 나눈다.

$$=\lim_{x\to\infty}\dfrac{12}{3\Big(1+\dfrac{1}{x}\Big)+\sqrt{9+\dfrac{6}{x}-\dfrac{3}{x^2}}}$$

$$=\dfrac{12}{3+3}=2$$

답 ③

022

▶접근◀

$\infty-\infty$ 꼴이므로 근호가 있는 쪽을 유리화하여 극한값이 존재할 조건을 생각한다.

$$\lim_{x\to\infty}(\sqrt{x^2+ax}-bx-1)$$

$$=\lim_{x\to\infty}\dfrac{\{\sqrt{x^2+ax}-(bx+1)\}\{\sqrt{x^2+ax}+(bx+1)\}}{\sqrt{x^2+ax}+(bx+1)}$$

$$=\lim_{x\to\infty}\dfrac{(1-b^2)x^2+(a-2b)x-1}{\sqrt{x^2+ax}+(bx+1)}$$

분자, 분모를 $\sqrt{x^2}=x$로 나눈다.

$$=\lim_{x\to\infty}\dfrac{(1-b^2)x+(a-2b)-\dfrac{1}{x}}{\sqrt{1+\dfrac{a}{x}}+b+\dfrac{1}{x}}\qquad\cdots\cdots\ \ominus$$

⊙의 극한값이 존재하려면 $1-b^2=0$이어야 하므로
$b=\pm 1$
그런데 $b=-1$이면 ⊙의 분모가 0이 되므로 $b=1$
⊙의 극한값이 3이므로
$\dfrac{a-2}{2}=3$ $\therefore a=8$
$\therefore a+b=9$

$\quad\quad$ 답 ②

023

$\dfrac{1}{t}=x$라고 하면 $t\to\infty$일 때 $x\to 0$이므로

$\displaystyle\lim_{t\to\infty} t^2\left\{f\left(\dfrac{1}{t}-2\right)-f(-2)\right\}^2$

$=\displaystyle\lim_{x\to 0}\left(\dfrac{1}{x}\right)^2\{f(x-2)-f(-2)\}^2$
$\quad\quad\quad\quad\quad\quad\quad\underset{\mid}{}\,f(-2)=(-2)^2-2\times(-2)+3=11$
$=\displaystyle\lim_{x\to 0}\dfrac{1}{x^2}\{(x-2)^2-2(x-2)+3-11\}^2$

$=\displaystyle\lim_{x\to 0}\dfrac{\{x(x-6)\}^2}{x^2}$

$=\displaystyle\lim_{x\to 0}(x-6)^2=(-6)^2=36$

$\quad\quad$ 답 36

참고

$\displaystyle\lim_{x\to 0}\dfrac{1}{x^2}\{(x-2)^2-2(x-2)+3-11\}^2$에서
$(x-2)^2-2(x-2)+3-11$은 각 항을 전개하여 인수분해할 수도
있지만 $x-2=X$로 치환하여 정리하면 계산이 간편하다.
$(x-2)^2-2(x-2)+3-11=(x-2)^2-2(x-2)-8$
$\quad\quad\quad\quad\quad\quad\quad\quad\quad\quad\quad=X^2-2X-8$
$\quad\quad\quad\quad\quad\quad\quad\quad\quad\quad\quad=(X+2)(X-4)$
$\quad\quad\quad\quad\quad\quad\quad\quad\quad\quad\quad=(x-2+2)(x-2-4)$
$\quad\quad\quad\quad\quad\quad\quad\quad\quad\quad\quad=x(x-6)$

024

접근

근의 공식을 이용하여 a를 구하고, 유리화를 이용하여 극한값을 구한다.

이차방정식 $kx^2-6x+18=0$의 근은
$x=\dfrac{3\pm\sqrt{9-18k}}{k}$
따라서 $a=\dfrac{3-\sqrt{9-18k}}{k}$이므로

$\displaystyle\lim_{k\to 0-}a=\lim_{k\to 0-}\dfrac{3-\sqrt{9-18k}}{k}$

$=\displaystyle\lim_{k\to 0-}\dfrac{(3-\sqrt{9-18k})(3+\sqrt{9-18k})}{k(3+\sqrt{9-18k})}$

$=\displaystyle\lim_{k\to 0-}\dfrac{18k}{k(3+\sqrt{9-18k})}$

$=\displaystyle\lim_{k\to 0-}\dfrac{18}{3+\sqrt{9-18k}}$

$=\dfrac{18}{6}=3$

$\quad\quad$ 답 3

025

$\displaystyle\lim_{x\to 3}\dfrac{2x^2+ax+b}{x^2-9}=3$에서 $x\to 3$일 때 극한값이 존재하고
(분모) $\to 0$이므로 (분자) $\to 0$이어야 한다.
즉, $\displaystyle\lim_{x\to 3}(2x^2+ax+b)=0$이므로
$18+3a+b=0$ $\therefore b=-3a-18$ $\quad\quad$ ……⊙
$\displaystyle\lim_{x\to 3}\dfrac{2x^2+ax+b}{x^2-9}=\lim_{x\to 3}\dfrac{2x^2+ax-3a-18}{(x+3)(x-3)}$ $(\because$ ⊙$)$

$\quad\quad\quad\quad\quad\quad\quad=\displaystyle\lim_{x\to 3}\dfrac{(x-3)(2x+6+a)}{(x+3)(x-3)}$

$\quad\quad\quad\quad\quad\quad\quad=\displaystyle\lim_{x\to 3}\dfrac{2x+6+a}{x+3}=\dfrac{12+a}{6}=3$

$12+a=18$ $\therefore a=6$
$a=6$을 ⊙에 대입하면 $b=-36$
$\therefore a+b=-30$

$\quad\quad$ 답 ②

풍쌤 비법

분수 꼴인 함수의 극한에서 $x\to a$일 때
(1) 극한값이 존재하고 (분모) $\to 0$이면 (분자) $\to 0$이다.
(2) 0이 아닌 극한값이 존재하고 (분자) $\to 0$이면 (분모) $\to 0$이다.

026

$\displaystyle\lim_{x\to 3}\dfrac{\sqrt{x+a}-b}{x-3}=\dfrac{1}{2}$에서 $x\to 3$일 때 극한값이 존재하고
(분모) $\to 0$이므로 (분자) $\to 0$이어야 한다.
즉, $\displaystyle\lim_{x\to 3}(\sqrt{x+a}-b)=0$이므로
$\sqrt{3+a}-b=0$ $\therefore b=\sqrt{3+a}$ $\quad\quad$ ……⊙
$\displaystyle\lim_{x\to 3}\dfrac{\sqrt{x+a}-b}{x-3}$

$=\displaystyle\lim_{x\to 3}\dfrac{\sqrt{x+a}-\sqrt{3+a}}{x-3}$ $(\because$ ⊙$)$

$=\displaystyle\lim_{x\to 3}\dfrac{(\sqrt{x+a}-\sqrt{3+a})(\sqrt{x+a}+\sqrt{3+a})}{(x-3)(\sqrt{x+a}+\sqrt{3+a})}$

$=\displaystyle\lim_{x\to 3}\dfrac{x-3}{(x-3)(\sqrt{x+a}+\sqrt{3+a})}$

$=\displaystyle\lim_{x\to 3}\dfrac{1}{\sqrt{x+a}+\sqrt{3+a}}$

$=\dfrac{1}{2\sqrt{3+a}}=\dfrac{1}{2}$

$\sqrt{3+a}=1$, $3+a=1$ $\therefore a=-2$
이것을 ⊙에 대입하면 $b=1$
$\therefore \dfrac{a}{b}=-2$

$\quad\quad$ 답 ①

027

$\displaystyle\lim_{x\to -5}\dfrac{\sqrt{x+a}-5}{\sqrt{x+9}-2}=b$에서 $x\to -5$일 때 극한값이 존재하고
(분모) $\to 0$이므로 (분자) $\to 0$이어야 한다.
즉, $\displaystyle\lim_{x\to -5}(\sqrt{x+a}-5)=0$이므로
$\sqrt{-5+a}-5=0$, $\sqrt{-5+a}=5$
$-5+a=25$ $\therefore a=30$

$$\therefore b=\lim_{x\to-5}\frac{\sqrt{x+a}-5}{\sqrt{x+9}-2}$$
$$=\lim_{x\to-5}\frac{\sqrt{x+30}-5}{\sqrt{x+9}-2}$$
$$=\lim_{x\to-5}\frac{(\sqrt{x+30}-5)(\sqrt{x+30}+5)(\sqrt{x+9}+2)}{(\sqrt{x+9}-2)(\sqrt{x+9}+2)(\sqrt{x+30}+5)}$$
$$=\lim_{x\to-5}\frac{(x+5)(\sqrt{x+9}+2)}{(x+5)(\sqrt{x+30}+5)}$$
$$=\lim_{x\to-5}\frac{\sqrt{x+9}+2}{\sqrt{x+30}+5}=\frac{2+2}{5+5}=\frac{2}{5}$$
$$\therefore a-5b=30-5\times\frac{2}{5}=28$$

답 28

028

$\lim\limits_{x\to-2}\dfrac{\sqrt{x^2-x-2}+ax}{x+2}=b$에서 $x\to-2$일 때 극한값이 존재하고

(분모) $\to 0$이므로 (분자) $\to 0$이어야 한다.

즉, $\lim\limits_{x\to-2}(\sqrt{x^2-x-2}+ax)=0$이므로

$2-2a=0$ $\quad\therefore a=1$

$$\therefore b=\lim_{x\to-2}\frac{\sqrt{x^2-x-2}+ax}{x+2}$$
$$=\lim_{x\to-2}\frac{\sqrt{x^2-x-2}+x}{x+2}$$
$$=\lim_{x\to-2}\frac{(\sqrt{x^2-x-2}+x)(\sqrt{x^2-x-2}-x)}{(x+2)(\sqrt{x^2-x-2}-x)}$$
$$=\lim_{x\to-2}\frac{-(x+2)}{(x+2)(\sqrt{x^2-x-2}-x)}$$
$$=\lim_{x\to-2}\frac{-1}{\sqrt{x^2-x-2}-x}$$
$$=\frac{-1}{2-(-2)}=-\frac{1}{4}$$
$$\therefore a+4b=1+4\times\left(-\frac{1}{4}\right)=0$$

답 ③

029

$\lim\limits_{x\to2}\dfrac{x^2-4}{x^3-ax^2-b}=-1$에서 $x\to2$일 때 0이 아닌 극한값이 존재

하고 (분자) $\to 0$이므로 (분모) $\to 0$이어야 한다.

즉, $\lim\limits_{x\to2}(x^3-ax^2-b)=0$이므로

$8-4a-b=0$ $\quad\therefore b=8-4a$ $\qquad\cdots\cdots$ ㉠

$$\lim_{x\to2}\frac{x^2-4}{x^3-ax^2-b}=\lim_{x\to2}\frac{(x+2)(x-2)}{x^3-ax^2-(8-4a)}\ (\because\ ㉠)$$
$$=\lim_{x\to2}\frac{(x+2)(x-2)}{(x-2)\{x^2+(2-a)x+4-2a\}}$$
$$=\lim_{x\to2}\frac{x+2}{x^2+(2-a)x+4-2a}$$
$$=\frac{2+2}{4+2(2-a)+4-2a}=\frac{1}{3-a}=-1$$

$3-a=-1$ $\quad\therefore a=4$

이것을 ㉠에 대입하면 $b=-8$

$\therefore a+b=-4$

답 ①

030

$\lim\limits_{x\to2}\dfrac{f(x)}{x-2}=5$에서 $x\to2$일 때 극한값이 존재하고 (분모) $\to 0$이

므로 (분자) $\to 0$이어야 한다.

즉, $\lim\limits_{x\to2}f(x)=\lim\limits_{x\to2}(x^2+ax+b)=0$이므로

$4+2a+b=0$ $\quad\therefore b=-2a-4$ $\qquad\cdots\cdots$ ㉠

$$\lim_{x\to2}\frac{f(x)}{x-2}=\lim_{x\to2}\frac{x^2+ax+b}{x-2}$$
$$=\lim_{x\to2}\frac{x^2+ax-2a-4}{x-2}\ (\because\ ㉠)$$
$$=\lim_{x\to2}\frac{(x-2)(x+2+a)}{x-2}$$
$$=\lim_{x\to2}(x+2+a)$$
$$=4+a=5$$

$\therefore a=1$

이것을 ㉠에 대입하면 $b=-6$

따라서 $f(x)=x^2+x-6$이므로

$f(1)=1+1-6=-4$

답 ②

다른 풀이

$\lim\limits_{x\to2}\dfrac{f(x)}{x-2}=5$에서 $\lim\limits_{x\to2}f(x)=0$이므로 $f(2)=0$

즉, $f(x)$는 $x-2$를 인수로 갖는다.

이때 함수 $f(x)$는 최고차항의 계수가 1인 이차함수이므로

$f(x)=(x-2)(x+k)$ (k는 상수)

로 놓을 수 있다.

$$\lim_{x\to2}\frac{f(x)}{x-2}=\lim_{x\to2}\frac{(x-2)(x+k)}{x-2}$$
$$=\lim_{x\to2}(x+k)=2+k=5$$

$\therefore k=3$

따라서 $f(x)=(x-2)(x+3)$이므로

$f(1)=(1-2)(1+3)=-4$

031

(i) $\lim\limits_{x\to\infty}\dfrac{f(x)}{x^2-2x}=5$에서 $f(x)$는 최고차항의 계수가 5인 이차함수

이다.

(ii) $\lim\limits_{x\to2}\dfrac{f(x)}{x-2}=20$에서 $x\to2$일 때 극한값이 존재하고

(분모) $\to 0$이므로 (분자) $\to 0$이어야 한다.

즉, $\lim\limits_{x\to2}f(x)=0$이므로 $f(2)=0$

$\qquad\qquad\qquad$ ┗ $f(x)$는 $x-2$를 인수로 갖는다.

(i), (ii)에서

$f(x)=5(x-2)(x+a)$ (a는 상수)

로 놓을 수 있으므로

$$\lim_{x\to2}\frac{f(x)}{x-2}=\lim_{x\to2}\frac{5(x-2)(x+a)}{x-2}$$
$$=\lim_{x\to2}5(x+a)=5(2+a)=20$$

$2+a=4$ $\quad\therefore a=2$

따라서 $f(x)=5(x-2)(x+2)$이므로

$f(4)=5\times2\times6=60$

답 ⑤

다항함수 $f(x)$에 대하여

(1) $\lim\limits_{x \to \infty} \dfrac{f(x)}{x^n} = a$ (a는 상수)가 주어졌을 때

   ① $a=0$이면 $f(x)$는 $(n-1)$차 이하의 함수이다.

   ② $a \neq 0$이면 $f(x)$는 최고차항의 계수가 a인 n차함수이다.

(2) $\lim\limits_{x \to a} \dfrac{f(x)}{x-a} = b$ (a, b는 상수)가 주어지면 $\lim\limits_{x \to a} f(x) = 0$, 즉

   $f(a)=0$이므로 $f(x)$는 $x-a$를 인수로 갖는다.

032

(i) $\lim\limits_{x \to \infty} \dfrac{x^2-2x+1}{f(x)} = \dfrac{1}{3}$에서 $f(x)$는 최고차항의 계수가 3인 이

   차함수이다.

(ii) $\lim\limits_{x \to 1} \dfrac{x^2-2x+1}{f(x)} = \dfrac{1}{3}$에서 $x \to 1$일 때 0이 아닌 극한값이 존재

   하고 (분자) $\to 0$이므로 (분모) $\to 0$이어야 한다.

   즉, $\lim\limits_{x \to 1} f(x) = 0$이므로 $\underline{f(1)=0}$

              └ $f(x)$는 $x-1$을 인수로 갖는다.

(i), (ii)에서

$f(x) = 3(x-1)(x+a)$ (a는 상수)

로 놓을 수 있으므로

$$\lim\limits_{x \to 1} \dfrac{x^2-2x+1}{f(x)} = \lim\limits_{x \to 1} \dfrac{(x-1)^2}{3(x-1)(x+a)}$$
$$= \lim\limits_{x \to 1} \dfrac{x-1}{3(x+a)} = \dfrac{1}{3} \qquad \cdots\cdots ㉠$$

㉠에서 $x \to 1$일 때 0이 아닌 극한값이 존재하고 (분자) $\to 0$이므

로 (분모) $\to 0$이어야 한다.

즉, $\lim\limits_{x \to 1} 3(x+a) = 0$이므로 $3(1+a) = 0$ $\therefore a = -1$

따라서 $f(x) = 3(x-1)^2$이므로

$f(2) = 3$

답 ①

033

(i) $x \to 3+$이면 $x-3 > 0$이므로

   $x^2-9 \le f(x) \le 2x^2-6x$의 각 변을 $x-3$으로 나누면

   $$\dfrac{x^2-9}{x-3} \le \dfrac{f(x)}{x-3} \le \dfrac{2x^2-6x}{x-3}$$

   $$\dfrac{(x-3)(x+3)}{x-3} \le \dfrac{f(x)}{x-3} \le \dfrac{2x(x-3)}{x-3}$$

   $$\therefore x+3 \le \dfrac{f(x)}{x-3} \le 2x$$

   $$\lim\limits_{x \to 3+}(x+3) = \lim\limits_{x \to 3+} 2x = 6$$이므로

   $$\lim\limits_{x \to 3+} \dfrac{f(x)}{x-3} = 6$$

(ii) $x \to 3-$이면 $x-3 < 0$이므로

   $x^2-9 \le f(x) \le 2x^2-6x$의 각 변을 $x-3$으로 나누면

   $$\dfrac{x^2-9}{x-3} \ge \dfrac{f(x)}{x-3} \ge \dfrac{2x^2-6x}{x-3}$$ 각 변을 음수로 나누면 부등호의 방향이 바뀐다.

   $$\dfrac{(x-3)(x+3)}{x-3} \ge \dfrac{f(x)}{x-3} \ge \dfrac{2x(x-3)}{x-3}$$

   $$\therefore x+3 \ge \dfrac{f(x)}{x-3} \ge 2x$$

$$\lim\limits_{x \to 3-}(x+3) = \lim\limits_{x \to 3-} 2x = 6$$이므로

$$\lim\limits_{x \to 3-} \dfrac{f(x)}{x-3} = 6$$

(i), (ii)에서 $\lim\limits_{x \to 3} \dfrac{f(x)}{x-3} = 6$

답 6

034

→ **접근**

$a-1 < [a] \le a$이므로 함수의 극한의 대소 관계를 이용한다.

$$\dfrac{1}{4x^3} - 1 < \left[\dfrac{1}{4x^3}\right] \le \dfrac{1}{4x^3} \qquad \cdots\cdots ㉠$$

(i) $x \to 0+$이면 $x^3 > 0$이므로 ㉠의 각 변에 x^3을 곱하면

   $$\dfrac{1-4x^3}{4} < x^3\left[\dfrac{1}{4x^3}\right] \le \dfrac{1}{4}$$

   $$\lim\limits_{x \to 0+} \dfrac{1-4x^3}{4} = \lim\limits_{x \to 0+} \dfrac{1}{4} = \dfrac{1}{4}$$이므로

   $$\lim\limits_{x \to 0+} x^3\left[\dfrac{1}{4x^3}\right] = \dfrac{1}{4}$$

(ii) $x \to 0-$이면 $x^3 < 0$이므로 ㉠의 각 변에 x^3을 곱하면

   $$\dfrac{1-4x^3}{4} > x^3\left[\dfrac{1}{4x^3}\right] \ge \dfrac{1}{4}$$ 각 변에 음수를 곱하면 부등호의 방향이 바뀐다.

   $$\lim\limits_{x \to 0-} \dfrac{1-4x^3}{4} = \lim\limits_{x \to 0-} \dfrac{1}{4} = \dfrac{1}{4}$$이므로

   $$\lim\limits_{x \to 0-} x^3\left[\dfrac{1}{4x^3}\right] = \dfrac{1}{4}$$

(i), (ii)에서 $\lim\limits_{x \to 0} x^3\left[\dfrac{1}{4x^3}\right] = \dfrac{1}{4}$

답 ②

035

$$\overline{PA} = \sqrt{(t-1)^2 + (2\sqrt{t})^2} = \sqrt{t^2+2t+1}$$
$$= \sqrt{(t+1)^2} = t+1 \ (\because t \ge 0)$$

$\overline{PH} = t$이므로

$$\lim\limits_{t \to \infty}(\overline{PA} - \overline{PH}) = \lim\limits_{t \to \infty}\{(t+1)-t\} = \lim\limits_{t \to \infty} 1 = 1$$

답 ④

036

삼각형 OAB의 넓이에서

$$\dfrac{1}{2} \times \overline{OA} \times \overline{OB} = \dfrac{1}{2} \times r \times (\overline{OA} + \overline{OB} + \overline{AB})$$

이때 $\overline{OA} = 4$, $\overline{OB} = t$, $\overline{AB} = \sqrt{t^2+16}$이므로

$$\dfrac{1}{2} \times 4 \times t = \dfrac{1}{2} \times r \times (4 + t + \sqrt{t^2+16})$$

$$\therefore \dfrac{r}{t} = \dfrac{4}{4 + t + \sqrt{t^2+16}}$$

$$\therefore \lim\limits_{t \to 0+} \dfrac{r}{t} = \lim\limits_{t \to 0+} \dfrac{4}{4 + t + \sqrt{t^2+16}}$$

$$= \dfrac{4}{4+4} = \dfrac{1}{2}$$

답 $\dfrac{1}{2}$

삼각형 ABC의 내접원의 반지름의 길이가 r일 때

$$\triangle ABC = \frac{r}{2}(\overline{AB} + \overline{BC} + \overline{CA})$$

다른 풀이

원 밖의 한 점에서 원에 그은 두 접선의 길이는 서로 같음을 이용하여 풀 수도 있다.

오른쪽 그림에서

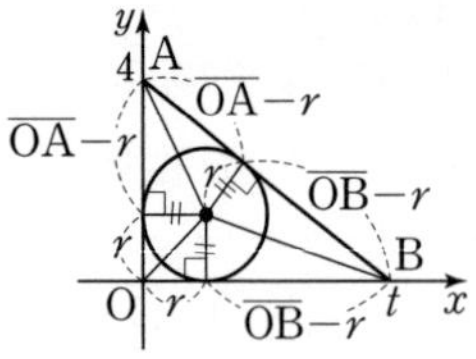

$$\overline{AB} = (\overline{OA} - r) + (\overline{OB} - r)$$
$$= \overline{OA} + \overline{OB} - 2r$$

이므로

$$\sqrt{t^2 + 16} = 4 + t - 2r$$

$$\therefore r = \frac{4 + t - \sqrt{t^2 + 16}}{2}$$

$$\therefore \lim_{t \to 0+} \frac{r}{t} = \lim_{t \to 0+} \frac{4 + t - \sqrt{t^2 + 16}}{2t}$$

$$= \lim_{t \to 0+} \frac{(4 + t - \sqrt{t^2 + 16})(4 + t + \sqrt{t^2 + 16})}{2t(4 + t + \sqrt{t^2 + 16})}$$

$$= \lim_{t \to 0+} \frac{8t}{2t(4 + t + \sqrt{t^2 + 16})}$$

$$= \lim_{t \to 0+} \frac{4}{4 + t + \sqrt{t^2 + 16}}$$

$$= \frac{4}{4 + 4} = \frac{1}{2}$$

037

$P(t, t^2 - t)$, $Q(t, \sqrt{2t + 1} - 1)$, $H(t, 0)$이므로

$$A(t) = \frac{1}{2} \times \overline{OH} \times \overline{PH} = \frac{1}{2} \times t \times (t - t^2)$$

$$B(t) = \frac{1}{2} \times \overline{OH} \times \overline{QH} = \frac{1}{2} \times t \times (\sqrt{2t + 1} - 1)$$

$$\therefore \lim_{t \to 0+} \frac{B(t)}{A(t)} = \lim_{t \to 0+} \frac{\sqrt{2t + 1} - 1}{t - t^2}$$

$$= \lim_{t \to 0+} \frac{(\sqrt{2t + 1} - 1)(\sqrt{2t + 1} + 1)}{t(1 - t)(\sqrt{2t + 1} + 1)}$$

$$= \lim_{t \to 0+} \frac{2t}{t(1 - t)(\sqrt{2t + 1} + 1)}$$

$$= \lim_{t \to 0+} \frac{2}{(1 - t)(\sqrt{2t + 1} + 1)}$$

$$= \frac{2}{1 \times (1 + 1)} = 1$$

답 ①

038

$\overline{AC} = \overline{BD} = t$라고 하면

$C(4 - t, 0)$, $D(0, 2 + t)$

두 점 $A(4, 0)$, $B(0, 2)$를 지나는 직선 AB의 방정식은

$$\frac{x}{4} + \frac{y}{2} = 1 \qquad \cdots\cdots \text{㉠}$$

두 점 $C(4 - t, 0)$, $D(0, 2 + t)$를 지나는 직선 CD의 방정식은

$$\frac{x}{4 - t} + \frac{y}{2 + t} = 1 \qquad \cdots\cdots \text{㉡}$$

㉠, ㉡을 연립하여 풀면

$$x = \frac{8 - 2t}{3}, \ y = \frac{2 + t}{3}$$

두 점 C, D가 $\overline{AC} = \overline{BD}$를 만족시키면서 두 점 A, B에 각각 가까워질 때, $t \to 0+$이므로

$$a = \lim_{t \to 0+} x = \lim_{t \to 0+} \frac{8 - 2t}{3} = \frac{8}{3}$$

$$b = \lim_{t \to 0+} y = \lim_{t \to 0+} \frac{2 + t}{3} = \frac{2}{3}$$

$$\therefore a + b = \frac{10}{3}$$

답 $\frac{10}{3}$

두 점 $(a, 0)$, $(0, b)$를 지나는 직선의 방정식은

$$\frac{x}{a} + \frac{y}{b} = 1 \ (\text{단}, a \neq 0, b \neq 0)$$

039

$a > 1$이면 $2a > 2$이므로 $x \to 2$일 때 $x - 2a < 0$

$$\therefore \lim_{x \to 2} \frac{|x - 2a| - 2(a - 1)}{x - 2} = \lim_{x \to 2} \frac{-(x - 2a) - 2(a - 1)}{x - 2}$$

$$= \lim_{x \to 2} \frac{-(x - 2)}{x - 2} = -1$$

답 ②

040

접근

극한값이 존재하려면 (좌극한값)=(우극한값)이어야 한다.

(i) $n - 1 < x < n$일 때, $[x] = n - 1$이므로

$$\lim_{x \to n-} f(x) = \lim_{x \to n-} \frac{(n - 1)^2 + x}{n - 1} = \frac{n^2 - n + 1}{n - 1}$$

(ii) $n < x < n + 1$일 때, $[x] = n$이므로

$$\lim_{x \to n+} f(x) = \lim_{x \to n+} \frac{n^2 + x}{n} = \frac{n^2 + n}{n} = n + 1$$

$\lim\limits_{x \to n} f(x)$의 값이 존재하려면 $\lim\limits_{x \to n-} f(x) = \lim\limits_{x \to n+} f(x)$이어야 하므로

$$\frac{n^2 - n + 1}{n - 1} = n + 1, \ n^2 - n + 1 = n^2 - 1$$

$$\therefore n = 2$$

답 2

041

(i) $x > 1$일 때

$$f(x) = \frac{x^2 - 1}{x - 1} = \frac{(x + 1)(x - 1)}{x - 1} = x + 1$$

(ii) $x < 1$일 때

$$f(x) = \frac{x^2 - 1}{-(x - 1)} = \frac{(x + 1)(x - 1)}{-(x - 1)} = -x - 1$$

(iii) $x = 1$일 때 $f(x) = 2$

$$\therefore f(x) = \begin{cases} x + 1 & (x \geq 1) \\ -x - 1 & (x < 1) \end{cases}$$

ㄱ은 옳다.

$$\lim_{x \to \infty} f(x) = \lim_{x \to \infty} (x + 1) = \infty$$

ㄴ은 옳지 않다.

$-x=t$라고 하면 $x \to -\infty$일 때 $t \to \infty$이므로

$$\lim_{x \to -\infty} f(x) = \lim_{x \to -\infty} (-x-1) = \lim_{t \to \infty} (t-1) = \infty$$

ㄷ도 옳지 않다.

$$\lim_{x \to 1+} f(x) = \lim_{x \to 1+} (x+1) = 2$$

$$\lim_{x \to 1-} f(x) = \lim_{x \to 1-} (-x-1) = -2$$

즉, $\lim\limits_{x \to 1+} f(x) \neq \lim\limits_{x \to 1-} f(x)$이므로 $\lim\limits_{x \to 1} f(x)$의 값은 존재하지 않는다.

ㄹ은 옳다.

$$\lim_{x \to 2} f(x) = \lim_{x \to 2} (x+1) = 3$$

따라서 옳은 것은 ㄱ, ㄹ이다.

답 ③

042

(i) $0 < x < 1$일 때

$-1 < x-1 < 0$, $-2 < x-2 < -1$이므로

$[x-1] = -1$, $[x-2] = -2$

$$\therefore \lim_{x \to 1-} \frac{[x-2]}{[x-1]-1} = \frac{-2}{-1-1} = 1$$

(ii) $1 < x < 2$일 때

$0 < x-1 < 1$, $-1 < x-2 < 0$이므로

$[x-1] = 0$, $[x-2] = -1$

$$\therefore \lim_{x \to 1+} \frac{[x-2]}{[x-1]-1} = \frac{-1}{0-1} = 1$$

(i), (ii)에서

$$\lim_{x \to 1} \frac{[x-2]}{[x-1]-1} = 1$$

$x^2 + 2x + 1 = (x+1)^2$이고 $x \to -1$일 때 $(x+1)^2 \to 0+$이므로

$$\lim_{x \to -1} [x^2+2x+1] = \lim_{x \to -1} [(x+1)^2] = 0$$

$$\therefore \lim_{x \to 1} \frac{[x-2]}{[x-1]-1} + \lim_{x \to -1} [x^2+2x+1] = 1+0 = 1$$

답 ④

043

정의역에 속하는 모든 실수 x에 대하여 $\overline{f(-x)=-f(x)}$이므로 $\{x | -3 \le x \le 3\}$에서 함수 $y=f(x)$의 그래프는 다음 그림과 같다.

— 원점에 대하여 대칭

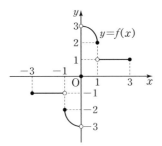

$$\therefore \lim_{x \to -1+} f(x) + \lim_{x \to 3-} f(x) + f(-3) = -2+1+(-1)$$
$$= -2$$

답 ②

044

ㄱ은 옳다.

$g(x)=t$라고 하면 $x \to -1+$일 때 $t \to 1-$이므로

$$\lim_{x \to -1+} f(g(x)) = \lim_{t \to 1-} f(t) = 1$$

ㄴ은 옳지 않다.

$\lim\limits_{x \to -1-} f(x) = 1$, $\lim\limits_{x \to -1-} g(x) = -1$이므로

$$\lim_{x \to -1-} f(x)g(x) = 1 \times (-1) = -1$$

ㄷ은 옳다.

$x \to 1+$일 때 $f(x) = -1$이므로

$$\lim_{x \to 1+} f(f(x)) = f(-1) = 1$$

$g(x)=t$라고 하면 $x \to 1-$일 때 $t \to -1+$이므로

$$\lim_{x \to 1-} f(g(x)) = \lim_{t \to -1+} f(t) = 1$$

$$\therefore \lim_{x \to 1+} f(f(x)) = \lim_{x \to 1-} f(g(x))$$

따라서 옳은 것은 ㄱ, ㄷ이다.

답 ③

참고

$\lim\limits_{x \to a} g(f(x))$의 값을 구할 때, $x \to a$일 때 $f(x) \to b$인 것과 $f(x) = b$인 것을 구분하여 계산한다.

(1) $x \to a$일 때 $f(x) \to b$인 경우

$f(x) = t$로 놓고 $\lim\limits_{x \to a} g(f(x)) = \lim\limits_{t \to b} g(t)$로 계산한다.

(2) $x \to a$일 때 $f(x) = b$인 경우

$\lim\limits_{x \to a} g(f(x)) = g(b)$로 계산한다.

045

ㄱ은 옳지 않다.

$\lim\limits_{x \to 2-} f(x) = 3$, $\lim\limits_{x \to 2+} f(x) = -3$

즉, $\lim\limits_{x \to 2-} f(x) \neq \lim\limits_{x \to 2+} f(x)$이므로 $\lim\limits_{x \to 2} f(x)$의 값은 존재하지 않는다.

ㄴ은 옳다.

$x \to 2-$일 때 $f(x) = 3$이므로

$$\lim_{x \to 2-} f(f(x)) = f(3) = 3^2 - 7 = 2$$

ㄷ도 옳다.

$f(x) = t$라고 하면 $x \to 3+$일 때 $t \to 2+$이므로

$$\lim_{x \to 3+} f(f(x)) = \lim_{t \to 2+} f(t) = \lim_{t \to 2+} (t^2 - 7) = -3$$

따라서 옳은 것은 ㄴ, ㄷ이다.

답 ⑤

046

— $y = |x^2-4|$의 그래프는 $y = x^2-4$의 그래프의 x축 윗부분은 그대로, x축 아랫부분은 x축에 대하여 대칭이동하여 그린다.

함수 $y = |x^2-4|$의 그래프가 오른쪽 그림과 같으므로

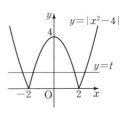

$$f(t) = \begin{cases} 2 & (t > 4) \\ 3 & (t = 4) \\ 4 & (0 < t < 4) \\ 2 & (t = 0) \\ 0 & (t < 0) \end{cases}$$

따라서 $y=f(t)$의 그래프는 오른쪽 그림과 같다.

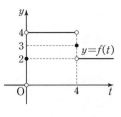

$t \to 4-$일 때 $f(t)=4$,

$t \to 4+$일 때 $f(t)=2$이므로

$$\lim_{t \to 4-} f(t) + \lim_{t \to 4+} f(f(t)) = 4 + f(2)$$
$$= 4 + 4 = 8$$

답 8

047

함수 $y=f(x)$의 그래프에서 $x=-1$, $x=0$, $x=1$에서의 좌극한값과 우극한값이 다르므로 그 세 점에서의 좌극한값과 우극한값을 구하여 주어진 부등식을 만족시키는 a의 값을 구하여 보자.

(i) $x=-1$에서

$\lim_{x \to -1-} f(x)=0$, $\lim_{x \to -1+} f(x)=3$이므로

$\lim_{x \to -1-} f(x) < \lim_{x \to -1+} f(x)$

(ii) $x=0$에서

$\lim_{x \to 0-} f(x)=2$, $\lim_{x \to 0+} f(x)=0$이므로

$\lim_{x \to 0-} f(x) > \lim_{x \to 0+} f(x)$

(iii) $x=1$에서

$\lim_{x \to 1-} f(x)=-1$, $\lim_{x \to 1+} f(x)=1$이므로

$\lim_{x \to 1-} f(x) < \lim_{x \to 1+} f(x)$

(i), (ii), (iii)에서 주어진 부등식을 만족시키는 a의 값은 0이다.

답 ③

048

$(x+2)f(x)=g(x)$라고 하면

$f(x)=\dfrac{g(x)}{x+2}$, $\lim_{x \to 2} g(x)=2$

$x-1=t$라고 하면 $x \to 3$일 때 $t \to 2$이므로

$\lim_{x \to 3} (3x^2-1)f(x-1) = \lim_{t \to 2} \{3(t+1)^2-1\}f(t)$

$= \lim_{t \to 2} \left\{(3t^2+6t+2) \times \dfrac{g(t)}{t+2}\right\}$

$= \lim_{t \to 2} \left\{\dfrac{3t^2+6t+2}{t+2} \times g(t)\right\}$

$= \lim_{t \to 2} \dfrac{3t^2+6t+2}{t+2} \times \lim_{t \to 2} g(t)$

$= \dfrac{3 \times 2^2 + 6 \times 2 + 2}{2+2} \times 2 = 13$

답 13

049

$x-3=t$라고 하면 $x \to 3$일 때 $t \to 0$이므로

$\lim_{x \to 3} \dfrac{f(x-3)}{x-3} = \lim_{t \to 0} \dfrac{f(t)}{t} = 2$

따라서

$a = \lim_{x \to 0} \dfrac{\{f(x)\}^2}{x\{x+2f(x)\}} = \lim_{x \to 0} \dfrac{\{f(x)\}^2}{x^2+2xf(x)}$

$= \lim_{x \to 0} \dfrac{\left\{\dfrac{f(x)}{x}\right\}^2}{1+2 \times \dfrac{f(x)}{x}} = \dfrac{2^2}{1+2 \times 2} = \dfrac{4}{5}$

분자, 분모를 x^2으로 나눈다.

$b = \lim_{x \to 0} \dfrac{4xf(x)}{\{f(x)\}^2-3x^2} = \lim_{x \to 0} \dfrac{4 \times \dfrac{f(x)}{x}}{\left\{\dfrac{f(x)}{x}\right\}^2-3}$

분자, 분모를 x^2으로 나눈다.

$= \dfrac{4 \times 2}{2^2-3} = 8$

이므로

$5a-b = 5 \times \dfrac{4}{5} - 8 = -4$

답 ①

050

ㄱ은 옳지 않다.

(반례) $f(x)=x$, $g(x)=|x-1|$이라고 하면

$\lim_{x \to 1} f(x)=1$, $\lim_{x \to 1} g(x)=0$이지만 $\lim_{x \to 1} \dfrac{f(x)}{g(x)}=\infty$이다.

ㄴ도 옳지 않다.

(반례) $f(x)=x-1$, $g(x)=[x]$($[x]$는 x보다 크지 않은 최대의 정수)라고 하면

$\lim_{x \to 1} f(x)=0$, $\lim_{x \to 1} f(x)g(x)=0$

이지만 $\lim_{x \to 1} g(x)$의 값은 존재하지 않는다.

ㄷ은 옳다. $\lim_{x \to 1-} g(x)=0$, $\lim_{x \to 1+} g(x)=1$

$\lim_{x \to a} f(x)=\alpha$, $\lim_{x \to a} \{f(x)+g(x)\}=\beta$($\alpha$, β는 실수)라고 하면

$\lim_{x \to a} g(x) = \lim_{x \to a} [\{f(x)+g(x)\}-f(x)]$

$= \lim_{x \to a} \{f(x)+g(x)\} - \lim_{x \to a} f(x)$

$= \beta - \alpha$

따라서 옳은 것은 ㄷ이다.

답 ③

참고

(1) $x \to a$일 때 극한값이 존재하지 않는 함수의 예를 들 때에는 $x=a$에서의 좌극한값과 우극한값이 다른 함수를 찾는다.

(2) 극한값이 존재하는 보기의 옳음을 보일 때에는 극한값을 실수로 놓고 함수의 극한에 대한 성질을 이용한다.

051

$4f(x)-g(x)=h(x)$라고 하면

$g(x)=4f(x)-h(x)$, $\lim_{x \to \infty} h(x)=2$

$\therefore \lim_{x \to \infty} \dfrac{3f(x)-4g(x)}{f(x)+3g(x)} = \lim_{x \to \infty} \dfrac{3f(x)-4\{4f(x)-h(x)\}}{f(x)+3\{4f(x)-h(x)\}}$

$= \lim_{x \to \infty} \dfrac{-13f(x)+4h(x)}{13f(x)-3h(x)}$

분자, 분모를 $f(x)$로 나눈다.

$= \lim_{x \to \infty} \dfrac{-13+4 \times \dfrac{h(x)}{f(x)}}{13-3 \times \dfrac{h(x)}{f(x)}}$

$= \dfrac{-13+0}{13-0} \left(\because \lim_{x \to \infty} \dfrac{h(x)}{f(x)}=0\right)$

$= -1$

답 ⑤

다른 풀이

$\lim_{x \to \infty} \{4f(x)-g(x)\} = \lim_{x \to \infty} f(x)\left\{4-\dfrac{g(x)}{f(x)}\right\} = 2$에서 극한값이

존재하고 $\lim_{x \to \infty} f(x) = \infty$이므로

$$\lim_{x \to \infty} \left\{ 4 - \frac{g(x)}{f(x)} \right\} = 0 \qquad \therefore \lim_{x \to \infty} \frac{g(x)}{f(x)} = 4$$

$$\therefore \lim_{x \to \infty} \frac{3f(x) - 4g(x)}{f(x) + 3g(x)} = \lim_{x \to \infty} \frac{3 - 4 \times \dfrac{g(x)}{f(x)}}{1 + 3 \times \dfrac{g(x)}{f(x)}}$$

$\underbrace{\qquad\qquad}_{\text{분자, 분모를 } f(x) \text{로 나눈다.}}$

$$= \frac{3 - 4 \times 4}{1 + 3 \times 4} = -1$$

052

ㄱ. $\displaystyle\lim_{x \to -2-} f(x)g(x) = \lim_{x \to -2-} f(x) \times \lim_{x \to -2-} g(x)$
$$= 0 \times 2 = 0$$

$\displaystyle\lim_{x \to -2+} f(x)g(x) = \lim_{x \to -2+} f(x) \times \lim_{x \to -2+} g(x)$
$$= 0 \times (-2) = 0$$

$$\therefore \lim_{x \to -2} f(x)g(x) = 0$$

ㄴ. $\displaystyle\lim_{x \to -2-} f(x) = 0$, $\displaystyle\lim_{x \to -2-} g(x) = 2$이므로

$$\lim_{x \to -2-} \frac{f(x)}{g(x)} = \frac{0}{2} = 0$$

$\displaystyle\lim_{x \to -2+} f(x) = 0$, $\displaystyle\lim_{x \to -2+} g(x) = -2$이므로

$$\lim_{x \to -2+} \frac{f(x)}{g(x)} = \frac{0}{-2} = 0$$

$$\therefore \lim_{x \to -2} \frac{f(x)}{g(x)} = 0$$

ㄷ. $\displaystyle\lim_{x \to -2-} [\{f(x)\}^2 + \{g(x)\}^2]$
$$= \lim_{x \to -2-} \{f(x)\}^2 + \lim_{x \to -2-} \{g(x)\}^2$$
$$= 0^2 + 2^2 = 4$$
$\displaystyle\lim_{x \to -2+} [\{f(x)\}^2 + \{g(x)\}^2]$
$$= \lim_{x \to -2+} \{f(x)\}^2 + \lim_{x \to -2+} \{g(x)\}^2$$
$$= 0^2 + (-2)^2 = 4$$
$$\therefore \lim_{x \to -2} [\{f(x)\}^2 + \{g(x)\}^2] = 4$$

따라서 극한값이 존재하는 것은 ㄱ, ㄴ, ㄷ이다.

답 ⑤

053

$x \neq 0$, $g(x) \neq 2$일 때, 조건 ㈎에서

$$\frac{f(x)}{x} = \frac{g(x) + 2}{g(x) - 2}$$

$$\therefore \lim_{x \to 0} \frac{f(x)}{x} = \lim_{x \to 0} \frac{g(x) + 2}{g(x) - 2} = \frac{\displaystyle\lim_{x \to 0} g(x) + 2}{\displaystyle\lim_{x \to 0} g(x) - 2}$$

$$= \frac{4 + 2}{4 - 2} = 3 \ (\because ㈏)$$

$$\therefore \lim_{x \to 0} \frac{f(x)g(x) - 3x}{f(x) + x^2} = \lim_{x \to 0} \frac{\dfrac{f(x)}{x} \times g(x) - 3}{\dfrac{f(x)}{x} + x}$$

$\underbrace{\qquad\qquad}_{\text{분자, 분모를 } x \text{로 나눈다.}}$

$$= \frac{\displaystyle\lim_{x \to 0} \frac{f(x)}{x} \times \lim_{x \to 0} g(x) - 3}{\displaystyle\lim_{x \to 0} \frac{f(x)}{x} + \lim_{x \to 0} x}$$

$$= \frac{3 \times 4 - 3}{3 + 0} = 3$$

답 ③

054

$$a = \lim_{x \to 2} \frac{\sqrt{x + 7} - 3}{x^2 - 4}$$

$$= \lim_{x \to 2} \frac{(\sqrt{x + 7} - 3)(\sqrt{x + 7} + 3)}{(x + 2)(x - 2)(\sqrt{x + 7} + 3)}$$

$$= \lim_{x \to 2} \frac{x - 2}{(x + 2)(x - 2)(\sqrt{x + 7} + 3)}$$

$$= \lim_{x \to 2} \frac{1}{(x + 2)(\sqrt{x + 7} + 3)}$$

$$= \frac{1}{4 \times 6} = \frac{1}{24}$$

$$b = \lim_{x \to 1} \frac{x - 1}{2 - \sqrt{3 + x}}$$

$$= \lim_{x \to 1} \frac{(x - 1)(2 + \sqrt{3 + x})}{(2 - \sqrt{3 + x})(2 + \sqrt{3 + x})}$$

$$= \lim_{x \to 1} \frac{(x - 1)(2 + \sqrt{3 + x})}{-(x - 1)}$$

$$= \lim_{x \to 1} (-2 - \sqrt{3 + x})$$

$$= -2 - 2 = -4$$

$$\therefore ab = \frac{1}{24} \times (-4) = -\frac{1}{6}$$

답 ⑤

055

$$a = \lim_{x \to \infty} \frac{4x + 1}{x^2 - 2x + 3} = \lim_{x \to \infty} \frac{\dfrac{4}{x} + \dfrac{1}{x^2}}{1 - \dfrac{2}{x} + \dfrac{3}{x^2}} = 0$$

$\underbrace{\qquad\qquad}_{\text{분자, 분모를 } x^2 \text{으로 나눈다.}}$

$$b = \lim_{x \to \infty} \frac{7x^2 + 4x - 5}{3x^2 - x} = \lim_{x \to \infty} \frac{7 + \dfrac{4}{x} - \dfrac{5}{x^2}}{3 - \dfrac{1}{x}} = \frac{7}{3}$$

$\underbrace{\qquad\qquad}_{\text{분자, 분모를 } x^2 \text{으로 나눈다.}}$

$$c = \lim_{x \to \infty} \frac{\sqrt{4x^2 + 1} - 3}{2x} = \lim_{x \to \infty} \frac{\sqrt{4 + \dfrac{1}{x^2}} - \dfrac{3}{x}}{2} = 1$$

$$\therefore a < c < b \underbrace{\qquad}_{\text{분자, 분모를 } \sqrt{x^2} = x \text{로 나눈다.}}$$

답 ②

다른 풀이

$\dfrac{\infty}{\infty}$ 꼴의 유리식의 극한값을 구하려면 최고차항의 계수만 관찰하면 된다. 이때 (분자의 차수)=(분모의 차수)이면 극한값은

$\dfrac{(\text{분자의 최고차항의 계수})}{(\text{분모의 최고차항의 계수})}$ 이고, (분자의 차수)<(분모의 차수)이면 극한값은 0이다.

$a = \displaystyle\lim_{x \to \infty} \frac{4x + 1}{x^2 - 2x + 3} = 0$, $b = \displaystyle\lim_{x \to \infty} \frac{7x^2 + 4x - 5}{3x^2 - x} = \frac{7}{3}$,

$c = \displaystyle\lim_{x \to \infty} \frac{\sqrt{4x^2 + 1} - 3}{2x} = \frac{\sqrt{4}}{2} = 1$이므로

$a < c < b$

056

$\displaystyle\lim_{x \to \infty} \frac{ax^2}{2x^2 - 1} = \frac{a}{2} = 3$이므로 $a = 6$

$$\lim_{x \to 2} \frac{a(x - 2)}{x^2 - 4} = \lim_{x \to 2} \frac{6(x - 2)}{(x + 2)(x - 2)}$$

$$= \lim_{x \to 2} \frac{6}{x + 2} = \frac{3}{2} = b$$

$$\therefore a+2b=6+2\times\frac{3}{2}=9$$

답 ③

057

$\lim\limits_{x\to\infty}\dfrac{f(x)}{x}=k\,(k\neq0)$라고 하면

$$\underbrace{\lim_{x\to\infty}\frac{3x^2+2f(x)}{f(x)-6x^2}}_{\text{분자, 분모를 }x^2\text{으로 나눈다.}}=\lim_{x\to\infty}\frac{3+2\times\dfrac{f(x)}{x}\times\dfrac{1}{x}}{\dfrac{f(x)}{x}\times\dfrac{1}{x}-6}$$

$$=\frac{3+2\times k\times0}{k\times0-6}=-\frac{1}{2}$$

답 $-\dfrac{1}{2}$

058

$x=3k+\alpha\,(k$는 정수, $0\le\alpha<3)$로 놓으면

$$\left[\frac{x}{3}\right]=\left[\frac{3k+\alpha}{3}\right]=\left[k+\frac{\alpha}{3}\right]=k\left(\because 0\le\frac{\alpha}{3}<1\right)$$

$x\to\infty$일 때 $k\to\infty$이므로

$$\lim_{x\to\infty}\frac{\left[\dfrac{x}{3}\right]}{\dfrac{x}{5}}=\lim_{k\to\infty}\frac{k}{\dfrac{3k+\alpha}{5}}=\underbrace{\lim_{k\to\infty}\frac{5k}{3k+\alpha}=\frac{5}{3}}_{\text{분자, 분모의 최고차항의 계수의 비로 구한다.}}$$

답 ⑤

059

> ▶ 접근
>
> $f^{-1}(3x)=y$로 놓고 주어진 식을 y에 대한 식으로 변형하여 극한값을 구한다.

$f^{-1}(3x)=y$라고 하면 $f(y)=3x$

즉, $2y^3+y^2+y=3x$이므로

$$x=\frac{2y^3+y^2+y}{3}$$

$x\to0$일 때 $y\to0$이므로

$$\lim_{x\to0}\frac{f^{-1}(3x)}{2x}=\lim_{y\to0}\frac{y}{2\times\dfrac{2y^3+y^2+y}{3}}$$

$$=\lim_{y\to0}\frac{3y}{2y(2y^2+y+1)}$$

$$=\lim_{y\to0}\frac{3}{2(2y^2+y+1)}$$

$$=\frac{3}{2(0+0+1)}=\frac{3}{2}$$

답 ③

참고

$2y^3+y^2+y=3x$에서 $x=0$일 때

$2y^3+y^2+y=0,\ y(2y^2+y+1)=0$

$\therefore y=0\,(\because 2y^2+y+1>0)$

따라서 $x\to0$일 때 $y\to0$이다.

012 정답과 풀이

060

$-x=t$로 놓으면 $x\to-\infty$일 때 $t\to\infty$이므로

$[1-9x]=[1+9t]=1+9t-\alpha\,($단, $0\le\alpha<1)$

$$\therefore \lim_{x\to-\infty}\frac{\sqrt{9x^2+1}+[1-9x]}{2x}$$

$$=\lim_{t\to\infty}\frac{\sqrt{9t^2+1}+(1+9t-\alpha)}{-2t}$$

$$=\underbrace{\frac{\sqrt{9}+9}{-2}=\frac{12}{-2}=-6}_{\text{분자, 분모의 최고차항의 계수의 비로 구한다.}}$$

답 -6

061

$f(x)=a(x-1)^2+1=ax^2-2ax+a+1$이므로

$f(-x)=ax^2+2ax+a+1$

$$\therefore \lim_{x\to\infty}\{\sqrt{f(-x)}-\sqrt{f(x)}\}$$

$$=\lim_{x\to\infty}(\sqrt{ax^2+2ax+a+1}-\sqrt{ax^2-2ax+a+1})$$

$$=\lim_{x\to\infty}\frac{(\sqrt{ax^2+2ax+a+1})^2-(\sqrt{ax^2-2ax+a+1})^2}{\sqrt{ax^2+2ax+a+1}+\sqrt{ax^2-2ax+a+1}}$$

$$=\lim_{x\to\infty}\frac{4ax}{\sqrt{ax^2+2ax+a+1}+\sqrt{ax^2-2ax+a+1}}$$

$$=\underbrace{\frac{4a}{\sqrt{a}+\sqrt{a}}=2\sqrt{a}=6}_{\text{분자, 분모의 최고차항의 계수의 비로 구한다.}}$$

즉, $\sqrt{a}=3$이므로 $a=9$

답 ④

062

$x=2k+\alpha\,(k$는 정수, $0\le\alpha<2)$로 놓으면

$$\left[\frac{x}{2}\right]=\left[\frac{2k+\alpha}{2}\right]=\left[k+\frac{\alpha}{2}\right]=k\left(\because 0\le\frac{\alpha}{2}<1\right)$$

$x\to\infty$일 때 $k\to\infty$이므로

$$\lim_{x\to\infty}\left(\sqrt{x^2+\left[\frac{x}{2}\right]}-x\right)$$

$$=\lim_{k\to\infty}\{\sqrt{(2k+\alpha)^2+k}-(2k+\alpha)\}$$

$$=\lim_{k\to\infty}\frac{\{\sqrt{(2k+\alpha)^2+k}-(2k+\alpha)\}\{\sqrt{(2k+\alpha)^2+k}+(2k+\alpha)\}}{\sqrt{(2k+\alpha)^2+k}+(2k+\alpha)}$$

$$=\lim_{k\to\infty}\frac{k}{\sqrt{4k^2+(4\alpha+1)k+\alpha^2}+(2k+\alpha)}$$

$$=\underbrace{\frac{1}{\sqrt{4}+2}=\frac{1}{4}}_{\text{분자, 분모의 최고차항의 계수의 비로 구한다.}}$$

답 ②

063

$\lim\limits_{x\to\infty}\{f(x)-2x\}=\lim\limits_{x\to\infty}x\left\{\dfrac{f(x)}{x}-2\right\}=2$에서 극한값이 존재하고

$\lim\limits_{x\to\infty}x=\infty$이므로

$$\lim_{x\to\infty}\left\{\frac{f(x)}{x}-2\right\}=0\quad\therefore\lim_{x\to\infty}\frac{f(x)}{x}=2$$

$$\therefore \lim_{x\to\infty}\frac{\sqrt{f(x)+1}-\sqrt{2x}}{\sqrt{f(x)}-\sqrt{2x+1}}$$

$$=\lim_{x\to\infty}\frac{[\{\sqrt{f(x)+1}\}^2-(\sqrt{2x})^2]\{\sqrt{f(x)}+\sqrt{2x+1}\}}{[\{\sqrt{f(x)}\}^2-(\sqrt{2x+1})^2]\{\sqrt{f(x)+1}+\sqrt{2x}\}}$$

$$=\underbrace{\lim_{x\to\infty}\frac{\{f(x)+1-2x\}\{\sqrt{f(x)}+\sqrt{2x+1}}{\{f(x)-(2x+1)\}\{\sqrt{f(x)+1}+\sqrt{2x}\}}}_{\text{분자, 분모를 }\sqrt{x}\text{로 나눈다.}}$$

$$=\lim_{x\to\infty}\frac{[\{f(x)-2x\}+1]\left\{\sqrt{\dfrac{f(x)}{x}}+\sqrt{2+\dfrac{1}{x}}\right\}}{[\{f(x)-2x\}-1]\left\{\sqrt{\dfrac{f(x)}{x}}+\dfrac{1}{x}+\sqrt{2}\right\}}$$

$$=\frac{(2+1)(\sqrt2+\sqrt2)}{(2-1)(\sqrt2+\sqrt2)}=3$$

답 ③

064

$\displaystyle\lim_{x\to0}\frac{\sqrt{(1+x)^3}-(ax+b)}{x^2}=c$에서 $x\to0$일 때 극한값이 존재하

고 (분모) $\to0$이므로 (분자) $\to0$이어야 한다.

즉, $\displaystyle\lim_{x\to0}\{\sqrt{(1+x)^3}-(ax+b)\}=0$이므로

$1-b=0$ $\therefore b=1$

$$\therefore \lim_{x\to0}\frac{\sqrt{(1+x)^3}-(ax+b)}{x^2}$$

$$=\lim_{x\to0}\frac{\sqrt{(1+x)^3}-(ax+1)}{x^2}$$

$$=\lim_{x\to0}\frac{\{\sqrt{(1+x)^3}-(ax+1)\}\{\sqrt{(1+x)^3}+(ax+1)\}}{x^2\{\sqrt{(1+x)^3}+(ax+1)\}}$$

$$=\lim_{x\to0}\frac{x\{x^2+(3-a^2)x+3-2a\}}{x^2\{\sqrt{(1+x)^3}+(ax+1)\}}$$

$$=\lim_{x\to0}\frac{x^2+(3-a^2)x+3-2a}{x\{\sqrt{(1+x)^3}+(ax+1)\}}=c \qquad \cdots\cdots ㉠$$

㉠에서 $x\to0$일 때 극한값이 존재하고 (분모) $\to0$이므로

(분자) $\to0$이어야 한다.

즉, $\displaystyle\lim_{x\to0}\{x^2+(3-a^2)x+3-2a\}=0$이므로

$3-2a=0$ $\therefore a=\dfrac{3}{2}$

$$\therefore c=\lim_{x\to0}\frac{x^2+(3-a^2)x+3-2a}{x\{\sqrt{(1+x)^3}+(ax+1)\}}$$

$$=\lim_{x\to0}\frac{x^2+\dfrac{3}{4}x}{x\left\{\sqrt{(1+x)^3}+\left(\dfrac{3}{2}x+1\right)\right\}}$$

$$=\lim_{x\to0}\frac{x+\dfrac{3}{4}}{\sqrt{(1+x)^3}+\left(\dfrac{3}{2}x+1\right)}=\frac{3}{8}$$

$$\therefore 2a+4b+8c=2\times\frac{3}{2}+4\times1+8\times\frac{3}{8}=10$$

답 ④

065

$\displaystyle\lim_{x\to1}\frac{\{f(x)\}^3-a}{x-1}=b$에서 $x\to1$일 때 극한값이 존재하고

(분모) $\to0$이므로 (분자) $\to0$이어야 한다.

즉, $\displaystyle\lim_{x\to1}[\{f(x)\}^3-a]=0$이므로 $\{f(1)\}^3=a$

$f(1)=2$이므로 $a=8$

$$\therefore b=\lim_{x\to1}\frac{\{f(x)\}^3-a}{x-1}=\lim_{x\to1}\frac{\{f(x)\}^3-8}{x-1}$$

$$=\lim_{x\to1}\frac{\{f(x)-2\}[\{f(x)\}^2+2f(x)+4]}{x-1}$$

$$=\lim_{x\to1}\frac{(x^4-x^3)\{(x^4-x^3+2)^2+2(x^4-x^3+2)+4\}}{x-1}$$

$(\because f(x)=x^4-x^3+2)$

$$=\lim_{x\to1}\frac{x^3(x-1)\{(x^4-x^3+2)^2+2(x^4-x^3+2)+4\}}{x-1}$$

$$=\lim_{x\to1}x^3\{(x^4-x^3+2)^2+2(x^4-x^3+2)+4\}$$

$$=1\times(4+4+4)=12$$

답 $a=8,\ b=12$

066

조건 ㈎에서 $\displaystyle\lim_{x\to\infty}\frac{f(x)}{x^2}=3$이므로 $f(x)$는 최고차항의 계수가 3인

이차함수이다. 따라서

$f(x)=3x^2+ax+b$ $(a,\ b$는 상수$)$ $\qquad\cdots\cdots ㉠$

로 놓을 수 있다.

조건 ㈏에서 $x\to1$일 때 극한값이 존재하고 (분모) $\to0$이므로

(분자) $\to0$이어야 한다.

즉, $\displaystyle\lim_{x\to1}\{f(x)+1\}=0$이므로 $f(1)=-1$

㉠에 $x=1$을 대입하면 $f(1)=3+a+b$이므로

$3+a+b=-1$ $\therefore b=-a-4$ $\qquad\cdots\cdots ㉡$

$$\therefore\lim_{x\to1}\frac{f(x)+1}{x^2-1}=\lim_{x\to1}\frac{(3x^2+ax-a-4)+1}{x^2-1}$$

$$=\lim_{x\to1}\frac{(x-1)(3x+3+a)}{(x+1)(x-1)}$$

$$=\lim_{x\to1}\frac{3x+3+a}{x+1}=\frac{6+a}{2}=-2$$

즉, $6+a=-4$이므로 $a=-10$

이것을 ㉡에 대입하면 $b=6$

따라서 $f(x)=3x^2-10x+6$이므로

$f(2)=3\times4-10\times2+6=-2$

답 ④

다른 풀이

조건 ㈎, ㈏에 의하여 함수 $f(x)$는 최고차항의 계수가 3인 이차함

수이고 $f(x)+1$은 $x-1$을 인수로 가지므로

$f(x)+1=3(x-1)(x+k)$ $(k$는 상수$)$

로 놓을 수 있다.

$$\therefore\lim_{x\to1}\frac{f(x)+1}{x^2-1}=\lim_{x\to1}\frac{3(x-1)(x+k)}{(x+1)(x-1)}$$

$$=\lim_{x\to1}\frac{3(x+k)}{x+1}$$

$$=\frac{3(1+k)}{2}=-2$$

즉, $3(1+k)=-4$이므로

$3+3k=-4$ $\therefore k=-\dfrac{7}{3}$

따라서 $f(x)+1=3(x-1)\left(x-\dfrac{7}{3}\right)$이므로

$f(x)=3x^2-10x+6$ $\therefore f(2)=-2$

067

$\displaystyle\lim_{x\to1}\frac{f(x)}{x-1}=3$에서 $x\to1$일 때 극한값이 존재하고 (분모) $\to0$

이므로 (분자) $\to0$이어야 한다.

즉, $\displaystyle\lim_{x\to1}f(x)=0$이므로 $\underline{f(1)=0}$ $\qquad\cdots\cdots ㉠$

$f(x)$는 $x-1$을 인수로 갖는다.

$\displaystyle\lim_{x\to2}\frac{x^2-4}{f(x)}=p$에서 $x\to2$일 때 0이 아닌 극한값이 존재하고

(분자) $\to$ 0이므로 (분모) $\to$ 0이어야 한다.

즉, $\lim\limits_{x \to 2} f(x)=0$이므로 $f(2)=0$ ······ ㉡
 ⌐$f(x)$는 $x-2$를 인수로 갖는다.

$\lim\limits_{x \to -3} \dfrac{f(x)}{x+3}=q$에서 $x \to -3$일 때 극한값이 존재하고

(분모) $\to$ 0이므로 (분자) $\to$ 0이어야 한다.

즉, $\lim\limits_{x \to -3} f(x)=0$이므로 $f(-3)=0$ ······ ㉢
 ⌐$f(x)$는 $x+3$을 인수로 갖는다.

㉠, ㉡, ㉢에서

$f(x)=a(x-1)(x-2)(x+3)$ (a는 0이 아닌 상수)

으로 놓을 수 있다.

$\lim\limits_{x \to 1} \dfrac{f(x)}{x-1}=\lim\limits_{x \to 1} \dfrac{a(x-1)(x-2)(x+3)}{x-1}$

$\qquad\qquad =\lim\limits_{x \to 1} a(x-2)(x+3)=-4a=3$

이므로 $a=-\dfrac{3}{4}$

따라서 $f(x)=-\dfrac{3}{4}(x-1)(x-2)(x+3)$이므로

$p=\lim\limits_{x \to 2} \dfrac{x^2-4}{f(x)}=\lim\limits_{x \to 2} \dfrac{(x+2)(x-2)}{-\dfrac{3}{4}(x-1)(x-2)(x+3)}$

$\quad =\lim\limits_{x \to 2} \dfrac{x+2}{-\dfrac{3}{4}(x-1)(x+3)}$

$\quad =\dfrac{4}{-\dfrac{3}{4} \times 1 \times 5}=-\dfrac{16}{15}$

$q=\lim\limits_{x \to -3} \dfrac{f(x)}{x+3}=\lim\limits_{x \to -3} \dfrac{-\dfrac{3}{4}(x-1)(x-2)(x+3)}{x+3}$

$\quad =\lim\limits_{x \to -3} \left\{-\dfrac{3}{4}(x-1)(x-2)\right\}$

$\quad =-\dfrac{3}{4} \times (-4) \times (-5)=-15$

$\therefore pq=16$

답 ⑤

068

▶ 접근

주어진 식에서 $f(x)$의 최고차항의 계수와 차수, 인수를 찾아 식을 세워 $f(x)$를 구한다.

$\lim\limits_{x \to \infty} \dfrac{2x^2+x-3}{f(x)}=2$에서 $f(x)$는 x^2의 계수가 1인 이차함수임을

알 수 있다.

$\lim\limits_{x \to 1} \dfrac{f\left(\dfrac{2}{x}\right)}{2x^2+x-3}=\dfrac{12}{5}$에서 $x \to 1$일 때 극한값이 존재하고

(분모) $\to$ 0이므로 (분자) $\to$ 0이어야 한다.

즉, $\lim\limits_{x \to 1} f\left(\dfrac{2}{x}\right)=0$이므로 $f(2)=0$
 ⌐$f(x)$는 $x-2$를 인수로 갖는다.

따라서

$f(x)=(x-2)(x+a)$ (a는 상수)

로 놓을 수 있으므로

$\lim\limits_{x \to 1} \dfrac{f\left(\dfrac{2}{x}\right)}{2x^2+x-3}=\lim\limits_{x \to 1} \dfrac{\left(\dfrac{2}{x}-2\right)\left(\dfrac{2}{x}+a\right)}{(2x+3)(x-1)}$

$\qquad\qquad =\lim\limits_{x \to 1} \dfrac{-\dfrac{2}{x}(x-1)\left(\dfrac{2}{x}+a\right)}{(2x+3)(x-1)}$

$\qquad\qquad =\lim\limits_{x \to 1} \dfrac{-\dfrac{2}{x}\left(\dfrac{2}{x}+a\right)}{2x+3}$

$\qquad\qquad =\dfrac{-2(2+a)}{5}=\dfrac{12}{5}$

즉, $2+a=-6$이므로 $a=-8$

$\therefore f(x)=(x-2)(x-8)=x^2-10x+16=(x-5)^2-9$

따라서 함수 $f(x)$는 $x=5$일 때 최솟값 -9를 갖는다.

답 ①

069

$\lim\limits_{x \to 2a} f(x) \neq 0$이면

$\lim\limits_{x \to 2a} \dfrac{f(x)-(x-2a)}{f(x)+(x-2a)}=\dfrac{f(2a)}{f(2a)}=1 \neq \dfrac{3}{4}$

따라서 $\lim\limits_{x \to 2a} f(x)=0$이므로 $f(2a)=0$

즉, 이차방정식 $f(x)=0$의 한 근은 $2a$이다.

$f(x)$의 최고차항의 계수가 1이고, 이차방정식 $f(x)=0$의 두 근이 α, β이므로

$f(x)=(x-\alpha)(x-\beta)$

이때 $\alpha=\beta$라고 하면 $f(x)=(x-\alpha)^2$이고 $\alpha=2a$이므로

$\lim\limits_{x \to 2a} \dfrac{f(x)-(x-2a)}{f(x)+(x-2a)}=\lim\limits_{x \to 2a} \dfrac{(x-2a)^2-(x-2a)}{(x-2a)^2+(x-2a)}$

$\qquad\qquad =\lim\limits_{x \to 2a} \dfrac{x^2-(4a+1)x+2a(2a+1)}{x^2-(4a-1)x+2a(2a-1)}$

$\qquad\qquad =\lim\limits_{x \to 2a} \dfrac{(x-2a)(x-2a-1)}{(x-2a)(x-2a+1)}$

$\qquad\qquad =\lim\limits_{x \to 2a} \dfrac{x-2a-1}{x-2a+1}=-1 \neq \dfrac{3}{4}$

$\therefore \alpha \neq \beta$

(i) $\alpha=2a$라고 하면

$\quad \lim\limits_{x \to 2a} \dfrac{f(x)-(x-2a)}{f(x)+(x-2a)}=\lim\limits_{x \to \alpha} \dfrac{(x-\alpha)(x-\beta)-(x-\alpha)}{(x-\alpha)(x-\beta)+(x-\alpha)}$

$\qquad\qquad\qquad =\lim\limits_{x \to \alpha} \dfrac{x-\beta-1}{x-\beta+1}$

$\qquad\qquad\qquad =\dfrac{\alpha-\beta-1}{\alpha-\beta+1}=\dfrac{3}{4}$

$\quad$ 즉, $4(\alpha-\beta)-4=3(\alpha-\beta)+3$이므로

$\quad \alpha-\beta=7$

(ii) $\beta=2a$라고 하면

$\quad \lim\limits_{x \to 2a} \dfrac{f(x)-(x-2a)}{f(x)+(x-2a)}=\lim\limits_{x \to \beta} \dfrac{(x-\alpha)(x-\beta)-(x-\beta)}{(x-\alpha)(x-\beta)+(x-\beta)}$

$\qquad\qquad\qquad =\lim\limits_{x \to \beta} \dfrac{x-\alpha-1}{x-\alpha+1}$

$\qquad\qquad\qquad =\dfrac{\beta-\alpha-1}{\beta-\alpha+1}=\dfrac{3}{4}$

$\quad$ 즉, $-4(\alpha-\beta)-4=-3(\alpha-\beta)+3$이므로

$\quad \alpha-\beta=-7$

(i), (ii)에서 $(\alpha-\beta)^2=49$

답 ④

070

조건 ㈎에서 $\dfrac{1}{x}=t$라고 하면 $x \to \infty$일 때 $t \to 0$이므로

$$\lim_{x\to\infty}\left\{f\!\left(\dfrac{1}{x}\right)+2\right\}=\lim_{t\to0}\{f(t)+2\}=f(0)+2=0$$

$$\therefore f(0)=-2 \qquad\qquad\qquad \cdots\cdots\ \bigcirc$$

조건 (나)에서 $\lim\limits_{x\to-2}\dfrac{f(x)}{x+2}$, $\lim\limits_{x\to1}\dfrac{f(x)}{x-1}$의 값이 존재함을 알 수 있다.

$\lim\limits_{x\to-2}\dfrac{f(x)}{x+2}$의 값이 존재하고 $x\to-2$일 때 (분모)$\to0$이므로 (분자)$\to0$이어야 한다.

즉, $\lim\limits_{x\to-2}f(x)=0$이므로 $\underset{\underset{f(x)\text{는 }x+2\text{를 인수로 갖는다.}}{\big|}}{f(-2)=0}$ $\qquad \cdots\cdots\ \bigcirc$

$\lim\limits_{x\to1}\dfrac{f(x)}{x-1}$의 값이 존재하고 $x\to1$일 때 (분모)$\to0$이므로 (분자)$\to0$이어야 한다.

즉, $\lim\limits_{x\to1}f(x)=0$이므로 $\underset{\underset{f(x)\text{는 }x-1\text{을 인수로 갖는다.}}{\big|}}{f(1)=0}$ $\qquad \cdots\cdots\ \bigcirc$

$f(x)$는 최고차항의 계수가 3인 삼차함수이므로 ⓒ, ⓒ에서

$$f(x)=3(x+2)(x-1)(x+a)\ (a\text{는 상수})$$

로 놓을 수 있다.

ⓒ에서 $f(0)=-2$이므로 $\ -6a=-2$ $\quad\therefore a=\dfrac{1}{3}$

따라서

$$f(x)=3(x+2)(x-1)\left(x+\dfrac{1}{3}\right)$$
$$=(x+2)(x-1)(3x+1)$$

이므로 $\ f(-3)=-32$

답 ④

071

$\lim\limits_{x\to0+}\dfrac{x^2f\!\left(\frac{1}{x}\right)-2}{x^3+2x}=4$에서 $\dfrac{1}{x}=t$라고 하면 $x\to0+$일 때

$t\to\infty$이므로

$$\lim_{x\to0+}\dfrac{x^2f\!\left(\frac{1}{x}\right)-2}{x^3+2x}=\lim_{t\to\infty}\dfrac{\frac{1}{t^2}f(t)-2}{\frac{1}{t^3}+\frac{2}{t}}$$
$$\underset{\underset{\text{분자, 분모에 }t^2\text{을 곱한다.}}{\big|}}{}$$
$$=\lim_{t\to\infty}\dfrac{tf(t)-2t^3}{1+2t^2}=4$$

즉, $tf(t)-2t^3$이 최고차항의 계수가 8인 이차함수이어야 하므로

$$f(t)=2t^2+8t+a\ (a\text{는 상수}) \qquad \cdots\cdots\ \bigcirc$$

로 놓을 수 있다.

$\lim\limits_{x\to1}\dfrac{f(x)}{x^2+2x-3}=3$에서 $x\to1$일 때 극한값이 존재하고

(분모)$\to0$이므로 (분자)$\to0$이어야 한다.

즉, $\lim\limits_{x\to1}f(x)=0$이므로 $\ f(1)=0$

ⓒ에 $x=1$을 대입하면 $f(1)=10+a$이므로

$10+a=0$ $\quad\therefore a=-10$

따라서 $f(x)=2x^2+8x-10$이므로

$$\lim_{x\to-5}\dfrac{f(x)}{x^2+x-20}=\lim_{x\to-5}\dfrac{2x^2+8x-10}{x^2+x-20}$$
$$=\lim_{x\to-5}\dfrac{2(x+5)(x-1)}{(x+5)(x-4)}$$
$$=\lim_{x\to-5}\dfrac{2(x-1)}{x-4}=\dfrac{4}{3}$$

답 ④

참고

$tf(t)-2t^3$, 즉 $t\{f(t)-2t^2\}$이 최고차항의 계수가 8인 이차함수이어야 하므로 $f(t)-2t^2$은 최고차항의 계수가 8인 일차함수이어야 한다.

따라서 $f(t)-2t^2=8t+a\ (a\text{는 상수})$로 놓을 수 있으므로

$$f(t)=2t^2+8t+a$$

다른 풀이

$\lim\limits_{x\to0+}\dfrac{x^2f\!\left(\frac{1}{x}\right)-2}{x^3+2x}=4$에서 $x\to0+$일 때 극한값이 존재하고

(분모)$\to0$이므로 (분자)$\to0$이어야 한다.

즉, $\lim\limits_{x\to0+}\left\{x^2f\!\left(\dfrac{1}{x}\right)-2\right\}=0$이므로 $\ \lim\limits_{x\to0+}x^2f\!\left(\dfrac{1}{x}\right)=2$

여기서 $\dfrac{1}{x}=t$라고 하면 $x\to0+$일 때 $t\to\infty$이므로

$$\lim_{x\to0+}x^2f\!\left(\dfrac{1}{x}\right)=\lim_{t\to\infty}\dfrac{f(t)}{t^2}=2$$

즉, $f(t)$는 최고차항의 계수가 2인 이차함수이다.

또, $\lim\limits_{x\to1}\dfrac{f(x)}{x^2+2x-3}=3$에서 $f(1)=0$이므로

$f(x)=2(x-1)(x+k)\ (k\text{는 상수})$ $\underset{\underset{f(x)\text{는 }x-1\text{을 인수로 갖는다.}}{\big|}}{}$

로 놓을 수 있다.

$$\therefore \lim_{x\to1}\dfrac{f(x)}{x^2+2x-3}=\lim_{x\to1}\dfrac{2(x-1)(x+k)}{(x+3)(x-1)}$$
$$=\lim_{x\to1}\dfrac{2(x+k)}{x+3}$$
$$=\dfrac{1+k}{2}=3$$

즉, $1+k=6$이므로 $\ k=5$

따라서 $f(x)=2(x-1)(x+5)$이므로

$$\lim_{x\to-5}\dfrac{f(x)}{x^2+x-20}=\lim_{x\to-5}\dfrac{2(x+5)(x-1)}{(x+5)(x-4)}$$
$$=\lim_{x\to-5}\dfrac{2(x-1)}{x-4}=\dfrac{4}{3}$$

072

$\lim\limits_{x\to0}\dfrac{f(x)}{x}=5$에서 $x\to0$일 때 극한값이 존재하고 (분모)$\to0$

이므로 (분자)$\to0$이어야 한다.

$$\therefore \lim_{x\to0}f(x)=0 \qquad\qquad\qquad \cdots\cdots\ \bigcirc$$

$\lim\limits_{x\to-2}\dfrac{f(x)}{x+2}=5$에서 $x\to-2$일 때 극한값이 존재하고

(분모)$\to0$이므로 (분자)$\to0$이어야 한다.

$$\therefore \lim_{x\to-2}f(x)=0$$

$$\lim_{x\to-2}\dfrac{\{f(f(x))-2\}f(x+2)}{x^2-4}$$
$$=\lim_{x\to-2}\dfrac{\{f(f(x))-2\}f(x+2)}{(x+2)(x-2)}$$
$$=\lim_{x\to-2}\dfrac{f(f(x))-2}{x-2}\times\lim_{x\to-2}\dfrac{f(x+2)}{x+2}$$

이때 $\lim\limits_{x\to-2}f(x)=0$이므로

$$\lim_{x\to-2}\dfrac{f(f(x))-2}{x-2}=\dfrac{f(0)-2}{-4}=\dfrac{1}{2}\ (\because \bigcirc\text{에서 }f(0)=0)$$

$\lim\limits_{x \to -2} \dfrac{f(x+2)}{x+2}$에서 $x+2=t$라고 하면 $x \to -2$일 때 $t \to 0$이므로

$\lim\limits_{x \to -2} \dfrac{f(x+2)}{x+2} = \lim\limits_{t \to 0} \dfrac{f(t)}{t} = 5$

$\therefore \lim\limits_{x \to -2} \dfrac{\{f(f(x))-2\}f(x+2)}{x^2-4}$

$= \lim\limits_{x \to -2} \dfrac{f(f(x))-2}{x-2} \times \lim\limits_{x \to -2} \dfrac{f(x+2)}{x+2}$

$= \dfrac{1}{2} \times 5 = \dfrac{5}{2}$

답 ⑤

다른 풀이

주어진 조건에 의하여 $f(0)=0$, $f(-2)=0$이고 $f(x)$는 삼차함수이므로 ┗ $f(x)$는 x, $x+2$를 인수로 갖는다.

$f(x)=x(x+2)(ax+b)$ (a, b는 상수, $a \neq 0$)

로 놓을 수 있다.

$\lim\limits_{x \to 0} \dfrac{f(x)}{x} = \lim\limits_{x \to 0} \dfrac{x(x+2)(ax+b)}{x}$

$= \lim\limits_{x \to 0} (x+2)(ax+b) = 2b = 5$

$\therefore b = \dfrac{5}{2}$

$\lim\limits_{x \to -2} \dfrac{f(x)}{x+2} = \lim\limits_{x \to -2} \dfrac{x(x+2)\left(ax+\frac{5}{2}\right)}{x+2}$

$= \lim\limits_{x \to -2} x\left(ax+\dfrac{5}{2}\right) = -2\left(-2a+\dfrac{5}{2}\right) = 5$

즉, $-2a+\dfrac{5}{2} = -\dfrac{5}{2}$이므로

$-2a = -5 \quad \therefore a = \dfrac{5}{2}$

따라서 $f(x) = x(x+2)\left(\dfrac{5}{2}x+\dfrac{5}{2}\right) = \dfrac{5}{2}x(x+2)(x+1)$이므로

$\lim\limits_{x \to -2} \dfrac{\{f(f(x))-2\}f(x+2)}{x^2-4}$

$= \lim\limits_{x \to -2} \dfrac{\left[\frac{5}{2}f(x)\{f(x)+2\}\{f(x)+1\}-2\right] \times \frac{5}{2}(x+2)(x+4)(x+3)}{(x+2)(x-2)}$

$= \lim\limits_{x \to -2} \dfrac{\left[\frac{5}{2}f(x)\{f(x)+2\}\{f(x)+1\}-2\right] \times \frac{5}{2}(x+4)(x+3)}{x-2}$

$= \dfrac{\left[\frac{5}{2}f(-2)\{f(-2)+2\}\{f(-2)+1\}-2\right] \times \frac{5}{2} \times 2 \times 1}{-4}$

$= \dfrac{-2 \times \frac{5}{2} \times 2 \times 1}{-4} = \dfrac{5}{2}$ ($\because f(-2)=0$)

073

$\lim\limits_{x \to 0} \dfrac{a-x^n-\sqrt{a^2-x^3}}{x^3}$

$= \lim\limits_{x \to 0} \dfrac{(a-x^n-\sqrt{a^2-x^3})(a-x^n+\sqrt{a^2-x^3})}{x^3(a-x^n+\sqrt{a^2-x^3})}$

$= \lim\limits_{x \to 0} \dfrac{x^{2n}-2ax^n+x^3}{x^3(a-x^n+\sqrt{a^2-x^3})}$ ······ ㉠

(i) $n<3$일 때

㉠에서 분자, 분모를 x^n으로 나누면

$\lim\limits_{x \to 0} \dfrac{x^{2n}-2ax^n+x^3}{x^3(a-x^n+\sqrt{a^2-x^3})} = \lim\limits_{x \to 0} \dfrac{x^n-2a+x^{3-n}}{x^{3-n}(a-x^n+\sqrt{a^2-x^3})}$

$x \to 0$일 때 (분모) $\to 0$, (분자) $\to -2a$에서 $-2a \neq 0$이므로 ㉠의 극한값은 존재하지 않는다. ┗ $a>0$이므로 $-2a<0$

(ii) $n=3$일 때

㉠에서

$\lim\limits_{x \to 0} \dfrac{x^{2n}-2ax^n+x^3}{x^3(a-x^n+\sqrt{a^2-x^3})} = \lim\limits_{x \to 0} \dfrac{x^6-2ax^3+x^3}{x^3(a-x^3+\sqrt{a^2-x^3})}$

$= \lim\limits_{x \to 0} \dfrac{x^3(x^3-2a+1)}{x^3(a-x^3+\sqrt{a^2-x^3})}$

$= \lim\limits_{x \to 0} \dfrac{x^3-2a+1}{a-x^3+\sqrt{a^2-x^3}}$

$= \dfrac{-2a+1}{2a} = \dfrac{1}{3}$

즉, $-6a+3 = 2a$이므로 $8a=3 \quad \therefore a = \dfrac{3}{8}$

$\therefore n-a = 3 - \dfrac{3}{8} = \dfrac{21}{8}$

(iii) $n>3$일 때

㉠에서 분자, 분모를 x^3으로 나누면

$\lim\limits_{x \to 0} \dfrac{x^{2n}-2ax^n+x^3}{x^3(a-x^n+\sqrt{a^2-x^3})} = \lim\limits_{x \to 0} \dfrac{x^{2n-3}-2ax^{n-3}+1}{a-x^n+\sqrt{a^2-x^3}}$

$= \dfrac{1}{2a} = \dfrac{1}{3}$

$\therefore a = \dfrac{3}{2}$

이때 자연수 n의 최솟값이 4이므로 $n-a$의 최솟값은

$4 - \dfrac{3}{2} = \dfrac{5}{2}$

(i), (ii), (iii)에서 $n-a$의 최솟값은 $\dfrac{5}{2}$이다.

답 ②

074

조건 ㈎에서 $\dfrac{1}{x}=t$라고 하면 $x \to \infty$일 때 $t \to 0$이므로

$\lim\limits_{x \to \infty} f\left(\dfrac{1}{x}\right) = \lim\limits_{t \to 0} f(t) = -6 \quad \therefore f(0) = -6$

따라서

$f(x) = 2x^2+ax-6$ (a는 상수)

으로 놓을 수 있다.

조건 ㈏에서

$\lim\limits_{x \to 0-} |x|\left\{f\left(\dfrac{1}{x}\right)-f\left(-\dfrac{1}{x}\right)\right\} = \lim\limits_{x \to 0+} |x|\left\{f\left(\dfrac{1}{x}\right)-f\left(-\dfrac{1}{x}\right)\right\}$ ······ ㉠

임을 알 수 있다.

㉠에서 $\dfrac{1}{x}=t$라고 하면 $\lim\limits_{x \to 0-} |x|\left\{f\left(\dfrac{1}{x}\right)-f\left(-\dfrac{1}{x}\right)\right\}$에서

$x \to 0-$일 때 $t \to -\infty$이므로

$\lim\limits_{x \to 0-} |x|\left\{f\left(\dfrac{1}{x}\right)-f\left(-\dfrac{1}{x}\right)\right\} = \lim\limits_{t \to -\infty} \left|\dfrac{1}{t}\right|\{f(t)-f(-t)\}$

$= \lim\limits_{t \to -\infty} \dfrac{f(t)-f(-t)}{-t}$ ┗ $t \to -\infty$이므로 $|t|=-t$

여기서 $-t=s$라고 하면 $t \to -\infty$일 때 $s \to \infty$이므로

$\lim\limits_{t \to -\infty} \dfrac{f(t)-f(-t)}{-t} = \lim\limits_{s \to \infty} \dfrac{f(-s)-f(s)}{s}$

$= \lim\limits_{s \to \infty} \dfrac{(2s^2-as-6)-(2s^2+as-6)}{s}$

$$=\lim_{s\to\infty}\frac{-2as}{s}=-2a$$

또, $\lim_{x\to 0+}|x|\left\{f\left(\frac{1}{x}\right)-f\left(-\frac{1}{x}\right)\right\}$에서 $x\to 0+$일 때

$t\to\infty$이므로

$$\lim_{x\to 0+}|x|\left\{f\left(\frac{1}{x}\right)-f\left(-\frac{1}{x}\right)\right\}$$

$$=\lim_{t\to\infty}\left|\frac{1}{t}\right|\{f(t)-f(-t)\}=\lim_{t\to\infty}\frac{f(t)-f(-t)}{t}$$

$\underline{\quad\quad t\to\infty\text{이므로 }|t|=t}$

$$=\lim_{t\to\infty}\frac{(2t^2+at-6)-(2t^2-at-6)}{t}=\lim_{t\to\infty}\frac{2at}{t}=2a$$

㉠이 성립해야 하므로 $-2a=2a$

$\therefore a=0$

따라서 $f(x)=2x^2-6$이므로 함수 $y=f(x)$의 그래프가 x축과 만나는 두 점의 좌표는 $(-\sqrt{3},\,0)$, $(\sqrt{3},\,0)$이다.

$\underline{\quad 2x^2-6=0\text{에서 }x^2=3\quad\quad \therefore x=\pm\sqrt{3}}$

$\therefore \overline{AB}=|\sqrt{3}-(-\sqrt{3})|=2\sqrt{3}$

답 ⑤

다른 풀이

$f(x)$가 최고차항의 계수가 2인 이차함수이므로

$f(x)=2x^2+ax+b$ (a, b는 상수)

로 놓을 수 있다.

조건 ㉮에서

$$\lim_{x\to\infty}f\left(\frac{1}{x}\right)=\lim_{x\to\infty}\left(\frac{2}{x^2}+\frac{a}{x}+b\right)=b=-6$$

조건 ㉯에서

$$\lim_{x\to 0}|x|\left\{f\left(\frac{1}{x}\right)-f\left(-\frac{1}{x}\right)\right\}$$

$$=\lim_{x\to 0}|x|\left\{\left(\frac{2}{x^2}+\frac{a}{x}-6\right)-\left(\frac{2}{x^2}-\frac{a}{x}-6\right)\right\}$$

$$=\lim_{x\to 0}\frac{2a|x|}{x}$$

이 극한값이 존재해야 하므로

$$\lim_{x\to 0-}\frac{2a|x|}{x}=\lim_{x\to 0+}\frac{2a|x|}{x}$$

이어야 한다. 이때

$$\lim_{x\to 0-}\frac{2a|x|}{x}=\lim_{x\to 0-}\frac{-2ax}{x}=-2a,$$

$$\lim_{x\to 0+}\frac{2a|x|}{x}=\lim_{x\to 0+}\frac{2ax}{x}=2a$$

이므로 $-2a=2a$ $\quad\therefore a=0$

$\therefore f(x)=2x^2-6$

075

(i) $n=1$일 때, 주어진 조건은

$$\lim_{x\to\infty}\frac{f(x)-4x^3+3x^2}{x^2+1}=6,\ \lim_{x\to 0}\frac{f(x)}{x}=4$$

이므로 $f(x)-4x^3+3x^2$은 최고차항의 계수가 6인 이차함수이고, $f(x)$는 x를 인수로 갖는다.

따라서

$f(x)=4x^3+3x^2+ax$ (a는 상수)

로 놓을 수 있으므로

$$\lim_{x\to 0}\frac{f(x)}{x}=\lim_{x\to 0}\frac{4x^3+3x^2+ax}{x}$$

$$=\lim_{x\to 0}(4x^2+3x+a)=a=4$$

즉, $f(x)=4x^3+3x^2+4x$이므로

$f(1)=4+3+4=11$

(ii) $n=2$일 때, 주어진 조건은

$$\lim_{x\to\infty}\frac{f(x)-4x^3+3x^2}{x^3+1}=6,\ \lim_{x\to 0}\frac{f(x)}{x^2}=4$$

이므로 $f(x)-4x^3+3x^2$은 최고차항의 계수가 6인 삼차함수이고, $f(x)$는 x^2을 인수로 갖는다.

따라서

$f(x)=10x^3+bx^2$ (b는 상수)

으로 놓을 수 있으므로

$$\lim_{x\to 0}\frac{f(x)}{x^2}=\lim_{x\to 0}\frac{10x^3+bx^2}{x^2}=\lim_{x\to 0}(10x+b)=b=4$$

즉, $f(x)=10x^3+4x^2$이므로

$f(1)=10+4=14$

(iii) $n\geq 3$일 때, 주어진 조건

$$\lim_{x\to\infty}\frac{f(x)-4x^3+3x^2}{x^{n+1}+1}=6,\ \lim_{x\to 0}\frac{f(x)}{x^n}=4$$

에서 $f(x)-4x^3+3x^2$은 최고차항의 계수가 6인 $(n+1)$차함수이고, $f(x)$는 x^n을 인수로 갖는다.

따라서

$f(x)=6x^{n+1}+cx^n$ (c는 상수)

으로 놓을 수 있으므로

$$\lim_{x\to 0}\frac{f(x)}{x^n}=\lim_{x\to 0}\frac{6x^{n+1}+cx^n}{x^n}$$

$$=\lim_{x\to 0}(6x+c)=c=4$$

즉, $f(x)=6x^{n+1}+4x^n$이므로

$f(1)=6+4=10$

(i), (ii), (iii)에서 $f(1)$의 최댓값은 14이다.

답 ③

참고

$\lim\limits_{x\to\infty}\dfrac{f(x)-4x^3+3x^2}{x^{n+1}+1}=6$, 즉 $\dfrac{\infty}{\infty}$ 꼴에서 0이 아닌 극한값이 존재하므로

(분자의 차수)=(분모의 차수), $\dfrac{(\text{분자의 최고차항의 계수})}{(\text{분모의 최고차항의 계수})}=6$

이어야 한다.

또, $\lim\limits_{x\to 0}\dfrac{f(x)}{x^n}=4$, 즉 $\dfrac{0}{0}$ 꼴에서 극한값이 존재하므로 $f(x)$는 x^n을 인수로 갖고, x^n의 계수는 4이어야 한다.

이것을 이용하여 $n=1$, 2, 3, $\cdots$을 대입하여 각각의 상황에서의 $f(x)$를 구해 본다.

076

$3x^2-4x\leq f(x)\leq 3x^2+5$의 각 변을 x^2으로 나누면

$$\frac{3x^2-4x}{x^2}\leq\frac{f(x)}{x^2}\leq\frac{3x^2+5}{x^2}$$

$\underline{\quad\quad x^2>0\text{이므로 부등호의}}$
$\underline{\quad\quad\quad\text{방향은 바뀌지 않는다.}}$

이때 $\lim\limits_{x\to\infty}\dfrac{3x^2-4x}{x^2}=3$, $\lim\limits_{x\to\infty}\dfrac{3x^2+5}{x^2}=3$이므로

$$\lim_{x\to\infty}\frac{f(x)}{x^2}=3$$

즉, $f(x)$는 최고차항의 계수가 3인 이차함수이다.

$\displaystyle\lim_{x\to 2}\dfrac{f(x)}{x^2+x-6}=\dfrac{3}{5}$에서 $x\to 2$일 때 극한값이 존재하고

(분모)$\to 0$이므로 (분자)$\to 0$이어야 한다.

즉, $\displaystyle\lim_{x\to 2}f(x)=0$이므로 $f(2)=0$

따라서 $\quad\quad\quad\quad\quad$ └$f(x)$는 $x-2$를 인수로 갖는다.

$f(x)=3(x-2)(x+a)$ (a는 상수)

로 놓을 수 있으므로

$$\lim_{x\to 2}\frac{f(x)}{x^2+x-6}=\lim_{x\to 2}\frac{3(x-2)(x+a)}{(x+3)(x-2)}$$

$$=\lim_{x\to 2}\frac{3(x+a)}{x+3}$$

$$=\frac{3(2+a)}{5}=\frac{3}{5}$$

즉, $2+a=1$이므로 $a=-1$

따라서 $f(x)=3(x-2)(x-1)$이므로

$f(5)=3\times 3\times 4=36$

$\qquad\qquad\qquad\qquad\qquad\qquad\qquad\qquad$ 답 ③

077

$1+\dfrac{x}{1+x}=2-\dfrac{1}{1+x}$이므로

$g\left(1+\dfrac{x}{1+x}\right)<f(x)<g\left(2+\dfrac{1}{1+x}\right)$에서

$g\left(2-\dfrac{1}{1+x}\right)<f(x)<g\left(2+\dfrac{1}{1+x}\right)$ $\qquad$ ……㉠

$2-\dfrac{1}{1+x}=t$라고 하면 $x\to\infty$일 때 $t\to 2-$이므로

$\displaystyle\lim_{x\to\infty}g\left(2-\dfrac{1}{1+x}\right)=\lim_{t\to 2-}g(t)=4$ $\qquad$ ……㉡

$2+\dfrac{1}{1+x}=s$라고 하면 $x\to\infty$일 때 $s\to 2+$이므로

$\displaystyle\lim_{x\to\infty}g\left(2+\dfrac{1}{1+x}\right)=\lim_{s\to 2+}g(s)=4$ $\qquad$ ……㉢

㉠, ㉡, ㉢에서

$\displaystyle\lim_{x\to\infty}f(x)=4$

$\qquad\qquad\qquad\qquad\qquad\qquad\qquad\qquad$ 답 4

078

점 P의 좌표를 $(t,\,3t^2)$ $(t>0)$이라고 하면

H$(0,\,3t^2)$, Q$\left(0,\,\dfrac{t^2}{}\right)$이므로 $\quad\dfrac{1\times 3t^2+2\times 0}{1+2}=t^2$

$\overline{PQ}=\sqrt{t^2+(3t^2-t^2)^2}=\sqrt{t^2+4t^4}$

$\overline{QH}=3t^2-t^2=2t^2$

$\therefore\ \displaystyle\lim_{t\to\infty}(\overline{PQ}-\overline{QH})$

$\quad=\displaystyle\lim_{t\to\infty}(\sqrt{t^2+4t^4}-2t^2)$

$\quad=\displaystyle\lim_{t\to\infty}\dfrac{(\sqrt{t^2+4t^4}-2t^2)(\sqrt{t^2+4t^4}+2t^2)}{\sqrt{t^2+4t^4}+2t^2}$

$\quad=\displaystyle\lim_{t\to\infty}\dfrac{t^2}{\sqrt{t^2+4t^4}+2t^2}$

$\quad=\dfrac{1}{\sqrt{4}+2}=\dfrac{1}{4}$ └ 분자, 분모의 최고차항의 계수의 비로 구한다.

$\qquad\qquad\qquad\qquad\qquad\qquad\qquad\qquad$ 답 $\dfrac{1}{4}$

018 정답과 풀이

참고

두 점 A$(x_1,\,y_1)$, B$(x_2,\,y_2)$에 대하여 선분 AB를

(1) $m:n$ $(m>0,\,n>0)$으로 내분하는 점의 좌표는

$$\left(\frac{mx_2+nx_1}{m+n},\ \frac{my_2+ny_1}{m+n}\right)$$

(2) $m:n$ $(m>0,\,n>0,\,m\neq n)$으로 외분하는 점의 좌표는

$$\left(\frac{mx_2-nx_1}{m-n},\ \frac{my_2-ny_1}{m-n}\right)$$

079

기울기가 2인 직선 l의 방정식을 $y=2x+k$ (k는 상수)라고 하면

원 C_1의 중심 $C_1(-1,\,0)$과 직선 $l:y=2x+k$, 즉 $2x-y+k=0$

사이의 거리는 반지름의 길이 r와 같으므로

$$\frac{|-2+k|}{\sqrt{2^2+(-1)^2}}=r,\ -2+k=\pm r\sqrt{5}$$

$\therefore\ k=2\pm r\sqrt{5}$ $\qquad\qquad\qquad\qquad$ ……㉠

또, 원 C_2의 중심 $C_2(-2,\,3)$과 직선 $l:2x-y+k=0$ 사이의 거리는 반지름의 길이 $f(r)$와 같으므로

$$f(r)=\frac{|-4-3+k|}{\sqrt{2^2+(-1)^2}}=\frac{|-7+k|}{\sqrt{5}}=\frac{|-5\pm r\sqrt{5}|}{\sqrt{5}}\ (\because ㉠)$$

$\therefore\ \displaystyle\lim_{r\to 0+}f(r)=\lim_{r\to 0+}\frac{|-5\pm r\sqrt{5}|}{\sqrt{5}}=\frac{5}{\sqrt{5}}=\sqrt{5}$

$\qquad\qquad\qquad\qquad\qquad\qquad\qquad\qquad$ 답 ④

참고

점 $(x_1,\,y_1)$과 직선 $ax+by+c=0$ 사이의 거리는

$$\frac{|ax_1+by_1+c|}{\sqrt{a^2+b^2}}$$

080

점 P$(t,\,t+1)$을 지나고 직선 $y=x+1$에 수직인 직선의 방정식은

$y=-(x-t)+t+1$ $\quad\therefore\ y=-x+2t+1$ └ 기울기는 -1이다.

따라서 점 Q의 좌표는 $(0,\,2t+1)$이므로

$\overline{AQ}^2=(0+1)^2+(2t+1-0)^2=4t^2+4t+2$

한편 $\overline{AP}$의 길이는 점 A$(-1,\,0)$과 직선 $y=-x+2t+1$, 즉 $x+y-2t-1=0$ 사이의 거리와 같으므로

$\overline{AP}=\dfrac{|-1-2t-1|}{\sqrt{1^2+1^2}}=\dfrac{2t+2}{\sqrt{2}}=\sqrt{2}t+\sqrt{2}\ (\because t>0)$

$\overline{PQ}$의 길이는 점 Q$(0,\,2t+1)$과 직선 $y=x+1$, 즉 $x-y+1=0$ 사이의 거리와 같으므로

$\overline{PQ}=\dfrac{|-(2t+1)+1|}{\sqrt{1^2+(-1)^2}}=\dfrac{2t}{\sqrt{2}}=\sqrt{2}t\ (\because t>0)$

$\therefore\ S(t)=\dfrac{1}{2}\times\overline{AP}\times\overline{PQ}$

$\quad=\dfrac{1}{2}\times(\sqrt{2}t+\sqrt{2})\times\sqrt{2}t$

$\quad=t^2+t$

$\therefore\ \displaystyle\lim_{t\to\infty}\frac{\overline{AQ}^2}{S(t)}=\lim_{t\to\infty}\frac{4t^2+4t+2}{t^2+t}=\frac{4}{1}=4$

└ 분자, 분모의 최고차항의 계수의 비로 구한다. 답 ④

참고

A$(-1,\,0)$, P$(t,\,t+1)$, Q$(0,\,2t+1)$이므로 $\overline{AP}$와 $\overline{PQ}$의 길이는 다음과 같이 구할 수도 있다.

$\overline{\mathrm{AP}}=\sqrt{(t+1)^2+(t+1-0)^2}=\sqrt{2(t+1)^2}=\sqrt{2}(t+1)\ (\because t>0)$

$\overline{\mathrm{PQ}}=\sqrt{(0-t)^2+(2t+1-t-1)^2}=\sqrt{2t^2}=\sqrt{2}t\ (\because t>0)$

081

직선 l의 기울기를 $m\ (m<0)$이라고 하면 직선 l이 점 $\mathrm{A}(3,\,0)$을 지나므로 그 방정식은

$y=m(x-3)\qquad\therefore\ mx-y-3m=0$

점 B는 직선 l이 y축과 만나는 점이므로

$\mathrm{B}(0,\,-3m)\qquad\therefore\ \overline{\mathrm{OB}}=-3m\ (\because m<0)$

직선 CD는 직선 l과 수직이면서 점 $\mathrm{C}(-r,\,0)$을 지나므로 그 방정식은 ┗ 직선 CD의 기울기는 $-\dfrac{1}{m}$

$y=-\dfrac{1}{m}(x+r)\qquad\therefore\ x+my+r=0$

점 E는 직선 CD가 y축과 만나는 점이므로

$\mathrm{E}\Big(0,\,-\dfrac{r}{m}\Big)\qquad\therefore\ \overline{\mathrm{OE}}=-\dfrac{r}{m}\ (\because m<0)$

직선 l은 원 C의 접선이므로 중심 $\mathrm{C}(-r,\,0)$에서 직선 $l:mx-y-3m=0$에 이르는 거리는 반지름의 길이 r와 같다.

즉, $\dfrac{|-mr-3m|}{\sqrt{m^2+1}}=r$이므로 양변을 제곱하면

$\dfrac{m^2(r^2+6r+9)}{m^2+1}=r^2,\ m^2(r^2+6r+9)=m^2r^2+r^2$

$m^2(6r+9)=r^2\qquad\therefore\ m^2=\dfrac{r^2}{6r+9}$

따라서

$\dfrac{\overline{\mathrm{OE}}}{\overline{\mathrm{OB}}}=\dfrac{-\dfrac{r}{m}}{-3m}=\dfrac{r}{3m^2}=\dfrac{r}{3\times\dfrac{r^2}{6r+9}}=\dfrac{2r+3}{r}$

이므로

$\displaystyle\lim_{r\to\infty}\dfrac{\overline{\mathrm{OE}}}{\overline{\mathrm{OB}}}=\lim_{r\to\infty}\dfrac{2r+3}{r}=\dfrac{2}{1}=2$

┗ 분자, 분모의 최고차항의 계수의 비로 구한다. 🔲 **2**

082

$\overline{\mathrm{AB}}/\!/\overline{\mathrm{A'B'}},\ \overline{\mathrm{BC}}/\!/\overline{\mathrm{B'C'}},\ \overline{\mathrm{CA}}/\!/\overline{\mathrm{C'A'}}$이므로

$\triangle\mathrm{ABC}\sim\triangle\mathrm{A'B'C'}$ (AA 닮음)

두 삼각형 ABC, A'B'C'에서 평행한 두 변 사이의 거리가 모두 x이므로 삼각형 A'B'C'의 내접원의 반지름의 길이는 $2+x$이다.

삼각형 A'B'C'의 둘레의 길이를 l이라고 하면

$24:l=2:(2+x)$이므로

$l=\dfrac{24(2+x)}{2}=12(2+x)$

$\therefore\ S(x)=\triangle\mathrm{A'B'C'}-\triangle\mathrm{ABC}$

$\qquad\quad=\dfrac{1}{2}\times(2+x)\times12(2+x)-\dfrac{1}{2}\times2\times24$

$\qquad\quad=6(2+x)^2-24=6x^2+24x$

$\therefore\ \displaystyle\lim_{x\to\infty}\dfrac{S(x)}{x^2}=\lim_{x\to\infty}\dfrac{6x^2+24x}{x^2}=\dfrac{6}{1}=6$

┗ 분자, 분모의 최고차항의 계수의 비로 구한다. 🔲 **③**

083

원 $x^2+y^2=1$과 직선 $x=t$가 만나는 점 P의 y좌표는 $t^2+y^2=1$에서

$y^2=1-t^2\qquad\therefore\ y=\sqrt{1-t^2}\ (\because y>0)$

곡선 $y=\sqrt{x+1}$과 직선 $x=t$가 만나는 점 Q의 y좌표는

$y=\sqrt{t+1}$

즉, $\mathrm{P}(t,\,\sqrt{1-t^2}),\ \mathrm{Q}(t,\,\sqrt{t+1})$이므로

$\overline{\mathrm{PQ}}=\sqrt{t+1}-\sqrt{1-t^2}$

$\therefore\ S(t)=\dfrac{1}{2}\times t\times\overline{\mathrm{PQ}}=\dfrac{t(\sqrt{t+1}-\sqrt{1-t^2})}{2}$

$\therefore\ \displaystyle\lim_{t\to0+}\dfrac{S(t)}{t^2}=\lim_{t\to0+}\dfrac{t(\sqrt{t+1}-\sqrt{1-t^2})}{2t^2}$

$\qquad\qquad\qquad=\lim_{t\to0+}\dfrac{\sqrt{t+1}-\sqrt{1-t^2}}{2t}$

$\qquad\qquad\qquad=\lim_{t\to0+}\dfrac{(\sqrt{t+1}-\sqrt{1-t^2})(\sqrt{t+1}+\sqrt{1-t^2})}{2t(\sqrt{t+1}+\sqrt{1-t^2})}$

$\qquad\qquad\qquad=\lim_{t\to0+}\dfrac{t(1+t)}{2t(\sqrt{t+1}+\sqrt{1-t^2})}$

$\qquad\qquad\qquad=\lim_{t\to0+}\dfrac{1+t}{2(\sqrt{t+1}+\sqrt{1-t^2})}=\dfrac{1}{4}$

🔲 **②**

02 함수의 연속

084

① $f(1)=1,\ \displaystyle\lim_{x\to1}f(x)=1$이므로 $f(1)=\lim_{x\to1}f(x)$

따라서 함수 $f(x)$는 $x=1$에서 연속이다.

② $f(1)=1$이고 $\displaystyle\lim_{x\to1+}f(x)=\lim_{x\to1-}f(x)=1$에서 $\lim_{x\to1}f(x)=1$

이므로 $f(1)=\displaystyle\lim_{x\to1}f(x)$

따라서 함수 $f(x)$는 $x=1$에서 연속이다.

③ $f(x)=\dfrac{x-1}{x^2-1}=\dfrac{x-1}{(x+1)(x-1)}$은 $x=-1,\ x=1$에서 함숫값이 정의되어 있지 않다.

따라서 함수 $f(x)$는 $x=1$에서 연속이 아니다.

④ $f(1)=\sqrt{3},\ \displaystyle\lim_{x\to1}f(x)=\sqrt{3}$이므로 $f(1)=\lim_{x\to1}f(x)$

따라서 함수 $f(x)$는 $x=1$에서 연속이다.

⑤ $f(1)=1$

$\displaystyle\lim_{x\to1+}f(x)=\lim_{x\to1+}\dfrac{1}{x}=1,\ \lim_{x\to1-}f(x)=\lim_{x\to1-}(2x-1)=1$

즉, $\displaystyle\lim_{x\to1+}f(x)=\lim_{x\to1-}f(x)=1$이므로 $\lim_{x\to1}f(x)=1$

따라서 $f(1)=\displaystyle\lim_{x\to1}f(x)$이므로 함수 $f(x)$는 $x=1$에서 연속이다.

🔲 **③**

085

ㄱ은 옳다.

$\displaystyle\lim_{x\to0+}f(x)=1$

ㄴ은 옳지 않다.

$\lim\limits_{x \to 2^-} f(x)=1$ ┌ $y=|f(x)|$의 그래프는 $y=f(x)$의 그래프의
x축 윗부분은 그대로, x축 아랫부분은 x축에 대하여
대칭이동하여 그린다.

ㄷ은 옳다.

$y=|f(x)|$의 그래프는 오른쪽 그림
과 같으므로

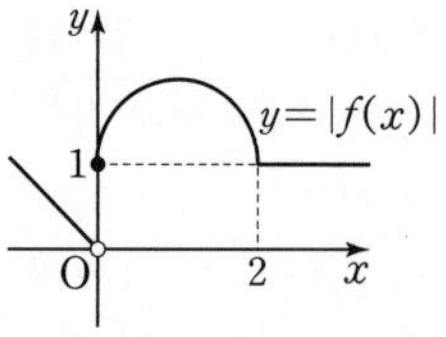

$|f(2)|=\lim\limits_{x \to 2}|f(x)|=1$

즉, 함수 $|f(x)|$는 $x=2$에서 연속
이다.

따라서 옳은 것은 ㄱ, ㄷ이다.

답 ③

▌다른 풀이◀

ㄷ은 옳다.

$|f(2)|=|-1|=1$

$\lim\limits_{x \to 2^-}|f(x)|=1$, $\lim\limits_{x \to 2^+}|f(x)|=\lim\limits_{x \to 2^+}|-1|=1$

즉, $\lim\limits_{x \to 2^-}|f(x)|=\lim\limits_{x \to 2^+}|f(x)|=1$이므로

$\lim\limits_{x \to 2}|f(x)|=1$

따라서 $|f(2)|=\lim\limits_{x \to 2}|f(x)|$이므로 함수 $|f(x)|$는 $x=2$에서
연속이다.

086

ㄱ. $x \neq 3$에서 함수 $f(x)$는 연속이므로 $x=3$에서 연속인지 살펴
보자.

$\lim\limits_{x \to 3}f(x)=\lim\limits_{x \to 3}\dfrac{x^2-9}{x-3}=\lim\limits_{x \to 3}\dfrac{(x+3)(x-3)}{x-3}$

$\qquad\qquad =\lim\limits_{x \to 3}(x+3)=6$

즉, $f(3)=\lim\limits_{x \to 3}f(x)$이므로 $f(x)$는 $x=3$에서 연속이다.

따라서 함수 $f(x)$는 실수 전체의 집합에서 연속이다.

ㄴ. $x>2$와 $x<2$에서 함수 $f(x)$는 연속이므로 $x=2$에서 연속인
지 살펴보자.

$f(2)=1$이고,

$\lim\limits_{x \to 2^+}f(x)=\lim\limits_{x \to 2^+}(\sqrt{x-2}+1)=1$,

$\lim\limits_{x \to 2^-}f(x)=\lim\limits_{x \to 2^-}(-x+3)=1$에서 $\lim\limits_{x \to 2}f(x)=1$이므로

$f(2)=\lim\limits_{x \to 2}f(x)$

즉, 함수 $f(x)$는 $x=2$에서 연속이므로 함수 $f(x)$는 실수 전
체의 집합에서 연속이다.

ㄷ. $x \neq 0$에서 함수 $f(x)$는 연속이므로 $x=0$에서 연속인지 살펴
보자.

$\lim\limits_{x \to 0^+}f(x)=\lim\limits_{x \to 0^+}\dfrac{|x|}{x}=\lim\limits_{x \to 0^+}\dfrac{x}{x}=1$

$\lim\limits_{x \to 0^-}f(x)=\lim\limits_{x \to 0^-}\dfrac{|x|}{x}=\lim\limits_{x \to 0^-}\dfrac{-x}{x}=-1$

즉, $\lim\limits_{x \to 0^+}f(x) \neq \lim\limits_{x \to 0^-}f(x)$이므로 $\lim\limits_{x \to 0}f(x)$의 값이 존재하지
않는다.

그러므로 함수 $f(x)$는 $x=0$에서 불연속이다.

따라서 실수 전체의 집합에서 연속인 것은 ㄱ, ㄴ이다.

답 ③

087

함수 $f(x)$가 모든 실수 x에서 연속이려면 모든 실수 x에 대하여
$x^2+3x-k \neq 0$이어야 한다.

이차방정식 $x^2+3x-k=0$의 판별식을 D라고 하면 이 이차방정식
이 실근을 갖지 않아야 하므로

$D=3^2-4 \times (-k)<0$

$9+4k<0$

$4k<-9$

$\therefore k<-\dfrac{9}{4}$

따라서 정수 k의 최댓값은 -3이다.

답 -3

088

① $f(2) \neq 0$이고 $y=f(x)$가 $x=2$에서 연속이므로 연속함수의 성
질에 의하여 함수 $y=\dfrac{1}{f(x)}$은 $x=2$에서 연속이다.

② $y=2x$와 $y=f(x)$가 $x=2$에서 연속이므로 연속함수의 성질에
의하여 $y=2x-f(x)$는 $x=2$에서 연속이다.

③ $y=3x$와 $y=f(x)$가 $x=2$에서 연속이므로 연속함수의 성질에
의하여 $y=3xf(x)$는 $x=2$에서 연속이다.

④ $y=f(x)$가 $x=2$에서 연속이므로 연속함수의 성질에 의하여
$y=\{f(x)\}^3$은 $x=2$에서 연속이다.

⑤ $y=f(f(x))$가 $x=2$에서 연속이려면

$\lim\limits_{x \to 2}f(f(x))=f(f(2))$

이어야 한다. 즉, $x=f(2)$에서도 연속이라는 조건이 더 필요하
다.

답 ⑤

▶풍쌤 비법◀

합성함수의 연속

(1) 함수 $f(x)$가 $x=a$에서 연속이고, 함수 $g(x)$가 $x=f(a)$에
서 연속이면 합성함수 $(g \circ f)(x)$는 $x=a$에서 연속이다.

(2) 함수 $f(x)$, $g(x)$가 모두 연속함수이면 합성함수 $(g \circ f)(x)$
도 연속함수이다.

(3) 함수 $f(x)$, $g(x)$가 모두 연속함수이면
$\lim\limits_{x \to a}(g \circ f)(x)=g\Big(\lim\limits_{x \to a}f(x)\Big)$

▌다른 풀이◀

⑤ (반례) 오른쪽 그림과 같이

$f(x)=\begin{cases} 2x & (x \leq 2) \\ -\dfrac{3}{2}x+7 & (2<x \leq 4) \\ 2x-10 & (x>4) \end{cases}$

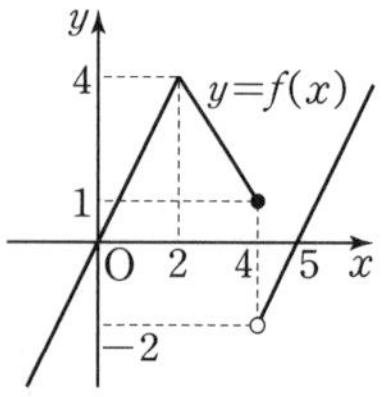

이라고 하면 $f(x)$는 $x=2$에서 연속이
지만 $x=f(2)$, 즉 $x=4$에서 불연속이므로
$f(f(x))$는 $x=2$에서 불연속이다.

089

▶ 접근

주어진 함수가 $x=1$에서 연속일 경우는 연속함수의 성질을 이용하여 연속임을 보이고, 연속이 아닌 경우는 반례를 찾는다.

ㄱ은 옳다.

$y=f(x)$가 $x=1$에서 연속이므로 $y=|f(x)|$도 $x=1$에서 연속이다. 또, $y=x$도 $x=1$에서 연속이므로 연속함수의 성질에 의하여 $y=\dfrac{|f(x)|}{x}$ 는 $x=1$에서 연속이다.

ㄴ은 옳지 않다.

(반례)

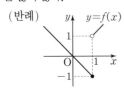

[그림 1]   [그림 2]

함수 $y=f(x)$의 그래프가 [그림 1]과 같다고 하면 함수 $y=|f(x)|$의 그래프는 [그림 2]와 같다. 이때 $y=|f(x)|$는 $x=1$에서 연속이지만 $y=f(x)$는 $x=1$에서 불연속이다.

ㄷ은 옳다.

$\{f(x)\}^4=|f(x)|^4$이므로 $y=|f(x)|$가 $x=1$에서 연속이면 연속함수의 성질에 의하여 $y=2\{f(x)\}^4$도 $x=1$에서 연속이다. 또, $y=x$도 $x=1$에서 연속이므로 연속함수의 성질에 의하여 $y=x-2\{f(x)\}^4$은 $x=1$에서 연속이다.

따라서 옳은 것은 ㄱ, ㄷ이다.

답 ③

090

ㄱ은 옳다.

$f(x)$, $g(x)$가 연속함수이므로 임의의 실수 a에 대하여
$$\lim_{x\to a}(g\circ f)(x)=\lim_{x\to a}g(f(x))=g(f(a))$$
따라서 함수 $(g\circ f)(x)$는 연속함수이다.

ㄴ도 옳다.

$f(x)-g(x)=h(x)$라고 하면 $g(x)=f(x)-h(x)$
이때 $f(x)$, $h(x)$가 연속함수이므로 연속함수의 성질에 의하여 $g(x)$도 연속함수이다.

ㄷ은 옳지 않다.

(반례) $f(x)=\begin{cases}1 & (x\geq 0) \\ -1 & (x<0)\end{cases}$, $g(x)=0$이라고 하면 $g(x)$와 $f(x)g(x)$는 연속함수이지만 $f(x)$는 $x=0$에서 불연속이다.

ㄹ은 옳다.

$\dfrac{f(x)}{g(x)}=h(x)$라고 하면 $f(x)\neq 0$이고 $f(x)$, $h(x)$가 연속함수이므로 $g(x)\neq 0$

따라서 $h(x)\neq 0$이므로 $g(x)=\dfrac{f(x)}{h(x)}$

이때 $f(x)$, $h(x)$가 연속함수이므로 연속함수의 성질에 의하여 $g(x)$도 연속함수이다.

따라서 옳은 것은 ㄱ, ㄴ, ㄹ이다.

답 ④

091

함수 $f(x)$가 모든 실수 x에서 연속이므로 $x=1$에서 연속이어야 한다.

$$\therefore \lim_{x\to 1}f(x)=f(1)$$

이때

$$\lim_{x\to 1}f(x)=\lim_{x\to 1}\frac{x^2-ax-1}{x-1}, \ f(1)=b$$

이므로

$$\lim_{x\to 1}\frac{x^2-ax-1}{x-1}=b \qquad \cdots\cdots \ \ominus$$

㉠에서 $x\to 1$일 때 극한값이 존재하고 (분모) $\to 0$이므로 (분자) $\to 0$이어야 한다.

즉, $\lim_{x\to 1}(x^2-ax-1)=0$이므로

$1-a-1=0 \quad \therefore a=0$

$$\therefore b=\lim_{x\to 1}\frac{x^2-ax-1}{x-1}$$
$$=\lim_{x\to 1}\frac{x^2-1}{x-1}$$
$$=\lim_{x\to 1}\frac{(x+1)(x-1)}{x-1}$$
$$=\lim_{x\to 1}(x+1)=2$$

$$\therefore a+b=2$$

답 2

092

$x\neq 3$이면 $f(x)=\dfrac{x^2+ax-6}{x-3}$

함수 $f(x)$가 실수 전체의 집합에서 연속이므로 $x=3$에서 연속이어야 한다.

$$\therefore \lim_{x\to 3}f(x)=f(3)$$

이때 $\lim_{x\to 3}f(x)=\lim_{x\to 3}\dfrac{x^2+ax-6}{x-3}$이므로

$$\lim_{x\to 3}\frac{x^2+ax-6}{x-3}=f(3) \qquad \cdots\cdots \ \ominus$$

㉠에서 $x\to 3$일 때 극한값이 존재하고 (분모) $\to 0$이므로 (분자) $\to 0$이어야 한다.

즉, $\lim_{x\to 3}(x^2+ax-6)=0$이므로

$9+3a-6=0, \ 3a=-3 \quad \therefore a=-1$

$$\therefore f(3)=\lim_{x\to 3}\frac{x^2+ax-6}{x-3}=\lim_{x\to 3}\frac{x^2-x-6}{x-3}$$
$$=\lim_{x\to 3}\frac{(x+2)(x-3)}{x-3}$$
$$=\lim_{x\to 3}(x+2)=5$$

$$\therefore a+f(3)=-1+5=4$$

답 4

풍쌤 비법

연속함수 $g(x)$에 대하여 함수 $f(x)$가 $(x-a)f(x)=g(x)$를 만족시킬 때, $f(x)$가 모든 실수 x에서 연속이면
$$\lim_{x\to a}\frac{g(x)}{x-a}=f(a)$$
이다. (단, a는 상수이다.)

093

함수 $f(x)$가 실수 전체의 집합에서 연속이므로 $x=-1$, $x=1$에서 연속이어야 한다.

(i) $x=-1$에서 연속이려면
$$\lim_{x\to-1-}f(x)=\lim_{x\to-1+}f(x)=f(-1)$$
이어야 하므로
$$\lim_{x\to-1-}(x+a)=\lim_{x\to-1+}(-x^2+bx+4)=-1+a$$
$$-1+a=-1-b+4$$
$$\therefore a+b=4 \qquad \cdots\cdots ㉠$$

(ii) $x=1$에서 연속이려면
$$\lim_{x\to1-}f(x)=\lim_{x\to1+}f(x)=f(1)$$
이어야 하므로
$$\lim_{x\to1-}(-x^2+bx+4)=\lim_{x\to1+}(x+a)=1+a$$
$$-1+b+4=1+a$$
$$\therefore a-b=2 \qquad \cdots\cdots ㉡$$

㉠, ㉡을 연립하여 풀면
$a=3$, $b=1$
$$\therefore a^2+b^2=10$$

답 ②

094

▶ 접근

함수 $f(x)$가 $x=3$에서 연속이고, $f(x+3)=f(x)$에서 $f(1)=f(4)$이므로 이를 이용하여 a, b의 값을 구한다.

함수 $f(x)$가 실수 전체의 집합에서 연속이므로 $x=3$에서 연속이어야 한다.
$$\therefore \lim_{x\to3-}f(x)=\lim_{x\to3+}f(x)=f(3)$$
즉, $3+a=9b+1$이므로
$$a-9b=-2 \qquad \cdots\cdots ㉠$$
또, 모든 실수 x에 대하여 $f(x+3)=f(x)$이므로 $f(1)=f(4)$
$$1+a=16b+1$$
$$\therefore a-16b=0 \qquad \cdots\cdots ㉡$$
㉠, ㉡을 연립하여 풀면
$$a=-\frac{32}{7}, b=-\frac{2}{7}$$
$$\therefore a+b=-\frac{34}{7}$$

답 ⑤

참고

실수 전체의 집합에서 연속인 함수 $f(x)$에 대하여 닫힌구간 $[1, 4]$에서의 식만 주어졌지만 모든 실수 x에 대하여 $f(x+3)=f(x)$이므로 $f(x)$의 그래프의 모양이 규칙적으로 반복됨을 알 수 있다.
따라서 주어진 구간과 그 경계에서 연속이 되는지만 조사하면 되므로 $x=1$, $x=3$, $x=4$에서 함수 $f(x)$가 연속임을 이용하여 a, b의 값을 구한다.

095

함수 $g(x)$가 $x=0$에서 연속이려면
$$\lim_{x\to0-}g(x)=\lim_{x\to0+}g(x)=g(0)$$
이어야 한다. 이때
$$\lim_{x\to0-}g(x)=\lim_{x\to0-}f(x)\{f(x)+k\}=2(2+k)=2k+4,$$
$$\lim_{x\to0+}g(x)=\lim_{x\to0+}f(x)\{f(x)+k\}=0\times(0+k)=0,$$
$$g(0)=f(0)\{f(0)+k\}=2(2+k)=2k+4$$
이므로
$$2k+4=0 \qquad \therefore k=-2$$

답 ①

096

$f(x)=x^2+ax+b$ (a, b는 상수)라고 하면
$$f(x)g(x)=\begin{cases} 2(x^2+ax+b) & (x\le-1) \\ (x+1)(x^2+ax+b) & (-1<x<1) \\ -2(x^2+ax+b) & (x\ge1) \end{cases}$$
함수 $g(x)$는 $x=-1$, $x=1$에서 불연속이고, $f(x)$는 실수 전체의 집합에서 연속이므로 함수 $f(x)g(x)$가 실수 전체의 집합에서 연속이려면 $x=-1$, $x=1$에서 연속이어야 한다.

(i) $x=-1$에서 연속이려면
$$\lim_{x\to-1-}f(x)g(x)=\lim_{x\to-1+}f(x)g(x)=f(-1)g(-1)$$
이어야 하므로
$$2(1-a+b)=0 \qquad \therefore a-b=1 \qquad \cdots\cdots ㉠$$

(ii) $x=1$에서 연속이려면
$$\lim_{x\to1-}f(x)g(x)=\lim_{x\to1+}f(x)g(x)=f(1)g(1)$$
이어야 하므로
$$2(1+a+b)=-2(1+a+b)$$
$$4(1+a+b)=0 \qquad \therefore a+b=-1 \qquad \cdots\cdots ㉡$$
㉠, ㉡을 연립하여 풀면 $a=0$, $b=-1$
따라서 $f(x)=x^2-1$이므로 $f(-3)=8$

답 ②

간단 풀이

$f(x)=x^2+ax+b$ (a, b는 상수)라고 하면 $f(x)$는 실수 전체의 집합에서 연속이고 $g(x)$는 $x=-1$, $x=1$에서 불연속이므로 함수 $f(x)g(x)$가 실수 전체의 집합에서 연속이려면 $x=-1$, $x=1$에서 연속이어야 한다.
따라서 $f(-1)=0$, $f(1)=0$이어야 하므로
$$1-a+b=0, 1+a+b=0$$
위의 두 식을 연립하여 풀면 $a=0$, $b=-1$
즉, $f(x)=x^2-1$이므로 $f(-3)=8$

풍쌤 비법

$x=a$에서 연속인 함수 $f(x)$와 $x=a$에서 불연속인 함수 $g(x)$에 대하여 함수 $f(x)g(x)$가 $x=a$에서 연속이려면
$$\lim_{x\to a-}f(x)g(x)=\lim_{x\to a+}f(x)g(x)=f(a)g(a)$$
이 성립해야 하므로 $f(a)=0$이어야 한다.

097

함수 $f(x)$가 $x=1$에서 연속이므로

$\lim\limits_{x \to 1-} f(x) = \lim\limits_{x \to 1+} f(x) = f(1)$

$0 < x < 1$일 때 $[x]=0$, $1 < x < 2$일 때 $[x]=1$이므로

$\lim\limits_{x \to 1-} f(x) = \lim\limits_{x \to 1-} ([x]^2 - a[x] + 3) = 3$

$\lim\limits_{x \to 1+} f(x) = \lim\limits_{x \to 1+} ([x]^2 - a[x] + 3) = 1 - a + 3 = 4 - a$

이때 $f(1) = 1 - a + 3 = 4 - a$이므로

$4 - a = 3$ $\quad \therefore a = 1$

따라서 $f(x) = [x]^2 - [x] + 3$이므로

$b = f(2) = 4 - 2 + 3 = 5$

$\therefore a - b = 1 - 5 = -4$

답 ②

098

함수 $f(x)$가 $x=0$에서 불연속이고, 함수 $g(x)$가 실수 전체의 집합에서 연속이므로 합성함수 $(g \circ f)(x)$가 실수 전체의 집합에서 연속이려면 $x=0$에서 연속이어야 한다.

$\therefore \lim\limits_{x \to 0} (g \circ f)(x) = (g \circ f)(0)$

이때

$\lim\limits_{x \to 0} (g \circ f)(x) = \lim\limits_{x \to 0} g(f(x)) = \lim\limits_{x \to 0} g(-x^2 + 2)$

$\qquad\qquad = g(2) = 4 - 2a + 2 = 6 - 2a,$

$(g \circ f)(0) = g(f(0)) = g(1) = 1 - a + 2 = 3 - a$

이므로

$6 - 2a = 3 - a$ $\quad \therefore a = 3$

답 ③

참고

$x=a$에서 불연속인 함수 $f(x)$와 실수 전체의 집합에서 연속인 함수 $g(x)$에 대하여 합성함수 $(g \circ f)(x)$가 실수 전체의 집합에서 연속임을 확인할 때에는 $x=a$에서 함수 $(g \circ f)(x)$의 연속성을 확인한다.

099

$\underline{\lim\limits_{x \to 0-} f(x) \neq \lim\limits_{x \to 0+} f(x), \lim\limits_{x \to 1-} f(x) \neq \lim\limits_{x \to 1+} f(x)}$이므로 함수 $f(x)$

$\quad \llcorner x=0, x=1$에서 좌극한값과 우극한값이 다르다.

는 $x=0$, $x=1$에서 극한값이 존재하지 않는다.

$\therefore a = 2$

함수 $f(x)$의 그래프가 $x=0$, $x=1$, $x=2$, $x=3$에서 끊어져 있으므로 $f(x)$는 $x=0$, $x=1$, $x=2$, $x=3$에서 불연속이다.

$\therefore b = 4$

$\therefore a + b = 6$

답 6

참고

함수의 그래프가 그림으로 주어진 문제에서

(1) $x=a$에서 극한값이 존재하지 않는 점

➡ $x=a$에서 좌극한값과 우극한값이 다른 것을 찾는다.

(2) $x=a$에서 불연속인 점

➡ $x=a$에서 그래프가 끊어져 있는 점을 찾는다.

100

① $f(x) = x^2 - 3$은 실수 전체의 집합에서 연속이다.

② $f(x) = \dfrac{1}{x-3}$은 $x=3$에서 함숫값이 정의되지 않으므로 $x=3$에서 불연속이고, $x \neq 3$인 모든 실수에서 연속이다.

③ $\lim\limits_{x \to -3-} f(x) = \lim\limits_{x \to -3-} \dfrac{|x+3|}{x+3} = \lim\limits_{x \to -3-} \dfrac{-(x+3)}{x+3} = -1$

$\lim\limits_{x \to -3+} f(x) = \lim\limits_{x \to -3+} \dfrac{|x+3|}{x+3} = \lim\limits_{x \to -3+} \dfrac{x+3}{x+3} = 1$

즉, $\lim\limits_{x \to -3-} f(x) \neq \lim\limits_{x \to -3+} f(x)$이므로 $\lim\limits_{x \to -3} f(x)$의 값이 존재하지 않는다.

따라서 함수 $f(x)$는 $x=-3$에서 불연속이다.

④ $f(-3) = 0$이고 $\lim\limits_{x \to -3+} f(x) = \lim\limits_{x \to -3+} \sqrt{x+3} = 0$,

$\lim\limits_{x \to -3-} f(x) = \lim\limits_{x \to -3-} (x^2 - 9) = 0$에서

$\lim\limits_{x \to -3} f(x) = 0$이므로 $f(-3) = \lim\limits_{x \to -3} f(x)$

따라서 함수 $f(x)$는 $x=-3$에서 연속이다.

⑤ $f(-3) = -2$이고

$\lim\limits_{x \to -3} f(x) = \lim\limits_{x \to -3} \dfrac{x^2 + 4x + 3}{x+3}$

$\qquad\qquad = \lim\limits_{x \to -3} \dfrac{(x+1)(x+3)}{x+3}$

$\qquad\qquad = \lim\limits_{x \to -3} (x+1) = -2$

이므로 $f(-3) = \lim\limits_{x \to -3} f(x)$

따라서 함수 $f(x)$는 $x=-3$에서 연속이다.

따라서 $x=-3$에서 불연속인 함수는 ③이다.

답 ③

101

$f(x) = \dfrac{1}{x - \dfrac{3}{x-2}} = \dfrac{1}{\dfrac{x(x-2)-3}{x-2}}$

$\qquad = \dfrac{x-2}{x^2 - 2x - 3}$

$\qquad = \dfrac{x-2}{(x+1)(x-3)}$

따라서 함수 $f(x)$는 $x=-1$, $x=2$, $x=3$에서 함숫값이 정의되지 않으므로 $x=-1$, $x=2$, $x=3$에서 불연속이다. 즉, 불연속인 점의 개수는 3이다.

답 ④

풍쌤 비법

불연속이 되는 x의 값은 주어진 함수에 따라 다음의 값에서 찾는다.

(1) 유리함수인 경우: 분모를 0이 되게 하는 x의 값

(2) 구간에 따라 다르게 정의된 함수인 경우: 구간의 경계가 되는 x의 값

(3) 가우스 기호를 포함한 함수인 경우: 가우스 기호 안의 식의 값이 정수가 되게 하는 x의 값

102

함수 $f(x)=[x^2-6x]$는 x^2-6x의 값이 정수가 되는 점에서 불연속이다.

$y=x^2-6x=(x-3)^2-9$이므로 구간 $(-1,3)$에서 함수 $y=x^2-6x$의 그래프는 오른쪽 그림과 같다.

이때 $-9<x^2-6x<7$이므로 $f(x)$는 x^2-6x의 값이 -8, -7, -6, $\cdots$, 6인 점에서 불연속이다.

따라서 불연속이 되는 점의 개수는 15이다.

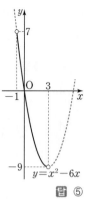

답 ⑤

103

▶ 접근

조건 ㈎에서 이차함수 $f(x)$는 $x-1$, $x-2$를 인수로 가지므로 $f(x)$의 x^2의 계수를 a로 놓고 조건 ㈏를 이용하여 $f(x)$를 구한다.

조건 ㈎에서 $f(1)=0$, $f(2)=0$이므로
$f(x)=a(x-1)(x-2)$ (a는 상수, $a\neq0$)
로 놓을 수 있다.

조건 ㈏에서 $\lim\limits_{x\to2}\dfrac{f(x)}{x-2}=4$이므로

$\lim\limits_{x\to2}\dfrac{f(x)}{x-2}=\lim\limits_{x\to2}\dfrac{a(x-1)(x-2)}{x-2}=\lim\limits_{x\to2}a(x-1)=a=4$

따라서 $f(x)=4(x-1)(x-2)$이므로
$f(4)=4\times3\times2=24$

답 24

104

함수 $y=g(x)$의 그래프는 오른쪽 그림과 같다.

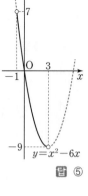

ㄱ은 옳다.
　$f(2)=1$이므로
　　$g(2)=-f(2)=-1$
ㄴ도 옳다.
　$\lim\limits_{x\to2-}g(x)=-1$
ㄷ은 옳지 않다.
　$\lim\limits_{x\to-2+}g(x)=-1$
ㄹ은 옳다.
　함수 $g(x)$는 $x=-2$, $x=-1$, $x=2$에서 불연속이므로 불연속인 x의 값은 3개이다.
따라서 옳은 것은 ㄱ, ㄴ, ㄹ이다.

답 ④

105

함수 $f(x)$가 $x=-1$에서 불연속이므로 함수 $(f\circ f)(x)$, 즉 $f(f(x))$가 불연속인 점을 찾으려면 $x=-1$과 $f(x)=-1$인 $x=-3$, $x=1$에서의 연속성을 조사하면 된다.

(i) $x=-1$일 때

$f(x)=t$라고 하면 $x\to-1-$일 때 $t\to1-$이므로
　$\lim\limits_{x\to-1-}(f\circ f)(x)=\lim\limits_{x\to-1-}f(f(x))=\lim\limits_{t\to1-}f(t)=-1$
$x\to-1+$일 때 $t\to1-$이므로
　$\lim\limits_{x\to-1+}(f\circ f)(x)=\lim\limits_{x\to-1+}f(f(x))=\lim\limits_{t\to1-}f(t)=-1$
　$\therefore \lim\limits_{x\to-1}(f\circ f)(x)=-1$
이때 $(f\circ f)(-1)=f(f(-1))=f(0)=0$이므로
　$(f\circ f)(-1)\neq\lim\limits_{x\to-1}(f\circ f)(x)$
　따라서 함수 $(f\circ f)(x)$는 $x=-1$에서 불연속이다.

(ii) $x=-3$일 때
$f(x)=t$라고 하면 $x\to-3$일 때 $t\to-1$이므로
　$\lim\limits_{x\to-3}(f\circ f)(x)=\lim\limits_{x\to-3}f(f(x))=\lim\limits_{t\to-1}f(t)=1$
이때 $(f\circ f)(-3)=f(f(-3))=f(-1)=0$이므로
　$(f\circ f)(-3)\neq\lim\limits_{x\to-3}(f\circ f)(x)$
　따라서 함수 $(f\circ f)(x)$는 $x=-3$에서 불연속이다.

(iii) $x=1$일 때
$f(x)=t$라고 하면 $x\to1$일 때 $t\to-1$이므로
　$\lim\limits_{x\to1}(f\circ f)(x)=\lim\limits_{x\to1}f(f(x))=\lim\limits_{t\to-1}f(t)=1$
이때 $(f\circ f)(1)=f(f(1))=f(-1)=0$이므로
　$(f\circ f)(1)\neq\lim\limits_{x\to1}(f\circ f)(x)$
　따라서 함수 $(f\circ f)(x)$는 $x=1$에서 불연속이다.

(i), (ii), (iii)에서 $a=3$, $b=-1+(-3)+1=-3$
$\therefore a+b=0$

답 0

106

①은 옳다.
　$\lim\limits_{x\to5-}f(x)\neq\lim\limits_{x\to5+}f(x)$이므로 $\lim\limits_{x\to5}f(x)$의 값은 존재하지 않는다.
②도 옳다.
　$f(x)$는 $x=3$, $x=5$에서 불연속이므로 불연속이 되는 x의 값은 2개이다.
③은 옳지 않다.
　$f(x)$는 $x=3$에서 불연속이므로 구간 $[1,3]$에서 최댓값을 갖지 않는다.
④는 옳다.
　$f(x)$는 $[-1,1]$에서 연속이므로 최대·최소 정리에 의하여 반드시 최댓값과 최솟값을 갖는다.
⑤도 옳다.
　$f(x)$는 구간 $[5,6)$에서 $x=5$일 때 최댓값을 갖는다.
따라서 옳지 않은 것은 ③이다.

답 ③

107

함수 $f(x)$는 $x=\dfrac{1}{3}$에서 불연속이고 구간 $[1,3]$에서는 오른쪽 그림과 같이 연속이다. 따라서 함수 $f(x)$는 최대·최소 정리에 의하여 구간 $[1,3]$에서 반드시 최댓값과 최솟값을 갖는다.

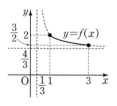

이때 최댓값은 $f(1)=2$, 최솟값은 $f(3)=\dfrac{3}{2}$이므로 구하는 최댓값과 최솟값의 차는

$$2-\frac{3}{2}=\frac{1}{2}$$

답 $\dfrac{1}{2}$

108

$f(x)=x^3-9x^2+24x-10$이라고 하면 $f(x)$는 모든 실수 x에 대하여 연속이고

$f(-1)=-1-9-24-10=-44<0$,

$f(0)=-10<0$,

$f(1)=1-9+24-10=6>0$,

$f(2)=8-36+48-10=10>0$,

$f(3)=27-81+72-10=8>0$,

$f(4)=64-144+96-10=6>0$

이므로 $f(0)f(1)<0$

따라서 사잇값의 정리에 의하여 주어진 방정식의 실근이 존재하는 구간은 $(0, 1)$이다.

답 ②

109

기차의 속력은 연속이므로 사잇값의 정리에 의하여 각 구간의 양 끝 값의 사잇값이 그 구간에 존재한다.

①은 옳지 않다.

　A지점에서의 속력이 시속 100 km이고 B지점에서의 속력이 시속 130 km이므로 구간 AB에서 시속 110 km인 지점이 적어도 한 곳 존재한다.

②도 옳지 않다.

　A지점에서의 속력이 시속 100 km이고 B지점에서의 속력이 시속 130 km이므로 구간 AB에서 시속 140 km인 지점은 존재하지 않을 수도 있다.

③은 옳다.

　A지점에서의 속력이 시속 100 km이고 B지점에서의 속력이 시속 130 km이므로 구간 AB에서 시속 110 km인 지점이 적어도 한 곳 존재한다. 또, B지점에서의 속력이 시속 130 km이고 C지점에서의 속력이 시속 80 km이므로 구간 BC에서 시속 110 km인 지점이 적어도 한 곳 존재한다. 따라서 구간 AC에서 시속 110 km인 지점은 적어도 두 곳 존재한다.

④는 옳지 않다.

　B지점에서의 속력이 시속 130 km이고 C지점에서의 속력이 시속 80 km이므로 구간 BC에서 시속 90 km인 지점이 적어도 한 곳 존재한다.

⑤도 옳지 않다.

　B지점에서의 속력이 시속 130 km이고 C지점에서의 속력이 시속 80 km이므로 구간 BC에서 시속 110 km인 지점이 적어도 한 곳 존재한다.

따라서 옳은 것은 ③이다.

답 ③

110

▶ 접근

함수 $f(x)$가 $x=a$에서 연속이면 $f(a)=\lim\limits_{x \to a} f(x)$이므로 함수 $f(x)$가 불연속인 $x=-1$, $x=0$, $x=2$를 기준으로 범위를 나누어 함숫값과 극한값을 구해 본다.

(i) $-2<a<-1$, $-1<a<0$, $0<a<2$, $2<a<3$일 때

　함수 $f(x)$는 $x=a$에서 연속이므로

　$f(a)=\lim\limits_{x \to a} f(x)$

　$\therefore f(a)-\lim\limits_{x \to a} f(x)=0$

(ii) $a=-1$일 때

　$f(-1)=2$, $\lim\limits_{x \to -1} f(x)=1$이므로

　$f(-1)-\lim\limits_{x \to -1} f(x)=1$

(iii) $a=0$일 때

　$f(0)=-1$, $\lim\limits_{x \to 0} f(x)=0$이므로

　$f(0)-\lim\limits_{x \to 0} f(x)=-1$

(iv) $a=2$일 때

　$f(2)=0$, $\lim\limits_{x \to 2} f(x)=1$이므로

　$f(2)-\lim\limits_{x \to 2} f(x)=-1$

(i)~(iv)에서 $f(a)-\lim\limits_{x \to a} f(x)$의 모든 값의 합은

$0+1+(-1)+(-1)=-1$

답 -1

111

함수 $f(x)$가 $x=0$에서 연속이려면

$f(0)=\lim\limits_{x \to 0} f(x)$

이어야 하므로 $\lim\limits_{x \to 0} g(x)=0$인 함수 $g(x)$를 찾으면 된다.

ㄱ. $\lim\limits_{x \to 0} g(x)=\lim\limits_{x \to 0} \dfrac{x^2}{\sqrt{1+x}-\sqrt{1-x}}$

$=\lim\limits_{x \to 0} \dfrac{x^2(\sqrt{1+x}+\sqrt{1-x})}{(\sqrt{1+x}-\sqrt{1-x})(\sqrt{1+x}+\sqrt{1-x})}$

$=\lim\limits_{x \to 0} \dfrac{x^2(\sqrt{1+x}+\sqrt{1-x})}{2x}$

$=\lim\limits_{x \to 0} \dfrac{x(\sqrt{1+x}+\sqrt{1-x})}{2}=0$

따라서 함수 $f(x)$는 $x=0$에서 연속이다.

ㄴ. $\lim\limits_{x \to 0+} g(x)=\lim\limits_{x \to 0+} \dfrac{x^2-|x|}{x}=\lim\limits_{x \to 0+} \dfrac{x^2-x}{x}$

$=\lim\limits_{x \to 0+} \dfrac{x(x-1)}{x}=\lim\limits_{x \to 0+} (x-1)=-1$

$\lim\limits_{x \to 0-} g(x)=\lim\limits_{x \to 0-} \dfrac{x^2-|x|}{x}=\lim\limits_{x \to 0-} \dfrac{x^2+x}{x}$

$=\lim\limits_{x \to 0-} \dfrac{x(x+1)}{x}=\lim\limits_{x \to 0-} (x+1)=1$

즉, $\lim\limits_{x \to 0+} g(x) \neq \lim\limits_{x \to 0-} g(x)$이므로 $\lim\limits_{x \to 0} g(x)$의 값이 존재하지 않는다.

따라서 함수 $f(x)$는 $x=0$에서 연속이 아니다.

ㄷ. $\lim\limits_{x \to 0} g(x)=\lim\limits_{x \to 0} \dfrac{\sqrt{x+1}-1}{x}$

$$=\lim_{x\to 0}\frac{(\sqrt{x+1}-1)(\sqrt{x+1}+1)}{x(\sqrt{x+1}+1)}$$

$$=\lim_{x\to 0}\frac{x}{x(\sqrt{x+1}+1)}$$

$$=\lim_{x\to 0}\frac{1}{\sqrt{x+1}+1}=\frac{1}{2}$$

즉, $\lim_{x\to 0}g(x)\neq 0$이므로 함수 $f(x)$는 $x=0$에서 연속이 아니다.

따라서 함수 $f(x)$가 $x=0$에서 연속이 되도록 하는 함수 $g(x)$는 ㄱ이다.

답 ①

112

ㄱ은 옳다.

$$\lim_{x\to 0+}f(x)=0$$

ㄴ도 옳다.

$$\lim_{x\to 1-}f(x)g(x)=\lim_{x\to 1-}f(x)\lim_{x\to 1-}g(x)=1\times 0=0$$

ㄷ도 옳다.

$$f(1)g(1)=0\times 1=0$$

$$\lim_{x\to 1-}f(x)g(x)=\lim_{x\to 1-}f(x)\lim_{x\to 1-}g(x)=1\times 0=0$$

$$\lim_{x\to 1+}f(x)g(x)=\lim_{x\to 1+}f(x)\lim_{x\to 1+}g(x)=0\times 1=0$$

즉, $\lim_{x\to 1-}f(x)g(x)=\lim_{x\to 1+}f(x)g(x)=0$이므로

$$\lim_{x\to 1}f(x)g(x)=0$$

그러므로 $f(1)g(1)=\lim_{x\to 1}f(x)g(x)$이므로 함수 $f(x)g(x)$는 $x=1$에서 연속이다.

따라서 옳은 것은 ㄱ, ㄴ, ㄷ이다.

답 ⑤

113

ㄱ은 옳지 않다.

$x<0$일 때, $f(x)\geq 0$이므로

$$\lim_{x\to 0-}g(x)=\lim_{x\to 0-}\{f(x)+|f(x)|\}$$
$$=\lim_{x\to 0-}\{f(x)+f(x)\}$$
$$=\lim_{x\to 0-}2f(x)=2\times 1=2$$

$x>0$일 때, $f(x)<0$이므로

$$\lim_{x\to 0+}g(x)=\lim_{x\to 0+}\{f(x)+|f(x)|\}=\lim_{x\to 0+}\{f(x)-f(x)\}=0$$

즉, $\lim_{x\to 0-}g(x)\neq\lim_{x\to 0+}g(x)$이므로 $\lim_{x\to 0}g(x)$의 값이 존재하지 않는다.

ㄴ은 옳다.

$-x=t$라고 하면 $x\to 0-$일 때 $t\to 0+$이고, $x\to 0+$일 때 $t\to 0-$이므로

$$\lim_{x\to 0-}h(x)=\lim_{x\to 0-}\{f(x)+f(-x)\}$$
$$=\lim_{x\to 0-}f(x)+\lim_{x\to 0-}f(-x)$$
$$=\lim_{x\to 0-}f(x)+\lim_{t\to 0+}f(t)$$
$$=1+0=1$$

$$\lim_{x\to 0+}h(x)=\lim_{x\to 0+}\{f(x)+f(-x)\}$$
$$=\lim_{x\to 0+}f(x)+\lim_{x\to 0+}f(-x)$$
$$=\lim_{x\to 0+}f(x)+\lim_{t\to 0-}f(t)$$
$$=0+1=1$$

즉, $\lim_{x\to 0-}h(x)=\lim_{x\to 0+}h(x)=1$이므로 $\lim_{x\to 0}h(x)=1$

ㄷ도 옳다.

$$|h(0)|=|f(0)+f(0)|=\left|\left(-\frac{1}{2}\right)+\left(-\frac{1}{2}\right)\right|=1$$

ㄴ에서 $\lim_{x\to 0-}h(x)=\lim_{x\to 0+}h(x)=1$이므로

$$\lim_{x\to 0-}|h(x)|=\lim_{x\to 0+}|h(x)|=1$$

즉, $\lim_{x\to 0}|h(x)|=1$이므로

$$|h(0)|=\lim_{x\to 0}|h(x)|$$

따라서 함수 $|h(x)|$는 $x=0$에서 연속이다.

ㄹ도 옳지 않다.

$\lim_{x\to 0-}g(x)=2$, $\lim_{x\to 0-}h(x)=1$이므로

$$\lim_{x\to 0-}g(x)h(x)=\lim_{x\to 0-}g(x)\lim_{x\to 0-}h(x)=2\times 1=2$$

$\lim_{x\to 0+}g(x)=0$, $\lim_{x\to 0+}h(x)=1$이므로

$$\lim_{x\to 0+}g(x)h(x)=\lim_{x\to 0+}g(x)\lim_{x\to 0+}h(x)=0\times 1=0$$

즉, $\lim_{x\to 0-}g(x)h(x)\neq\lim_{x\to 0+}g(x)h(x)$이므로 $\lim_{x\to 0}g(x)h(x)$의 값이 존재하지 않는다.

그러므로 함수 $g(x)h(x)$는 $x=0$에서 불연속이다.

따라서 옳은 것은 ㄴ, ㄷ이다.

답 ②

다른 풀이

ㄱ, ㄴ, ㄷ은 다음과 같이 그래프를 그려서 확인할 수도 있다.

ㄱ은 옳지 않다.

$g(x)=\begin{cases} 2f(x) & (f(x)\geq 0) \\ 0 & (f(x)<0) \end{cases}$ 이므로 함수 $y=g(x)$의 그래프는 오른쪽 그림과 같다.

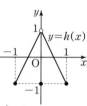

그림에서 알 수 있듯이

$\lim_{x\to 0-}g(x)\neq\lim_{x\to 0+}g(x)$이므로 $\lim_{x\to 0}g(x)$의 값이 존재하지 않는다.

ㄴ은 옳다.

함수 $f(-x)$는 함수 $f(x)$를 y축에 대하여 대칭이동한 것이므로 함수 $y=h(x)$의 그래프는 오른쪽 그림과 같다.

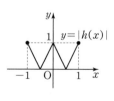

그림에서 알 수 있듯이

$\lim_{x\to 0-}h(x)=\lim_{x\to 0+}h(x)=1$이므로 $\lim_{x\to 0}h(x)=1$

ㄷ도 옳다.

함수 $y=|h(x)|$의 그래프는 오른쪽 그림과 같다.

$x=0$일 때 그래프가 끊어져 있지 않고 이어져 있으므로 함수 $|h(x)|$는 $x=0$에서 연속이다.

114

ㄱ은 옳다.

$$f(-1)g(-1)=-1\times 0=0$$

$$\lim_{x\to -1-}f(x)g(x)=\lim_{x\to -1-}f(x)\lim_{x\to -1-}g(x)=-1\times 0=0$$

$$\lim_{x\to -1+}f(x)g(x)=\lim_{x\to -1+}f(x)\lim_{x\to -1+}g(x)=0\times 0=0$$

즉, $\lim\limits_{x \to -1-} f(x)g(x) = \lim\limits_{x \to -1+} f(x)g(x) = 0$이므로

$\lim\limits_{x \to -1} f(x)g(x) = 0$

따라서 $f(-1)g(-1) = \lim\limits_{x \to -1} f(x)g(x)$이므로 함수

$f(x)g(x)$는 $x = -1$에서 연속이다.

ㄴ도 옳다.

$(f \circ g)(-1) = f(g(-1)) = f(0) = 1$

$g(x) = t$라고 하면 $x \to -1$일 때 $t \to 0$이므로

$\lim\limits_{x \to -1} (f \circ g)(x) = \lim\limits_{x \to -1} f(g(x)) = \lim\limits_{t \to 0} f(t) = 1$

즉, $(f \circ g)(-1) = \lim\limits_{x \to -1} (f \circ g)(x)$이므로 함수 $(f \circ g)(x)$는

$x = -1$에서 연속이다.

ㄷ은 옳지 않다.

$f(x) = t$라고 하면 $x \to -1-$일 때 $t \to -1-$이고

$x \to -1+$일 때 $t \to 0+$이므로

$\lim\limits_{x \to -1-} (g \circ f)(x) = \lim\limits_{x \to -1-} g(f(x)) = \lim\limits_{t \to -1-} g(t) = 0$

$\lim\limits_{x \to -1+} (g \circ f)(x) = \lim\limits_{x \to -1+} g(f(x)) = \lim\limits_{t \to 0+} g(t) = -1$

즉, $\lim\limits_{x \to -1-} (g \circ f)(x) \ne \lim\limits_{x \to -1+} (g \circ f)(x)$이므로 함수 $(g \circ f)(x)$

는 $x = -1$에서 불연속이다.

따라서 옳은 것은 ㄱ, ㄴ이다.

답 ④

풍쌤 비법

실수 전체의 집합에서 정의된 두 함수 $f(x)$, $g(x)$에 대하여 합
성함수 $g(f(x))$가 $x = a$에서 연속이려면

$\lim\limits_{x \to a+} g(f(x)) = \lim\limits_{x \to a-} g(f(x)) = g(f(a))$

115

ㄱ은 옳지 않다.

(반례) $f(x) = \begin{cases} 1 & (x \ge 0) \\ -1 & (x < 0) \end{cases}$, $g(x) = \begin{cases} 1 & (x \ge 0) \\ -1 & (x < 0) \end{cases}$이라고

하면 두 함수 $f(x)$, $g(x)$는 모두 $x = 0$에서 불연속이지만

$f(x) - g(x) = 0$이므로 함수 $f(x) - g(x)$는 실수 전체의 집합

에서 연속이다.

ㄴ은 옳다.

함수 $f(x)$와 $g(x)$가 모두 $x = 0$에서 연속이므로 연속함수의

성질에 의하여 함수 $f(x) + g(x)$도 $x = 0$에서 연속이다.

따라서 함수 $\{f(x) + g(x)\}g(x)$도 연속함수의 성질에 의하여

$x = 0$에서 연속이다.

ㄷ도 옳다.

함수 $g(x)$가 $x = 0$에서 연속이라고 가정하면 함수 $f(x)$가

$x = 0$에서 연속이므로 연속함수의 성질에 의하여 함수

$f(x)g(x)$도 $x = 0$에서 연속이어야 한다.

그러므로 함수 $f(x)$가 $x = 0$에서 연속이고 함수 $f(x)g(x)$가

$x = 0$에서 불연속이면 함수 $g(x)$는 $x = 0$에서 불연속이다.

따라서 옳은 것은 ㄴ, ㄷ이다.

답 ⑤

116

ㄱ은 옳지 않다.

$\lim\limits_{x \to 1-} f(x)g(x) = \lim\limits_{x \to 1-} f(x) \lim\limits_{x \to 1-} g(x) = 1 \times 1 = 1$

$\lim\limits_{x \to 1+} f(x)g(x) = \lim\limits_{x \to 1+} f(x) \lim\limits_{x \to 1+} g(x) = (-1) \times 1 = -1$

즉, $\lim\limits_{x \to 1-} f(x)g(x) \ne \lim\limits_{x \to 1+} f(x)g(x)$이므로 함수 $f(x)g(x)$는

$x = 1$에서 불연속이다.

ㄴ은 옳다.

함수 $f(x)$와 $g(x)$가 모두 $x = 0$에서 연속이고,

$(f \circ g)(0) = f(g(0)) = f(0)$

에서 함수 $f(x)$가 $x = g(0) = 0$에서 연속이므로 연속함수의 성
질에 의하여 함수 $(f \circ g)(x)$는 $x = 0$에서 연속이다.

ㄷ도 옳다.

함수 $f(x)$와 $g(x)$가 모두 $x = -1$에서 연속이고,

$g(f(-1)) = g(1)$

에서 함수 $g(x)$가 $x = f(-1) = 1$에서 연속이므로 연속함수의

성질에 의하여 함수 $g(f(x))$는 $x = -1$에서 연속이다.

따라서 옳은 것은 ㄴ, ㄷ이다.

답 ⑤

다른 풀이

ㄴ은 옳다.

$(f \circ g)(0) = f(g(0)) = f(0) = -1$

$g(x) = t$라고 하면 $x \to 0$일 때 $t \to 0$이므로

$\lim\limits_{x \to 0} (f \circ g)(x) = \lim\limits_{x \to 0} f(g(x)) = \lim\limits_{t \to 0} f(t) = -1$

즉, $(f \circ g)(0) = \lim\limits_{x \to 0} (f \circ g)(x)$이므로 함수 $(f \circ g)(x)$는 $x = 0$

에서 연속이다.

ㄷ도 옳다.

$g(f(-1)) = g(1) = 1$

$f(x) = t$라고 하면 $x \to -1$일 때 $t \to 1$이므로

$\lim\limits_{x \to -1} g(f(x)) = \lim\limits_{t \to 1} g(t) = 1$

즉, $g(f(-1)) = \lim\limits_{x \to -1} g(f(x))$이므로 함수 $g(f(x))$는 $x = -1$

에서 연속이다.

117

$\lim\limits_{x \to 1} \dfrac{f(x)}{x - 1} = 2$에서 $x \to 1$일 때 극한값이 존재하고 (분모) $\to 0$이

므로 (분자) $\to 0$이어야 한다.

$\therefore \lim\limits_{x \to 1} f(x) = 0$

이때 $f(1) = 0$이므로 $f(1) = \lim\limits_{x \to 1} f(x)$

따라서 함수 $f(x)$는 $x = 1$에서 연속이다.

ㄱ은 옳다.

$f(x) + g(x) = h(x)$라고 하면 $\lim\limits_{x \to 1} \{f(x) + g(x)\} = f(1) + g(1)$

에서 $\lim\limits_{x \to 1} h(x) = h(1)$이므로 함수 $h(x)$는 $x = 1$에서 연속이다.

한편 $g(x) = h(x) - f(x)$이고 두 함수 $h(x)$와 $f(x)$가 모두

$x = 1$에서 연속이므로 연속함수의 성질에 의하여 함수 $g(x)$도

$x = 1$에서 연속이다.

ㄴ은 옳지 않다.

(반례) $f(x)=2(x-1)$, $g(x)=\begin{cases} 1 & (x \geq 1) \\ -1 & (x<1) \end{cases}$ 이라고 하면

$$f(x)g(x)=\begin{cases} 2(x-1) & (x \geq 1) \\ -2(x-1) & (x<1) \end{cases}$$

$$\therefore \lim_{x \to 1} f(x)g(x)=f(1)g(1)=0$$

따라서 두 함수 $f(x)$와 $f(x)g(x)$는 모두 $x=1$에서 연속이지만 함수 $g(x)$는 $x=1$에서 불연속이다.

ㄷ도 옳지 않다.

(반례) $f(x)=\begin{cases} 2(x-1) & (x \geq 0) \\ -4 & (x<0) \end{cases}$, $g(x)=x-1$이라고 하면

$$(f \circ g)(x)=f(g(x))$$
$$=\begin{cases} 2\{g(x)-1\} & (g(x) \geq 0) \\ -4 & (g(x)<0) \end{cases}$$
$$=\begin{cases} 2(x-2) & (x \geq 1) \\ -4 & (x<1) \end{cases}$$

$$\therefore \lim_{x \to 1-} (f \circ g)(x) \neq \lim_{x \to 1+} (f \circ g)(x)$$

즉, 두 함수 $f(x)$와 $g(x)$는 모두 $x=1$에서 연속이지만 함수 $(f \circ g)(x)$는 $x=1$에서 불연속이다.

따라서 옳은 것은 ㄱ이다.

답 ①

참고

ㄴ, ㄷ에서 반례를 찾을 때, 함수 $f(x)$는 $x=1$에서 연속이면서 주어진 조건 $f(1)=0$, $\lim\limits_{x \to 1} \dfrac{f(x)}{x-1}=2$를 만족시키는 함수를 찾아야 함에 주의한다.

118

함수 $f(x)$가 $x=1$에서 연속이므로

$$\lim_{x \to 1} f(x)=f(1)$$

이어야 한다.

$$\therefore \lim_{x \to 1-} f(x)=\lim_{x \to 1+} f(x)=f(1)$$

(i) $x<1$일 때

$g(x)=(x-1)^2+3-f(x)$이므로

$$\lim_{x \to 1-} g(x)=\lim_{x \to 1-} \{(x-1)^2+3-f(x)\}$$
$$=\lim_{x \to 1-} \{(x-1)^2+3\}-\lim_{x \to 1-} f(x)$$
$$=3-f(1)$$

(ii) $x>1$일 때

$g(x)=f(x)-(x^2-3x+5)$이므로

$$\lim_{x \to 1+} g(x)=\lim_{x \to 1+} \{f(x)-(x^2-3x+5)\}$$
$$=\lim_{x \to 1+} f(x)-\lim_{x \to 1+}(x^2-3x+5)$$
$$=f(1)-3$$

$\lim\limits_{x \to 1-} g(x)-\lim\limits_{x \to 1+} g(x)=5$이므로

$$\{3-f(1)\}-\{f(1)-3\}=5$$

$$2f(1)=1 \qquad \therefore f(1)=\dfrac{1}{2}$$

답 ④

다른 풀이

$x<1$일 때, $f(x)+g(x)=(x-1)^2+3$이므로

$$\lim_{x \to 1-} \{f(x)+g(x)\}=\lim_{x \to 1-} \{(x-1)^2+3\}$$

$\lim\limits_{x \to 1-} f(x)$, $\lim\limits_{x \to 1-} g(x)$의 값이 존재하므로 함수의 극한에 대한 성질을 이용하여 $\lim\limits_{x \to 1-} \{f(x)+g(x)\}=\lim\limits_{x \to 1-} f(x)+\lim\limits_{x \to 1-} g(x)$로 나타낼 수 있다.

$$\therefore \lim_{x \to 1-} f(x)+\lim_{x \to 1-} g(x)=3 \qquad \cdots\cdots \ \bigcirc$$

$x>1$일 때, $f(x)-g(x)=x^2-3x+5$이므로

$$\lim_{x \to 1+} \{f(x)-g(x)\}=\lim_{x \to 1+} (x^2-3x+5)$$

$\lim\limits_{x \to 1+} f(x)$, $\lim\limits_{x \to 1+} g(x)$의 값이 존재하므로 함수의 극한에 대한 성질을 이용하여 $\lim\limits_{x \to 1+} \{f(x)-g(x)\}=\lim\limits_{x \to 1+} f(x)-\lim\limits_{x \to 1+} g(x)$로 나타낼 수 있다.

$$\therefore \lim_{x \to 1+} f(x)-\lim_{x \to 1+} g(x)=3 \qquad \cdots\cdots \ \bigcirc$$

함수 $f(x)$가 $x=1$에서 연속이므로

$$\lim_{x \to 1-} f(x)=\lim_{x \to 1+} f(x)=f(1)$$

$\bigcirc-\bigcirc$을 하면

$$\lim_{x \to 1-} g(x)+\lim_{x \to 1+} g(x)=0 \qquad \cdots\cdots \ \boxdot$$

또, 주어진 조건에서

$$\lim_{x \to 1-} g(x)-\lim_{x \to 1+} g(x)=5 \qquad \cdots\cdots \ @$$

$\boxdot$, $@$을 연립하여 풀면

$$\lim_{x \to 1-} g(x)=\dfrac{5}{2}, \ \lim_{x \to 1+} g(x)=-\dfrac{5}{2}$$

이것을 각각 $\bigcirc$, $\bigcirc$에 대입하면

$$\lim_{x \to 1-} f(x)=\dfrac{1}{2}, \ \lim_{x \to 1+} f(x)=\dfrac{1}{2}$$

$$\therefore f(1)=\lim_{x \to 1-} f(x)=\lim_{x \to 1+} f(x)=\dfrac{1}{2}$$

119

$(\sqrt{x^2+x+2}-\sqrt{x^2+5})f(x)=x^2+ax+6$에서

(i) $x=3$일 때

$$0 \times f(3)=9+3a+6, \ 3a=-15$$

$$\therefore a=-5$$

(ii) $x \neq 3$일 때

$$f(x)=\dfrac{x^2-5x+6}{\sqrt{x^2+x+2}-\sqrt{x^2+5}}$$

함수 $f(x)$가 실수 전체의 집합에서 연속이므로 함수 $f(x)$는 $x=3$에서 연속이다.

$$\therefore f(3)=\lim_{x \to 3} \dfrac{x^2-5x+6}{\sqrt{x^2+x+2}-\sqrt{x^2+5}}$$
$$=\lim_{x \to 3} \dfrac{(x^2-5x+6)(\sqrt{x^2+x+2}+\sqrt{x^2+5})}{(\sqrt{x^2+x+2}-\sqrt{x^2+5})(\sqrt{x^2+x+2}+\sqrt{x^2+5})}$$
$$=\lim_{x \to 3} \dfrac{(x-2)(x-3)(\sqrt{x^2+x+2}+\sqrt{x^2+5})}{x-3}$$
$$=\lim_{x \to 3} (x-2)(\sqrt{x^2+x+2}+\sqrt{x^2+5})$$
$$=1 \times (\sqrt{14}+\sqrt{14})=2\sqrt{14}$$

답 ⑤

120

함수 $|f(x)|$가 실수 전체의 집합에서 연속이려면 함수 $f(x)$의 식이 바뀌는 $x=a$에서 함수 $|f(x)|$가 연속이어야 한다.

이때

$\lim\limits_{x \to a-} |f(x)| = \lim\limits_{x \to a-} |x+2| = |a+2|$,

$\lim\limits_{x \to a+} |f(x)| = \lim\limits_{x \to a+} |x^2-4| = |a^2-4|$,

$|f(a)| = |a+2|$

이므로 $|a+2| = |a^2-4|$이어야 한다.

$\therefore a^2-4 = \pm(a+2)$

(ⅰ) $a^2-4 = -(a+2)$일 때

$a^2+a-2=0$, $(a+2)(a-1)=0$

$\therefore a=-2$ 또는 $a=1$

(ⅱ) $a^2-4 = a+2$일 때

$a^2-a-6=0$, $(a+2)(a-3)=0$

$\therefore a=-2$ 또는 $a=3$

(ⅰ), (ⅱ)에서 함수 $|f(x)|$가 실수 전체의 집합에서 연속이 되도록 하는 a의 값은 -2, 1, 3이므로 구하는 합은

$-2+1+3=2$

답 ⑤

다른 풀이

$|a+2| = |a^2-4|$에서

$|a+2| = |(a+2)(a-2)|$, $|a+2| - |a-2||a+2| = 0$

$|a+2|(|a-2|-1)=0$

$\therefore |a+2|=0$ 또는 $|a-2|=1$

$|a+2|=0$에서 $a=-2$

$|a-2|=1$에서 $a-2=\pm 1$ $\therefore a=1$ 또는 $a=3$

121

$x \neq 2$인 모든 실수 x에서 함수 $f(x)$는 다항함수이므로 함수 $f(x)$는 $x \neq 2$인 모든 실수 x에서 연속이다.

또, 함수 $y=f(x)+a$의 그래프는 $y=f(x)$의 그래프를 y축의 방향으로 a만큼 평행이동한 것이므로 함수 $f(x)+a$도 $x \neq 2$인 모든 실수 x에서 연속이다.

따라서 함수 $f(x)\{f(x)+a\}$가 실수 전체의 집합에서 연속이려면 $x=2$에서 연속이어야 한다.

$\lim\limits_{x \to 2-} f(x)\{f(x)+a\} = \lim\limits_{x \to 2-} f(x) \lim\limits_{x \to 2-} \{f(x)+a\}$

$= \lim\limits_{x \to 2-} x(x-3) \lim\limits_{x \to 2-} \{x(x-3)+a\}$

$= -2(a-2) = -2a+4$ ...... ㉠

$\lim\limits_{x \to 2+} f(x)\{f(x)+a\}$

$= \lim\limits_{x \to 2+} f(x) \lim\limits_{x \to 2+} \{f(x)+a\}$

$= \lim\limits_{x \to 2+} \{x(x-3)+8\} \lim\limits_{x \to 2+} \{x(x-3)+8+a\}$

$= 6(a+6) = 6a+36$ ...... ㉡

$f(2)\{f(2)+a\} = -2(a-2) = -2a+4$ ...... ㉢

함수 $f(x)\{f(x)+a\}$가 $x=2$에서 연속이려면 ㉠, ㉡, ㉢이 모두 같아야 하므로

$-2a+4 = 6a+36$, $8a=-32$

$\therefore a=-4$

답 -4

122

함수 $f(x)$가 실수 전체의 집합에서 연속이므로 $x=-3$, $x=3$에서 연속이어야 한다.

$|x|<3$일 때 $x^2-9<0$이므로

$f(x) = \dfrac{|x^2-9|}{x-3} = \dfrac{-(x^2-9)}{x-3}$

$= \dfrac{-(x+3)(x-3)}{x-3} = -x-3$

$\therefore f(x) = \begin{cases} ax^2+bx & (|x| \geq 3) \\ -x-3 & (|x|<3) \end{cases}$

(ⅰ) $x=-3$에서 연속이려면

$\lim\limits_{x \to -3-} f(x) = \lim\limits_{x \to -3+} f(x) = f(-3)$

이어야 하므로

$9a-3b = 3-3$

$\therefore 3a-b=0$ ...... ㉠

(ⅱ) $x=3$에서 연속이려면

$\lim\limits_{x \to 3-} f(x) = \lim\limits_{x \to 3+} f(x) = f(3)$

이어야 하므로

$-3-3 = 9a+3b$

$\therefore 3a+b=-2$ ...... ㉡

㉠, ㉡을 연립하여 풀면 $a=-\dfrac{1}{3}$, $b=-1$

$\therefore 3a-2b=1$

답 ④

123

$g(x)=ax+b$ (a, b는 상수, $a \neq 0$)라고 하면

$g(0) = \lim\limits_{x \to 2+} f(x)$에서 $b=3$

$\therefore g(x)=ax+3$

일차함수 $g(x)$는 실수 전체의 집합에서 연속이므로 함수 $f(x)g(x)$가 실수 전체의 집합에서 연속이려면 함수 $f(x)$가 불연속인 $x=2$에서 연속이어야 한다.

즉, $\lim\limits_{x \to 2-} f(x)g(x) = \lim\limits_{x \to 2+} f(x)g(x) = f(2)g(2)$이어야 하므로

$0 \times (2a+3) = 3 \times (2a+3) = 2 \times (2a+3)$

$\therefore a=-\dfrac{3}{2}$

따라서 $g(x) = -\dfrac{3}{2}x+3$이므로

$g(6) = -\dfrac{3}{2} \times 6+3 = -6$

답 ③

간단 풀이

$g(x)=ax+b$ (a, b는 상수, $a \neq 0$)라고 하면 $g(0) = \lim\limits_{x \to 2+} f(x)$에서 $b=3$

함수 $f(x)$는 $x=2$에서 불연속이고 함수 $g(x)$는 실수 전체의 집합에서 연속이므로 함수 $f(x)g(x)$가 실수 전체의 집합에서 연속이려면 $x=2$에서 연속이어야 한다.

따라서 $g(2)=0$이어야 하므로

$2a+3=0$ $\therefore a=-\dfrac{3}{2}$

즉, $g(x) = -\dfrac{3}{2}x+3$이므로 $g(6)=-6$

124

x^2+ax+b는 모든 실수 x에서 연속이므로 함수 $g(x)$가 모든 실수 x에서 연속이려면 함수 $f(x)$가 불연속인 $x=1$, $x=2$에서 연속이어야 한다.

(i) $x=1$에서 연속이려면
$$\lim_{x \to 1-} g(x)=\lim_{x \to 1+} g(x)=g(1)$$
이어야 하므로
$$(1+a+b) \times 2=1+a+b$$
$$\therefore a+b=-1 \qquad\qquad \cdots\cdots \text{㉠}$$

(ii) $x=2$에서 연속이려면
$$\lim_{x \to 2-} g(x)=\lim_{x \to 2+} g(x)=g(2)$$
이어야 하므로
$$(4+2a+b) \times 0=(4+2a+b) \times 2$$
$$\therefore 2a+b=-4 \qquad\qquad \cdots\cdots \text{㉡}$$

㉠, ㉡을 연립하여 풀면
$$a=-3,\ b=2$$
따라서 $g(x)=(x^2-3x+2)f(x)$이므로
$$g(0)=2f(0)=2 \times 1=2$$

답 ⑤

간단 풀이

$h(x)=x^2+ax+b$라고 하면 $g(x)=h(x)f(x)$
함수 $h(x)$는 실수 전체의 집합에서 연속이고 함수 $f(x)$는 $x=1$, $x=2$에서 불연속이므로 함수 $g(x)$가 실수 전체의 집합에서 연속이려면 $x=1$, $x=2$에서 연속이어야 한다.
따라서 $h(1)=0$, $h(2)=0$이어야 하므로
$$h(x)=(x-1)(x-2)$$
즉, $g(x)=(x^2-3x+2)f(x)$이므로
$$g(0)=2$$

125

함수 $f(x)$가 $x=5$에서 연속이려면
$$\lim_{x \to 5-} f(x)=\lim_{x \to 5+} f(x)=f(5)$$
이어야 한다.
$$\lim_{x \to 5-} [x]=4,\ \lim_{x \to 5+} [x]=5$$
이므로
$$\lim_{x \to 5-} f(x)=\lim_{x \to 5-} (a[x]^2+2[x])$$
$$=16a+8$$
$$\lim_{x \to 5+} f(x)=\lim_{x \to 5+} (a[x]^2+2[x])$$
$$=25a+10$$
이때 $f(5)=b$이므로
$$16a+8=25a+10=b$$
$$\therefore a=-\frac{2}{9},\ b=\frac{40}{9}$$
$$\therefore \frac{b}{a}=-20$$

답 ④

126

삼차함수는 연속함수이므로 함수 $g(x)$가 불연속인 $x=a$에서
$$\lim_{x \to a-} f(x)g(x)=\lim_{x \to a+} f(x)g(x)=f(a)g(a)$$
이어야 함을 이용한다.

$f(x)=x^3+ax^2+bx+c$ (a, b, c는 상수)라고 하면 함수 $f(x)$는 모든 실수 x에서 연속이므로 함수 $f(x)g(x)$가 열린구간 $(-1, 3)$에서 연속이려면 함수 $g(x)$가 불연속인 $x=0$, $x=1$, $x=2$에서 연속이어야 한다.

(i) $x=0$에서 연속이려면
$$\lim_{x \to 0-} f(x)g(x)=\lim_{x \to 0+} f(x)g(x)=f(0)g(0)$$
이어야 한다.
이때 $\lim_{x \to 0-} [x]=-1$, $\lim_{x \to 0+} [x]=0$이므로
$$c(0+1)=c(0-0) \qquad \therefore c=0$$
$$\therefore f(x)=x^3+ax^2+bx$$

(ii) $x=1$에서 연속이려면
$$\lim_{x \to 1-} f(x)g(x)=\lim_{x \to 1+} f(x)g(x)=f(1)g(1)$$
이어야 한다.
이때 $\lim_{x \to 1-} [x]=0$, $\lim_{x \to 1+} [x]=1$이므로
$$(1+a+b)(1-0)=(1+a+b)(1-1)$$
$$\therefore a+b=-1 \qquad\qquad \cdots\cdots \text{㉠}$$

(iii) $x=2$에서 연속이려면
$$\lim_{x \to 2-} f(x)g(x)=\lim_{x \to 2+} f(x)g(x)=f(2)g(2)$$
이어야 한다.
이때 $\lim_{x \to 2-} [x]=1$, $\lim_{x \to 2+} [x]=2$이므로
$$(8+4a+2b)(2-1)=(8+4a+2b)(2-2)$$
$$\therefore 2a+b=-4 \qquad\qquad \cdots\cdots \text{㉡}$$

㉠, ㉡을 연립하여 풀면 $a=-3$, $b=2$
따라서 $f(x)=x^3-3x^2+2x$이므로
$$f(-1)=-1-3-2=-6$$

답 ①

간단 풀이

$f(x)=x^3+ax^2+bx+c$ (a, b, c는 상수)라고 하자.
함수 $f(x)$는 실수 전체의 집합에서 연속이고 함수 $g(x)$는 $x=0$, $x=1$, $x=2$에서 불연속이므로 함수 $f(x)g(x)$가 실수 전체의 집합에서 연속이려면 $x=0$, $x=1$, $x=2$에서 연속이어야 한다.
따라서 $f(0)=0$, $f(1)=0$, $f(2)=0$이어야 하므로
$$f(x)=x(x-1)(x-2)$$
즉, $f(x)=x^3-3x^2+2x$이므로
$$f(-1)=-6$$

127

함수 $f(x)$가 $x=-2$, $x=2$에서 불연속이므로 함수 $f(-x)$도 $x=-2$, $x=2$에서 불연속이다.
따라서 다음의 세 경우로 나누어 생각해 보자.

(i) $k=-1$인 경우

$-x=t$라고 하면 $x \to -2-$일 때 $t \to 2+$이고 $x \to -2+$일 때 $t \to 2-$이므로

$$\lim_{x \to -2-} f(x)f(-x) = \lim_{x \to -2-} f(x) \lim_{x \to -2-} f(-x)$$
$$= \lim_{x \to -2-} f(x) \lim_{t \to 2+} f(t)$$
$$= 5 \times 5 = 25$$

$$\lim_{x \to -2+} f(x)f(-x) = \lim_{x \to -2+} f(x) \lim_{x \to -2+} f(-x)$$
$$= \lim_{x \to -2+} f(x) \lim_{t \to 2-} f(t)$$
$$= 0 \times 0 = 0$$

즉, $\lim\limits_{x \to -2-} f(x)f(-x) \neq \lim\limits_{x \to -2+} f(x)f(-x)$이므로

$\lim\limits_{x \to -2} f(x)f(-x)$의 값이 존재하지 않는다.

따라서 함수 $f(x)f(-x)$는 $x=-2$에서 불연속이다.

(ii) $k=1$인 경우

$$\lim_{x \to -2-} f(x)f(x) = \lim_{x \to -2-} f(x) \lim_{x \to -2-} f(x)$$
$$= 5 \times 5 = 25$$

$$\lim_{x \to -2+} f(x)f(x) = \lim_{x \to -2+} f(x) \lim_{x \to -2+} f(x)$$
$$= 0 \times 0 = 0$$

즉, $\lim\limits_{x \to -2-} f(x)f(x) \neq \lim\limits_{x \to -2+} f(x)f(x)$이므로

$\lim\limits_{x \to -2} f(x)f(x)$의 값이 존재하지 않는다.

따라서 함수 $f(x)f(x)$는 $x=-2$에서 불연속이다.

(iii) $k \neq -1$, $k \neq 1$인 경우

함수 $f(x)f(kx)$가 $x=-2$에서 연속이려면

$$f(-2)f(-2k) = \lim_{x \to -2-} f(x)f(kx) = \lim_{x \to -2+} f(x)f(kx)$$

이어야 한다.

이때 $f(-2)=5$, $\lim\limits_{x \to -2+} f(x)=0$이므로

$5f(-2k)=0 \qquad \therefore f(-2k)=0$

└ $y=f(x)$의 그래프가 x축과 만나는 점의 x좌표는 -3, 3이므로 $-2k=-3$ 또는 $-2k=3$

따라서 $-2k=-3$ 또는 $-2k=3$이므로

$k=\dfrac{3}{2}$ 또는 $k=-\dfrac{3}{2}$

(i), (ii), (iii)에서 $k=\dfrac{3}{2}$ 또는 $k=-\dfrac{3}{2}$이므로 모든 k의 값의 제곱의 합은

$$\left(\dfrac{3}{2}\right)^2 + \left(-\dfrac{3}{2}\right)^2 = \dfrac{9}{2}$$

답 ④

간단 풀이

함수 $f(x)$가 $x=-2$에서 불연속이므로 함수 $f(x)f(kx)$가 $x=-2$에서 연속이려면 $f(-2k)=0$이어야 한다.

즉, $-2k=-3$ 또는 $-2k=3$이므로

$k=\dfrac{3}{2}$ 또는 $k=-\dfrac{3}{2}$

따라서 모든 k의 값의 제곱의 합은 $\left(\dfrac{3}{2}\right)^2 + \left(-\dfrac{3}{2}\right)^2 = \dfrac{9}{2}$

128

이차방정식 $x^2-2tx+4=0$의 판별식을 D라고 하면

$$\dfrac{D}{4} = t^2-4 = (t+2)(t-2)$$

(i) $\dfrac{D}{4}>0$이면

$(t+2)(t-2)>0$, 즉 $t<-2$ 또는 $t>2$이면 서로 다른 두 실근을 가지므로

$f(t)=2$

(ii) $\dfrac{D}{4}=0$이면

$(t+2)(t-2)=0$, 즉 $t=-2$ 또는 $t=2$이면 중근 (서로 같은 실근)을 가지므로

$f(t)=1$

(iii) $\dfrac{D}{4}<0$이면

$(t+2)(t-2)<0$, 즉 $-2<t<2$이면 실근을 갖지 않으므로

$f(t)=0$

(i), (ii), (iii)에서

$$f(t) = \begin{cases} 2 & (t<-2,\ t>2) \\ 1 & (t=-2,\ t=2) \\ 0 & (-2<t<2) \end{cases}$$

따라서 함수 $y=f(t)$의 그래프는 오른쪽 그림과 같다.

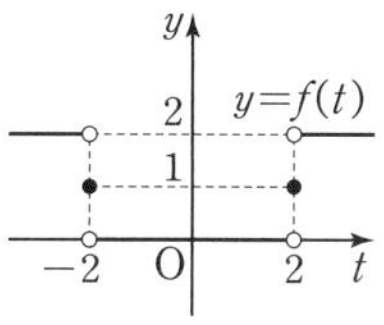

ㄱ은 옳다.

$-t=k$라고 하면 $t \to 2+$일 때

$k \to -2-$이므로

$$\lim_{t \to 2+} \{f(t)+f(-t)\} = \lim_{t \to 2+} f(t) + \lim_{t \to 2+} f(-t)$$
$$= 2 + \lim_{k \to -2-} f(k)$$
$$= 2+2 = 4$$

ㄴ도 옳다.

함수 $g(t)$가 다항함수이므로 함수 $g(t)$는 실수 전체의 집합에서 연속이다. 즉, 함수 $g(t)$는 $t=2$에서 연속이므로

$$g(2) = \lim_{t \to 2-} g(t) = \lim_{t \to 2+} g(t)$$

함수 $f(t)g(t)$가 $t=2$에서 연속이려면

$$f(2)g(2) = \lim_{t \to 2-} f(t)g(t) = \lim_{t \to 2+} f(t)g(t)$$

이어야 한다. 이때

$f(2)g(2) = g(2)$,

$\lim\limits_{t \to 2-} f(t)g(t) = \lim\limits_{t \to 2-} f(t) \lim\limits_{t \to 2-} g(t) = 0 \times g(2) = 0$,

$\lim\limits_{t \to 2+} f(t)g(t) = \lim\limits_{t \to 2+} f(t) \lim\limits_{t \to 2+} g(t) = 2g(2)$

이므로

$g(2) = 0 = 2g(2) \qquad \therefore g(2)=0$

ㄷ도 옳다.

$f(t)-|t-1|=0$에서 $f(t)=|t-1|$이므로 방정식

$f(t)-|t-1|=0$의 서로 다른 실근의 개수는 두 함수 $y=f(t)$, $y=|t-1|$의 그래프의 교점의 개수와 같다.

오른쪽 그림에서 알 수 있듯 이 두 함수의 그래프는 서로 다른 세 점에서 만나므로 방정식 $f(t)-|t-1|=0$의 서로 다른 실근의 개수는 3이다.

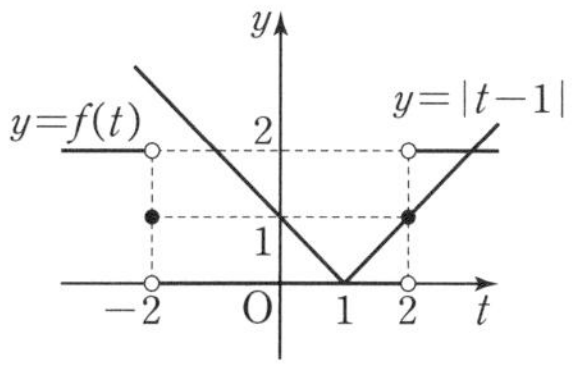

따라서 옳은 것은 ㄱ, ㄴ, ㄷ이다.

답 ⑤

129

$f(x)=x^3-2x^2-x+2=(x+1)(x-1)(x-2)$이므로 주어진 조건을 만족시키는 함수 $y=f(x)$의 그래프는 다음 그림과 같다.

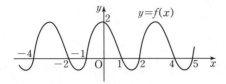

함수 $(f\circ g)(x)$가 $x=2$에서 연속이려면

$$(f\circ g)(2)=\lim_{x\to 2}(f\circ g)(x)$$

이어야 한다.

$$(f\circ g)(2)=f(g(2))=f(a) \qquad \cdots\cdots\ \text{㉠}$$

$g(x)=t$라고 하면 $x\to 2$일 때 $t\to 2$이므로

$$\lim_{x\to 2}(f\circ g)(x)=\lim_{x\to 2}f(g(x))=\lim_{t\to 2}f(t)=0 \qquad \cdots\cdots\ \text{㉡}$$

㉠, ㉡에서 $f(a)=0$이어야 한다.

$a>2$이므로 $2<a\le 5$라고 하면 조건 ㈏에 의하여

$$f(a)=f(a-3)=(a-3+1)(a-3-1)(a-3-2)$$
$$=(a-2)(a-4)(a-5)=0$$

$\therefore a=4$ 또는 $a=5$ $(\because 2<a\le 5)$

따라서 a의 최솟값은 4이다.

답 4

참고

$a>5$인 경우에도 생각해 볼 수 있겠지만 구하는 값이 a의 최솟값이므로 $2<a\le 5$인 경우의 a의 값만 구해 봐도 된다.

130

t의 값에 따라 직선 $y=t$와 함수 $y=f(x)$의 그래프의 위치 관계는 오른쪽 그림과 같으므로

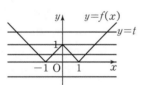

$$g(t)=\begin{cases} 2 & (t>1) \\ 3 & (t=1) \\ 4 & (0<t<1) \\ 2 & (t=0) \\ 0 & (t<0) \end{cases}$$

함수 $y=g(t)$의 그래프가 오른쪽 그림과 같이 $t=0$, $t=1$에서 불연속이므로 함수 $h(t)$가 모든 실수 t에서 연속이려면 $t=0$, $t=1$에서 연속이어야 한다.

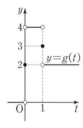

(i) $t=0$에서 연속이려면

$$h(0)=\lim_{t\to 0-}h(t)=\lim_{t\to 0+}h(t)$$

이어야 한다. 이때

$$h(0)=g(0)\times b=2b,$$
$$\lim_{t\to 0-}h(t)=\lim_{t\to 0-}g(t)(t^2+at+b)=0\times b=0,$$
$$\lim_{t\to 0+}h(t)=\lim_{t\to 0+}g(t)(t^2+at+b)=4\times b=4b$$

이므로

$$2b=0=4b \qquad \therefore b=0 \qquad \cdots\cdots\ \text{㉠}$$

(ii) $t=1$에서 연속이려면

$$h(1)=\lim_{t\to 1-}h(t)=\lim_{t\to 1+}h(t)$$

이어야 한다. 이때

$$h(1)=g(1)\times(1+a+b)=3(1+a+b),$$
$$\lim_{t\to 1-}h(t)=\lim_{t\to 1-}g(t)(t^2+at+b)=4(1+a+b),$$
$$\lim_{t\to 1+}h(t)=\lim_{t\to 1+}g(t)(t^2+at+b)=2(1+a+b)$$

이므로

$$3(1+a+b)=4(1+a+b)=2(1+a+b)$$

$$\therefore 1+a+b=0 \qquad \cdots\cdots\ \text{㉡}$$

㉠, ㉡에서 $a=-1$, $b=0$

$$\therefore a-b=-1$$

답 ②

간단 풀이

$k(t)=t^2+at+b$라고 하면 $h(t)=g(t)k(t)$

함수 $g(t)$가 $t=0$, $t=1$에서 불연속이고 함수 $k(t)$가 모든 실수 t에서 연속이므로 함수 $h(t)$가 모든 실수 t에서 연속이려면 $t=0$, $t=1$에서 연속이어야 한다.

따라서 $k(0)=0$, $k(1)=0$이어야 하므로

$$b=0,\ 1+a+b=0 \qquad \therefore a=-1,\ b=0$$

$$\therefore a-b=-1$$

131

함수 $\dfrac{f(x)}{g(x)}$가 $x=3$에서 연속이므로

$$\frac{f(3)}{g(3)}=\lim_{x\to 3-}\frac{f(x)}{g(x)}=\lim_{x\to 3+}\frac{f(x)}{g(x)}$$

이때

$$\frac{f(3)}{g(3)}=\frac{9+3a+b}{13},$$

$$\lim_{x\to 3-}\frac{f(x)}{g(x)}=\frac{\displaystyle\lim_{x\to 3-}f(x)}{\displaystyle\lim_{x\to 3-}g(x)}=\frac{9+3a+b}{-2},$$

$$\lim_{x\to 3+}\frac{f(x)}{g(x)}=\frac{\displaystyle\lim_{x\to 3+}f(x)}{\displaystyle\lim_{x\to 3+}g(x)}=\frac{9+3a+b}{13}$$

이므로

$$\frac{9+3a+b}{13}=\frac{9+3a+b}{-2}$$

$$\therefore 3a+b+9=0$$

이때 점 (a, b)는 직선 $3x+y+9=0$ 위의 점이고, $\sqrt{a^2+b^2}$은 원점과 점 (a, b) 사이의 거리와 같으므로 $\sqrt{a^2+b^2}$의 최솟값은 원점과 직선 $3x+y+9=0$ 사이의 거리와 같다.

따라서 구하는 최솟값은

$$\frac{|9|}{\sqrt{3^2+1^2}}=\frac{9}{\sqrt{10}}=\frac{9\sqrt{10}}{10}$$

답 ⑤

132

$f(k)$는 방정식 $kx^2+2(k-4)x-k+4=0$의 실근의 개수이다.

(i) $k=0$일 때

$$-8x+4=0 \qquad \therefore x=\frac{1}{2}$$

즉, 실근의 개수가 1이므로 $f(k)=1$

(ii) $k\ne 0$일 때

이차방정식 $kx^2+2(k-4)x-k+4=0$의 판별식을 D라고 하면

$$\frac{D}{4}=(k-4)^2-k(-k+4)$$
$$=(k-4)^2+k(k-4)$$
$$=(k-4)(k-4+k)$$
$$=2(k-2)(k-4)$$

$\dfrac{D}{4}>0$, 즉 $k<2$ 또는 $k>4$ $(k\neq0)$이면 $f(k)=2$

$\dfrac{D}{4}=0$, 즉 $k=2$ 또는 $k=4$이면 $f(k)=1$

$\dfrac{D}{4}<0$, 즉 $2<k<4$이면 $f(k)=0$

(i), (ii)에서

$$f(k)=\begin{cases} 2\ (k<0,\ 0<k<2,\ k>4) \\ 1\ (k=0,\ 2,\ 4) \\ 0\ (2<k<4) \end{cases}$$

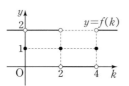

이므로 함수 $y=f(k)$의 그래프는 오른
쪽 그림과 같다.
따라서 함수 $f(k)$가 불연속인 점은 $k=0$, $k=2$, $k=4$의 3개이다.

답 ④

133

$n\leq f(x)<n+1$일 때 $[f(x)]=n$
조건 ㈎에 의하여 $-1<x\leq1$에서
$1\leq f(x)<2$, 즉 $[f(x)]=1$일 때
$$-\frac{\sqrt{2}}{2}<x<\frac{\sqrt{2}}{2}$$
$2\leq f(x)<3$, 즉 $[f(x)]=2$일 때
$$-1<x\leq-\frac{\sqrt{2}}{2}\ \text{또는}\ \frac{\sqrt{2}}{2}\leq x<1$$
$3\leq f(x)<4$, 즉 $[f(x)]=3$일 때
$x=1$
또, 조건 ㈏에 의하여 $[f(x)]=[f(x+2)]$
$-5<x<5$에서 함수 $y=f(x)$의 그래프와 함수 $y=[f(x)]$의 그래프는 다음 그림과 같다.

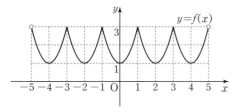

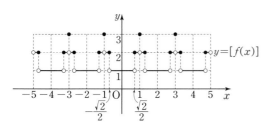

따라서 구하는 불연속인 점의 개수는 14이다.

답 ③

134

접근
$-3\leq x\leq5$에서 정수 x는 모두 9개이고, 불연속인 점의 개수가 7이
므로 직선 $y=-x+a$가 불연속인 9개의 점 중 2개의 점을 지나야 한
다. 이때 직선의 기울기가 -1임을 이용하여 2개의 점을 찾는다.

$y=-x^2+2x+15=-(x-1)^2+16$
이므로 닫힌구간 $[-3,\ 5]$에서 x가
정수가 아닐 때 함수 $y=f(x)$의 그래
프는 오른쪽 그림과 같다.
이때 그래프에서 불연속인 점은 점
$(-3,\ 0)$, $(-2,\ 7)$, $(-1,\ 12)$,
$(0,\ 15)$, $(1,\ 16)$, $(2,\ 15)$, $(3,\ 12)$,
$(4,\ 7)$, $(5,\ 0)$의 9개이다.

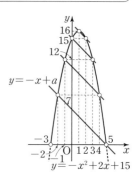

따라서 주어진 함수 $f(x)$가 닫힌구간
$[-3,\ 5]$에서 불연속인 점의 개수가 7이 되려면 직선 $y=-x+a$
가 불연속인 9개의 점 중 2개의 점을 지나야 한다.
직선 $y=-x+a$가
(i) 두 점 $(-2,\ 7)$, $(5,\ 0)$을 지날 때
$7=2+a$에서 $a=5$
$0=-5+a$에서 $a=5$로 구할 수도 있다.
(ii) 두 점 $(-1,\ 12)$, $(4,\ 7)$을 지날 때
$12=1+a$에서 $a=11$
(iii) 두 점 $(0,\ 15)$, $(3,\ 12)$를 지날 때
$15=0+a$에서 $a=15$
(iv) 두 점 $(1,\ 16)$, $(2,\ 15)$를 지날 때
$16=-1+a$에서 $a=17$
(i)~(iv)에서 구하는 모든 자연수 a의 값의 합은
$5+11+15+17=48$

답 ④

135

$(f\circ g)(x)=f(g(x))$에서 $g(x)=t$라고 하자.

ㄱ. $(f\circ g)(0)=f(g(0))=f(1)=0$
$x\to0$일 때 $t\to0$이므로
$$\lim_{x\to0}(f\circ g)(x)=\lim_{x\to0}f(g(x))=\lim_{t\to0}f(t)=-1$$
즉, $(f\circ g)(0)\neq\lim_{x\to0}(f\circ g)(x)$이므로 함수 $(f\circ g)(x)$는
$x=0$에서 불연속이다.

ㄴ. $(f\circ g)(0)=f(g(0))=f(0)=0$
$x\to0$일 때 $t\to1$이므로
$$\lim_{x\to0}(f\circ g)(x)=\lim_{x\to0}f(g(x))=\lim_{t\to1}f(t)=0$$
즉, $(f\circ g)(0)=\lim_{x\to0}(f\circ g)(x)$이므로 함수 $(f\circ g)(x)$는
$x=0$에서 연속이다.

ㄷ. $(f\circ g)(0)=f(g(0))=f(0)=0$
$x\to0-$일 때 $t\to1-$이고 $x\to0+$일 때 $t\to-1$이므로
$$\lim_{x\to0-}(f\circ g)(x)=\lim_{x\to0-}f(g(x))=\lim_{t\to1-}f(t)=0$$
$$\lim_{x\to0+}(f\circ g)(x)=\lim_{x\to0+}f(g(x))=f(-1)=0$$
즉, $\lim_{x\to0-}(f\circ g)(x)=\lim_{x\to0+}(f\circ g)(x)=0$이므로
$$\lim_{x\to0}(f\circ g)(x)=0$$이다.

따라서 $(f \circ g)(0) = \lim\limits_{x \to 0} (f \circ g)(x)$이므로 함수 $(f \circ g)(x)$는 $x=0$에서 연속이다.

ㄹ. $(f \circ g)(0) = f(g(0)) = f(-1) = 0$

$x \to 0$일 때 $t \to 0$이므로

$\lim\limits_{x \to 0} (f \circ g)(x) = \lim\limits_{x \to 0} f(g(x)) = \lim\limits_{t \to 0} f(t) = -1$

즉, $(f \circ g)(0) \ne \lim\limits_{x \to 0} (f \circ g)(x)$이므로 함수 $(f \circ g)(x)$는 $x=0$에서 불연속이다.

따라서 합성함수 $(f \circ g)(x)$가 $x=0$에서 불연속이 되는 함수 $g(x)$의 그래프는 ㄱ, ㄹ이다.

답 ②

136

$g(x) = x^2 - 6x + a = (x-3)^2 + a - 9$이므로 $g(x) = t$라고 하면 $x \to 3$일 때 $t \to (a-9)+$이다.

$\therefore \lim\limits_{x \to 3} (f \circ g)(x) = \lim\limits_{x \to 3} f(g(x)) = \lim\limits_{t \to (a-9)+} f(t)$ ...... ㉠

주어진 함수 $y = f(x)$의 그래프에서 알 수 있듯이 ㉠의 값은 항상 존재하므로 함수 $(f \circ g)(x)$가 $x=3$에서 불연속이려면

$(f \circ g)(3) \ne \lim\limits_{t \to (a-9)+} f(t)$

이어야 한다.

$(f \circ g)(3) = f(g(3)) = f(a-9)$이므로 함수 $f(x)$에서 함숫값과 우극한값이 다른 x의 값을 구하면 된다.

함수 $f(x)$에서 함숫값과 우극한값이 다른 경우는 $x=0$, $x=1$일 때이므로

$a-9=0$ 또는 $a-9=1$

$\therefore a=9$ 또는 $a=10$

따라서 구하는 모든 실수 a의 값의 합은 19이다.

답 ③

참고

주어진 함수 $f(x)$의 그래프는 $x=0$, $x=1$, $x=3$에서 불연속이고, $x=0$, $x=3$에서는 좌극한값과 우극한값이 서로 다르므로 극한값이 존재하지 않는다.

또, $x=0$에서는 좌극한값과 함숫값이 같고, $x=1$에서는 좌극한값과 우극한값은 같지만 함숫값은 다르고, $x=3$에서는 우극한값과 함숫값이 같다.

137

▶ 접근

함수 $f(x)$가 $x=0$, $x=3$에서 불연속이므로 합성함수 $(f \circ f)(x) = f(f(x))$에서 $x=0$, $x=3$과 $f(x)=0$, $f(x)=3$이 되는 x의 값에서의 연속성을 조사해 본다.

$f(x) = t$라고 하자.

(i) $x=0$에서의 연속성

$x \to 0-$일 때 $t \to 2+$이고 $x \to 0+$일 때 $t \to -2+$이므로

$\lim\limits_{x \to 0-} (f \circ f)(x) = \lim\limits_{x \to 0-} f(f(x)) = \lim\limits_{t \to 2+} f(t) = 0$

$\lim\limits_{x \to 0+} (f \circ f)(x) = \lim\limits_{x \to 0+} f(f(x)) = \lim\limits_{t \to -2+} f(t) = 6$

즉, $\lim\limits_{x \to 0-} (f \circ f)(x) \ne \lim\limits_{x \to 0+} (f \circ f)(x)$이므로 $\lim\limits_{x \to 0} (f \circ f)(x)$의 값이 존재하지 않는다.

따라서 함수 $(f \circ f)(x)$는 $x=0$에서 불연속이다.

(ii) $x=3$에서의 연속성

$x \to 3-$일 때 $t \to 1-$이고 $x \to 3+$일 때 $t \to 2+$이므로

$\lim\limits_{x \to 3-} (f \circ f)(x) = \lim\limits_{x \to 3-} f(f(x)) = \lim\limits_{t \to 1-} f(t) = -1$

$\lim\limits_{x \to 3+} (f \circ f)(x) = \lim\limits_{x \to 3+} f(f(x)) = \lim\limits_{t \to 2+} f(t) = 0$

즉, $\lim\limits_{x \to 3-} (f \circ f)(x) \ne \lim\limits_{x \to 3+} (f \circ f)(x)$이므로 $\lim\limits_{x \to 3} (f \circ f)(x)$의 값이 존재하지 않는다.

따라서 함수 $(f \circ f)(x)$는 $x=3$에서 불연속이다.

(iii) $f(x)=0$에서의 연속성

$f(x)=0$에서 $x=2$

$x \to 2-$일 때 $t \to 0-$이고 $x \to 2+$일 때 $t \to 0+$이므로

$\lim\limits_{x \to 2-} (f \circ f)(x) = \lim\limits_{x \to 2-} f(f(x)) = \lim\limits_{t \to 0-} f(t) = 2$

$\lim\limits_{x \to 2+} (f \circ f)(x) = \lim\limits_{x \to 2+} f(f(x)) = \lim\limits_{t \to 0+} f(t) = -2$

즉, $\lim\limits_{x \to 2-} (f \circ f)(x) \ne \lim\limits_{x \to 2+} (f \circ f)(x)$이므로 $\lim\limits_{x \to 2} (f \circ f)(x)$의 값이 존재하지 않는다.

따라서 함수 $(f \circ f)(x)$는 $x=2$에서 불연속이다.

(iv) $f(x)=3$에서의 연속성

$f(x)=3$에서 $x=-1$ 또는 $x=5$

$x \to -1-$일 때 $t \to 3+$이고 $x \to -1+$일 때 $t \to 3-$이므로

$\lim\limits_{x \to -1-} (f \circ f)(x) = \lim\limits_{x \to -1-} f(f(x)) = \lim\limits_{t \to 3+} f(t) = 2$

$\lim\limits_{x \to -1+} (f \circ f)(x) = \lim\limits_{x \to -1+} f(f(x)) = \lim\limits_{t \to 3-} f(t) = 1$

즉, $\lim\limits_{x \to -1-} (f \circ f)(x) \ne \lim\limits_{x \to -1+} (f \circ f)(x)$이므로 $\lim\limits_{x \to -1} (f \circ f)(x)$의 값이 존재하지 않는다.

따라서 함수 $(f \circ f)(x)$는 $x=-1$에서 불연속이다.

또, $x \to 5-$일 때 $t \to 3-$이고 $x \to 5+$일 때 $t \to 3+$이므로

$\lim\limits_{x \to 5-} (f \circ f)(x) = \lim\limits_{x \to 5-} f(f(x)) = \lim\limits_{t \to 3-} f(t) = 1$

$\lim\limits_{x \to 5+} (f \circ f)(x) = \lim\limits_{x \to 5+} f(f(x)) = \lim\limits_{t \to 3+} f(t) = 2$

즉, $\lim\limits_{x \to 5-} (f \circ f)(x) \ne \lim\limits_{x \to 5+} (f \circ f)(x)$이므로 $\lim\limits_{x \to 5} (f \circ f)(x)$의 값이 존재하지 않는다.

따라서 함수 $(f \circ f)(x)$는 $x=5$에서 불연속이다.

(i)~(iv)에서 함수 $(f \circ f)(x)$가 $x=a$에서 불연속이 되는 모든 a의 값의 합은

$0 + 3 + 2 + (-1) + 5 = 9$

답 9

138

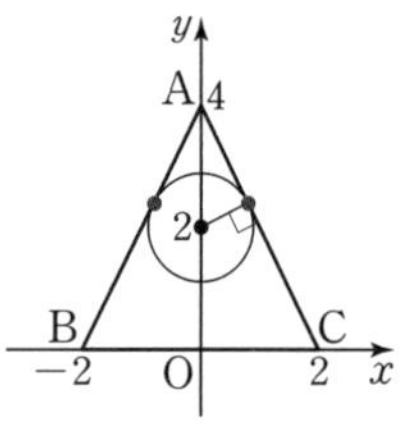

원 C는 중심이 점 $(0, 2)$이고 반지름의 길이가 r인 원이다.

오른쪽 그림과 같이 원 C가 두 변 AB, AC에 접할 때, 반지름의 길이는 중심 $(0, 2)$에서 직선 AC에 이르는 거리와 같다.

이때 직선 AC의 방정식은 $\dfrac{x}{2} + \dfrac{y}{4} = 1$, 즉

$2x + y - 4 = 0$이므로 원 C의 반지름의 길이는

$\dfrac{|2-4|}{\sqrt{2^2 + 1^2}} = \dfrac{2}{\sqrt{5}} = \dfrac{2\sqrt{5}}{5}$

따라서 $0 < r < \dfrac{2\sqrt{5}}{5}$이면 원 C와 삼각형 ABC는 만나지 않으므로

$f(r) = 0$

$r=\dfrac{2\sqrt{5}}{5}$이면 원 C와 삼각형 ABC는 두 점에서 만나므로

$f(r)=2$

다음 그림과 같이 $r>\dfrac{2\sqrt{5}}{5}$이면 원 C가 두 점 B, C를 지나기 전까지는 원 C와 삼각형 ABC는 네 점에서 만난다.

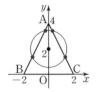

원 C가 점 C$(2, 0)$을 지나면

$2^2+(0-2)^2=r^2,\ r^2=8$ $\therefore r=2\sqrt{2}\ (\because r>0)$

즉, $\dfrac{2\sqrt{5}}{5}<r<2\sqrt{2}$이면 원 C와 삼각형 ABC는 네 점에서 만나므로

$f(r)=4$

오른쪽 그림과 같이 $r=2\sqrt{2}$이면 원 C와 삼각형 ABC는 두 점에서 만나므로

$f(r)=2$

$r>2\sqrt{2}$이면 원 C와 삼각형 ABC는 만나지 않으므로

$f(r)=0$

$\therefore f(r)=\begin{cases}0\ \left(0<r<\dfrac{2\sqrt{5}}{5},\ r>2\sqrt{2}\right)\\2\ \left(r=\dfrac{2\sqrt{5}}{5},\ r=2\sqrt{2}\right)\\4\ \left(\dfrac{2\sqrt{5}}{5}<r<2\sqrt{2}\right)\end{cases}$

따라서 열린구간 $(0,\ \infty)$에서 함수 $f(r)$는

$x=\dfrac{2\sqrt{5}}{5}$, $x=2\sqrt{2}$에서 불연속이므로 구하

는 모든 r^2의 값의 합은

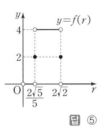

$\left(\dfrac{2\sqrt{5}}{5}\right)^2+(2\sqrt{2})^2=\dfrac{4}{5}+8=\dfrac{44}{5}$

답 ⑤

139

최대·최소 정리는 '함수 $f(x)$가 닫힌구간 $[a,\ b]$에서 연속이면 $f(x)$는 이 구간에서 반드시 최댓값과 최솟값을 갖는다.'이므로 그 역은 '함수 $f(x)$가 닫힌구간 $[a,\ b]$에서 최댓값과 최솟값을 가지면 $f(x)$는 이 구간에서 연속이다.'이다.

따라서 최대·최소 정리의 역이 성립하지 않음을 보이는 예로 알맞은 것은 닫힌구간 $[-3,\ 1]$에서 최댓값과 최솟값을 갖지만 연속이 아닌 함수를 찾으면 된다.

①, ④, ⑤ 닫힌구간 $[-3,\ 1]$에서 최댓값과 최솟값을 갖고 이 구간에서 연속이다.

② 닫힌구간 $[-3,\ 1]$에서 최댓값과 최솟값을 모두 갖지 않고 $x=-2$에서 불연속이다.

③ 닫힌구간 $[-3,\ 1]$에서 최댓값과 최솟값을 갖지만 x^2+4x의 값이 정수가 되는 x의 값에서 불연속이다.

따라서 닫힌구간 $[-3,\ 1]$에서 최대·최소 정리의 역이 성립하지 않음을 보이는 예로 알맞은 것은 ③이다.

답 ③

140

함수 $f(x)=x^2+2x+3\sqrt{x}+k$는 닫힌구간 $[1,\ 4]$에서 연속이다. 또, $x>0$에서 x의 값이 증가할 때 $f(x)$의 값도 증가하므로 방정식 $f(x)=0$이 열린구간 $(1,\ 4)$에서 하나의 실근을 가지려면 $f(1)<0,\ f(4)>0$이어야 한다.

$f(1)=6+k$이므로 $k<-6$

$f(4)=30+k$이므로 $k>-30$

$\therefore -30<k<-6$

따라서 정수 k의 최솟값은 -29이다.

답 ②

참고

함수 $f(x)$가 닫힌구간 $[a,\ b]$에서 증가(감소)하는 함수이고 연속이면 방정식 $f(x)=0$이 열린구간 $(a,\ b)$에서 실근을 가질 때, $f(a)f(b)<0$이다.

141

ㄱ. $g(x)=x+f(1-x)$라고 하면 함수 $g(x)$는 열린구간 $(0,\ 1)$에서 연속이다. 이때

$g(0)=0+f(1)=0,\ g(1)=1+f(0)=2>0$

이므로 열린구간 $(0,\ 1)$에서 방정식 $g(x)=0$이 실근을 갖는지 알 수 없다.

ㄴ. $h(x)=2x-f(x)$라고 하면 함수 $h(x)$는 열린구간 $(0,\ 1)$에서 연속이다. 이때

$h(0)=0-f(0)=-1<0,\ h(1)=2-f(1)=2>0$

이므로 사잇값의 정리에 의하여 열린구간 $(0,\ 1)$에서 방정식 $h(x)=0$은 적어도 하나의 실근을 갖는다.

ㄷ. $i(x)=f(1-x)-2x+1$이라고 하면 함수 $i(x)$는 열린구간 $(0,\ 1)$에서 연속이다. 이때

$i(0)=f(1)+1=1>0,\ i(1)=f(0)-1=0$

이므로 열린구간 $(0,\ 1)$에서 방정식 $i(x)=0$이 실근을 갖는지 알 수 없다.

따라서 열린구간 $(0,\ 1)$에서 반드시 실근을 갖는 방정식은 ㄴ이다.

답 ②

142

이차함수 $f(x)$의 축은 $x=4$이므로 닫힌구간 $[-1,\ 1]$에서 $f(x)$는 감소하는 함수이다. 열린구간 $(-1,\ 1)$의 한 실근을 k라고 할 때, $-1<k<1$이고 $f(x)$가 감소하는 함수이므로

$f(1)<f(k)<f(-1)$

k는 $f(x)=0$의 한 근이므로 $f(k)=0$

$f(1)<0<f(-1)$이므로

$f(-1)f(1)<0$

즉, $(1+8+a)(1-8+a)<0$이므로

$(a+9)(a-7)<0$ $\therefore -9<a<7$

조건 ㈏에서 함수 $f(x)g(x)$가 $x=a$에서 연속이므로

$f(a)g(a)=\lim\limits_{x\to a-}f(x)g(x)=\lim\limits_{x\to a+}f(x)g(x)$

이때

$f(a)g(a)=(a^2-8a+a)(3a-2a)=a(a^2-7a)$

$$\lim_{x \to a-} f(x)g(x) = \lim_{x \to a-} f(x) \lim_{x \to a-} g(x)$$
$$= (a^2-7a) \times f(a+3)$$
$$= (a^2-7a)\{(a+3)^2-8(a+3)+a\}$$
$$= (a^2-7a)(a^2-a-15)$$
$$\lim_{x \to a+} f(x)g(x) = \lim_{x \to a+} f(x) \lim_{x \to a+} g(x) = (a^2-7a)a$$

이므로

$$a(a^2-7a) = (a^2-7a)(a^2-a-15)$$
$$(a^2-7a)(a^2-a-15) - a(a^2-7a) = 0$$
$$(a^2-7a)\{(a^2-a-15)-a\} = 0$$
$$a(a-7)(a^2-2a-15) = 0$$
$$a(a+3)(a-7)(a-5) = 0$$

$\therefore a=-3$ 또는 $a=0$ 또는 $a=5$ ($\because -9 < a < 7$)

따라서 구하는 모든 실수 a의 값의 합은

$$-3+0+5 = 2$$

답 ①

143

$\lim\limits_{x \to 1} \dfrac{f(x)}{x-1} = -2$에서 $x \to 1$일 때 극한값이 존재하고

(분모) $\to 0$이므로 (분자) $\to 0$이어야 한다.

즉, $\lim\limits_{x \to 1} f(x) = 0$이므로

$f(1) = 0$ ($\because f(x)$는 다항함수) ...... ㉠

└ $f(x)$는 $x-1$을 인수로 갖는다.

$\lim\limits_{x \to 2} \dfrac{f(x)}{x-2} = -2$에서 $x \to 2$일 때 극한값이 존재하고

(분모) $\to 0$이므로 (분자) $\to 0$이어야 한다.

즉, $\lim\limits_{x \to 2} f(x) = 0$이므로

$f(2) = 0$ ($\because f(x)$는 다항함수) ...... ㉡

└ $f(x)$는 $x-2$를 인수로 갖는다.

$\lim\limits_{x \to 3} \dfrac{f(x)}{x-3} = -2$에서 $x \to 3$일 때 극한값이 존재하고

(분모) $\to 0$이므로 (분자) $\to 0$이어야 한다.

즉, $\lim\limits_{x \to 3} f(x) = 0$이므로

$f(3) = 0$ ($\because f(x)$는 다항함수) ...... ㉢

└ $f(x)$는 $x-3$을 인수로 갖는다.

㉠, ㉡, ㉢에 의하여

$f(x) = (x-1)(x-2)(x-3)g(x)$ ($g(x)$는 다항함수)

로 놓을 수 있다.

$$\lim_{x \to 1} \frac{f(x)}{x-1} = \lim_{x \to 1} \frac{(x-1)(x-2)(x-3)g(x)}{x-1}$$
$$= \lim_{x \to 1} (x-2)(x-3)g(x)$$
$$= 2g(1) = -2$$

$\therefore g(1) = -1 < 0$

$$\lim_{x \to 2} \frac{f(x)}{x-2} = \lim_{x \to 2} \frac{(x-1)(x-2)(x-3)g(x)}{x-2}$$
$$= \lim_{x \to 2} (x-1)(x-3)g(x)$$
$$= -g(2) = -2$$

$\therefore g(2) = 2 > 0$

$$\lim_{x \to 3} \frac{f(x)}{x-3} = \lim_{x \to 3} \frac{(x-1)(x-2)(x-3)g(x)}{x-3}$$
$$= \lim_{x \to 3} (x-1)(x-2)g(x)$$
$$= 2g(3) = -2$$

$\therefore g(3) = -1 < 0$

다항함수 $g(x)$는 실수 전체의 집합에서 연속이고

$g(1)g(2) < 0$, $g(2)g(3) < 0$

이므로 방정식 $g(x)=0$은 열린구간 $(1, 2)$, $(2, 3)$에서 각각 적어도 하나의 실근을 갖는다. ...... ㉣

㉠~㉣에 의하여 방정식 $f(x)=0$은 열린구간 $(0, 4)$에서 적어도 5개의 실근을 갖는다.

$\therefore n=5$

답 ⑤

144

ㄱ은 옳다.

함수 $f(x)$가 닫힌구간 $[-3, 2]$에서 연속이므로 $x=1$에서 연속이어야 한다.

$$\therefore \lim_{x \to 1} \frac{g(x)-1}{x-1} = f(1) = 2$$

즉, $x \to 1$일 때 극한값이 존재하고 (분모) $\to 0$이므로

(분자) $\to 0$이어야 한다.

즉, $\lim\limits_{x \to 1} \{g(x)-1\} = 0$이므로

$g(1) - 1 = 0$ ($\because g(x)$는 다항함수)

$\therefore g(1) = 1$

ㄴ은 옳지 않다.

함수 $f(x)$가 닫힌구간 $[-3, 2]$에서 연속이므로 최대·최소 정리에 의하여 이 구간에서 $f(x)$는 반드시 최댓값과 최솟값을 갖는다.

ㄷ은 옳다.

닫힌구간 $[-3, 2]$에서 함수 $f(x)$가 연속이고, $f(-3) < 0$, $f(1) = 2 > 0$, $f(2) < 0$이므로 방정식 $f(x)=0$은 열린구간 $(-3, 1)$, $(1, 2)$에서 각각 적어도 하나의 실근을 갖는다. 즉, 열린구간 $(-3, 2)$에서 방정식 $f(x)=0$은 적어도 두 개의 실근을 갖는다.

따라서 옳은 것은 ㄱ, ㄷ이다.

답 ⑤

145

ㄱ은 옳지 않다.

열린구간 $(-2, 2)$에서 방정식 $f(x+2)-f(x)=0$이 적어도 하나의 실근을 가지므로 $f(x+2)=f(x)$를 만족시키는 실수 x가 존재한다.

ㄴ은 옳다.

$h(x) = f(x+2) - f(x)$라고 하면 함수 $h(x)$는 실수 전체의 집합에서 연속이고 열린구간 $(-2, 2)$에서 방정식 $h(x)=0$이 적어도 하나의 실근을 가지므로

$h(-2)h(2) < 0$

$\therefore \{f(0)-f(-2)\}\{f(4)-f(2)\} < 0$ ...... ㉠

ㄷ은 옳지 않다.

$f(4)>0$, $f(2)<0$이면 $f(4)-f(2)>0$이므로 ㉠에 의하여 $f(0)-f(-2)<0$

그런데 $f(0)=-3$, $f(-2)=-1$이면

$f(0)-f(-2)<0$이지만 $f(0)f(-2)>0$이므로 열린구간 $(-2, 0)$에서 실근을 갖는지 알 수 없다.

따라서 옳은 것은 ㄴ이다.

답 ②

146

(i) $0<a<2$일 때

함수 $y=f(x)$의 그래프는 오른쪽 그림과 같다.

함수 $f(x)$는 닫힌구간 $\left[0, 1+\dfrac{a}{2}\right]$에

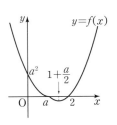

서 연속이고 $f(0)=a^2>0$,

$f\left(1+\dfrac{a}{2}\right)<0$이므로 사잇값의 정리에

의하여 $f(c)=0$인 c가 0과 $1+\dfrac{a}{2}$ 사이에 적어도 하나 존재한다.

따라서 조건 ㈎를 만족시킨다.

(ii) $a>2$일 때

함수 $y=f(x)$의 그래프는 오른쪽 그림과 같다.

이때 $0<x<1+\dfrac{a}{2}$에서

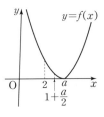

$f(x)>0$이므로 조건 ㈎를 만족시키지 않는다.

(i), (ii)에서

$0<a<2$

따라서 $f(2)=0$, $f(a)=0$이고

$f\left(1+\dfrac{a}{2}\right)=\left(1+\dfrac{a}{2}-2\right)\left(1+\dfrac{a}{2}-a\right)$

$\qquad\qquad = -\left(1-\dfrac{a}{2}\right)^2$

이므로 세 점 $(2, f(2))$, $(a, f(a))$, $\left(1+\dfrac{a}{2}, f\left(1+\dfrac{a}{2}\right)\right)$를 꼭짓점으로 하는 삼각형의 넓이는

$\dfrac{1}{2}\times(2-a)\times\left\{-f\left(1+\dfrac{a}{2}\right)\right\}=\dfrac{1}{2}\times(2-a)\times\left(1-\dfrac{a}{2}\right)^2$

$\qquad\qquad\qquad\qquad\qquad =\dfrac{1}{2}\times(2-a)\times\left(\dfrac{2-a}{2}\right)^2$

$\qquad\qquad\qquad\qquad\qquad =\dfrac{(2-a)^3}{8}=\dfrac{1}{8}$

즉, $(2-a)^3=1$이므로

$2-a=1$ $\quad\therefore a=1$

$\therefore f(3a)=f(3)=(3-2)(3-1)=2$

답 ①

147

$g(x)$는 최고차항의 계수가 1인 삼차함수이고, 조건 ㈎에 의하여 $x-2$를 인수로 가지므로 최고차항의 계수가 1인 이차함수 $h(x)$에 대하여

$g(x)=(x-2)h(x)$

로 놓을 수 있다.

조건 ㈏에서 $a=2$일 때

$\displaystyle\lim_{x\to2}\dfrac{f(x)}{g(x)}=0$ $\qquad\qquad$ ……㉠

즉, $x\to2$일 때 극한값이 존재하고 (분모) → 0이므로

(분자) → 0이어야 한다.

즉, $\displaystyle\lim_{x\to2}f(x)=0$이므로 $f(2)=0$

따라서 $f(x)$는 $x-2$를 인수로 갖는다.

$f(x)$는 최고차항의 계수가 1인 삼차함수이므로 최고차항의 계수가 1인 이차함수 $k(x)$에 대하여

$f(x)=(x-2)k(x)$

로 놓을 수 있다.

㉠에서

$\displaystyle\lim_{x\to2}\dfrac{f(x)}{g(x)}=\lim_{x\to2}\dfrac{(x-2)k(x)}{(x-2)h(x)}=\lim_{x\to2}\dfrac{k(x)}{h(x)}=0$

이고 $h(x)$, $k(x)$가 모두 이차함수이므로

$k(2)=0$

즉, $k(x)$가 $x-2$를 인수로 가지므로 $f(x)$는 $(x-2)^2$을 인수로 갖는다. 따라서

$f(x)=(x-2)^2(x-p)$ (p는 상수)

로 놓을 수 있다.

조건 ㈏에서 $a=3$일 때 $\displaystyle\lim_{x\to3}\dfrac{f(x)}{g(x)}=0$이므로

$\displaystyle\lim_{x\to3}\dfrac{f(x)}{g(x)}=\lim_{x\to3}\dfrac{(x-2)^2(x-p)}{(x-2)h(x)}$

$\qquad\qquad =\lim_{x\to3}\dfrac{(x-2)(x-p)}{h(x)}$

$\qquad\qquad =\dfrac{3-p}{h(3)}=0$

이때 $h(3)\neq0$이고 $3-p=0$이어야 하므로 $p=3$

$\therefore f(x)=(x-2)^2(x-3)$

조건 ㈏에서 $a=4$일 때 $\displaystyle\lim_{x\to4}\dfrac{f(x)}{g(x)}=2$이므로

$\displaystyle\lim_{x\to4}\dfrac{f(x)}{g(x)}=\lim_{x\to4}\dfrac{(x-2)^2(x-3)}{(x-2)h(x)}=\lim_{x\to4}\dfrac{(x-2)(x-3)}{h(x)}$

$\qquad\qquad =\dfrac{2}{h(4)}=2$

$\therefore h(4)=1$ $\qquad\qquad$ ……㉡

조건 ㈏에서 $a=5$일 때 $\displaystyle\lim_{x\to5}\dfrac{f(x)}{g(x)}=6$이므로

$\displaystyle\lim_{x\to5}\dfrac{f(x)}{g(x)}=\lim_{x\to5}\dfrac{(x-2)^2(x-3)}{(x-2)h(x)}=\lim_{x\to5}\dfrac{(x-2)(x-3)}{h(x)}$

$\qquad\qquad =\dfrac{6}{h(5)}=6$

$\therefore h(5)=1$ $\qquad\qquad$ ……㉢

$h(x)$는 최고차항의 계수가 1인 이차함수이므로 ⓛ, ⓒ에서
$h(x)-1=(x-4)(x-5)$
따라서 $h(3)=3\neq0$
$g(x)=(x-2)h(x)=(x-2)\{(x-4)(x-5)+1\}$
이므로
$g(1)=(1-2)\{(1-4)(1-5)+1\}=-13$

답 ②

148

$y=2kx-k=k(2x-1)$이므로 직선 m은 k의 값에 관계없이 항상
점 $\left(\dfrac{1}{2},\,0\right)$을 지난다. 또, 직선 n은 기울기가 2이고 y절편이 t이다.

(i) 두 직선 l, m이 평행할 때, 즉 $k=-\dfrac{1}{2}$일 때

오른쪽 그림과 같이 직선 n은 평행한 두
직선 l, m과 항상 서로 다른 두 점에서
만난다.
따라서 $f(t)=2$이므로 함수 $f(t)$는 실
수 전체의 집합에서 연속이다.

(ii) 두 직선 l, m이 평행하지 않을 때, 즉 $k\neq-\dfrac{1}{2}$일 때

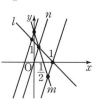

두 직선 l, m이 한 점에서 만나므로 오
른쪽 그림과 같이 직선 n은 두 직선 l, m
의 교점을 지날 때에는 두 직선과 한 점
에서 만나고 두 직선의 교점을 지나지 않
을 때에는 서로 다른 두 점에서 만난다.
두 직선 l, m의 교점의 좌표를
$(a,\,-a+1)$이라고 하면 직선 n이 이 점을 지나면
$-a+1=2a+t$ ∴ $t=-3a+1$
즉, $f(t)=\begin{cases}1\ (t=-3a+1)\\2\ (t\neq-3a+1)\end{cases}$ 이므로 함수 $f(t)$는 $t=-3a+1$
에서만 불연속이다.
이때 함수 $f(t)$가 $t=4$에서만 불연속이려면
$-3a+1=4$ ∴ $a=-1$
따라서 두 직선 l, m의 교점의 좌표는 $(-1,\,2)$이므로 직선 m
이 이 점을 지날 때
$2=-2k-k$ ∴ $k=-\dfrac{2}{3}$

(i), (ii)에서 $k=-\dfrac{2}{3}$

답 $-\dfrac{2}{3}$

149

$g(x)=|x-2|-|x+2|+x$

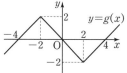

$=\begin{cases}x+4\ (x<-2)\\-x\ (-2\leq x<2)\\x-4\ (x\geq2)\end{cases}$

이므로 $y=g(x)$의 그래프는 오른
쪽 그림과 같다.

$(g\circ f)(x)=g(f(x))=\begin{cases}g(x+a)\ (x<-2)\\g(bx)\ (-2\leq x<2)\\g(x+c)\ (x\geq2)\end{cases}$이고 이 함수가
실수 전체의 집합에서 정의된 역함수를 가지므로 함수 $(g\circ f)(x)$
는 일대일대응이다. 즉, 함수 $(g\circ f)(x)$는 실수 전체의 집합에서
감소하거나 증가해야 한다.

(i) $x<-2$일 때

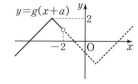

$y=g(x+a)$의 그래프는 $y=g(x)$의 그래프를 x축의 방향으
로 $-a$만큼 평행이동한 것이다.
이때 $-a<0$, 즉 $a>0$이면
$y=g(x+a)$의 그래프가 오른쪽
그림과 같으므로 함수 $(g\circ f)(x)$
는 일대일대응이 될 수 없다.
∴ $a\leq0$
$x<-2$이고 $a\leq0$이므로
$x+a<-2$
∴ $(g\circ f)(x)=g(x+a)=(x+a)+4=x+a+4$

(ii) $x\geq2$일 때

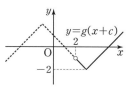

$y=g(x+c)$의 그래프는 $y=g(x)$의 그래프를 x축의 방향으로
$-c$만큼 평행이동한 것이다.
이때 $-c>0$, 즉 $c<0$이면
$y=g(x+c)$의 그래프가 오른쪽
그림과 같으므로 함수 $(g\circ f)(x)$
는 일대일대응이 될 수 없다.
∴ $c\geq0$
$x\geq2$이고 $c\geq0$이므로
$x+c\geq2$
∴ $(g\circ f)(x)=g(x+c)=(x+c)-4=x+c-4$

(i), (ii)에서 함수 $(g\circ f)(x)$는 $x<-2$일 때와 $x\geq2$일 때 증가하
는 함수임을 알 수 있다. 따라서 함수 $(g\circ f)(x)$가 일대일대응이
려면 $-2\leq x<2$에서도 증가하는 함수이어야 한다.
즉, $(g\circ f)(x)=g(bx)=-bx$가 증가하는 함수이어야 하므로
$-b>0$ ∴ $b<0$

(iii) $-2\leq x<2$일 때
$-2\leq x<2$이고 $b<0$이므로
$2b<bx\leq-2b$ ∴ $2b<f(x)\leq-2b$
이때 $f(x)$를 $f(x)<-2$인 경우와 $-2\leq f(x)<2$인 경우로
나누어 생각하면
$f(x)<-2$일 때
$(g\circ f)(x)=g(f(x))=f(x)+4=bx+4$
이때 $b<0$이므로 함수 $(g\circ f)(x)$는 감소함수이다.
$-2\leq f(x)<2$일 때
$(g\circ f)(x)=g(f(x))=-f(x)=-bx$
이때 $-b>0$이므로 함수 $(g\circ f)(x)$는 증가함수이다.
그런데 $-2\leq x<2$에서 함수 $(g\circ f)(x)$는 증가해야 하므로
$-2\leq f(x)<2$이고
$(g\circ f)(x)=-bx$

(i), (ii), (iii)에서
$(g\circ f)(x)=\begin{cases}x+a+4\ (x<-2)\\-bx\ (-2\leq x<2)\\x+c-4\ (x\geq2)\end{cases}$

한편 함수 $(g \circ f)(x)$는 실수 전체의 집합에서 연속이므로
$x=-2$, $x=2$에서 연속이어야 한다.
$x=-2$에서 연속이므로
$$\lim_{x \to -2-} (g \circ f)(x) = \lim_{x \to -2+} (g \circ f)(x) = (g \circ f)(-2)$$
즉, $-2+a+4=2b$이므로
$$a-2b=-2 \qquad\qquad \cdots\cdots \text{㉠}$$
$x=2$에서 연속이므로
$$\lim_{x \to 2-} (g \circ f)(x) = \lim_{x \to 2+} (g \circ f)(x) = (g \circ f)(2)$$
즉, $-2b=2+c-4$이므로
$$2b+c=2 \qquad\qquad \cdots\cdots \text{㉡}$$
㉠$+$㉡을 하면 $a+c=0$
$$\therefore f(-3)+f(0)+f(5)=(-3+a)+0+(5+c)$$
$$=2+a+c=2$$

답 ⑤

150

ㄱ은 옳다.

$f(x)=t$라고 하면 $x \to -1-$일 때 $t \to -1+$이고
$x \to -1+$일 때 $t \to 1-$이므로
$$\lim_{x \to -1-} g(f(x)) = \lim_{t \to -1+} g(t) = 2$$
$$\lim_{x \to -1+} g(f(x)) = \lim_{t \to 1-} g(t) = 2$$
즉, $\lim_{x \to -1-} g(f(x)) = \lim_{x \to -1+} g(f(x)) = 2$이므로
$$\lim_{x \to -1} g(f(x)) = 2$$

ㄴ은 옳지 않다.

$(f \circ g)(0)=f(g(0))=f(0)=2$
$g(x)=k$라고 하면 $x \to 0$일 때 $k \to 2$이므로
$$\lim_{x \to 0} (f \circ g)(x) = \lim_{x \to 0} f(g(x)) = f(2) = 2$$
즉, $(f \circ g)(0) = \lim_{x \to 0} (f \circ g)(x)$이므로 함수 $(f \circ g)(x)$는
$x=0$에서 연속이다.

ㄷ은 옳다.

함수 $f(x)$는 닫힌구간 $[1,2]$에서 $f(x)=x$이고 함수 $g(x)$는
닫힌구간 $[f(1),f(2)]$, 즉, $[1,2]$에서 $g(x)=-x+2$이다.
따라서 닫힌구간 $[1,2]$에서 $g(f(x))=g(x)=-x+2$이므로
연속함수이고 $g(f(1))=-1+2=1$, $g(f(2))=-2+2=0$이
므로 사잇값의 정리에 의하여

$g(f(x))=\dfrac{1}{3}$인 x가 열린구간 $(1,2)$에 적어도 하나 존재한다.
$\underbrace{\quad}_{0<\frac{1}{3}<1}$

즉, 열린구간 $(1,2)$에서 방정식 $g(f(x))=\dfrac{1}{3}$은 적어도 한 개
의 실근을 갖는다.
따라서 옳은 것은 ㄱ, ㄷ이다.

답 ④

다른 풀이

ㄷ은 옳다.

$h(x)=g(f(x))-\dfrac{1}{3}$이라고 하면 함수 $h(x)$는 닫힌구간
$[1,2]$에서 연속이고

$$h(1)=g(f(1))-\dfrac{1}{3}=1-\dfrac{1}{3}=\dfrac{2}{3}>0$$
$$h(2)=g(f(2))-\dfrac{1}{3}=0-\dfrac{1}{3}=-\dfrac{1}{3}<0$$
이므로 방정식 $h(x)=0$, 즉 $g(f(x))=\dfrac{1}{3}$은 열린구간
$(1,2)$에서 적어도 하나의 실근을 갖는다.

참고

함수 $f(x)$가 닫힌구간 $[a,b]$에서 연속이고 함수 $g(x)$가 닫힌구
간 $[f(a),f(b)]$에서 연속이면 함수 $(g \circ f)(x)$는 $[a,b]$에서 연
속이다.
따라서 함수 $f(x)$는 닫힌구간 $[1,2]$에서 연속이고 닫힌구간
$[f(1),f(2)]$에서 연속이므로 함수 $h(x)=g(f(x))-\dfrac{1}{3}$은 닫힌
구간 $[1,2]$에서 연속이다.

미니 모의고사 - 1회

01

$1-x=t$라고 하면 $x \to 1+$일 때 $t \to 0-$이므로
$$\lim_{x \to 1+} f(x)f(1-x) = \lim_{x \to 1+} f(x) \lim_{x \to 1+} f(1-x)$$
$$= \lim_{x \to 1+} f(x) \lim_{t \to 0-} f(t)$$
$$= 1 \times (-1) = -1$$

답 ②

02

$$\lim_{x \to 1} \frac{3xf(x-1)}{x^2+3x-4} = \lim_{x \to 1} \frac{3xf(x-1)}{(x-1)(x+4)}$$
$$= \lim_{x \to 1} \frac{f(x-1)}{x-1} \lim_{x \to 1} \frac{3x}{x+4}$$
$$= 5 \times \frac{3}{5} = 3$$

답 3

03

$$\lim_{x \to 3} \frac{(x^2-x-6)f(x)}{x-3} = \lim_{x \to 3} \frac{(x-3)(x+2)f(x)}{x-3}$$
$$= \lim_{x \to 3} (x+2)f(x)$$
$$= 5f(3) = 15$$
$$\therefore f(3) = 3$$

답 ③

04

$\lim\limits_{x\to\infty}\dfrac{f(x)-x^3}{x}=5$에서 $f(x)-x^3$은 최고차항의 계수가 5인 일차함수이다.

$f(x)-x^3=5x+a\ (a$는 상수$)$

로 놓을 수 있다.

$\therefore f(x)=x^3+5x+a$

$\lim\limits_{x\to2}f(x)=3$에서 $f(2)=3$이므로

$f(2)=8+10+a=3$ $\therefore a=-15$

따라서 $f(x)=x^3+5x-15$이므로

$f(1)=1+5-15=-9$

답 ②

05

ㄱ. $g(x)=f(x)-2x$라고 하면 함수 $g(x)$는 닫힌구간 $[-2,\,2]$에서 연속이고

$g(-2)=f(-2)+4=2+4=6>0$

$g(2)=f(2)-4=-2-4=-6<0$

이므로 사잇값의 정리에 의하여 방정식 $g(x)=0$은 열린구간 $(-2,\,2)$에서 적어도 하나의 실근을 갖는다.

ㄴ. $h(x)=(x^2-3)f(x)$라고 하면 함수 $h(x)$는 닫힌구간 $[-2,\,2]$에서 연속이고

$h(-2)=(4-3)f(-2)=2>0$

$h(2)=(4-3)f(2)=-2<0$

이므로 사잇값의 정리에 의하여 방정식 $h(x)=0$은 열린구간 $(-2,\,2)$에서 적어도 하나의 실근을 갖는다.

ㄷ. $k(x)=f(x)-(f\circ f)(x)$라고 하면 함수 $k(x)$는 닫힌구간 $[-2,\,2]$에서 연속이고

$k(-2)=f(-2)-(f\circ f)(-2)=2-f(f(-2))$

$\qquad=2-f(2)=2+2=4>0$

$k(2)=f(2)-(f\circ f)(2)=-2-f(f(2))$

$\qquad=-2-f(-2)=-2-2=-4<0$

이므로 사잇값의 정리에 의하여 방정식 $k(x)=0$은 열린구간 $(-2,\,2)$에서 적어도 하나의 실근을 갖는다.

따라서 열린구간 $(-2,\,2)$에서 적어도 하나의 실근을 갖는 방정식은 ㄱ, ㄴ, ㄷ이다.

답 ⑤

참고

함수 $f(x)$가 다항함수이므로 함수 $f(x)$는 실수 전체의 집합에서 연속이고, 연속함수의 성질에 의하여 세 함수 $g(x),\ h(x),\ k(x)$도 실수 전체의 집합에서 연속이다.

06

부등식 $\lim\limits_{x\to a-}f(x)<\lim\limits_{x\to a+}f(x)$를 만족시키는 실수 a는 $x=a$에서 함수 $f(x)$의 좌극한값이 우극한값보다 작은 x의 값이다.

$\lim\limits_{x\to-2-}f(x)=1,\ \lim\limits_{x\to-2+}f(x)=0$이므로

$\lim\limits_{x\to-2-}f(x)>\lim\limits_{x\to-2+}f(x)$

$\lim\limits_{x\to-1-}f(x)=2,\ \lim\limits_{x\to-1+}f(x)=3$이므로

$\lim\limits_{x\to-1-}f(x)<\lim\limits_{x\to-1+}f(x)$

$\lim\limits_{x\to0-}f(x)=1,\ \lim\limits_{x\to0+}f(x)=3$이므로

$\lim\limits_{x\to0-}f(x)<\lim\limits_{x\to0+}f(x)$

$\lim\limits_{x\to2-}f(x)=1,\ \lim\limits_{x\to2+}f(x)=2$이므로

$\lim\limits_{x\to2-}f(x)<\lim\limits_{x\to2+}f(x)$

따라서 주어진 부등식을 만족시키는 실수 a의 값은 -1, 0, 2이므로 구하는 합은 1이다.

답 ③

07

조건 ㈏에서 $\lim\limits_{x\to2}\dfrac{g(x)-3x}{x-2}$의 값이 존재하고 $x\to2$일 때 (분모)$\to0$이므로 (분자)$\to0$이어야 한다.

즉, $\lim\limits_{x\to2}\{g(x)-3x\}=0$이므로

$\lim\limits_{x\to2}g(x)-\lim\limits_{x\to2}3x=0,\ g(2)-6=0$

$\therefore g(2)=6$

조건 ㈎에서

$f(x)=(x-2)\{g(x)-1\}$

이 식에 $x=2$를 대입하면 $f(2)=0$

따라서 $f(x)-f(2)=(x-2)\{g(x)-1\}$로 놓을 수 있으므로

$\lim\limits_{x\to2}\dfrac{f(x)-f(2)}{x-2}=\lim\limits_{x\to2}\dfrac{(x-2)\{g(x)-1\}}{x-2}$

$\qquad\qquad\qquad=\lim\limits_{x\to2}\{g(x)-1\}$

$\qquad\qquad\qquad=g(2)-1=6-1=5$

$\therefore\lim\limits_{x\to2}\dfrac{f(x)g(x)}{x^2+x-6}$

$=\lim\limits_{x\to2}\dfrac{f(x)g(x)}{(x-2)(x+3)}$

$=\lim\limits_{x\to2}\dfrac{f(x)}{x-2}\times\lim\limits_{x\to2}\dfrac{g(x)}{x+3}$

$=\lim\limits_{x\to2}\dfrac{f(x)-f(2)}{x-2}\times\lim\limits_{x\to2}\dfrac{g(x)}{x+3}\ (\because f(2)=0)$

$=5\times\dfrac{g(2)}{5}=g(2)=6$

답 ③

08

함수 $|f(x)|$가 실수 전체의 집합에서 연속이려면 $x=a$에서 연속이어야 한다. 즉,

$|f(a)|=\lim\limits_{x\to a-}|f(x)|=\lim\limits_{x\to a+}|f(x)|$

이어야 한다. 이때

$|f(a)|=|a^2-16|$

$\lim\limits_{x\to a-}|f(x)|=\lim\limits_{x\to a-}|x^2-16|=|a^2-16|$

$\lim\limits_{x\to a+}|f(x)|=\lim\limits_{x\to a+}|x+4|=|a+4|$

이므로

$|a^2-16|=|a+4|$

$\therefore a^2-16=\pm(a+4)$

(i) $a^2-16=-(a+4)$일 때

$a^2+a-12=0,\ (a+4)(a-3)=0$

$\therefore a=-4$ 또는 $a=3$

(ii) $a^2-16=a+4$일 때

$a^2-a-20=0$, $(a+4)(a-5)=0$

$\therefore a=-4$ 또는 $a=5$

(i), (ii)에서 함수 $|f(x)|$가 실수 전체의 집합에서 연속이 되도록 하는 실수 a의 값은 -4, 3, 5이므로 구하는 합은 4이다.

답 ⑤

09

조건 ㈎에서 함수 $\dfrac{1}{f(x)}$이 $x=-1$, $x=2$에서 불연속이고, $f(x)$가 이차함수이므로 ┌ $f(-1)=0$, $f(2)=0$

$f(x)=a(x+1)(x-2)$ (a는 0이 아닌 상수) ┘이므로 $f(x)$는 $x+1$, $x-2$를 인수로 갖는다.

로 놓을 수 있다.

조건 ㈏에서 $\displaystyle\lim_{x\to 2}\dfrac{f(x)}{x-2}=9$이므로

$\displaystyle\lim_{x\to 2}\dfrac{f(x)}{x-2}=\lim_{x\to 2}\dfrac{a(x+1)(x-2)}{x-2}$

$\qquad\qquad\quad =\displaystyle\lim_{x\to 2}a(x+1)=3a=9$

$\therefore a=3$

따라서 $f(x)=3(x+1)(x-2)$이므로

$f(5)=3\times 6\times 3=54$

답 54

10

$x^2-2x-8<0$에서

$(x+2)(x-4)<0$ $\qquad\therefore -2<x<4$

$x^2-tx\leq 0$에서 $\quad x(x-t)\leq 0$

(i) $t\leq -1$일 때

주어진 연립부등식을 만족시키는 정수 x는 -1, 0의 2개이므로

$f(t)=2$

(ii) $-1<t<1$일 때

주어진 연립부등식을 만족시키는 정수 x는 0의 1개이므로

$f(t)=1$

(iii) $1\leq t<2$일 때

주어진 연립부등식을 만족시키는 정수 x는 0, 1의 2개이므로

$f(t)=2$

(iv) $2\leq t<3$일 때

주어진 연립부등식을 만족시키는 정수 x는 0, 1, 2의 3개이므로

$f(t)=3$

(v) $t\geq 3$일 때

주어진 연립부등식을 만족시키는 정수 x는 0, 1, 2, 3의 4개이므로

$f(t)=4$

(i)~(v)에서 함수 $y=f(t)$의 그래프는 오른쪽 그림과 같다.

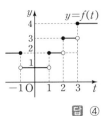

따라서 함수 $f(t)$는 $t=-1$, $t=1$, $t=2$, $t=3$에서 불연속이므로 불연속인 점의 개수는 4이다.

답 ④

01

$\displaystyle\lim_{x\to k}f(x)$의 값이 존재하지 않는 경우는 좌극한값과 우극한값이 서로 다른 경우이다.

$-1<k<4$에서 극한값이 존재하지 않는 k의 값은 0, 1, 3이므로 구하는 합은 4이다.

답 ③

참고

주어진 함수 $f(x)$는 $x=2$에서 불연속이지만 좌극한값과 우극한값이 같으므로 극한값은 존재한다.

02

양의 실수 x에 대하여 $4x+1>0$, $4x+3>0$이므로

$4x+1<f(x)<4x+3$의 각 변을 제곱하면

$(4x+1)^2<\{f(x)\}^2<(4x+3)^2$ $\qquad\cdots\cdots$ ㉠

$2x^2-x+1=2\left(x-\dfrac{1}{4}\right)^2+\dfrac{7}{8}>0$이므로 ㉠의 각 변을 $2x^2-x+1$로 나누면

$\dfrac{(4x+1)^2}{2x^2-x+1}<\dfrac{\{f(x)\}^2}{2x^2-x+1}<\dfrac{(4x+3)^2}{2x^2-x+1}$

이때

$\displaystyle\lim_{x\to\infty}\dfrac{(4x+1)^2}{2x^2-x+1}=\lim_{x\to\infty}\dfrac{16x^2+8x+1}{2x^2-x+1}=\dfrac{16}{2}=8$

└ 분자, 분모의 최고차항의 계수의 비로 구한다.

$\displaystyle\lim_{x\to\infty}\dfrac{(4x+3)^2}{2x^2-x+1}=\lim_{x\to\infty}\dfrac{16x^2+24x+9}{2x^2-x+1}=\dfrac{16}{2}=8$

└ 분자, 분모의 최고차항의 계수의 비로 구한다.

이므로 함수의 극한의 대소 관계에 의하여

$\displaystyle\lim_{x\to\infty}\dfrac{\{f(x)\}^2}{2x^2-x+1}=8$

답 ④

03

함수 $f(x)$가 $x=1$에서 연속이므로

$f(1)=\displaystyle\lim_{x\to 1-}f(x)=\lim_{x\to 1+}f(x)$

이어야 한다.

이때 $\displaystyle\lim_{x\to 1-}f(x)=k+5$, $\lim_{x\to 1+}f(x)=2k-1$이므로

$k+5=2k-1$ $\qquad\therefore k=6$

또, $f(1)=k+5=6+5=11$이므로

$k+f(1)=6+11=17$

답 ③

04

함수 $f(x)$는 $x=-2$에서만 불연속이고, 그 이외의 점에서는 연속이므로

$A=\{x|-4<x<-2\}\cup\{x|-2<x<5\}$

함수 $g(x)$는 $x-1$의 값이 정수가 되는 x의 값에서 불연속이고, B^C는 함수 $g(x)$가 불연속인 점들의 집합이므로

$B^C=\{-3, -2, -1, 0, 1, 2, 3, 4\}$

$\therefore A\cap B^C=\{-3, -1, 0, 1, 2, 3, 4\}$

따라서 구하는 원소의 개수는 7이다.

답 7

05

이차함수 $y=x^2+ax+b$는 실수 전체의 집합에서 연속이고 함수 $f(x)$는 $x\neq -2$인 모든 실수 x에서 연속이므로 함수 $g(x)$가 실수 전체의 집합에서 연속이려면 $x=-2$에서 연속이어야 한다.

$\therefore g(-2)=\lim\limits_{x\to -2}(x^2+ax+b)f(x)$

$\qquad =\lim\limits_{x\to -2}\dfrac{(x-1)(x^2+ax+b)}{x+2}$　　……㉠

㉠에서 $x\to -2$일 때 극한값이 존재하고 (분모) $\to$ 0이므로 (분자) $\to$ 0이어야 한다.

즉, $\lim\limits_{x\to -2}(x-1)(x^2+ax+b)=0$이므로

$-3(4-2a+b)=0,\ 4-2a+b=0$

$\therefore b=2a-4$　　……㉡

$\lim\limits_{x\to -2}\dfrac{(x-1)(x^2+ax+b)}{x+2}$

$=\lim\limits_{x\to -2}\dfrac{(x-1)(x^2+ax+2a-4)}{x+2}\ (\because ㉡)$

$=\lim\limits_{x\to -2}\dfrac{(x-1)(x+2)(x+a-2)}{x+2}$

$=\lim\limits_{x\to -2}(x-1)(x+a-2)$

$=-3(a-4)$

이때 $g(-2)=(4-2a+b)f(-2)=4(4-2a+b)$이므로

$4(4-2a+b)=-3(a-4)$

$16-8a+4b=-3a+12$

$\therefore 5a-4b=4$　　……㉢

㉡, ㉢을 연립하여 풀면

$a=4,\ b=4$

$\therefore a+b=8$

답 ②

06

조건 ㈎에서 $h(x)=3f(x)+g(x)$라고 하면

$f(x)=\dfrac{1}{3}\{h(x)-g(x)\},\ \lim\limits_{x\to 3}h(x)=2$

조건 ㈏에서 $\lim\limits_{x\to 3}g(x)=\infty$이므로　$\lim\limits_{x\to 3}\dfrac{1}{g(x)}=0$

$\therefore \lim\limits_{x\to 3}\dfrac{6f(x)-24g(x)}{3f(x)-g(x)}=\lim\limits_{x\to 3}\dfrac{6\times\frac{1}{3}\{h(x)-g(x)\}-24g(x)}{3\times\frac{1}{3}\{h(x)-g(x)\}-g(x)}$

$\qquad =\lim\limits_{x\to 3}\dfrac{2h(x)-26g(x)}{h(x)-2g(x)}$

$\qquad =\lim\limits_{x\to 3}\dfrac{2\times\frac{h(x)}{g(x)}-26}{\frac{h(x)}{g(x)}-2}$ 　분자, 분모를 $g(x)$로 나눈다.

$\qquad =\dfrac{2\lim\limits_{x\to 3}\frac{h(x)}{g(x)}-26}{\lim\limits_{x\to 3}\frac{h(x)}{g(x)}-2}$

$\lim\limits_{x\to 3}\dfrac{h(x)}{g(x)}$

$=\lim\limits_{x\to 3}h(x)\times\lim\limits_{x\to 3}\dfrac{1}{g(x)}$

$=2\times 0=0$

$\qquad \qquad =\dfrac{-26}{-2}=13$

답 13

다른 풀이

$\lim\limits_{x\to 3}\{3f(x)+g(x)\}=\lim\limits_{x\to 3}g(x)\Big\{3\times\dfrac{f(x)}{g(x)}+1\Big\}=2$에서 극한값이 존재하고 $\lim\limits_{x\to 3}g(x)=\infty$이므로

$\lim\limits_{x\to 3}\Big\{3\times\dfrac{f(x)}{g(x)}+1\Big\}=0$　　$\therefore \lim\limits_{x\to 3}\dfrac{f(x)}{g(x)}=-\dfrac{1}{3}$

$\therefore \lim\limits_{x\to 3}\dfrac{6f(x)-24g(x)}{3f(x)-g(x)}=\lim\limits_{x\to 3}\dfrac{6\times\frac{f(x)}{g(x)}-24}{3\times\frac{f(x)}{g(x)}-1}=\dfrac{6\times\left(-\frac{1}{3}\right)-24}{3\times\left(-\frac{1}{3}\right)-1}$ 　분자, 분모를 $g(x)$로 나눈다.

$\qquad \qquad =\dfrac{-26}{-2}=13$

07

$\lim\limits_{x\to\infty}\dfrac{f(x)-x^3}{x^2}=-5$에서

　$f(x)-x^3$은 최고차항의 계수가 -5인 이차함수이다.

$f(x)-x^3=-5x^2+ax+b$ (a, b는 상수)

로 놓을 수 있다.

$\therefore f(x)=x^3-5x^2+ax+b$　　……㉠

$\lim\limits_{x\to 2}\dfrac{f(x)}{x-2}=-2$에서 $x\to 2$일 때 극한값이 존재하고 (분모) $\to$ 0이므로 (분자) $\to$ 0이어야 한다.

즉, $\lim\limits_{x\to 2}f(x)=0$이므로　$f(2)=0$

㉠에 $x=2$를 대입하면

$f(2)=8-20+2a+b=0$　　$\therefore b=12-2a$　　……㉡

$\therefore f(x)=x^3-5x^2+ax+b$

$\qquad =x^3-5x^2+ax+12-2a$

$\qquad =(x-2)(x^2-3x+a-6)$

따라서

$\lim\limits_{x\to 2}\dfrac{f(x)}{x-2}=\lim\limits_{x\to 2}\dfrac{(x-2)(x^2-3x+a-6)}{x-2}$

$\qquad =\lim\limits_{x\to 2}(x^2-3x+a-6)$

$\qquad =4-6+a-6=-2$

이므로　$a=6$

이것을 ㉡에 대입하면　$b=0$

$\therefore f(x)=x^3-5x^2+6x$

$\dfrac{1}{x^2}=t$라고 하면 $x\to\infty$일 때 $t\to 0$이므로

$\lim\limits_{x\to\infty}x^2 f\Big(\dfrac{1}{x^2}\Big)=\lim\limits_{t\to 0}\dfrac{1}{t}f(t)=\lim\limits_{t\to 0}\dfrac{t^3-5t^2+6t}{t}$

$\qquad =\lim\limits_{t\to 0}(t^2-5t+6)=6$

답 6

08

$A(2, 25)$, $B(a, a^3-7a^2+10a+25)$, $C(2, 0)$, $D(a, 0)$이므로

$S(a)=\dfrac{1}{2}\times(\overline{AC}+\overline{BD})\times\overline{CD}$

$\qquad =\dfrac{1}{2}\times(25+a^3-7a^2+10a+25)\times(a-2)$

$\qquad =\dfrac{1}{2}(a-2)(a^3-7a^2+10a+50)$

$$T(a)=\frac{1}{2}\times\overline{\text{CD}}\times\overline{\text{BD}}$$
$$=\frac{1}{2}(a-2)(a^3-7a^2+10a+25)$$

$$\therefore \lim_{a\to 2}\frac{S(a)}{T(a)}=\lim_{a\to 2}\frac{\frac{1}{2}(a-2)(a^3-7a^2+10a+50)}{\frac{1}{2}(a-2)(a^3-7a^2+10a+25)}$$
$$=\lim_{a\to 2}\frac{a^3-7a^2+10a+50}{a^3-7a^2+10a+25}=\frac{50}{25}=2$$

답 ①

간단 풀이

$f(x)=x^3-7x^2+10x+25$라고 하면
$$S(a)=\frac{1}{2}\times\{f(2)+f(a)\}\times(a-2),$$
$$T(a)=\frac{1}{2}\times f(a)\times(a-2)$$
$$\therefore \lim_{a\to 2}\frac{S(a)}{T(a)}=\lim_{a\to 2}\frac{\frac{1}{2}\times\{f(2)+f(a)\}\times(a-2)}{\frac{1}{2}\times f(a)\times(a-2)}$$
$$=\lim_{a\to 2}\frac{f(2)+f(a)}{f(a)}$$
$$=\lim_{a\to 2}\left\{\frac{f(2)}{f(a)}+1\right\}=1+1=2$$

09

함수 $f(x)$가 닫힌구간 $[-1, 4]$에서 연속이므로 $x=1$에서 연속이어야 한다.
$$\therefore f(1)=\lim_{x\to 1-}f(x)=\lim_{x\to 1+}f(x)$$
이때
$$f(1)=1-4+b=b-3$$
$$\lim_{x\to 1-}f(x)=\lim_{x\to 1-}(-x+a)=a-1$$
$$\lim_{x\to 1+}f(x)=\lim_{x\to 1+}(x^2-4x+b)=b-3$$
이므로
$$a-1=b-3$$
$$\therefore a=b-2 \qquad\qquad \cdots\cdots ㉠$$

함수 $f(x)$가 닫힌구간 $[-1, 4]$에서 연속이므로 이 구간에서 반드시 최댓값과 최솟값을 갖는다. 함수 $y=f(x)$의 그래프의 개형은 오른쪽 그림과 같으므로 $f(x)$는 $x=2$에서 최솟값 -3을 갖는다.

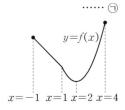

즉, $f(2)=-3$이므로
$$4-8+b=-3$$
$$\therefore b=1$$
이것을 ㉠에 대입하면
$$a=-1$$
따라서 $f(x)=\begin{cases}-x-1 & (x<1)\\x^2-4x+1 & (x\geq 1)\end{cases}$이고
$f(-1)=0$, $f(4)=1$
이므로 함수 $f(x)$는 $x=4$에서 최댓값 1을 갖는다.

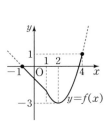

답 ④

참고

함수 $f(x)$는 $x<1$에서 기울기가 음수인 직선이므로 감소하고, $x\geq 1$에서는 축이 직선 $x=2$이고 아래로 볼록한 포물선이므로 구간 $[-1, 4]$에서 $x=2$일 때 최솟값을 갖는다.

10

ㄱ은 옳다.

함수 $f(x)$가 닫힌구간 $[-4, 4]$에서 연속이므로 $x=2$에서 연속이어야 한다. 즉, $f(2)=\lim_{x\to 2}f(x)$이므로
$$\lim_{x\to 2}\frac{g(x)-1}{x-2}=1$$
즉, $x\to 2$일 때 극한값이 존재하고 (분모)$\to 0$이므로 (분자)$\to 0$이어야 한다.
따라서 $\lim_{x\to 2}\{g(x)-1\}=0$이므로
$$g(2)-1=0 \qquad \therefore g(2)=1$$

ㄴ도 옳다.

함수 $f(x)$가 닫힌구간 $[-4, 4]$에서 연속이므로 $f(x)$는 이 구간에서 반드시 최댓값과 최솟값을 갖는다.

ㄷ은 옳지 않다.

(반례) $g(x)=x-1$이면 $g(-1)=-2<0$, $g(2)=1>0$이지만
$$f(x)=\frac{g(x)-1}{x-2}=\frac{x-1-1}{x-2}=1$$
이므로 방정식 $f(x)=0$은 열린구간 $(-1, 2)$에서 실근을 갖지 않는다.

따라서 옳은 것은 ㄱ, ㄴ이다.

답 ④

II. 미분

001

x의 값이 0에서 a까지 변할 때의 평균변화율이 4이므로

$\dfrac{f(a)-f(0)}{a-0}=4$, $\dfrac{a^3-3a^2}{a}=4$, $a^2-3a=4$ $(\because a\neq 0)$

$a^2-3a-4=0$, $(a+1)(a-4)=0$

$\therefore a=4$ $(\because a>0)$

답 ④

002

x의 값이 -1에서 2까지 변할 때의 평균변화율과 x의 값이 0에서 a까지 변할 때의 평균변화율이 서로 같으므로

$\dfrac{f(2)-f(-1)}{2-(-1)}=\dfrac{f(a)-f(0)}{a-0}$

$\dfrac{-8-4}{3}=\dfrac{a(a+2)(a-3)}{a}$

$-4=(a+2)(a-3)$ $(\because a\neq 0)$

$a^2-a-2=0$, $(a+1)(a-2)=0$

$\therefore a=2$ $(\because a>0)$

답 ④

003

x의 값이 -2에서 a까지 변할 때의 평균변화율은

$\dfrac{f(a)-f(-2)}{a-(-2)}=\dfrac{a^2+4a+4}{a+2}=\dfrac{(a+2)^2}{a+2}=a+2$ $(\because a\neq -2)$

$x=2$에서의 미분계수는

$\displaystyle\lim_{x\to 2}\dfrac{f(x)-f(2)}{x-2}=\lim_{x\to 2}\dfrac{x^2+4x+4-16}{x-2}=\lim_{x\to 2}\dfrac{x^2+4x-12}{x-2}$

$\displaystyle =\lim_{x\to 2}\dfrac{(x+6)(x-2)}{x-2}=\lim_{x\to 2}(x+6)=8$

즉, $a+2=8$이므로 $a=6$

답 ③

다른 풀이

도함수 $f'(x)$를 구하여 미분계수를 간단히 구할 수 있다.

즉, $f'(x)=2x+4$이므로 $x=2$에서의 미분계수는 $f'(2)=8$

004

$\displaystyle\lim_{h\to 0}\dfrac{f(1-2h)-f(1)}{h}=\lim_{h\to 0}\dfrac{f(1-2h)-f(1)}{-2h}\times(-2)$

$\displaystyle =-2f'(1)$

이때

$\displaystyle f'(1)=\lim_{x\to 1}\dfrac{f(x)-f(1)}{x-1}=\lim_{x\to 1}\dfrac{x^2-4x+1-(-2)}{x-1}$

$\displaystyle =\lim_{x\to 1}\dfrac{x^2-4x+3}{x-1}=\lim_{x\to 1}\dfrac{(x-1)(x-3)}{x-1}$

$\displaystyle =\lim_{x\to 1}(x-3)=-2$

이므로

$\displaystyle\lim_{h\to 0}\dfrac{f(1-2h)-f(1)}{h}=-2f'(1)=-2\times(-2)=4$

답 4

풍쌤 비법

미분계수를 이용하여 극한값을 구할 때, 분모의 항이 1개인 경우에는 다음과 같이 색칠한 부분을 같게 만들어 준다.

$\displaystyle\lim_{h\to 0}\dfrac{f(a+ph)-f(a)}{h}=\lim_{h\to 0}\dfrac{f(a+ph)-f(a)}{ph}\times p=pf'(a)$

(단, p는 실수이다.)

다른 풀이

$f(x)=x^2-4x+1$이므로

$\displaystyle\lim_{h\to 0}\dfrac{f(1-2h)-f(1)}{h}=\lim_{h\to 0}\dfrac{(1-2h)^2-4(1-2h)+1-(-2)}{h}$

$\displaystyle =\lim_{h\to 0}\dfrac{4h^2+4h}{h}$

$\displaystyle =\lim_{h\to 0}(4h+4)=4$

005

$\displaystyle\lim_{x\to 1}\dfrac{f(x)-f(1)}{x^2-1}+\lim_{x\to 3}\dfrac{f(x^2)-f(9)}{x-3}$

$\displaystyle =\lim_{x\to 1}\dfrac{f(x)-f(1)}{(x+1)(x-1)}+\lim_{x\to 3}\dfrac{\{f(x^2)-f(9)\}(x+3)}{(x-3)(x+3)}$

$\displaystyle =\lim_{x\to 1}\dfrac{f(x)-f(1)}{x-1}\times\lim_{x\to 1}\dfrac{1}{x+1}$

$\displaystyle +\lim_{x\to 3}\dfrac{f(x^2)-f(9)}{x^2-9}\times\lim_{x\to 3}(x+3)$

$\qquad \left[\displaystyle\lim_{x\to a}\dfrac{f(x^2)-f(a^2)}{x^2-a^2}=f'(a^2)\right.$

$\displaystyle =\dfrac{1}{2}f'(1)+6f'(9)=\dfrac{1}{2}\times(-2)+6\times 2=11$

답 11

풍쌤 비법

미분계수를 이용하여 극한값을 구할 때, 분모의 항이 2개인 경우에는

$\displaystyle\lim_{\blacksquare\to a}\dfrac{f(\blacksquare)-f(\bullet)}{\blacksquare-a}=f'(\bullet)$

를 이용할 수 있도록 $\blacksquare$는 $\blacksquare$끼리, $\bullet$는 $\bullet$끼리 같게 만들어 준다.

006

$f(x+2)-f(2)=x^3+10x^2+15x$에 x 대신 h를 대입하면

$f(2+h)-f(2)=h^3+10h^2+15h$

이므로

$\displaystyle f'(2)=\lim_{h\to 0}\dfrac{f(2+h)-f(2)}{h}=\lim_{h\to 0}\dfrac{h^3+10h^2+15h}{h}$

$\displaystyle =\lim_{h\to 0}(h^2+10h+15)=15$

답 ④

$x \neq 0$일 때, $f(x+2)-f(2)=x^3+10x^2+15x$의 양변을 x로 나누면

$$\frac{f(x+2)-f(2)}{x}=\frac{x^3+10x^2+15x}{x}=x^2+10x+15$$

$$\therefore \lim_{x \to 0}\frac{f(x+2)-f(2)}{x}=\lim_{x \to 0}(x^2+10x+15)=15$$

$$\therefore f'(2)=\lim_{x \to 0}\frac{f(2+x)-f(2)}{x}=15$$

007

▶ 접근

주어진 식의 좌변을 $\lim_{■ \to -2}\frac{f(■)-f(-2)}{■-(-2)}$ 를 포함하는 식으로 변형하여 $f'(-2)$의 값을 구한다.

$\lim_{x \to -2}\frac{f(2x^2+5x)-f(-2)}{x+2}=9$에서

$$\lim_{x \to -2}\frac{f(2x^2+5x)-f(-2)}{x+2}$$

$$=\lim_{x \to -2}\left\{\frac{f(2x^2+5x)-f(-2)}{2x^2+5x-(-2)}\times\frac{2x^2+5x+2}{x+2}\right\}$$

$$=\lim_{x \to -2}\frac{f(2x^2+5x)-f(-2)}{2x^2+5x-(-2)}\times\lim_{x \to -2}\frac{(2x+1)(x+2)}{x+2}$$

$$=\lim_{x \to -2}\frac{f(2x^2+5x)-f(-2)}{2x^2+5x-(-2)}\times\lim_{x \to -2}(2x+1)$$

$$=f'(-2)\times(-3)=-3f'(-2)$$

이므로

$$-3f'(-2)=9 \quad \therefore f'(-2)=-3$$

답 ①

참고

$\lim_{x \to -2}\frac{f(2x^2+5x)-f(-2)}{2x^2+5x-(-2)}$에서 $2x^2+5x=t$라고 하면 $x \to -2$일 때 $t \to -2$이므로

$$\lim_{x \to -2}\frac{f(2x^2+5x)-f(-2)}{2x^2+5x-(-2)}=\lim_{t \to -2}\frac{f(t)-f(-2)}{t-(-2)}=f'(-2)$$

이와 같이 $\frac{0}{0}$ 꼴의 극한 $\lim_{■ \to k}\frac{f(■)-f(k)}{■-k}$에서 ■가 복잡한 식으로 주어지더라도 미분계수의 정의를 이용하면 간단히 정리할 수 있다.

008

$\lim_{x \to 1}\frac{f(x)-f(1)}{x^2-1}=-1$에서

$$\lim_{x \to 1}\frac{f(x)-f(1)}{x^2-1}=\lim_{x \to 1}\frac{f(x)-f(1)}{(x+1)(x-1)}$$

$$=\lim_{x \to 1}\frac{1}{x+1}\times\lim_{x \to 1}\frac{f(x)-f(1)}{x-1}$$

$$=\frac{1}{2}f'(1)$$

이므로

$$\frac{1}{2}f'(1)=-1 \quad \therefore f'(1)=-2$$

$$\therefore \lim_{h \to 0}\frac{f(1-2h)-f(1+5h)}{h}$$

$$=\lim_{h \to 0}\frac{f(1-2h)-f(1)-\{f(1+5h)-f(1)\}}{h}$$

$$=-2\lim_{h \to 0}\frac{f(1-2h)-f(1)}{-2h}-5\lim_{h \to 0}\frac{f(1+5h)-f(1)}{5h}$$

$$=-2f'(1)-5f'(1)=-7f'(1)$$

$$=-7\times(-2)=14$$

답 14

009

x의 값이 a에서 b까지 변할 때의 평균변화율은 두 점 $(a, f(a))$, $(b, f(b))$를 지나는 직선의 기울기이고, $x=a$에서의 순간변화율은 점 $(a, f(a))$에서의 접선의 기울기이므로 두 점 $(a, f(a))$, $(b, f(b))$를 지나는 직선의 기울기가 점 $(a, f(a))$에서의 접선의 기울기보다 큰 것을 찾으면 된다.

두 점 $(a, f(a))$, $(b, f(b))$를 지나는 직선을 l, 점 $(a, f(a))$에서의 접선을 m이라고 하면 그래프가 오른쪽 그림과 같을 때, 직선 l의 기울기가 직선 m의 기울기보다 크다.

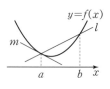

따라서 함수 $y=f(x)$의 그래프로 가장 적당한 것은 ④이다.

답 ④

참고

①, ②와 같이 직선인 경우는 모든 구간에서 직선 l과 m의 기울기가 같다.

③의 경우에는 오른쪽 그림과 같이 직선 l의 기울기가 직선 m의 기울기보다 작다.

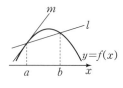

010

ㄱ은 옳다.

$f'(1)$은 점 $(1, f(1))$에서의 접선의 기울기이다. 오른쪽 그림에서 알 수 있듯이 점 $(1, f(1))$에서의 접선의 기울기는 양수이므로 $f'(1)>0$

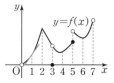

ㄴ도 옳다.

함수 $f(x)$의 그래프가 $x=3$, $x=5$에서 끊어져 있으므로 불연속인 점은 $(3, f(3))$, $(5, f(5))$의 2개이다.

ㄷ은 옳지 않다.

함수 $f(x)$의 그래프가 $x=2$에서 꺾여 있고, $x=3$, $x=5$에서 불연속이므로 미분가능하지 않은 점은 $(2, f(2))$, $(3, f(3))$, $(5, f(5))$의 3개이다.

따라서 옳은 것은 ㄱ, ㄴ이다.

답 ④

풍쌤 비법

함수 $y=f(x)$의 그래프에서

(1) 불연속인 점

➡ 연결되어 있지 않고 끊어져 있는 점

(2) 미분가능하지 않는 점

➡ 불연속인 점, 뾰족한 점

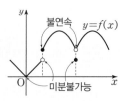

011

ㄱ. $\lim_{x \to 0} f(x) = f(0) = 0$이므로 함수 $f(x)$는 $x=0$에서 연속이다.

$$f'(0) = \lim_{h \to 0} \frac{f(0+h)-f(0)}{h} = \lim_{h \to 0} \frac{|h|^3}{h} = \lim_{h \to 0} \frac{h^2|h|}{h}$$

$$= \lim_{h \to 0} h|h| = 0$$

이므로 함수 $f(x)$는 $x=0$에서의 미분계수가 존재한다.

즉, $x=0$에서 미분가능하다.

ㄴ. $\lim_{x \to 0} f(x) = f(0) = 0$이므로 함수 $f(x)$는 $x=0$에서 연속이다.

$$\lim_{h \to 0-} \frac{f(0+h)-f(0)}{h} = \lim_{h \to 0-} \frac{h+|h|}{h} = \lim_{h \to 0-} \frac{h-h}{h} = 0$$

$$\lim_{h \to 0+} \frac{f(0+h)-f(0)}{h} = \lim_{h \to 0+} \frac{h+|h|}{h} = \lim_{h \to 0+} \frac{h+h}{h}$$

$$= \lim_{h \to 0+} 2 = 2$$

즉, $\lim_{h \to 0-} \frac{f(0+h)-f(0)}{h} \neq \lim_{h \to 0+} \frac{f(0+h)-f(0)}{h}$이므로

$x=0$에서의 미분계수가 존재하지 않는다.

즉, 함수 $f(x)$는 $x=0$에서 미분가능하지 않다.

ㄷ. $f(0)$의 값이 정의되어 있지 않으므로 함수 $f(x)$는 $x=0$에서 불연속이고 미분가능하지 않다.

따라서 $x=0$에서 연속이지만 미분가능하지 않은 함수는 ㄴ이다.

답 ②

012

함수 $f(x)$가 $x=1$에서 미분가능하므로

$$\lim_{x \to 1-} \frac{f(x)-f(1)}{x-1} = \lim_{x \to 1+} \frac{f(x)-f(1)}{x-1}$$

이때

$$\lim_{x \to 1-} \frac{f(x)-f(1)}{x-1} = \lim_{x \to 1-} \frac{ax^2+1-(1+a)}{x-1}$$

$$= \lim_{x \to 1-} \frac{ax^2-a}{x-1}$$

$$= \lim_{x \to 1-} \frac{a(x+1)(x-1)}{x-1}$$

$$= \lim_{x \to 1-} a(x+1) = 2a$$

$$\lim_{x \to 1+} \frac{f(x)-f(1)}{x-1} = \lim_{x \to 1+} \frac{x^4+a-(1+a)}{x-1}$$

$$= \lim_{x \to 1+} \frac{x^4-1}{x-1}$$

$$= \lim_{x \to 1+} \frac{(x+1)(x-1)(x^2+1)}{x-1}$$

$$= \lim_{x \to 1+} (x+1)(x^2+1) = 4$$

이므로

$2a = 4$ $\therefore a = 2$

답 2

참고

주어진 함수는

$\lim_{x \to 1-} f(x) = \lim_{x \to 1-} (ax^2+1) = a+1$,

$\lim_{x \to 1+} f(x) = \lim_{x \to 1+} (x^4+a) = 1+a$,

$f(1) = 1+a$

에서 $\lim_{x \to 1-} f(x) = \lim_{x \to 1+} f(x) = f(1)$이 성립하므로 함수 $f(x)$는 a의 값에 관계없이 항상 $x=1$에서 연속이다.

함수 $f(x)$가 $x=a$에서 미분가능하면

(1) $f(x)$는 $x=a$에서 연속이다.

➡ $\lim_{x \to a-} f(x) = \lim_{x \to a+} f(x) = f(a)$

(2) $f'(a)$가 존재한다.

➡ $\lim_{x \to a-} \frac{f(x)-f(a)}{x-a} = \lim_{x \to a+} \frac{f(x)-f(a)}{x-a}$

다른 풀이

도함수 $f'(x)$를 직접 구하여 다음과 같이 풀 수도 있다.

$$f(x) = \begin{cases} ax^2+1 & (x<1) \\ x^4+a & (x \geq 1) \end{cases}$$ 에서

$$f'(x) = \begin{cases} 2ax & (x<1) \\ 4x^3 & (x>1) \end{cases}$$

함수 $f(x)$가 $x=1$에서 미분가능하므로

$\lim_{x \to 1-} f'(x) = \lim_{x \to 1+} f'(x)$

즉, $\lim_{x \to 1-} 2ax = \lim_{x \to 1+} 4x^3$이므로

$2a = 4$ $\therefore a = 2$

두 다항함수 $f(x)$, $g(x)$에 대하여 함수 $h(x)$가

$$h(x) = \begin{cases} f(x) & (x \geq a) \\ g(x) & (x<a) \end{cases}$$ 일 때, $$h'(x) = \begin{cases} f'(x) & (x>a) \\ g'(x) & (x<a) \end{cases}$$ 이다.

이때 함수 $h(x)$가 $x=a$에서 미분가능하면

$h'(a) = \lim_{x \to a+} f'(x) = \lim_{x \to a-} g'(x)$이다.

013

$$f(x) = \begin{cases} -(x-a)(x+2) & (x<-2) \\ (x-a)(x+2) & (x \geq -2) \end{cases}$$

함수 $f(x)$가 실수 전체의 집합에서 미분가능하므로 $x=-2$에서 미분가능하다.

따라서

$$\lim_{h \to 0-} \frac{f(-2+h)-f(-2)}{h} = \lim_{h \to 0+} \frac{f(-2+h)-f(-2)}{h} = f'(-2)$$

이고

$$\lim_{h \to 0-} \frac{f(-2+h)-f(-2)}{h}$$

$$= \lim_{h \to 0-} \frac{-(-2+h-a)(-2+h+2)-0}{h}$$

$$= \lim_{h \to 0-} \frac{(a-h+2)h}{h}$$

$$= \lim_{h \to 0-} (a-h+2) = a+2$$

$$\lim_{h \to 0+} \frac{f(-2+h)-f(-2)}{h}$$

$$= \lim_{h \to 0+} \frac{(-2+h-a)(-2+h+2)-0}{h}$$

$$= \lim_{h \to 0+} \frac{(h-a-2)h}{h}$$

$$= \lim_{h \to 0+} (h-a-2) = -a-2$$

이므로

$a+2 = -a-2 = f'(-2)$

$a+2=-a-2$에서 $2a=-4$ $\therefore a=-2$

$\therefore f'(-2)=a+2=-2+2=0$

$\therefore a+f'(-2)=-2$

답 ④

014

ㄱ. $f(x)=\begin{cases} -x-1 & (x<-1) \\ x+1 & (x\geq -1) \end{cases}$ 이므로

함수 $y=f(x)$의 그래프는 오른쪽 그
림과 같다.

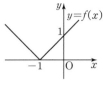

따라서 함수 $f(x)$는 $x=-1$에서 미

분가능하지 않다.

ㄴ. $g(x)=xf(x)$라고 하면

$\displaystyle\lim_{x\to -1-}g(x)=\lim_{x\to -1-}x(-x-1)=0,$

$\displaystyle\lim_{x\to -1+}g(x)=\lim_{x\to -1+}x(x+1)=0, g(-1)=0$에서

$\displaystyle\lim_{x\to -1}g(x)=g(-1)$이므로 함수 $g(x)$는 $x=-1$에서 연속이

다.

$\displaystyle\lim_{h\to 0-}\frac{g(-1+h)-g(-1)}{h}=\lim_{h\to 0-}\frac{\overbrace{(-1+h)(-h)}^{(-1+h)(1-h-1)}-0}{h}$

$=\displaystyle\lim_{h\to 0-}(1-h)=1$

$\displaystyle\lim_{h\to 0+}\frac{g(-1+h)-g(-1)}{h}=\lim_{h\to 0+}\frac{\overbrace{(-1+h)h}^{(-1+h)(-1+h+1)}-0}{h}$

$=\displaystyle\lim_{h\to 0+}(-1+h)=-1$

에서

$\displaystyle\lim_{h\to 0-}\frac{g(-1+h)-g(-1)}{h}\neq\lim_{h\to 0+}\frac{g(-1+h)-g(-1)}{h}$

이므로 함수 $g(x)$는 $x=-1$에서의 미분계수가 존재하지 않는

다.

즉, 함수 $g(x)$는 $x=-1$에서 미분가능하지 않다.

ㄷ. $p(x)=(x+1)f(x)$라고 하면

$\displaystyle\lim_{x\to -1-}p(x)=\lim_{x\to -1-}(x+1)(-x-1)=0,$

$\displaystyle\lim_{x\to -1+}p(x)=\lim_{x\to -1+}(x+1)(x+1)=0, p(-1)=0$에서

$\displaystyle\lim_{x\to -1}p(x)=p(-1)$이므로 함수 $p(x)$는 $x=-1$에서 연속이

다.

$\displaystyle\lim_{h\to 0-}\frac{p(-1+h)-p(-1)}{h}=\lim_{h\to 0-}\frac{\overbrace{-h^2}^{(-1+h+1)(1-h-1)}-0}{h}$

$=\displaystyle\lim_{h\to 0-}(-h)=0$

$\displaystyle\lim_{h\to 0+}\frac{p(-1+h)-p(-1)}{h}=\lim_{h\to 0+}\frac{\overbrace{h^2}^{(-1+h+1)(-1+h+1)}-0}{h}$

$=\displaystyle\lim_{h\to 0+}h=0$

에서

$\displaystyle\lim_{h\to 0-}\frac{p(-1+h)-p(-1)}{h}=\lim_{h\to 0+}\frac{p(-1+h)-p(-1)}{h}$

이므로 함수 $p(x)$는 $x=-1$에서의 미분계수가 존재한다.

즉, 함수 $p(x)$는 $x=-1$에서 미분가능하다.

ㄹ. $k(x)=(x^2-2x-3)f(x)$라고 하면 함수 $y=x^2-2x-3$과

$f(x)$가 모두 $x=-1$에서 연속이므로 연속함수의 성질에 의하

여 함수 $k(x)$도 $x=-1$에서 연속이다.

$\displaystyle\lim_{h\to 0-}\frac{k(-1+h)-k(-1)}{h}=\lim_{h\to 0-}\frac{\overbrace{(h^2-4h)\times(-h)}^{\{(-1+h)^2-2(-1+h)-3\}(1-h-1)}-0}{h}$

$=\displaystyle\lim_{h\to 0-}(-h^2+4h)=0$

$\displaystyle\lim_{h\to 0+}\frac{k(-1+h)-k(-1)}{h}=\lim_{h\to 0+}\frac{\overbrace{(h^2-4h)h}^{\{(-1+h)^2-2(-1+h)-3\}(-1+h+1)}-0}{h}$

$=\displaystyle\lim_{h\to 0+}(h^2-4h)=0$

에서

$\displaystyle\lim_{h\to 0-}\frac{k(-1+h)-k(-1)}{h}=\lim_{h\to 0+}\frac{k(-1+h)-k(-1)}{h}$

이므로 함수 $k(x)$는 $x=-1$에서의 미분계수가 존재한다.

즉, 함수 $k(x)$는 $x=-1$에서 미분가능하다.

따라서 $x=-1$에서 미분가능한 것은 ㄷ, ㄹ이다.

답 ⑤

015

$f(x)=\begin{cases} 0 & (x<-1 \text{ 또는 } x\geq 1) \\ x+1 & (-1\leq x<0) \\ 2 & (x=0) \\ -x+1 & (0<x<1) \end{cases}$

ㄱ. $\displaystyle\lim_{x\to 0-}g(x)=\lim_{x\to 0-}x(x+1)=0,$

$\displaystyle\lim_{x\to 0+}g(x)=\lim_{x\to 0+}x(-x+1)=0, g(0)=0$에서

$\displaystyle\lim_{x\to 0}g(x)=g(0)$이므로 함수 $g(x)$는 $x=0$에서 연속이다.

$\displaystyle\lim_{x\to 0-}\frac{g(x)-g(0)}{x-0}=\lim_{x\to 0-}\frac{x(x+1)}{x}=\lim_{x\to 0-}(x+1)=1,$

$\displaystyle\lim_{x\to 0+}\frac{g(x)-g(0)}{x-0}=\lim_{x\to 0+}\frac{x(-x+1)}{x}=\lim_{x\to 0+}(-x+1)=1$

에서 $\displaystyle\lim_{x\to 0-}\frac{g(x)-g(0)}{x-0}=\lim_{x\to 0+}\frac{g(x)-g(0)}{x-0}$이므로 함수

$g(x)$는 $x=0$에서의 미분계수가 존재한다.

즉, 함수 $g(x)$는 $x=0$에서 미분가능하다.

ㄴ. $\displaystyle\lim_{x\to 0-}h(x)=\lim_{x\to 0-}(x-2)(x+1)=-2,$

$\displaystyle\lim_{x\to 0+}h(x)=\lim_{x\to 0+}(x-2)(-x+1)=-2,$

$h(0)=-2\times 2=-4$에서 $\displaystyle\lim_{x\to 0}h(x)\neq h(0)$이므로 함수

$h(x)$는 $x=0$에서 불연속이다.

따라서 $x=0$에서 미분가능하지 않다.

ㄷ. $\displaystyle\lim_{x\to 0-}k(x)=\lim_{x\to 0-}-x(x+1)=0,$

$\displaystyle\lim_{x\to 0+}k(x)=\lim_{x\to 0+}x(-x+1)=0, k(0)=0\times 2=0$에서

$\displaystyle\lim_{x\to 0}k(x)=k(0)$이므로 함수 $k(x)$는 $x=0$에서 연속이다.

$\displaystyle\lim_{x\to 0-}\frac{k(x)-k(0)}{x-0}=\lim_{x\to 0-}\frac{-x(x+1)}{x}$

$=\displaystyle\lim_{x\to 0-}(-x-1)=-1,$

$\displaystyle\lim_{x\to 0+}\frac{k(x)-k(0)}{x-0}=\lim_{x\to 0+}\frac{x(-x+1)}{x}=\lim_{x\to 0+}(-x+1)=1$

에서 $\displaystyle\lim_{x\to 0-}\frac{k(x)-k(0)}{x-0}\neq\lim_{x\to 0+}\frac{k(x)-k(0)}{x-0}$이므로 함수

$k(x)$는 $x=0$에서의 미분계수가 존재하지 않는다.

즉, 함수 $k(x)$는 $x=0$에서 미분가능하지 않다.

따라서 $x=0$에서 미분가능한 함수는 ㄱ이다.

답 ①

016

$$\lim_{h \to 0} \frac{f(3+h)-f(3)}{h}=f'(3)$$

이때 $f'(x)=2x+5$이므로 구하는 값은

$f'(3)=2\times 3+5=11$

답 11

다른 풀이

$f(x)=x^2+5x+6$이므로

$$\lim_{h \to 0} \frac{f(3+h)-f(3)}{h}=\lim_{h \to 0} \frac{(3+h)^2+5(3+h)+6-30}{h}$$
$$=\lim_{h \to 0} \frac{h^2+11h}{h}$$
$$=\lim_{h \to 0} (h+11)=11$$

017

$f(x)=2x^3-3x$라고 하면 $f(1)=-1$이므로

$$\lim_{x \to 1} \frac{2x^3-3x+1}{x-1}=\lim_{x \to 1} \frac{f(x)-f(1)}{x-1}=f'(1)$$

이때 $f'(x)=6x^2-3$이므로 구하는 값은

$f'(1)=6-3=3$

답 3

참고

치환을 이용하여 극한값을 구할 때에는 다음 순서로 한다.

(i) 주어진 식의 일부를 $f(x)$로 놓는다.

(ii) 미분계수를 이용할 수 있도록 식을 변형한다.

다른 풀이

$$\lim_{x \to 1} \frac{2x^3-3x+1}{x-1}=\lim_{x \to 1} \frac{(x-1)(2x^2+2x-1)}{x-1}$$
$$=\lim_{x \to 1} (2x^2+2x-1)$$
$$=2+2-1=3$$

간단 풀이

$$\lim_{x \to 1} \frac{2x^3-3x+1}{x-1}=\lim_{x \to 1} \frac{(2x^3-3x+1)'}{(x-1)'}=\lim_{x \to 1} \frac{6x^2-3}{1}=3$$

참고

로피탈의 정리(교과과정 외)

두 함수 $f(x)$, $g(x)$가 미분가능하고 $f(a)=g(a)=0$이면

$$\lim_{x \to a} \frac{f(x)}{g(x)}=\lim_{x \to a} \frac{f'(x)}{g'(x)} \text{ (단, } g'(a)\neq 0)$$

018

$f(x)=x^3-3x^2-45x+7$이므로

$f'(x)=3x^2-6x-45$

방정식 $f'(x)=0$, 즉 $3x^2-6x-45=0$의 두 근이 α, β이므로 이차방정식의 근과 계수의 관계에 의하여

$\alpha+\beta=-\dfrac{-6}{3}=2$, $\alpha\beta=\dfrac{-45}{3}=-15$

$\therefore f(\alpha+\beta)+f\left(\dfrac{\alpha\beta}{3}\right)=f(2)+f(-5)$
$$=-87+32=-55$$

답 -55

019

점 $(-1, -1)$이 $y=f(x)$의 그래프 위의 점이므로

$a-b-3=-1$ $\quad \therefore a-b=2$ $\qquad \cdots\cdots$ ㉠

$f(x)=ax^2+bx-3$에서

$f'(x)=2ax+b$

점 $(-1, -1)$에서의 접선의 기울기가 -3이므로

$f'(-1)=-2a+b=-3$ $\qquad \cdots\cdots$ ㉡

㉠, ㉡을 연립하여 풀면 $a=1$, $b=-1$

따라서 $f'(x)=2x-1$이므로

$f'(1)=1$

답 ①

020

$\lim\limits_{x \to 3} \dfrac{f(x-2)-4}{x-3}=6$에서 $x-2=t$라고 하면 $x \to 3$일 때 $t \to 1$

이므로

$$\lim_{x \to 3} \frac{f(x-2)-4}{x-3}=\lim_{t \to 1} \frac{f(t)-4}{t-1}=6$$

이때 $t \to 1$일 때 극한값이 존재하고 (분모) $\to 0$이므로

(분자) $\to 0$이어야 한다.

즉, $\lim\limits_{t \to 1} \{f(t)-4\}=0$이므로 $f(1)=4$

$f(x)=x^3+ax^2+bx+5$이므로

$1+a+b+5=4$ $\quad \therefore a+b=-2$ $\qquad \cdots\cdots$ ㉠

또, $\lim\limits_{t \to 1} \dfrac{f(t)-4}{t-1}=\lim\limits_{t \to 1} \dfrac{f(t)-f(1)}{t-1}=6$에서 $f'(1)=6$이고

$f'(x)=3x^2+2ax+b$이므로

$3+2a+b=6$ $\quad \therefore 2a+b=3$ $\qquad \cdots\cdots$ ㉡

㉠, ㉡을 연립하여 풀면 $a=5$, $b=-7$

따라서 $f(x)=x^3+5x^2-7x+5$이므로

$f(3)=27+45-21+5=56$

답 ③

021

함수 $y=f(x)$의 그래프 위의 점 $(3, 4)$에서의 접선이 원점을 지나므로

$f(3)=4$, $f'(3)=\dfrac{4-0}{3-0}=\dfrac{4}{3}$

$g(x)=2x^2f(x)$에서 ┌── 점 $(3, 4)$에서의 접선의 기울기는 두 점 $(3, 4)$,

$g'(x)=4xf(x)+2x^2f'(x)$ $(0, 0)$을 지나는 직선의 기울기와 같다.

$\therefore g'(3)=12f(3)+18f'(3)$
$$=12\times 4+18\times \frac{4}{3}=72$$

답 ⑤

022

조건 ㈎에서 $(x^2-2x+1)f(x)=g(x)$이므로 이 식의 양변에 $x=2$를 대입하면

$f(2)=g(2)=-2$ ($\because$ 조건 ㈏)

$(x^2-2x+1)f(x)=g(x)$의 양변을 x에 대하여 미분하면

$(2x-2)f(x)+(x^2-2x+1)f'(x)=g'(x)$

위의 식의 양변에 $x=2$를 대입하면

$2f(2)+f'(2)=g'(2)$

$-4+f'(2)=2$ ($\because$ 조건 (나)) $\therefore f'(2)=6$

달 6

다른 풀이

조건 (가)에서 $(x^2-2x+1)f(x)=g(x)$이므로 $x\neq1$일 때 이 식의 양변을 x^2-2x+1로 나누면

$f(x)=\dfrac{g(x)}{x^2-2x+1}=\dfrac{g(x)}{(x-1)^2}$

$\therefore f'(2)=\lim\limits_{x\to2}\dfrac{f(x)-f(2)}{x-2}=\lim\limits_{x\to2}\dfrac{g(x)-g(2)(x-1)^2}{(x-2)(x-1)^2}$

$\quad=\lim\limits_{x\to2}\dfrac{g(x)-g(2)-g(2)\{(x-1)^2-1\}}{(x-2)(x-1)^2}$

$\quad=\lim\limits_{x\to2}\dfrac{g(x)-g(2)-g(2)(x^2-2x)}{(x-2)(x-1)^2}$

$\quad=\lim\limits_{x\to2}\dfrac{g(x)-g(2)}{x-2}\times\lim\limits_{x\to2}\dfrac{1}{(x-1)^2}-g(2)\lim\limits_{x\to2}\dfrac{x}{(x-1)^2}$

$\quad=g'(2)\times1-g(2)\times2=2\times1-(-2)\times2=6$

023

$f(x)=\dfrac{1}{18}(x^2-3)(x-2)$에서 $f(3)=\dfrac{1}{3}$이므로

$\lim\limits_{x\to3}\dfrac{6f(x)-2}{x^2-2x-3}=\lim\limits_{x\to3}\dfrac{6\left\{f(x)-\dfrac{1}{3}\right\}}{(x+1)(x-3)}$

$\quad=\lim\limits_{x\to3}\dfrac{6\{f(x)-f(3)\}}{(x+1)(x-3)}$

$\quad=\lim\limits_{x\to3}\dfrac{6}{x+1}\times\lim\limits_{x\to3}\dfrac{f(x)-f(3)}{x-3}$

$\quad=\dfrac{3}{2}\times f'(3)$

$f(x)=\dfrac{1}{18}(x^2-3)(x-2)$에서

$f'(x)=\dfrac{1}{18}\times2x\times(x-2)+\dfrac{1}{18}(x^2-3)$

$\quad=\dfrac{1}{18}(3x^2-4x-3)$

따라서 $f'(3)=\dfrac{2}{3}$이므로

$\lim\limits_{x\to3}\dfrac{6f(x)-2}{x^2-2x-3}=\dfrac{3}{2}\times f'(3)=\dfrac{3}{2}\times\dfrac{2}{3}=1$

달 ④

다른 풀이

$f(x)=\dfrac{1}{18}(x^2-3)(x-2)$이므로

$6f(x)-2=\dfrac{1}{3}(x^2-3)(x-2)-2=\dfrac{1}{3}\{(x^2-3)(x-2)-6\}$

$\quad=\dfrac{1}{3}(x^3-2x^2-3x)=\dfrac{1}{3}x(x^2-2x-3)$

$\therefore\lim\limits_{x\to3}\dfrac{6f(x)-2}{x^2-2x-3}=\lim\limits_{x\to3}\dfrac{\dfrac{1}{3}x(x^2-2x-3)}{x^2-2x-3}$

$\quad=\lim\limits_{x\to3}\dfrac{1}{3}x=1$

024

$\lim\limits_{x\to2}\dfrac{f(x)-5}{x-2}=8$에서 $x\to2$일 때 극한값이 존재하고

(분모) $\to0$이므로 (분자) $\to0$이어야 한다.

즉, $\lim\limits_{x\to2}\{f(x)-5\}=0$이므로 $f(2)=5$

따라서 $\lim\limits_{x\to2}\dfrac{f(x)-5}{x-2}=\lim\limits_{x\to2}\dfrac{f(x)-f(2)}{x-2}=8$이므로

$f'(2)=8$

$\lim\limits_{x\to2}\dfrac{g(x)+3}{x-2}=10$에서 $x\to2$일 때 극한값이 존재하고

(분모) $\to0$이므로 (분자) $\to0$이어야 한다.

즉, $\lim\limits_{x\to2}\{g(x)+3\}=0$이므로 $g(2)=-3$

따라서 $\lim\limits_{x\to2}\dfrac{g(x)+3}{x-2}=\lim\limits_{x\to2}\dfrac{g(x)-g(2)}{x-2}=10$이므로

$g'(2)=10$

$y=f(x)g(x)$에서

$y'=f'(x)g(x)+f(x)g'(x)$

이므로 $x=2$에서의 미분계수는

$f'(2)g(2)+f(2)g'(2)=8\times(-3)+5\times10=26$

달 ④

풍쌤 비법

다항함수 $f(x)$에 대하여 $\lim\limits_{x\to a}\dfrac{f(x)-b}{x-a}=c$의 조건이 주어지면 $f(a)$, $f'(a)$의 값을 구할 수 있다. (단, a, b, c는 상수이다.)

(1) $x\to a$일 때 극한값이 존재하고 (분모) $\to0$이므로 (분자) $\to0$이다. ➡ $f(a)=b$

(2) $\lim\limits_{x\to a}\dfrac{f(x)-b}{x-a}=\lim\limits_{x\to a}\dfrac{f(x)-f(a)}{x-a}=f'(a)$ ➡ $f'(a)=c$

025

$\lim\limits_{x\to1}\dfrac{f(x)-4}{x-1}=5$에서 $x\to1$일 때 극한값이 존재하고

(분모) $\to0$이므로 (분자) $\to0$이어야 한다.

즉, $\lim\limits_{x\to1}\{f(x)-4\}=0$이므로 $f(1)=4$

따라서 $\lim\limits_{x\to1}\dfrac{f(x)-4}{x-1}=\lim\limits_{x\to1}\dfrac{f(x)-f(1)}{x-1}=5$이므로

$f'(1)=5$

한편 모든 실수 x에 대하여 $f(x)=-f(-x)$이므로

$f(-1)=-f(1)=-4$

$f'(-x)=\lim\limits_{h\to0}\dfrac{f(-x+h)-f(-x)}{h}$

$\quad=\lim\limits_{h\to0}\dfrac{-f(x-h)+f(x)}{h}$

$\quad=\lim\limits_{h\to0}\dfrac{f(x-h)-f(x)}{-h}$

$\quad=f'(x)$

이므로

$f'(-1)=f'(1)=5$

$g(x)=\{f(x)\}^2=f(x)f(x)$에서

$g'(x)=f'(x)f(x)+f(x)f'(x)=2f(x)f'(x)$

$\therefore g'(-1)=2f(-1)f'(-1)=2\times(-4)\times5=-40$

달 ②

026

$f(x)=x^4+ax^3+bx-8$이라 하고 $f(x)$를 $(x+2)^2$으로 나누었을 때의 몫을 $Q(x)$라고 하면

$f(x)=(x+2)^2Q(x)-4x-8$ ...... ㉠

㉠의 양변에 $x=-2$를 대입하면 $f(-2)=0$

즉, $16-8a-2b-8=0$이므로

$4a+b=4$ ...... ㉡

㉠의 양변을 x에 대하여 미분하면

$f'(x)=2(x+2)Q(x)+(x+2)^2Q'(x)-4$

위의 식의 양변에 $x=-2$를 대입하면 $f'(-2)=-4$

한편 $f(x)=x^4+ax^3+bx-8$에서

$f'(x)=4x^3+3ax^2+b$

이므로 $f'(-2)=12a+b-32$

즉, $12a+b-32=-4$이므로

$12a+b=28$ ...... ㉢

㉡, ㉢을 연립하여 풀면 $a=3$, $b=-8$

$\therefore a+b=-5$

답 ②

027

▶ 접근

주어진 극한식의 분자에 $f(1+3h)g(1+3h)$가 있으므로 $f(x)g(x)=F(x)$로 놓고 $F(a)=0$을 만족시키는 a의 값을 찾은 후,

$\lim\limits_{h\to 0}\dfrac{f(1+3h)g(1+3h)}{h}=\lim\limits_{h\to 0}\dfrac{F(1+3h)-F(a)}{3h}\times 3=3F'(a)$

임을 이용한다.

$F(x)=f(x)g(x)$라고 하면

$F(x)=(x^3-2x+4)(-3x^2+2x+1)$

$F(1)=(1-2+4)(-3+2+1)=0$

이므로

$\lim\limits_{h\to 0}\dfrac{f(1+3h)g(1+3h)}{h}=\lim\limits_{h\to 0}\dfrac{F(1+3h)-F(1)}{h}$

$=\lim\limits_{h\to 0}\dfrac{F(1+3h)-F(1)}{3h}\times 3$

$=3F'(1)$

$F(x)=(x^3-2x+4)(-3x^2+2x+1)$에서

$F'(x)=(3x^2-2)(-3x^2+2x+1)+(x^3-2x+4)(-6x+2)$

이므로

$F'(1)=(3-2)(-3+2+1)+(1-2+4)(-6+2)=-12$

$\therefore \lim\limits_{h\to 0}\dfrac{f(1+3h)g(1+3h)}{h}=3F'(1)=-36$

답 ⑤

028

오른쪽 그림에서

$f(b)=a$, $f(c)=b$, $f(d)=c$,

$f(e)=d$, $f(f)=e$

이므로

$g(a)=b$, $g(b)=c$, $g(c)=d$,

$g(d)=e$, $g(e)=f$

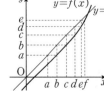

따라서 x의 값이 a에서 d까지 변할 때의 함수 $g(x)$의 평균변화율은

$\dfrac{g(d)-g(a)}{d-a}=\dfrac{e-b}{d-a}$

답 ③

029

$f^1(x)=f(x)=-\dfrac{1}{x-1}$

$f^2(x)=(f\circ f)(x)=f(f(x))=-\dfrac{1}{-\dfrac{1}{x-1}-1}=\dfrac{x-1}{x}$

$f^3(x)=(f\circ f^2)(x)=f(f^2(x))=-\dfrac{1}{\dfrac{x-1}{x}-1}=x$

$f^4(x)=(f\circ f^3)(x)=f(f^3(x))=-\dfrac{1}{x-1}=f(x)$

$f^5(x)=(f\circ f^4)(x)=f(f^4(x))=f(f(x))=f^2(x)$

$\vdots$

$f^n(x)$ $(n=1, 2, 3, \cdots)$는 $f^1(x)$, $f^2(x)$, $f^3(x)$가 차례로 반복되므로

$\underbrace{f^{11}(x)=f^2(x)}=\dfrac{x-1}{x}$────$11=3\times 3+2$

$\therefore g(x)=\dfrac{x-1}{x}$

따라서 x의 값이 -1에서 2까지 변할 때의 함수 $g(x)$의 평균변화율은

$\dfrac{g(2)-g(-1)}{2-(-1)}=\dfrac{\dfrac{1}{2}-2}{3}=-\dfrac{1}{2}$

답 ②

참고

자연수 k에 대하여

$f^{3k-2}(x)=-\dfrac{1}{x-1}$, $f^{3k-1}(x)=\dfrac{x-1}{x}$, $f^{3k}(x)=x$

이때 $11=3\times 4-1$이므로

$f^{11}(x)=\dfrac{x-1}{x}$

030

함수 $f(x)=x^2+3x-5$의 그래프와 직선 $y=mx$가 만나는 두 점의 x좌표가 각각 a, b $(a<b)$이므로 구간 $[a, b]$에서 함수 $f(x)$의 평균변화율은 두 점 $(a, f(a))$, $(b, f(b))$를 지나는 직선의 기울기와 같다.

두 점 $(a, f(a))$, $(b, f(b))$가 직선 $y=mx$ 위에 있으므로 이 두 점을 지나는 직선의 기울기는 m이다.

$\therefore m=-1$

함수 $f(x)=x^2+3x-5$의 그래프와 직선 $y=-x$의 교점의 x좌표를 구하면

$x^2+3x-5=-x$, $x^2+4x-5=0$

$(x+5)(x-1)=0$ $\therefore x=-5$ 또는 $x=1$

$a<b$이므로 $a=-5$, $b=1$

구간 $[a+b, 3]$, 즉 $[-4, 3]$에서 함수 $f(x)$의 평균변화율은

$\dfrac{f(3)-f(-4)}{3-(-4)}=\dfrac{13-(-1)}{7}=2$

답 2

031

▸ 접근
주어진 극한식에서 $x-3=t$로 치환한 후, 함수의 극한의 성질과 식의 변형을 이용하여 극한값을 구한다.

$\displaystyle\lim_{x\to 3}\frac{f(x-3)}{x-3}=2$에서 $x-3=t$라고 하면 $x\to 3$일 때 $t\to 0$이므로

$$\lim_{x\to 3}\frac{f(x-3)}{x-3}=\lim_{t\to 0}\frac{f(t)}{t}=2$$

이때 $t\to 0$일 때 극한값이 존재하고 (분모) $\to 0$이므로 (분자) $\to 0$이어야 한다.

즉, $\displaystyle\lim_{t\to 0}f(t)=0$이므로 $f(0)=0$

따라서 $\displaystyle\lim_{t\to 0}\frac{f(t)}{t}=\lim_{t\to 0}\frac{f(t)-f(0)}{t-0}=2$이므로

$f'(0)=2$

$$\begin{aligned}
\therefore \lim_{x\to 0}\frac{\{f(x)\}^2}{x\{x+2f(x)\}}&=\lim_{x\to 0}\frac{f(x)}{x}\times\lim_{x\to 0}\frac{f(x)}{x+2f(x)}\\
&=\lim_{x\to 0}\frac{f(x)}{x}\times\lim_{x\to 0}\frac{\dfrac{f(x)}{x}}{1+2\dfrac{f(x)}{x}}\\
&=f'(0)\times\frac{f'(0)}{1+2f'(0)}\\
&=2\times\frac{2}{1+2\times 2}=\frac{4}{5}
\end{aligned}$$

답 ④

032

조건 (가)에서 모든 실수 x에 대하여 $f(-x)=-f(x)$이므로

$f(3)=-f(-3)$ ...... ㉠

조건 (나)에서 $\displaystyle\lim_{h\to 0}\frac{f(-3+2h)+f(3)}{3h}=10$이므로

$$\begin{aligned}
&\lim_{h\to 0}\frac{f(-3+2h)+f(3)}{3h}\\
&=\lim_{h\to 0}\frac{f(-3+2h)-f(-3)}{2h}\times\frac{2}{3}\;(\because \text{㉠})\\
&=\frac{2}{3}f'(-3)=10
\end{aligned}$$

$\therefore f'(-3)=15$

$$\begin{aligned}
\therefore \lim_{x\to -3}\frac{f(x)+f(3)}{x^3+27}
&=\lim_{x\to -3}\frac{f(x)-f(-3)}{(x+3)(x^2-3x+9)}\;(\because \text{㉠})\\
&=\lim_{x\to -3}\frac{f(x)-f(-3)}{x-(-3)}\times\lim_{x\to -3}\frac{1}{x^2-3x+9}\\
&=f'(-3)\times\frac{1}{27}=15\times\frac{1}{27}=\frac{5}{9}
\end{aligned}$$

답 ④

033

ㄱ은 옳다.

x의 값이 a에서 b까지 변할 때의 함수 $f(x)$의 평균변화율은

$$\frac{f(b)-f(a)}{b-a}$$

이것은 두 점 $(a,\,f(a))$, $(b,\,f(b))$를 지나는 직선의 기울기이고 오른쪽 그림에서 알 수 있듯이 1보다 크다.

즉, $\dfrac{f(b)-f(a)}{b-a}>1$이므로

$f(b)-f(a)>b-a\;(\because b-a>0)$

ㄴ은 옳지 않다.

$f'(b)$는 곡선 $y=f(x)$ 위의 점 $(b,\,f(b))$에서의 접선의 기울기이고 오른쪽 그림에서 알 수 있듯이 1보다 크다.

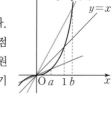

$\therefore f'(b)>1$

ㄷ도 옳지 않다.

$\dfrac{f(a)}{a}=\dfrac{f(a)-0}{a-0}$에서 $\dfrac{f(a)}{a}$는 원점과 점 $(a,\,f(a))$를 지나는 직선의 기울기이다.

마찬가지로 $\dfrac{f(b)}{b}$는 원점과 점 $(b,\,f(b))$를 지나는 직선의 기울기이다. 오른쪽 그림에서 알 수 있듯이 원점과 점 $(b,\,f(b))$를 지나는 직선의 기울기가 원점과 점 $(a,\,f(a))$를 지나는 직선의 기울기보다 크다.

$\therefore \dfrac{f(a)}{a}<\dfrac{f(b)}{b}$

따라서 옳은 것은 ㄱ이다.

답 ①

034

$f(x+y)=f(x)+f(y)+2xy(x+y)+2$ ...... ㉠

㉠의 양변에 $x=0$, $y=0$을 대입하면

$f(0)=f(0)+f(0)+2$ ∴ $f(0)=-2$ ...... ㉡

㉠에 $x=2$, $y=h\,(h\neq 0)$를 대입하면

$f(2+h)=f(2)+f(h)+4h(2+h)+2$

$f(2+h)-f(2)=f(h)-(-2)+4h(2+h)$

양변을 h로 나누면

$\dfrac{f(2+h)-f(2)}{h}=\dfrac{f(h)-f(0)}{h}+4(2+h)\;(\because \text{㉡})$

$\displaystyle\lim_{h\to 0}\frac{f(2+h)-f(2)}{h}=\lim_{h\to 0}\left\{\frac{f(h)-f(0)}{h}+4(2+h)\right\}$

$f'(2)=f'(0)+8$

이때 $f'(2)=9$이므로 $f'(0)=1$

㉠의 양변에 $x=1$, $y=h\,(h\neq 0)$를 대입하면

$f(1+h)=f(1)+f(h)+2h(1+h)+2$

$f(1+h)-f(1)=f(h)-(-2)+2h(1+h)$

양변을 h로 나누면

$\dfrac{f(1+h)-f(1)}{h}=\dfrac{f(h)-f(0)}{h}+2(1+h)\;(\because \text{㉡})$

$\displaystyle\lim_{h\to 0}\frac{f(1+h)-f(1)}{h}=\lim_{h\to 0}\left\{\frac{f(h)-f(0)}{h}+2(1+h)\right\}$

$f'(1)=f'(0)+2$

이때 $f'(0)=1$이므로
$f'(1)=3$

답 ⑤

참고
㉠의 양변에 $y=h\ (h\ne 0)$를 대입하면
$f(x+h)=f(x)+f(h)+2xh(x+h)+2$
$f(x+h)-f(x)=f(h)-(-2)+2xh(x+h)$
양변을 h로 나누면
$$\frac{f(x+h)-f(x)}{h}=\frac{f(h)-(-2)}{h}+2x(x+h)$$
$$\lim_{h\to 0}\frac{f(x+h)-f(x)}{h}=\lim_{h\to 0}\left\{\frac{f(h)-f(0)}{h}+2(x+h)\right\}\ (\because ㉡)$$
$$\therefore f'(x)=f'(0)+2x=2x+1\ (\because f'(0)=1)$$

035

$f(x+y)=f(x)+f(y)+3$ ......㉠
㉠의 양변에 $x=0,\ y=0$을 대입하면
$f(0)=f(0)+f(0)+3$ $\therefore f(0)=-3$ ......㉡
㉠의 양변에 $x=1,\ y=h\ (h\ne 0)$를 대입하면
$f(1+h)=f(1)+f(h)+3$
$f(1+h)-f(1)=f(h)-(-3)$
양변을 h로 나누면
$$\frac{f(1+h)-f(1)}{h}=\frac{f(h)-f(0)}{h}\ (\because ㉡)$$
$$\lim_{h\to 0}\frac{f(1+h)-f(1)}{h}=\lim_{h\to 0}\frac{f(h)-f(0)}{h}$$
$$\therefore f'(1)=f'(0)=5\ (\because f'(0)=5)$$
㉠의 양변에 $x=3,\ y=h\ (h\ne 0)$를 대입하면
$f(3+h)=f(3)+f(h)+3$
$f(3+h)-f(3)=f(h)-(-3)$
양변을 h로 나누면
$$\frac{f(3+h)-f(3)}{h}=\frac{f(h)-f(0)}{h}\ (\because ㉡)$$
$$\lim_{h\to 0}\frac{f(3+h)-f(3)}{h}=\lim_{h\to 0}\frac{f(h)-f(0)}{h}$$
$$\therefore f'(3)=f'(0)=5\ (\because f'(0)=5)$$
같은 방법으로 계속하면
$f'(5)=f'(7)=f'(9)=\cdots=f'(19)=5$
$$\therefore f'(1)+f'(3)+f'(5)+\cdots+f'(19)=5\times 10=50$$

답 50

참고
㉠의 양변에 $y=h\ (h\ne 0)$를 대입하면
$f(x+h)=f(x)+f(h)+3$
$f(x+h)-f(x)=f(h)-(-3)$
양변을 h로 나누면
$$\frac{f(x+h)-f(x)}{h}=\frac{f(h)-(-3)}{h}$$
$$\lim_{h\to 0}\frac{f(x+h)-f(x)}{h}=\lim_{h\to 0}\frac{f(h)-f(0)}{h}\ (\because ㉡)$$
$$\therefore f'(x)=f'(0)=5\ (\because f'(0)=5)$$

036

$f(x+y)=f(x)+f(y)+xy(3x+3y+2)$ ......㉠
㉠의 양변에 $x=0,\ y=0$을 대입하면
$f(0)=f(0)+f(0)$ $\therefore f(0)=0$
㉠의 양변에 $x=2,\ y=-1$을 대입하면
$f(1)=f(2)+f(-1)-2(6-3+2)$
$\therefore f(-1)-f(1)=-2\ (\because f(2)=12)$ ......㉡
㉠의 양변에 $x=-1,\ y=h\ (h\ne 0)$를 대입하면
$f(-1+h)=f(-1)+f(h)-h(-3+3h+2)$
$f(-1+h)-f(-1)=f(h)-h(3h-1)$
양변을 h로 나누면
$$\frac{f(-1+h)-f(-1)}{h}=\frac{f(h)}{h}-(3h-1)$$
$$\lim_{h\to 0}\frac{f(-1+h)-f(-1)}{h}=\lim_{h\to 0}\left\{\frac{f(h)-f(0)}{h}-(3h-1)\right\}$$
$$(\because f(0)=0)$$
$f'(-1)=f'(0)+1$
$\therefore f'(-1)-f'(0)=1$ ......㉢
$$\therefore \lim_{x\to 1}\{f'(-x)-f'(x-1)+f(3x-4)-f(x)\}$$
$$=f'(-1)-f'(0)+f(-1)-f(1)$$
$$=1-2=-1\ (\because ㉡,\ ㉢)$$

답 ⑤

037

$\dfrac{1}{n}=h$라고 하면 $n\to\infty$일 때 $h\to 0$이므로
$$\lim_{n\to\infty}n\left\{f\left(1+\frac{1}{n}\right)g\left(1+\frac{3}{n}\right)-f(1)g(1)\right\}$$
$$=\lim_{h\to 0}\frac{1}{h}\{f(1+h)g(1+3h)-f(1)g(1)\}$$
$$=\lim_{h\to 0}\frac{f(1+h)\{g(1+3h)-g(1)\}+f(1+h)g(1)-f(1)g(1)}{h}$$
$$=\lim_{h\to 0}\frac{f(1+h)\{g(1+3h)-g(1)\}+\{f(1+h)-f(1)\}g(1)}{h}$$
$$=\lim_{h\to 0}\left\{3f(1+h)\frac{g(1+3h)-g(1)}{3h}\right\}$$
$$\qquad\qquad +\lim_{h\to 0}\left\{\frac{f(1+h)-f(1)}{h}\times g(1)\right\}$$
$$=3f(1)g'(1)+f'(1)g(1)$$
$$=3\times 2\times 2+3\times 5=27$$

답 27

038

함수 $y=f(x)$의 그래프가 y축에 대하여 대칭이므로
$f(-x)=f(x)$ ......㉠
$$\therefore \lim_{x\to -2}\frac{f(x^2)-f(4)}{f(x+3)-f(-1)}$$
$$=\lim_{x\to -2}\left\{\frac{f(x^2)-f(4)}{x^2-4}\times\frac{x^2-4}{f(x+3)-f(-1)}\right\}$$
$$=\lim_{x\to -2}\frac{f(x^2)-f(4)}{x^2-4}\times\lim_{x\to -2}\frac{x^2-4}{f(x+3)-f(-1)}$$
$$=\lim_{x\to -2}\frac{f(x^2)-f(4)}{x^2-4}\times\lim_{x\to -2}\frac{x^2-4}{f(x+3)-f(1)}\ (\because ㉠)$$

$\lim\limits_{x \to -2} \dfrac{f(x^2)-f(4)}{x^2-4}$에서 $x^2=t$라고 하면 $x \to -2$일 때

$t \to 4$이므로

$\lim\limits_{x \to -2} \dfrac{f(x^2)-f(4)}{x^2-4} = \lim\limits_{t \to 4} \dfrac{f(t)-f(4)}{t-4} = f'(4) = -1$

$\lim\limits_{x \to -2} \dfrac{x^2-4}{f(x+3)-f(1)}$에서 $x+3=s$라고 하면 $x \to -2$일 때

$s \to 1$이므로

$\lim\limits_{x \to -2} \dfrac{x^2-4}{f(x+3)-f(1)} = \lim\limits_{s \to 1} \dfrac{(s-3)^2-4}{f(s)-f(1)}$

$\qquad\qquad = \lim\limits_{s \to 1} \left\{ \dfrac{s-1}{f(s)-f(1)} \times (s-5) \right\}$

$\qquad\qquad = \dfrac{1}{f'(1)} \times (-4)$

$\qquad\qquad = \dfrac{1}{2} \times (-4) = -2$

$\therefore \lim\limits_{x \to -2} \dfrac{f(x^2)-f(4)}{f(x+3)-f(-1)}$

$\quad = \lim\limits_{x \to -2} \dfrac{f(x^2)-f(4)}{x^2-4} \times \lim\limits_{x \to -2} \dfrac{x^2-4}{f(x+3)-f(1)}$

$\quad = -1 \times (-2) = 2$

답 ④

다른 풀이

함수 $y=f(x)$의 그래프가 y축에 대하여 대칭이므로

$f(-x)=f(x)$ ...... ㉠

$x+3=t$라고 하면 $x \to -2$일 때 $t \to 1$이므로

$\lim\limits_{x \to -2} \dfrac{f(x^2)-f(4)}{f(x+3)-f(-1)}$

$= \lim\limits_{t \to 1} \dfrac{f(t^2-6t+9)-f(4)}{f(t)-f(1)}$ $(\because$ ㉠$)$

$= \lim\limits_{t \to 1} \left\{ \dfrac{t-1}{f(t)-f(1)} \times \dfrac{f(t^2-6t+9)-f(4)}{(t^2-6t+9)-4} \times \dfrac{t^2-6t+5}{t-1} \right\}$

$= \lim\limits_{t \to 1} \left\{ \dfrac{t-1}{f(t)-f(1)} \times \dfrac{f(t^2-6t+9)-f(4)}{(t^2-6t+9)-4} \times \dfrac{(t-1)(t-5)}{t-1} \right\}$

$= \dfrac{1}{f'(1)} \times f'(4) \times (-4)$

$= \dfrac{1}{2} \times (-1) \times (-4) = 2$

참고

$\lim\limits_{t \to 1} \dfrac{f(t^2-6t+9)-f(4)}{(t^2-6t+9)-4}$에서

$t^2-6t+9=s$라고 하면 $t \to 1$일 때 $s \to 4$이므로

$\lim\limits_{t \to 1} \dfrac{f(t^2-6t+9)-f(4)}{(t^2-6t+9)-4} = \lim\limits_{s \to 4} \dfrac{f(s)-f(4)}{s-4}$

$\qquad\qquad\qquad\qquad = f'(4)$

039

조건 ㈎에서 $f'(x)$가 $x=2$에서 연속이므로

$\lim\limits_{x \to 2} f'(x) = f'(2)$

조건 ㈏에서 모든 실수 x에 대하여 $4xf(x)=(x^3-8)f'(x)+24$

이므로 $f'(x) = \dfrac{4xf(x)-24}{x^3-8}$ (단, $x \neq 2$)

따라서 $\lim\limits_{x \to 2} f'(x) = \lim\limits_{x \to 2} \dfrac{4xf(x)-24}{x^3-8}$이므로

$\lim\limits_{x \to 2} \dfrac{4xf(x)-24}{x^3-8} = f'(2)$ ...... ㉠

㉠에서 $x \to 2$일 때 극한값이 존재하고 (분모) $\to 0$이므로

(분자) $\to 0$이어야 한다.

즉, $\lim\limits_{x \to 2} \{4xf(x)-24\} = 0$이므로

$8f(2)-24=0$ $\quad \therefore f(2)=3$ ...... ㉡

이때

$\lim\limits_{x \to 2} \dfrac{4xf(x)-24}{x^3-8}$

$= 4 \lim\limits_{x \to 2} \dfrac{xf(x)-6}{(x-2)(x^2+2x+4)}$

$= 4 \lim\limits_{x \to 2} \dfrac{xf(x)-3x+3x-6}{(x-2)(x^2+2x+4)}$

$= 4 \lim\limits_{x \to 2} \dfrac{x\{f(x)-3\}+3(x-2)}{(x-2)(x^2+2x+4)}$

$= 4 \lim\limits_{x \to 2} \left\{ \dfrac{f(x)-3}{x-2} \times \dfrac{x}{x^2+2x+4} + \dfrac{3}{x^2+2x+4} \right\}$

$= 4 \lim\limits_{x \to 2} \left\{ \dfrac{f(x)-f(2)}{x-2} \times \dfrac{x}{x^2+2x+4} + \dfrac{3}{x^2+2x+4} \right\}$ $(\because$ ㉡$)$

$= 4 \left\{ \dfrac{1}{6} f'(2) + \dfrac{1}{4} \right\} = \dfrac{2}{3} f'(2) + 1$

이므로 ㉠에서

$\dfrac{2}{3} f'(2) + 1 = f'(2)$

$\dfrac{1}{3} f'(2) = 1$ $\quad \therefore f'(2) = 3$

$\therefore 15f'(2) = 15 \times 3 = 45$

답 ③

040

$\lim\limits_{x \to k} \{f(x)-f(k)\} = 0$에서

$\lim\limits_{x \to k} f(x) = f(k)$

이므로 집합 A는 함수 $f(x)$에서 연속이 되는 정수 k를 원소로 갖는다.

$\therefore A = \{-5, -3, -2, 0, 2, 5\}$

$\lim\limits_{x \to k} \dfrac{f(x)-f(k)}{x-k} = f'(k)$이므로 집합 B는 미분계수가 존재하는

정수 k를 원소로 갖는다.

$\therefore B = \{0\}$

따라서 $A-B = \{-5, -3, -2, 2, 5\}$이므로 집합 $A-B$의 원소의 개수는 5이다.

답 5

참고

집합 $A-B$는 연속이지만 미분가능하지 않은 정수 k의 집합이다.

041

함수 $f(x)$가 $x=0$에서 미분가능하므로 $f(x)$는 $x=0$에서 연속이다.

즉, $\lim\limits_{x \to 0-} f(x) = \lim\limits_{x \to 0+} f(x) = f(0)$이므로

$\lim\limits_{x \to 0-} (x^n+a)(x^3+2) = \lim\limits_{x \to 0+} (x^n+a)(x+1) = a$

$2a = a$ $\quad \therefore a = 0$

$$\therefore f(x)=\begin{cases} x^n(x^3+2) & (x<0) \\ x^n(x+1) & (x\geq0) \end{cases}$$

함수 $f(x)$가 $x=0$에서 미분가능하므로 $x=0$에서의 미분계수가 존재한다. 이때

$$\lim_{x\to0-}\frac{f(x)-f(0)}{x-0}=\lim_{x\to0-}\frac{x^n(x^3+2)-0}{x}$$
$$=\lim_{x\to0-}x^{n-1}(x^3+2)$$
$$\lim_{x\to0+}\frac{f(x)-f(0)}{x-0}=\lim_{x\to0+}\frac{x^n(x+1)-0}{x}$$
$$=\lim_{x\to0+}x^{n-1}(x+1)$$

에서 $\lim_{x\to0-}\dfrac{f(x)-f(0)}{x-0}=\lim_{x\to0+}\dfrac{f(x)-f(0)}{x-0}$, 즉

$$\lim_{x\to0-}x^{n-1}(x^3+2)=\lim_{x\to0+}x^{n-1}(x+1)$$이어야 한다.

따라서 $n-1\geq1$이어야 하므로

$$n\geq2$$

즉, n의 최솟값은 2이다.

답 ②

042

$h(x)=f(x)g(x)$라고 하면

$$h(x)=\begin{cases} (x^2+ax+b)x & (x\geq-1) \\ -x(x^2+ax+b) & (x<-1) \end{cases}$$
$$=\begin{cases} x^3+ax^2+bx & (x\geq-1) \\ -x^3-ax^2-bx & (x<-1) \end{cases}$$

함수 $h(x)$가 $x=-1$에서 미분가능하므로 $h(x)$는 $x=-1$에서 연속이다.

즉, $\lim_{x\to-1-}h(x)=\lim_{x\to-1+}h(x)=h(-1)$이므로

$$\lim_{x\to-1-}(-x^3-ax^2-bx)=\lim_{x\to-1+}(x^3+ax^2+bx)=-1+a-b$$
$$1-a+b=-1+a-b$$
$$\therefore b=a-1 \qquad\qquad \cdots\cdots ㉠$$

함수 $h(x)$가 $x=-1$에서 미분가능하므로 $x=-1$에서의 미분계수가 존재한다. 이때

$$\lim_{x\to-1-}\frac{h(x)-h(-1)}{x-(-1)}$$
$$=\lim_{x\to-1-}\frac{-x^3-ax^2-bx-(-1+a-b)}{x+1}$$
$$=\lim_{x\to-1-}\frac{-x^3-ax^2-(a-1)x-\{-1+a-(a-1)\}}{x+1}(\because ㉠)$$
$$=\lim_{x\to-1-}\frac{-x(x+a-1)(x+1)}{x+1}$$
$$=\lim_{x\to-1-}\{-x(x+a-1)\}=a-2$$
$$\lim_{x\to-1+}\frac{h(x)-h(-1)}{x-(-1)}$$
$$=\lim_{x\to-1+}\frac{x^3+ax^2+bx-(-1+a-b)}{x+1}$$
$$=\lim_{x\to-1+}\frac{x^3+ax^2+(a-1)x-\{-1+a-(a-1)\}}{x+1}(\because ㉠)$$
$$=\lim_{x\to-1+}\frac{x(x+a-1)(x+1)}{x+1}$$
$$=\lim_{x\to-1+}x(x+a-1)=-a+2$$

이고 $\lim_{x\to-1-}\dfrac{h(x)-h(-1)}{x-(-1)}=\lim_{x\to-1+}\dfrac{h(x)-h(-1)}{x-(-1)}$이어야 하

므로

$$a-2=-a+2, \ 2a=4 \qquad \therefore a=2$$

이것을 ㉠에 대입하면 $b=1$

$$\therefore a+b=3$$

답 3

다른 풀이

$h(x)=f(x)g(x)$라고 하면

$$h(x)=\begin{cases} x^3+ax^2+bx & (x\geq-1) \\ -x^3-ax^2-bx & (x<-1) \end{cases}$$
$$\therefore h'(x)=\begin{cases} 3x^2+2ax+b & (x>-1) \\ -3x^2-2ax-b & (x<-1) \end{cases}$$

함수 $h(x)$가 $x=-1$에서 연속이므로

$$\lim_{x\to-1-}h(x)=\lim_{x\to-1+}h(x)=h(-1)$$
$$1-a+b=-1+a-b \qquad \therefore a-b=1 \qquad\cdots\cdots ㉠$$

함수 $h(x)$가 $x=-1$에서 미분가능하므로

$$\lim_{x\to-1-}h'(x)=\lim_{x\to-1+}h'(x)$$
$$-3+2a-b=3-2a+b \qquad \therefore 2a-b=3 \qquad\cdots\cdots ㉡$$

㉠, ㉡을 연립하여 풀면 $a=2$, $b=1$

$$\therefore a+b=3$$

043

$$g(x)=\begin{cases} (ax+b)(2x+a) & (x>3) \\ (x^2-3x)(8-4x) & (x\leq3) \end{cases}$$

함수 $g(x)$가 $x=3$에서 미분가능하므로 $x=3$에서 연속이다.

즉, $\lim_{x\to3-}g(x)=\lim_{x\to3+}g(x)=g(3)$이므로

$$\lim_{x\to3-}(x^2-3x)(8-4x)=\lim_{x\to3+}(ax+b)(2x+a)=g(3)$$
$$(3a+b)(6+a)=0$$
$$\therefore b=-3a \text{ 또는 } a=-6$$

(i) $b=-3a$일 때

함수 $g(x)$가 $x=3$에서 미분가능하므로 $x=3$에서의 미분계수가 존재한다. 이때

$$\lim_{x\to3-}\frac{g(x)-g(3)}{x-3}=\lim_{x\to3-}\frac{(x^2-3x)(8-4x)}{x-3}(\because g(3)=0)$$
$$=\lim_{x\to3-}\frac{x(x-3)(8-4x)}{x-3}$$
$$=\lim_{x\to3-}x(8-4x)=-12$$
$$\lim_{x\to3+}\frac{g(x)-g(3)}{x-3}=\lim_{x\to3+}\frac{(ax+b)(2x+a)}{x-3}$$
$$=\lim_{x\to3+}\frac{(ax-3a)(2x+a)}{x-3} \quad\text{—}b=-3a \text{ 대입}$$
$$=\lim_{x\to3+}\frac{a(x-3)(2x+a)}{x-3}$$
$$=\lim_{x\to3+}a(2x+a)=a(6+a)$$

이므로

$$a(6+a)=-12, \ a^2+6a+12=0$$
$$\therefore a=-3\pm\sqrt{3}i$$

이것은 a가 정수라는 조건에 모순이다.

(ii) $a=-6$일 때

함수 $g(x)$가 $x=3$에서 미분가능하므로 $x=3$에서의 미분계수가 존재한다. 이때

$$\lim_{x \to 3-} \frac{g(x)-g(3)}{x-3} = \lim_{x \to 3-} \frac{(x^2-3x)(8-4x)}{x-3} \quad (\because g(3)=0)$$
$$= \lim_{x \to 3-} \frac{x(x-3)(8-4x)}{x-3}$$
$$= \lim_{x \to 3-} x(8-4x) = -12$$

$$\lim_{x \to 3+} \frac{g(x)-g(3)}{x-3} = \lim_{x \to 3+} \frac{(ax+b)(2x+a)}{x-3}$$
$$= \lim_{x \to 3+} \frac{(-6x+b)(2x-6)}{x-3} \quad a=-6 \text{ 대입}$$
$$= \lim_{x \to 3+} \frac{2(-6x+b)(x-3)}{x-3}$$
$$= \lim_{x \to 3+} 2(-6x+b) = 2(-18+b)$$

이므로
$$-12 = 2(-18+b), \quad -6 = -18+b \quad \therefore b=12$$
(i), (ii)에 의하여 $a=-6,\ b=12$
$$\therefore a+b=6$$

답 ③

▎다른 풀이◁

$g(x)=\begin{cases} (ax+b)(2x+a) & (x>3) \\ (x^2-3x)(8-4x) & (x \le 3) \end{cases}$ 이므로

$g'(x)=\begin{cases} a(2x+a)+2(ax+b) & (x>3) \\ (2x-3)(8-4x)-4(x^2-3x) & (x<3) \end{cases}$
$\quad =\begin{cases} 4ax+a^2+2b & (x>3) \\ -12x^2+40x-24 & (x<3) \end{cases}$

함수 $g(x)$가 $x=3$에서 연속이므로
$$\lim_{x \to 3-} g(x) = \lim_{x \to 3+} g(x) = g(3)$$
$$(3a+b)(6+a)=0 \quad \therefore b=-3a \text{ 또는 } a=-6$$
함수 $g(x)$가 $x=3$에서 미분가능하므로
$$\lim_{x \to 3-} g'(x) = \lim_{x \to 3+} g'(x)$$
$$-12 = 12a+a^2+2b$$
(i) $b=-3a$, $-12=12a+a^2+2b$일 때
$\quad -12=12a+a^2+2b$에 $b=-3a$를 대입하여 정리하면
$$a^2+6a+12=0 \quad \therefore a=-3\pm\sqrt{3}i$$
$\quad$ 이것은 a가 정수라는 조건에 모순이다.
(ii) $a=-6$, $-12=12a+a^2+2b$일 때
$\quad -12=12a+a^2+2b$에 $a=-6$을 대입하여 정리하면
$$2b=24 \quad \therefore b=12$$
(i), (ii)에서 $a=-6,\ b=12$
$$\therefore a+b=6$$

044

$f(x)=\begin{cases} x-1 & (x \ge 1) \\ -x+1 & (x<1) \end{cases}$, $g(x)=\begin{cases} x-4 & (x \ge 1) \\ x+2 & (x<1) \end{cases}$

ㄱ은 옳지 않다.

$f(x)-g(x)=\begin{cases} 3 & (x \ge 1) \\ -2x-1 & (x<1) \end{cases}$ 이므로

$$\lim_{x \to 1-} \{f(x)-g(x)\} = \lim_{x \to 1-} (-2x-1) = -3$$
$$\lim_{x \to 1+} \{f(x)-g(x)\} = 3$$
즉, $\lim_{x \to 1-} \{f(x)-g(x)\} \ne \lim_{x \to 1+} \{f(x)-g(x)\}$이므로
$\lim_{x \to 1} \{f(x)-g(x)\}$의 값이 존재하지 않는다.
따라서 함수 $f(x)-g(x)$는 $x=1$에서 불연속이다.

ㄴ은 옳다.

$f(x)g(x)=\begin{cases} (x-1)(x-4) & (x \ge 1) \\ (-x+1)(x+2) & (x<1) \end{cases}$ 이므로

$$\lim_{x \to 1-} f(x)g(x) = \lim_{x \to 1-} (-x+1)(x+2) = 0$$
$$\lim_{x \to 1+} f(x)g(x) = \lim_{x \to 1+} (x-1)(x-4) = 0$$
$$f(1)g(1)=0$$
즉, $\lim_{x \to 1-} f(x)g(x) = \lim_{x \to 1+} f(x)g(x) = f(1)g(1)$이므로 함수
$f(x)g(x)$는 $x=1$에서 연속이다.

또,
$$\lim_{x \to 1-} \frac{f(x)g(x)-f(1)g(1)}{x-1} = \lim_{x \to 1-} \frac{(-x+1)(x+2)}{x-1}$$
$$= \lim_{x \to 1-} \frac{-(x-1)(x+2)}{x-1}$$
$$= \lim_{x \to 1-} \{-(x+2)\}$$
$$= -3$$

$$\lim_{x \to 1+} \frac{f(x)g(x)-f(1)g(1)}{x-1} = \lim_{x \to 1+} \frac{(x-1)(x-4)}{x-1}$$
$$= \lim_{x \to 1+} (x-4)$$
$$= -3$$

에서
$$\lim_{x \to 1-} \frac{f(x)g(x)-f(1)g(1)}{x-1} = \lim_{x \to 1+} \frac{f(x)g(x)-f(1)g(1)}{x-1}$$
이므로 함수 $f(x)g(x)$는 $x=1$에서의 미분계수가 존재한다.
따라서 함수 $f(x)g(x)$는 $x=1$에서 미분가능하다.

ㄷ도 옳다.

$f(x)g(x)=\begin{cases} (x-1)(x-4) & (x \ge 1) \\ (-x+1)(x+2) & (x<1) \end{cases}$ 이므로 함수

$y=|f(x)g(x)|$의 그래프는 다음 그림과 같다.

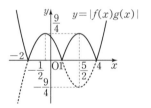

즉, 함수 $|f(x)g(x)|$는 $x=-2$, $x=1$, $x=4$에서 미분가능하
지 않으므로 미분가능하지 않은 점은 3개이다.
따라서 옳은 것은 ㄴ, ㄷ이다.

답 ⑤

045

ㄱ은 옳다.

$$f(0)=0, \lim_{x \to 0} \frac{f(x)}{x}=5 \text{에서 } f'(0)=5$$
$$\lim_{x \to 0} \frac{g(x)-4}{x}=2 \text{에서 } g(0)=4, \ g'(0)=2$$
$$\therefore f'(0)+g'(0)=7$$

ㄴ도 옳다.

$$\lim_{x \to 0} f(x)g(x) = f(0)g(0) = 0 \times 4 = 0$$
이므로 함수 $f(x)g(x)$는 $x=0$에서 연속이다. 또,
$$\lim_{x \to 0} \frac{f(x)g(x)-f(0)g(0)}{x-0}$$

$$=\lim_{x\to 0}\frac{f(x)g(x)-f(0)g(x)+f(0)g(x)-f(0)g(0)}{x-0}$$

$$=\lim_{x\to 0}\frac{\{f(x)-f(0)\}g(x)+f(0)\{g(x)-g(0)\}}{x-0}$$

$$=\lim_{x\to 0}\left\{\frac{f(x)-f(0)}{x-0}\times g(x)\right\}+\lim_{x\to 0}\left\{f(0)\times\frac{g(x)-g(0)}{x-0}\right\}$$

$$=f'(0)g(0)+f(0)g'(0)$$

$$=5\times 4+0\times 2=20\ (\because\ \text{ㄱ})$$

이므로 함수 $f(x)g(x)$는 $x=0$에서의 미분계수가 존재한다.

따라서 함수 $f(x)g(x)$는 $x=0$에서 미분가능하다.

ㄷ은 옳지 않다.

(반례) $f(x)=5x$라고 하면 $f(0)=0$, $\lim_{x\to 0}\dfrac{f(x)}{x}=5$이지만

$|f(x)|=\begin{cases}5x & (x\geq 0)\\ -5x & (x<0)\end{cases}$ 는 $x=0$에서 미분가능하지 않다.

따라서 옳은 것은 ㄱ, ㄴ이다.

답 ④

다른 풀이

ㄴ도 옳다.

$h(x)=f(x)g(x)$라고 하면

$h'(x)=f'(x)g(x)+f(x)g'(x)$

이므로 함수 $h(x)$의 $x=0$에서의 미분계수는

$h'(0)=f'(0)g(0)+f(0)g'(0)=5\times 4+0\times 2=20$

즉, 함수 $h(x)$의 $x=0$에서의 미분계수가 존재하므로

함수 $h(x)$는 $x=0$에서 미분가능하다.

046

ㄱ은 옳다.

$f(1)=\dfrac{1}{2}\leq 1$이므로

$g(1)=f(1)=\dfrac{1}{2}$

ㄴ도 옳다.

(i) $f(x)\leq x$일 때

$g(x)=f(x)$이므로 $g(x)\leq x$

(ii) $f(x)>x$일 때

$g(x)=x$

(i), (ii)에서 모든 실수 x에 대하여

$g(x)\leq x$

ㄷ도 옳다.

(i) $f(x)\leq x$, 즉 $\dfrac{1}{2}x^2\leq x$일 때

$x^2-2x\leq 0$, $x(x-2)\leq 0$

$\therefore\ 0\leq x\leq 2$

(ii) $f(x)>x$, 즉 $\dfrac{1}{2}x^2>x$일 때

$x^2-2x>0$, $x(x-2)>0$

$\therefore\ x<0$ 또는 $x>2$

(i), (ii)에 의하여 $g(x)=\begin{cases}\dfrac{1}{2}x^2 & (0\leq x\leq 2)\\ x & (x<0\ \text{또는}\ x>2)\end{cases}$

따라서 함수 $y=g(x)$의 그래프는 오른쪽 그림과 같고, $x=0$, $x=2$에서 그래프가 꺾여 있으므로 함수 $g(x)$는 $x=0$, $x=2$에서 미분가능하지 않다. 즉, 미분가능하지 않은 점은 2개이다.

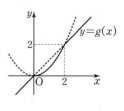

따라서 옳은 것은 ㄱ, ㄴ, ㄷ이다.

답 ⑤

047

접근

함수 $f(x)$가 $x=1$에서 미분가능하므로 $x=1$에서 연속임을 알 수 있다. 또, 함수 $f(x)g(x)$가 $x=1$에서 연속이려면 $\lim_{x\to 1-}f(x)g(x)=\lim_{x\to 1+}f(x)g(x)=f(1)g(1)$이어야 하고, 함수 $f(x)g(x)$가 $x=1$에서 미분가능하면 $x=1$에서의 미분계수가 존재해야 함을 이용한다.

ㄱ은 옳지 않다.

(반례) $f(x)=x+1$, $g(x)=\begin{cases}x & (x\neq 1)\\ 3 & (x=1)\end{cases}$ 이라고 하면 함수

$f(x)$는 $x=1$에서 연속이고 함수 $g(x)$는 $x=1$에서 불연속이다. 이때 $\lim_{x\to 1}g(x)=1$이지만

$\lim_{x\to 1}f(x)g(x)=\lim_{x\to 1}(x+1)x=2$, $f(1)g(1)=6$

이므로 $\lim_{x\to 1}f(x)g(x)\neq f(1)g(1)$

따라서 함수 $f(x)g(x)$는 $x=1$에서 불연속이다.

ㄴ도 옳지 않다.

(반례) $f(x)=x-1$, $g(x)=\begin{cases}\dfrac{1}{x-1} & (x\neq 1)\\ 2 & (x=1)\end{cases}$ 라고 하면 함

수 $f(x)$는 $x=1$에서 연속이고 함수 $g(x)$는 $x=1$에서 불연속이다. 이때 $f(1)=0$이지만

$\lim_{x\to 1}f(x)g(x)=\lim_{x\to 1}\left\{(x-1)\times\dfrac{1}{x-1}\right\}=1$, $f(1)g(1)=0$

이므로 $\lim_{x\to 1}f(x)g(x)\neq f(1)g(1)$

따라서 함수 $f(x)g(x)$는 $x=1$에서 불연속이다.

ㄷ은 옳다.

함수 $f(x)$가 $x=1$에서 미분가능하므로 $f(x)$는 $x=1$에서 연속이다.

$\therefore\ \lim_{x\to 1}f(x)=f(1)=0$

또, $\lim_{x\to 1}g(x)$의 값이 존재하므로

$\lim_{x\to 1}f(x)g(x)=\lim_{x\to 1}f(x)\times\lim_{x\to 1}g(x)=0\times\lim_{x\to 1}g(x)=0$

$f(1)g(1)=0$

즉, $\lim_{x\to 1}f(x)g(x)=f(1)g(1)$이므로 함수 $f(x)g(x)$는 $x=1$에서 연속이다.

한편

$\lim_{x\to 1}\dfrac{f(x)g(x)-f(1)g(1)}{x-1}$

$=\lim_{x\to 1}\dfrac{f(x)g(x)-f(1)g(x)+f(1)g(x)-f(1)g(1)}{x-1}$

$$=\lim_{x \to 1} \frac{\{f(x)-f(1)\}g(x)+f(1)\{g(x)-g(1)\}}{x-1}$$

$$=\lim_{x \to 1}\left\{\frac{f(x)-f(1)}{x-1}\times g(x)\right\} \ (\because f(1)=0)$$

$$=f'(1)g(1)$$

이므로 함수 $f(x)g(x)$는 $x=1$에서의 미분계수가 존재한다.

즉, 함수 $f(x)g(x)$는 $x=1$에서 미분가능하다.

따라서 옳은 것은 ㄷ이다.

답 ②

048

$f(-1)=f(1)=f(2)=5$에서

$f(x)=a(x+1)(x-1)(x-2)+5 \ (a\neq 0)$

로 놓을 수 있다.

$f(0)=-1$이므로

$a\times 1\times(-1)\times(-2)+5=-1$

$2a=-6 \quad \therefore a=-3$

$\therefore f(x)=-3(x+1)(x-1)(x-2)+5$

$\qquad\quad =-3x^3+6x^2+3x-1$

따라서 $f'(x)=-9x^2+12x+3$이므로

$f'(3)=-81+36+3=-42$

답 ③

049

ㄱ은 옳지 않다.

함수 $y=f(x)$의 그래프는 오른쪽 그림과 같이 $x=1$에서 불연속이므로 함수 $f(x)$는 $x=1$에서 미분가능하지 않다.

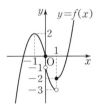

ㄴ은 옳다.

$x\neq 0$, $x\neq 1$일 때

$f'(x)=3x^2-3$

이므로 함수 $y=f'(x)$의 그래프는 오른쪽 그림과 같다.

$\therefore \lim_{x \to 0}f'(x)=-3$

ㄷ도 옳다.

$f'(x)=t$라고 하면 $x \to 1+$일 때 $t \to 0+$이므로

$\lim_{x \to 1+}f(f'(x))=\lim_{t \to 0+}f(t)=-1$

따라서 옳은 것은 ㄴ, ㄷ이다.

답 ④

ㄱ은 옳지 않다.

$\lim_{x \to 1-}f(x)=\lim_{x \to 1-}(x^3-3x-1)=-3,$

$\lim_{x \to 1+}f(x)=\lim_{x \to 1+}(x^3-3x)=-2$이므로

$\lim_{x \to 1-}f(x)\neq\lim_{x \to 1+}f(x)$

따라서 함수 $f(x)$는 $x=1$에서 불연속이므로 $x=1$에서 미분가능하지 않다.

050

함수 $f(x)$를 n차함수 (n은 자연수)라고 하면 $f'(x)$는 $(n-1)$차함수이고, $\{f'(x)\}^2=f(x)$에서 좌변과 우변의 최고차항의 차수가 같으므로

$2(n-1)=n \qquad \therefore n=2$

따라서 $f(x)$는 이차함수이므로

$f(x)=ax^2+bx+c \ (a\neq 0,\ a,\ b,\ c$는 상수$)$

라고 하면

$f'(x)=2ax+b$

$\{f'(x)\}^2=f(x)$이므로

$(2ax+b)^2=ax^2+bx+c$

$\therefore 4a^2x^2+4abx+b^2=ax^2+bx+c$

이 식은 x에 대한 항등식이므로

$4a^2=a,\ 4ab=b,\ b^2=c$

$4a^2=a$에서 $a(4a-1)=0$

$\therefore a=\frac{1}{4} \ (\because a\neq 0)$

따라서 $f(x)$의 최고차항의 계수는 $\frac{1}{4}$이다.

답 ①

참고

항등식의 성질

(1) $ax^2+bx+c=0$이 x에 대한 항등식

$\quad \Longleftrightarrow a=0,\ b=0,\ c=0$

(2) $ax^2+bx+c=a'x^2+b'x+c'$이 x에 대한 항등식

$\quad \Longleftrightarrow a=a',\ b=b',\ c=c'$

051

$f(x)=[x-1](x^2+2ax+b)$에서

$$f(x)=\begin{cases} 0 & (1\leq x<2) \\ x^2+2ax+b & (2\leq x<3) \end{cases}$$

함수 $f(x)$가 $x=2$에서 미분가능하므로 $f(x)$는 $x=2$에서 연속이다.

즉, $\lim_{x \to 2-}f(x)=\lim_{x \to 2+}f(x)=f(2)$이므로

$\lim_{x \to 2-}0=\lim_{x \to 2+}(x^2+2ax+b)=4+4a+b$

$4+4a+b=0$

$\therefore 4a+b=-4 \qquad\qquad \cdots\cdots$ ㉠

함수 $f(x)$가 $x=2$에서 미분가능하므로 $x=2$에서의 미분계수가 존재해야 한다.

이때 $f'(x)=\begin{cases} 0 & (1<x<2) \\ 2x+2a & (2<x<3) \end{cases}$ 이므로

$\lim_{x \to 2-}f'(x)=\lim_{x \to 2+}f'(x)$에서

$\lim_{x \to 2-}0=\lim_{x \to 2+}(2x+2a),\ 4+2a=0 \quad \therefore a=-2$

이것을 ㉠에 대입하면 $b=4$

$\therefore a+b=2$

답 2

간단 풀이

위의 ㉠은 다음을 이용하여 구할 수도 있다.

$g(x)=[x-1]$, $h(x)=x^2+2ax+b$라고 하면 $g(x)$는 x가 정수일 때 불연속이고 $h(x)$는 실수 전체의 집합에서 연속이므로 함수

$f(x)=g(x)h(x)$가 $x=2$에서 연속이려면 $h(2)=0$이어야 한다.
즉, $4+4a+b=0$이므로 $4a+b=-4$

참고

$x=a$에서 연속인 함수 $f(x)$와 $x=a$에서 불연속인 함수 $g(x)$에 대하여 함수 $f(x)g(x)$가 $x=a$에서 연속이려면
$$\lim_{x \to a-} f(x)g(x)=\lim_{x \to a+} f(x)g(x)=f(a)g(a)$$
가 성립해야 하므로 $f(a)=0$이어야 한다.

052

조건 ㈎에서 $f(x)-2x^2$은 최고차항의 계수가 2인 이차함수이다.
조건 ㈏에서 $x \to 1$일 때 극한값이 존재하고 (분모) $\to 0$이므로 (분자) $\to 0$이어야 한다.
즉, $\lim_{x \to 1} \{f(x)-2x^2\}=0$이므로
$f(x)-2x^2$은 $x-1$을 인수로 갖는다.
따라서 $f(x)-2x^2=2(x-1)(x-a)$ (a는 상수)로 놓을 수 있다.
조건 ㈏에서 $\lim_{x \to 1} \dfrac{f(x)-2x^2}{x^2-1}=2$이고

$$\lim_{x \to 1} \frac{f(x)-2x^2}{x^2-1}=\lim_{x \to 1} \frac{2(x-1)(x-a)}{(x+1)(x-1)}$$
$$=\lim_{x \to 1} \frac{2(x-a)}{x+1}=1-a$$

이므로
$1-a=2$ $\therefore a=-1$
즉, $f(x)-2x^2=2(x-1)(x+1)$이므로
$f(x)=4x^2-2$
따라서 $f'(x)=8x$이므로
$f'(5)=8 \times 5=40$

답 40

다른 풀이

로피탈의 정리를 이용하여 구할 수도 있다.
조건 ㈎에 의하여
$f(x)-2x^2=2x^2+ax+b$ (a, b는 상수)
로 놓을 수 있다.
조건 ㈏에 의하여 $\lim_{x \to 1} \{f(x)-2x^2\}=0$이므로
$\lim_{x \to 1} (2x^2+ax+b)=0$ $\therefore 2+a+b=0$ ······ ㉠
조건 ㈏의 식 $\lim_{x \to 1} \dfrac{f(x)-2x^2}{x^2-1}=2$에서 로피탈의 정리에 의하여

$$\lim_{x \to 1} \frac{f(x)-2x^2}{x^2-1}=\lim_{x \to 1} \frac{\{f(x)-2x^2\}'}{(x^2-1)'}=\lim_{x \to 1} \frac{4x+a}{2x}=\frac{4+a}{2}$$

이므로
$\dfrac{4+a}{2}=2$ $\therefore a=0$
이것을 ㉠에 대입하면 $b=-2$
따라서 $f(x)=4x^2-2$이므로 $f'(x)=8x$
$\therefore f'(5)=40$

053

함수 $f(x)$가 실수 전체의 집합에서 연속이므로 $x=0$, $x=2$에서도 연속이다.

함수 $f(x)$가 $x=0$에서 연속이므로
$$\lim_{x \to 0-} f(x)=\lim_{x \to 0+} f(x)=f(0)$$
$$\lim_{x \to 0-} (x^2-2x+1)=\lim_{x \to 0+} |ax+b|=|b|$$
즉, $|b|=1$이므로 $b=\pm 1$ ······ ㉠
함수 $f(x)$가 $x=2$에서 연속이므로
$$\lim_{x \to 2-} f(x)=\lim_{x \to 2+} f(x)=f(2)$$
$$\lim_{x \to 2-} |ax+b|=\lim_{x \to 2+} \left(-\frac{1}{2}x^2+4x-3\right)=3$$
$\therefore |2a+b|=3$ ······ ㉡
㉠, ㉡에서
$a=1$, $b=1$ 또는 $a=-2$, $b=1$ 또는 $a=2$, $b=-1$
또는 $a=-1$, $b=-1$
(i) $a=1$, $b=1$일 때, $|ax+b|=|x+1|$
$0 \le x<2$에서 $x+1>0$이므로
$$f(x)=\begin{cases} x^2-2x+1 & (x<0) \\ x+1 & (0 \le x<2) \\ -\dfrac{1}{2}x^2+4x-3 & (x \ge 2) \end{cases}$$
$$\therefore f'(x)=\begin{cases} 2x-2 & (x<0) \\ 1 & (0<x<2) \\ -x+4 & (x>2) \end{cases}$$
$\lim_{x \to 0-} f'(x)=-2$, $\lim_{x \to 0+} f'(x)=1$에서
$\lim_{x \to 0-} f'(x) \ne \lim_{x \to 0+} f'(x)$이므로 $x=0$에서의 미분계수가 존재하지 않는다.
$\lim_{x \to 2-} f'(x)=1$, $\lim_{x \to 2+} f'(x)=2$에서
$\lim_{x \to 2-} f'(x) \ne \lim_{x \to 2+} f'(x)$이므로 $x=2$에서의 미분계수가 존재하지 않는다.
따라서 함수 $f(x)$는 $x=0$, $x=2$에서 미분가능하지 않다. 그런데 이것은 함수 $f(x)$가 미분가능하지 않은 점이 오직 하나라는 조건에 모순이다.
(ii) $a=-2$, $b=1$일 때, $|ax+b|=|-2x+1|=|2x-1|$
$0 \le x<\dfrac{1}{2}$에서 $2x-1<0$, $\dfrac{1}{2} \le x<2$에서 $2x-1>0$이므로
$$f(x)=\begin{cases} x^2-2x+1 & (x<0) \\ -2x+1 & \left(0 \le x<\dfrac{1}{2}\right) \\ 2x-1 & \left(\dfrac{1}{2} \le x<2\right) \\ -\dfrac{1}{2}x^2+4x-3 & (x \ge 2) \end{cases}$$
$$\therefore f'(x)=\begin{cases} 2x-2 & (x<0) \\ -2 & \left(0<x<\dfrac{1}{2}\right) \\ 2 & \left(\dfrac{1}{2}<x<2\right) \\ -x+4 & (x>2) \end{cases}$$
$\lim_{x \to 0-} f'(x)=-2$, $\lim_{x \to 0+} f'(x)=-2$에서
$\lim_{x \to 0-} f'(x)=\lim_{x \to 0+} f'(x)$이므로 $x=0$에서의 미분계수가 존재한다.
$\lim_{x \to \frac{1}{2}-} f'(x)=-2$, $\lim_{x \to \frac{1}{2}+} f'(x)=2$에서
$\lim_{x \to \frac{1}{2}-} f'(x) \ne \lim_{x \to \frac{1}{2}+} f'(x)$이므로 $x=\dfrac{1}{2}$에서의 미분계수가 존재하지 않는다.

$\lim\limits_{x \to 2-} f'(x)=2$, $\lim\limits_{x \to 2+} f'(x)=2$에서

$\lim\limits_{x \to 2-} f'(x)=\lim\limits_{x \to 2+} f'(x)$이므로 $x=2$에서의 미분계수가 존재한다.

따라서 함수 $f(x)$는 $x=\dfrac{1}{2}$에서 미분가능하지 않다.

$\therefore c=\dfrac{1}{2}$

(iii) $a=2$, $b=-1$일 때, $|ax+b|=|2x-1|$이므로 이 경우는 (ii)와 같다.

(iv) $a=-1$, $b=-1$일 때, $|ax+b|=|-x-1|=|x+1|$이므로 이 경우는 (i)과 같다.

(i) ~ (iv)에 의하여

$a=-2$, $b=1$, $c=\dfrac{1}{2}$ 또는 $a=2$, $b=-1$, $c=\dfrac{1}{2}$

$\therefore abc=-1$

답 ②

054

함수 $f(x)$가 실수 전체의 집합에서 미분가능하므로 함수 $g(x)$가 실수 전체의 집합에서 미분가능하려면 $x=a$, $x=b$에서 미분가능해야 한다.

(i) 함수 $g(x)$가 $x=a$, $x=b$에서 연속이므로

$\lim\limits_{x \to a-} g(x)=\lim\limits_{x \to a+} g(x)=g(a)$,

$\lim\limits_{x \to b-} g(x)=\lim\limits_{x \to b+} g(x)=g(b)$

따라서 $f(a)=9m-f(a)$, $9m-f(b)=16n+f(b)$이므로

$2f(a)=9m$, $2f(b)=9m-16n$

(ii) 함수 $g(x)$가 $x=a$, $x=b$에서 미분가능하려면 $x=a$, $x=b$에서의 미분계수가 존재해야 한다.

$g'(x)=\begin{cases} f'(x) & (x<a) \\ -f'(x) & (a<x<b) \\ f'(x) & (x>b) \end{cases}$이므로 $x=a$, $x=b$에서의 미

분계수가 존재하려면

$\lim\limits_{x \to a-} g'(x)=\lim\limits_{x \to a+} g'(x)$, $\lim\limits_{x \to b-} g'(x)=\lim\limits_{x \to b+} g'(x)$

이어야 한다.

즉, $f'(a)=-f'(a)$, $-f'(b)=f'(b)$이므로

$f'(a)=0$, $f'(b)=0$

따라서 a, b는 방정식 $f'(x)=0$의 두 근이다.

$f(x)=x^3+3x^2-9x$에서

$f'(x)=3x^2+6x-9$

방정식 $f'(x)=0$의 두 근을 구하면

$3x^2+6x-9=0$, $3(x+3)(x-1)=0$

$\therefore x=-3$ 또는 $x=1$

$a<b$이므로 $a=-3$, $b=1$

(i)에서 $2f(a)=9m$, 즉 $2f(-3)=9m$이므로

$2(-27+27+27)=9m$ $\therefore m=6$

또, $2f(b)=9m-16n$, 즉 $2f(1)=54-16n$이므로

$2(1+3-9)=54-16n$ $\therefore n=4$

$\therefore a+b+m+n=-3+1+6+4=8$

답 8

055

함수 $f(x)$가 실수 전체의 집합에서 미분가능하므로 함수 $g(x)$가 실수 전체의 집합에서 미분가능하려면 $x=2$에서 미분가능해야 한다.

먼저 함수 $g(x)$가 $x=2$에서 연속이어야 하므로

$\lim\limits_{x \to 2-} g(x)=\lim\limits_{x \to 2+} g(x)=g(2)$

$\lim\limits_{x \to 2-} f(x+3)=\lim\limits_{x \to 2+} f(x-3)=f(-1)$

$\therefore f(5)=f(-1)$ $\cdots\cdots$ ㉠

또, $x=2$에서의 미분계수가 존재해야 한다.

$\lim\limits_{x \to 2-} \dfrac{g(x)-g(2)}{x-2}=\lim\limits_{x \to 2-} \dfrac{f(x+3)-f(-1)}{x-2}$

$=\lim\limits_{x \to 2-} \dfrac{f(x+3)-f(5)}{x-2}$ $(\because$ ㉠$)$

이때 $x-2=t$라고 하면 $x \to 2-$일 때 $t \to 0-$이므로

$\lim\limits_{x \to 2-} \dfrac{f(x+3)-f(5)}{x-2}=\lim\limits_{t \to 0-} \dfrac{f(t+5)-f(5)}{t}=f'(5)$

$\lim\limits_{x \to 2+} \dfrac{g(x)-g(2)}{x-2}=\lim\limits_{x \to 2+} \dfrac{f(x-3)-f(-1)}{x-2}$

이때 $x-2=h$라고 하면 $x \to 2+$일 때 $h \to 0+$이므로

$\lim\limits_{x \to 2+} \dfrac{f(x-3)-f(-1)}{x-2}=\lim\limits_{h \to 0+} \dfrac{f(h-1)-f(-1)}{h}=f'(-1)$

따라서 함수 $g(x)$가 $x=2$에서 미분가능하려면

$f'(5)=f'(-1)$ $\cdots\cdots$ ㉡

이어야 한다.

$f(x)$는 최고차항의 계수가 1인 삼차함수이므로

$f(x)=x^3+ax^2+bx+c$ (a, b, c는 상수)

라고 하면 ㉠에 의하여

$125+25a+5b+c=-1+a-b+c$

$\therefore 4a+b=-21$ $\cdots\cdots$ ㉢

$f'(x)=3x^2+2ax+b$이므로 ㉡에 의하여

$75+10a+b=3-2a+b$

$\therefore a=-6$

이것을 ㉢에 대입하면 $b=3$

따라서 $f'(x)=3x^2-12x+3$이므로

$f'(3)=27-36+3=-6$

답 ②

056

▶ 접근

조건 ⑺에서 다항함수 $f(x)$의 상수항은 12이고 조건 ⑷에서 일차함수 $g(x)$의 상수항은 0이므로 $g(x)=mx$ $(m \neq 0)$로 놓을 수 있다. 또, 조건 ⑷에서 k에 1, 2, 3을 각각 대입하여 $f(x)$를 구한다.

조건 ⑷에서 $g(0)=0$이므로 일차함수 $g(x)$를

$g(x)=mx$ $(m \neq 0)$

로 놓을 수 있다.

조건 ⑷에서 $\lim\limits_{x \to k} \dfrac{f(x)}{g(x-k)}=k-2$ $(k=1, 2, 3)$이므로

$k=1$일 때 $\lim\limits_{x \to 1} \dfrac{f(x)}{g(x-1)}=-1$

이때 $x \to 1$일 때 극한값이 존재하고 (분모) $\to 0$이므로

(분자) → 0이어야 한다. 즉, $\lim\limits_{x\to 1}f(x)=0$이므로 $f(x)$는 $x-1$을 인수로 갖는다.

$k=2$일 때 $\lim\limits_{x\to 2}\dfrac{f(x)}{g(x-2)}=0$

이때 $x\to 2$일 때 극한값이 존재하고 (분모) → 0이므로 (분자) → 0이어야 한다. 즉, $\lim\limits_{x\to 2}f(x)=0$이므로 $f(x)$는 $x-2$를 인수로 갖는다.

$k=3$일 때 $\lim\limits_{x\to 3}\dfrac{f(x)}{g(x-3)}=1$

이때 $x\to 3$일 때 극한값이 존재하고 (분모) → 0이므로 (분자) → 0이어야 한다. 즉, $\lim\limits_{x\to 3}f(x)=0$이므로 $f(x)$는 $x-3$을 인수로 갖는다.

따라서 $f(x)$는 $x-1$, $x-2$, $x-3$을 인수로 가지고 n이 최소라고 했으므로

$f(x)=a(x-1)(x-2)(x-3)\ (a\neq 0)$

으로 놓을 수 있다.

그런데 $\lim\limits_{x\to 2}\dfrac{f(x)}{g(x-2)}=0$에서

$\lim\limits_{x\to 2}\dfrac{f(x)}{g(x-2)}=\lim\limits_{x\to 2}\dfrac{a(x-1)(x-2)(x-3)}{m(x-2)}$

$\qquad\qquad\qquad =\lim\limits_{x\to 2}\dfrac{a(x-1)(x-3)}{m}=-\dfrac{a}{m}$

이므로

$-\dfrac{a}{m}=0 \qquad \therefore a=0$

이것은 $a\neq 0$에 모순이다. 따라서 $f(x)$는 $(x-2)^2$을 인수로 가져야 한다. 즉,

$f(x)=a(x-1)(x-2)^2(x-3)\ (a\neq 0)$

으로 놓을 수 있다.

조건 ㈎에서 $f(0)=12$이므로

$12a=12 \qquad \therefore a=1$

$\lim\limits_{x\to 1}\dfrac{f(x)}{g(x-1)}=-1$에서

$\lim\limits_{x\to 1}\dfrac{f(x)}{g(x-1)}=\lim\limits_{x\to 1}\dfrac{(x-1)(x-2)^2(x-3)}{m(x-1)}$

$\qquad\qquad\qquad =\lim\limits_{x\to 1}\dfrac{(x-2)^2(x-3)}{m}=-\dfrac{2}{m}$

이므로

$-\dfrac{2}{m}=-1 \qquad \therefore m=2$

따라서 $g(x)=2x$이므로

$g'(x)=2$

답 2

다른 풀이

$\lim\limits_{x\to 3}\dfrac{f(x)}{g(x-3)}=1$을 이용하여 m의 값을 구할 수도 있다.

$\lim\limits_{x\to 3}\dfrac{f(x)}{g(x-3)}=\lim\limits_{x\to 3}\dfrac{(x-1)(x-2)^2(x-3)}{m(x-3)}$

$\qquad\qquad\qquad =\lim\limits_{x\to 3}\dfrac{(x-1)(x-2)^2}{m}=\dfrac{2}{m}$

이므로 $\dfrac{2}{m}=1 \qquad \therefore m=2$

057

함수 $f(x)$가 실수 전체의 집합에서 미분가능하므로 함수 $g(x)$가 실수 전체의 집합에서 미분가능하려면 $x=k$에서 미분가능해야 한다. 즉, $x=k$에서의 미분계수가 존재해야 한다.

$\lim\limits_{x\to k-}\dfrac{g(x)-g(k)}{x-k}=\lim\limits_{x\to k-}\dfrac{f(x-k)+f(k)-f(0)-f(k)}{x-k}$

$\qquad\qquad\qquad =\lim\limits_{x\to k-}\dfrac{f(x-k)-f(0)}{x-k}$

이때 $x-k=h$라고 하면 $x\to k-$일 때 $h\to 0-$이므로

$\lim\limits_{x\to k-}\dfrac{f(x-k)-f(0)}{x-k}=\lim\limits_{h\to 0-}\dfrac{f(h)-f(0)}{h}=f'(0)$

$\lim\limits_{x\to k+}\dfrac{g(x)-g(k)}{x-k}=\lim\limits_{x\to k+}\dfrac{f(x)-f(k)}{x-k}$

$\qquad\qquad\qquad =\lim\limits_{x\to k+}\dfrac{x^3-x^2+x+3-(k^3-k^2+k+3)}{x-k}$

$\qquad\qquad\qquad =\lim\limits_{x\to k+}\dfrac{(x-k)\{x^2+(k-1)x+k^2-k+1\}}{x-k}$

$\qquad\qquad\qquad =\lim\limits_{x\to k+}\{x^2+(k-1)x+k^2-k+1\}$

$\qquad\qquad\qquad =3k^2-2k+1$

따라서 $g(x)$의 $x=k$에서의 미분계수가 존재하려면

$f'(0)=3k^2-2k+1$ ⋯⋯ ㉠

이어야 한다.

$f(x)=x^3-x^2+x+3$에서 $f'(x)=3x^2-2x+1$이므로

$f'(0)=1$ ⋯⋯ ㉡

㉡을 ㉠에 대입하면

$1=3k^2-2k+1,\ 3k^2-2k=0 \qquad \therefore k=\dfrac{2}{3}\ (\because k\neq 0)$

답 $\dfrac{2}{3}$

참고

함수 $f(x)$가 실수 전체의 집합에서 연속이므로

$\lim\limits_{x\to k-}g(x)=\lim\limits_{x\to k-}\{f(x-k)+f(k)-f(0)\}$

$\qquad\qquad =f(0)+f(k)-f(0)=f(k)$

$\lim\limits_{x\to k+}g(x)=\lim\limits_{x\to k+}f(x)=f(k)$

따라서 $\lim\limits_{x\to k-}g(x)=\lim\limits_{x\to k+}g(x)=g(k)$이므로 함수 $g(x)$는 $x=k$에서 연속이다.

058

접근

조건 ㈎에서 $f(x)$는 홀수 차수의 항으로만 이루어진 함수임을 알 수 있으므로 조건 ㈏를 이용하여 $f(x)$의 차수를 찾는다.

조건 ㈎에 의하여 다항함수 $f(x)$는 상수항이 없는 홀수 차수의 항으로만 이루어진 함수임을 알 수 있다.

(i) $f(x)$가 일차함수일 때

$f(x)=mx\ (m\neq 0)$로 놓으면 $f'(x)=m$이므로 조건 ㈏에 의하여

$9mx^2=m^2-15x^2-25$

이 식은 x에 대한 항등식이므로

$9m=-15,\ m^2-25=0$

그런데 위의 두 식을 동시에 만족시키는 m의 값은 존재하지 않는다. 따라서 $f(x)$는 일차함수가 아니다.

(ii) $f(x)$가 일차함수가 아닐 때

$f(x)$를 n차함수(n은 1보다 큰 홀수)라고 하면 $f'(x)$는 $(n-1)$차함수이고, 조건 ㈏에서 좌변과 우변의 최고차항의 차수가 같으므로

$$n+1=2(n-1) \qquad \therefore n=3$$

따라서 $f(x)$는 삼차함수이므로

$$f(x)=ax^3+bx \ (a, b는 상수, a\neq 0)$$

로 놓을 수 있다.

$f'(x)=3ax^2+b$이므로 조건 ㈏에 의하여

$$9x(ax^3+bx)=(3ax^2+b)^2-15x^2-25$$
$$9ax^4+9bx^2=9a^2x^4+(6ab-15)x^2+b^2-25$$

이 식은 x에 대한 항등식이므로

$$9a=9a^2, \ 9b=6ab-15, \ b^2-25=0$$

$9a=9a^2$에서 $9a(a-1)=0$ $\quad \therefore a=1 \ (\because a\neq 0)$

이것을 $9b=6ab-15$에 대입하면 $b=-5$

$$\therefore f(x)=x^3-5x$$

(i), (ii)에 의하여 $f(x)=x^3-5x$이므로

$$f(2)=8-10=-2$$

답 ①

풍쌤 비법

다항함수 $f(x)$에 대하여 모든 실수 x에 대하여

(1) $f(-x)=-f(x)$이면 함수 $f(x)$는 기함수로, 상수항이 없는 홀수 차수의 항으로만 이루어진 함수이다.

(2) $f(-x)=f(x)$이면 함수 $f(x)$는 우함수로, 짝수 차수의 항으로만 이루어진 함수이다.

참고

기함수, 우함수의 도함수

(1) 함수 $f(x)$가 기함수, 즉 $f(-x)=-f(x)$일 때

$$\begin{aligned} f'(-x)&=\lim_{h\to 0}\frac{f(-x+h)-f(-x)}{h}\\ &=\lim_{h\to 0}\frac{-f(x-h)+f(x)}{h}\\ &=\lim_{h\to 0}\frac{f(x-h)-f(x)}{-h}=f'(x)\end{aligned}$$

➡ 기함수 $f(x)$의 도함수 $f'(x)$는 우함수이다.

(2) 함수 $f(x)$가 우함수, 즉 $f(-x)=f(x)$일 때

$$\begin{aligned} f'(-x)&=\lim_{h\to 0}\frac{f(-x+h)-f(-x)}{h}\\ &=\lim_{h\to 0}\frac{f(x-h)-f(x)}{h}\\ &=-\lim_{h\to 0}\frac{f(x-h)-f(x)}{-h}=-f'(x)\end{aligned}$$

➡ 우함수 $f(x)$의 도함수 $f'(x)$는 기함수이다.

059

$\overline{AB}=3$, $\overline{BC}=1$이므로

$\beta=\alpha+3$,

$\gamma=\beta+1=\alpha+4$

이때 α, $\alpha+3$, $\alpha+4$는 방정식

$x^3+ax^2+bx+c=k$, 즉 $x^3+ax^2+bx+c-k=0$의 세 근이므로

삼차방정식의 근과 계수의 관계에 의하여

$$\alpha+(\alpha+3)+(\alpha+4)=-a \qquad \cdots\cdots ㉠$$
$$\alpha(\alpha+3)+(\alpha+3)(\alpha+4)+(\alpha+4)\alpha=b$$
$$\alpha(\alpha+3)(\alpha+4)=-c+k \qquad \cdots\cdots ㉡$$

㉡을 정리하면

$$\alpha^3+7\alpha^2+12\alpha+c-k=0 \qquad \cdots\cdots ㉢$$

한편 α는 방정식 $x^3+ax^2+bx+c-k=0$의 한 근이므로

$$\alpha^3+a\alpha^2+b\alpha+c-k=0$$

이것은 ㉢과 같아야 하므로

$$a=7, \ b=12$$

$a=7$을 ㉠에 대입하면 $\quad \alpha=-\dfrac{14}{3}$

$f(x)=x^3+7x^2+12x+c$에서

$$f'(x)=3x^2+14x+12$$

이므로 점 $A\left(-\dfrac{14}{3}, \ k\right)$에서 $y=f(x)$에 접하는 접선의 기울기는

$$f'\left(-\frac{14}{3}\right)=3\times\left(-\frac{14}{3}\right)^2+14\times\left(-\frac{14}{3}\right)+12=12$$

답 12

참고

삼차방정식의 근과 계수의 관계

삼차방정식 $ax^3+bx^2+cx+d=0$의 세 근을 α, β, γ라고 하면

$$\alpha+\beta+\gamma=-\frac{b}{a}, \ \alpha\beta+\beta\gamma+\gamma\alpha=\frac{c}{a}, \ \alpha\beta\gamma=-\frac{d}{a}$$

060

곡선 $y=f(x)$와 x축이 만나는 서로 다른 세 점의 x좌표가 $-2t$, 0, t이므로

$$f(x)=x(x+2t)(x-t)$$
$$\therefore f'(x)=(x+2t)(x-t)+x(x-t)+x(x+2t)$$
$$\begin{aligned}\therefore f'(4)&=(4+2t)(4-t)+4(4-t)+4(4+2t)\\ &=-2t^2+8t+48\\ &=-2(t-2)^2+56\end{aligned}$$

따라서 $f'(4)$는 $t=2$일 때 최댓값 56을 갖는다.

답 56

061

접근

곱의 미분법을 이용하여 $g'(x)$를 구한다. 또, $f'(a)$는 함수 $y=f(x)$ 위의 점 $(a, f(a))$에서의 접선의 기울기이므로 주어진 함수의 그래프에서 $f'(a)>0$, $f'(b)<0$, $f'(c)>0$임을 알 수 있다.

$g(x)=xf(x)$에서 $\quad g'(x)=f(x)+xf'(x)$

ㄱ은 옳다.

$f(a)<0$, $g'(a)=f(a)+af'(a)<0$ $(\because a<0$, $f(a)<0$, $f'(a)>0)$이므로

$$f(a)+g'(a)<0$$

ㄴ도 옳다.

$g(b)=bf(b)<0$ $(\because b<0$, $f(b)>0)$,

$g'(b)=f(b)+bf'(b)>0$ $(\because b<0$, $f(b)>0$, $f'(b)<0)$이므로

$$g(b)g'(b)<0$$

ㄷ도 옳다.

$f(c)>0$, $g'(c)=f(c)+cf'(c)>0$ ($\because$ $c>0$, $f(c)>0$, $f'(c)>0$)이므로

$f(c)+g'(c)>0$

따라서 옳은 것은 ㄱ, ㄴ, ㄷ이다.

답 ⑤

참고

주어진 그래프에서

$a<b<0<c$,

$f(a)<0$, $f(b)>0$, $f(c)>0$

$f'(a)$, $f'(b)$, $f'(c)$는 각각 점

$(a, f(a))$, $(b, f(b))$, $(c, f(c))$

에서의 접선의 기울기이므로 오른쪽 그림

에서

$f'(a)>0$, $f'(b)<0$, $f'(c)>0$

임을 알 수 있다.

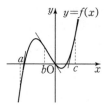

062

$\lim_{x \to 1} \dfrac{f(x)}{(x-1)\{f'(x)\}^2}=\dfrac{1}{3}$에서 $x \to 1$일 때 극한값이 존재하고

(분모) $\to 0$이므로 (분자) $\to 0$이어야 한다.

즉, $\lim_{x \to 1} f(x)=0$이므로 $f(x)$는 $x-1$을 인수로 갖는다.

또, $f(2)=0$이므로 $f(x)$는 $x-2$를 인수로 갖는다.

따라서 $f(x)=(x-1)(x-2)(x-a)$(a는 상수)로 놓을 수 있다.

$\therefore f'(x)=(x-2)(x-a)+(x-1)(x-a)+(x-1)(x-2)$

$\lim_{x \to 1} \dfrac{f(x)}{(x-1)\{f'(x)\}^2}=\dfrac{1}{3}$에서

$$\lim_{x \to 1} \dfrac{f(x)}{(x-1)\{f'(x)\}^2}=\lim_{x \to 1} \dfrac{(x-1)(x-2)(x-a)}{(x-1)\{f'(x)\}^2}$$

$$=\lim_{x \to 1} \dfrac{(x-2)(x-a)}{\{f'(x)\}^2}=\dfrac{-(1-a)}{\{f'(1)\}^2}$$

이때 $f'(1)=-(1-a)$이므로

$$\lim_{x \to 1} \dfrac{f(x)}{(x-1)\{f'(x)\}^2}=\dfrac{-(1-a)}{\{f'(1)\}^2}=\dfrac{-(1-a)}{(1-a)^2}=-\dfrac{1}{1-a}$$

따라서 $-\dfrac{1}{1-a}=\dfrac{1}{3}$이므로

$1-a=-3$ $\therefore a=4$

$\therefore f(x)=(x-1)(x-2)(x-4)$

$\therefore f(-1)=(-2) \times (-3) \times (-5)=-30$

답 ①

063

$f(x)=-(x-8)(x-15)(x-18)+4000$에서

$f'(x)=-(x-15)(x-18)-(x-8)(x-18)$

$\qquad\qquad\qquad\qquad\qquad -(x-8)(x-15)$

$\qquad =-x^2+33x-270-x^2+26x-144-x^2+23x-120$

$\qquad =-3x^2+82x-534$

$\qquad =-3\left(x-\dfrac{41}{3}\right)^2+\dfrac{79}{3}$

따라서 전력 사용량의 순간변화율은 $x=\dfrac{41}{3}$일 때 최대가 된다.

$\dfrac{41}{3}=13+\dfrac{2}{3}$이므로 전력 사용량의 순간변화율이 최대가 되는 시각은 오후 1시 40분이다. $\dfrac{2}{3}$(시간) $=\dfrac{2}{3} \times 60$(분) $=40$(분)

답 ③

064

$y=f(x)g(x)$에서

$y'=f'(x)g(x)+f(x)g'(x)$

이므로 함수 $y=f(x)g(x)$의 그래프 위의 점 $(4, f(4)g(4))$에서의 접선의 기울기는 $f'(4)g(4)+f(4)g'(4)$이다.

$\lim_{x \to 4} \dfrac{f(x)-5}{x-4}=6$에서 $x \to 4$일 때 극한값이 존재하고

(분모) $\to 0$이므로 (분자) $\to 0$이어야 한다.

즉, $\lim_{x \to 4} \{f(x)-5\}=0$이므로

$f(4)=5$

$\lim_{x \to 4} \dfrac{f(x)-5}{x-4}=6$에서

$\lim_{x \to 4} \dfrac{f(x)-5}{x-4}=\lim_{x \to 4} \dfrac{f(x)-f(4)}{x-4}=f'(4)$

이므로

$f'(4)=6$

$\lim_{x \to 4} \dfrac{g(x)-3}{\sqrt{x}-2}=8$에서 $x \to 4$일 때 극한값이 존재하고

(분모) $\to 0$이므로 (분자) $\to 0$이어야 한다.

즉, $\lim_{x \to 4} \{g(x)-3\}=0$이므로 $g(4)=3$

$\lim_{x \to 4} \dfrac{g(x)-3}{\sqrt{x}-2}=8$에서

$$\lim_{x \to 4} \dfrac{g(x)-3}{\sqrt{x}-2}=\lim_{x \to 4} \left\{\dfrac{g(x)-g(4)}{(\sqrt{x}-2)(\sqrt{x}+2)} \times (\sqrt{x}+2)\right\}$$

$$=\lim_{x \to 4} \left\{\dfrac{g(x)-g(4)}{x-4} \times (\sqrt{x}+2)\right\}$$

$$=4g'(4)$$

이므로

$4g'(4)=8$ $\therefore g'(4)=2$

따라서 구하는 기울기는

$f'(4)g(4)+f(4)g'(4)=6 \times 3+5 \times 2=28$

답 ②

065

다항식 $x^{n+2}+ax^{n+1}+bx^n+2$를 $(x-1)^2$으로 나누었을 때의 몫을 $Q(x)$라고 하면

$x^{n+2}+ax^{n+1}+bx^n+2=(x-1)^2 Q(x)$ $\qquad$ ……㉠

㉠의 양변에 $x=1$을 대입하면

$1+a+b+2=0$ $\therefore b=-3-a$ $\qquad$ ……㉡

㉠의 양변을 x에 대하여 미분하면

$(n+2)x^{n+1}+a(n+1)x^n+bnx^{n-1}$

$=2(x-1)Q(x)+(x-1)^2 Q'(x)$

이 식의 양변에 $x=1$을 대입하면

$n+2+a(n+1)+bn=0$

이 식에 ㉡을 대입하여 정리하면

$a=2n-2$ $\therefore f(n)=2n-2$

$\therefore f(20)=40-2=38$

답 ③

066

조건 (나)에서
$$g(x)=(x^2+2)f(x) \qquad \cdots\cdots \text{㉠}$$
이므로 이 식의 양변을 x에 대하여 미분하면
$$g'(x)=2xf(x)+(x^2+2)f'(x) \qquad \cdots\cdots \text{㉡}$$
㉠, ㉡을 조건 (가)의 식 $f'(x)g(x)-f(x)g'(x)=-18x^3$에 대입하면
$$(x^2+2)f'(x)f(x)-f(x)\{2xf(x)+(x^2+2)f'(x)\}=-18x^3$$
$$2x\{f(x)\}^2=18x^3$$
이때 $x>0$이므로 양변을 $2x$로 나누면
$$\{f(x)\}^2=9x^2$$
$$\therefore f(x)=-3x \text{ 또는 } f(x)=3x$$
$f(x)=-3x$이면 $g(x)=-3x(x^2+2)=-3x^3-6x$
$f(x)=3x$이면 $g(x)=3x(x^2+2)=3x^3+6x$
$f(x)g(x)=9x^4+18x^2$이므로
$$f'(x)g(x)+f(x)g'(x)=36x^3+36x$$
따라서 함수 $f(x)g(x)$의 $x=2$에서의 미분계수는
$$f'(2)g(2)+f(2)g'(2)=36\times 8+36\times 2=360$$
답 360

04 도함수의 활용(1)

067

$f(x)=2x^3-3x$라고 하면 $f'(x)=6x^2-3$
점 $(1,-1)$에서의 접선의 기울기는 $f'(1)=3$
따라서 접선의 방정식은
$$y-(-1)=3(x-1) \qquad \therefore y=3x-4$$
즉, $m=3$, $n=-4$이므로
$$m-n=7$$
답 ③

068

$f(x)=x^3-2x^2+a$라고 하면 $f'(x)=3x^2-4x$
점 $(2,a)$에서의 접선의 기울기는 $f'(2)=4$
따라서 접선의 방정식은
$$y-a=4(x-2) \qquad \therefore y=4x-8+a$$
이 직선이 점 $(0,10)$을 지나므로
$$-8+a=10 \qquad \therefore a=18$$
답 18

069

$f(x)=x^3-2x+7$이라고 하면 $f'(x)=3x^2-2$
점 $P(-1,8)$에서의 접선의 기울기는 $f'(-1)=1$
따라서 접선의 방정식은
$$y-8=x-(-1) \qquad \therefore y=x+9$$
이 직선과 곡선 $y=x^3-2x+7$의 교점의 x좌표를 구하면
$$x^3-2x+7=x+9, \; x^3-3x-2=0$$

$$(x+1)^2(x-2)=0 \qquad \therefore x=-1 \text{ 또는 } x=2$$
따라서 접선이 곡선과 만나는 점 P가 아닌 점은 $(2,11)$이므로
$$a=2, \; b=11$$
$$\therefore a+b=13$$
답 ③

다른 풀이

곡선과 접선의 방정식을 연립하여 삼차방정식을 세운 후 삼차방정식의 근과 계수의 관계를 이용하여 구할 수도 있다.
곡선 $y=x^3-2x+7$ 위의 점 $P(-1,8)$에서의 접선의 방정식을
$$y=mx+n \; (m, \, n\text{은 상수})$$
이라고 하면 곡선과 접선의 교점의 x좌표는
$$x^3-2x+7=mx+n, \text{ 즉 } x^3-(m+2)x+7-n=0$$
의 실근이다. 이때 이 방정식은 중근 $x=-1$과 다른 한 실근 $x=a$를 갖는다.
삼차방정식의 근과 계수의 관계에 의하여
$$-1+(-1)+a=0 \qquad \therefore a=2$$
또, 점 $(2,b)$는 곡선 $y=x^3-2x+7$ 위의 점이므로
$$b=8-4+7=11 \qquad \therefore a+b=13$$

070

$f(x)=2x^2-5x+1$이라고 하면 $f'(x)=4x-5$
접점의 좌표를 $(a, 2a^2-5a+1)$이라고 하면 접선의 기울기는
$$f'(a)=4a-5$$
이때 접선이 직선 $y=-\dfrac{1}{3}x-2$와 수직이므로 접선의 기울기는 3이다. 즉, $4a-5=3$이므로
$$a=2$$
따라서 접점의 좌표는 $(2,-1)$이므로 접선의 방정식은
$$y-(-1)=3(x-2) \qquad \therefore y=3x-7$$
즉, 구하는 y절편은 -7이다.
답 ④

다른 풀이

미분을 이용하지 않고 접선의 방정식을 구할 수도 있다. 즉, 접선의 방정식을 $y=3x+n$으로 놓고 $y=2x^2-5x+1$에 대입하여 정리하면
$$2x^2-8x+1-n=0$$
이 이차방정식의 판별식을 D라고 하면
$$\frac{D}{4}=(-4)^2-2(1-n)=0 \qquad \therefore n=-7$$

071

접근

두 점에서의 접선이 서로 수직이므로 두 접선의 기울기의 곱이 -1임을 이용한다.

$f(x)=-\dfrac{5}{6}x^3+ax$에서 $f'(x)=-\dfrac{5}{2}x^2+a$
두 점 $(0,f(0))$, $(-1,f(-1))$에서의 접선의 기울기는 각각
$f'(0)=a$, $f'(-1)=-\dfrac{5}{2}+a$이고, 두 접선이 서로 수직이므로
$$a\left(-\frac{5}{2}+a\right)=-1, \; 2a^2-5a+2=0$$

$(2a-1)(a-2)=0$ $\therefore a=\dfrac{1}{2}$ 또는 $a=2$

따라서 구하는 모든 실수 a의 값의 곱은 1이다.

답 ④

072

$f(x)=x^2+x-1$이라고 하면 $f'(x)=2x+1$

접점의 좌표를 $(a,\ a^2+a-1)$이라고 하면 접선의 기울기는

$f'(a)=2a+1$

이므로 접선의 방정식은

$y-(a^2+a-1)=(2a+1)(x-a)$ ······㉠

이 직선이 점 $(0,\ -2)$를 지나므로

$-2-(a^2+a-1)=(2a+1)\times(-a)$

$a^2=1$ $\therefore a=\pm1$

이때 접선의 기울기가 양수이므로 $a=1$

이것을 ㉠에 대입하여 정리하면 접선의 방정식은

$y=3x-2$

이 직선이 x축과 만나는 점의 좌표는 $\left(\dfrac{2}{3},\ 0\right)$, y축과 만나는 점의

좌표는 $(0,\ -2)$이므로

$P\left(\dfrac{2}{3},\ 0\right)$, $Q(0,\ -2)$

$\therefore \overline{PQ}=\sqrt{\left(0-\dfrac{2}{3}\right)^2+(-2-0)^2}=\sqrt{\dfrac{40}{9}}=\dfrac{2\sqrt{10}}{3}$

답 ①

073

$f(x)=-x^3-6x^2-4x+7$이라고 하면

$f'(x)=-3x^2-12x-4$

접점의 좌표를 $(t,\ -t^3-6t^2-4t+7)$이라고 하면 접선의 기울기는

$f'(t)=-3t^2-12t-4=-3(t+2)^2+8$

즉, 접선 중에서 기울기가 가장 클 때는 $t=-2$일 때 8이 되는 경우이므로, 이때의 접점의 좌표는 $(-2,\ -1)$이고 접선의 방정식은

$y-(-1)=8\{x-(-2)\}$

$\therefore y=8x+15$

따라서 $a=8,\ b=15$이므로

$a+b=23$

답 ②

074

$f(x)=2x^2-1$이라고 하면 $f'(x)=4x$

점 $(1,\ 1)$에서의 접선의 기울기는 $f'(1)=4$

따라서 접선의 방정식은

$y-1=4(x-1)$ $\therefore y=4x-3$ ······㉠

이 직선이 곡선 $y=x^3-ax+13$에 접할 때의 접점의 좌표를

$(t,\ t^3-at+13)$이라 하고, $g(x)=x^3-ax+13$이라고 하면

$g'(x)=3x^2-a$

이때 접선의 기울기는 4이므로

$g'(t)=3t^2-a=4$ $\therefore a=3t^2-4$ ······㉡

또, 직선 ㉠이 점 $(t,\ t^3-at+13)$을 지나므로

$t^3-at+13=4t-3$

이 식에 ㉡을 대입하면

$t^3-(3t^2-4)t+13=4t-3$

$2t^3-16=0,\ t^3-8=0$

$(t-2)(t^2+2t+4)=0$

$\therefore t=2\ (\because t^2+2t+4\ne0)$

이것을 ㉡에 대입하면

$a=12-4=8$

답 ④

075

$f(x)=x(x-1)(ax+1)$에서

$f'(x)=(x-1)(ax+1)+x(ax+1)+ax(x-1)$

$\qquad=(2x-1)(ax+1)+ax(x-1)$

점 $P(1,\ 0)$에서의 접선 l의 기울기는

$f'(1)=a+1$

따라서 직선 l에 수직인 직선의 기울기는 $-\dfrac{1}{a+1}\ (a\ne-1)$이므

로 직선 l에 수직이고 점 $P(1,\ 0)$을 지나는 직선의 방정식은

$y=-\dfrac{1}{a+1}(x-1)$

이 직선과 곡선 $y=f(x)$의 교점의 x좌표를 구하면

$x(x-1)(ax+1)=-\dfrac{1}{a+1}(x-1)$

$(x-1)\left(ax^2+x+\dfrac{1}{a+1}\right)=0$

$(x-1)\{a(a+1)x^2+(a+1)x+1\}=0$

이 방정식이 서로 다른 세 실근을 가져야 하므로 이차방정식

$a(a+1)x^2+(a+1)x+1=0$은 $x\ne1$인 서로 다른 두 실근을 가져야 한다.

이차방정식 $a(a+1)x^2+(a+1)x+1=0$의 판별식을 D라고 하면

$D=(a+1)^2-4a(a+1)>0$

$3a^2+2a-1<0,\ (3a-1)(a+1)<0$

$\therefore -1<a<\dfrac{1}{3}$ ······㉠

이때 $a(a+1)x^2+(a+1)x+1=0$이 서로 다른 두 실근을 가지려면 $a(a+1)\ne0$이어야 하므로

$a\ne0$이고 $a\ne-1$ ······㉡

㉠, ㉡에서 구하는 a의 값의 범위는

$-1<a<0$ 또는 $0<a<\dfrac{1}{3}$

답 ③

참고

이차방정식 $a(a+1)x^2+(a+1)x+1=0$에 $x=1$을 대입하면

$a(a+1)+(a+1)+1=0,\ a^2+2a+2=0$

a에 대한 이차방정식 $a^2+2a+2=0$의 판별식을 D_1이라고 하면

$\dfrac{D_1}{4}=1^2-2=-1<0$

이므로 $a^2+2a+2=0$을 만족시키는 실수 a의 값은 존재하지 않는다.

따라서 방정식 $a(a+1)x^2+(a+1)x+1=0$은 $x=1$을 근으로 갖지 않는다.

076

함수 $f(x)$는 닫힌구간 $[-1, 3]$에서 연속이고 열린구간 $(-1, 3)$
에서 미분가능하다.

또, $f(x)=x^3-2x^2-3x+3$에서
$f(-1)=-1-2+3+3=3$, $f(3)=27-18-9+3=3$

즉, $f(-1)=f(3)$이므로 롤의 정리에 의하여
$$f'(c)=0$$
인 c가 열린구간 $(-1, 3)$에 적어도 하나 존재한다.

$f'(x)=3x^2-4x-3$이므로

$f'(c)=3c^2-4c-3=0$ ┌─ 판별식을 D라고 하면 $\dfrac{D}{4}=4+9=13>0$이므로
└─ 서로 다른 두 실근을 갖는다.

따라서 구하는 모든 실수 c의 값의 합은 이차방정식의 근과 계수의
관계에 의하여 $\dfrac{4}{3}$이다.

답 ③

077

$A(a, f(a))$, $B(b, f(b))$라고 하
면 열린구간 (a, b)에서 접선의 기
울기가 직선 AB의 기울기와 같은
점은 오른쪽 그림과 같이 6개이므로
열린구간 (a, b)에서 평균값 정리를
만족시키는 실수 c의 개수는 6이다.

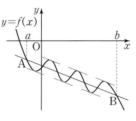

답 ⑤

참고

평균값 정리는 열린구간 (a, b)에서 곡선 $y=f(x)$의 접선 중 두
점 $(a, f(a))$, $(b, f(b))$를 연결하는 직선과 평행한 직선이 적어
도 하나 존재함을 의미한다.

078

함수 $f(x)$가 닫힌구간 $[0, 3]$에서 연속이고 열린구간 $(0, 3)$에서
미분가능하므로
$$\frac{f(3)-f(0)}{3-0}=f'(c)$$
인 c가 열린구간 $(0, 3)$에 적어도 하나 존재한다.
이때 $f(x)=x^3-2$에서 $f'(x)=3x^2$이므로
$$\frac{f(3)-f(0)}{3-0}=3c^2, \quad \frac{25-(-2)}{3}=3c^2$$
$c^2=3$ ∴ $c=\sqrt{3}$ $(\because 0<c<3)$

답 ③

079

$f(x)=x^2+4x$에서 $f'(x)=2x+4$
$f(a+h)-f(a)=hf'(a+\theta h)$에서
$\{(a+h)^2+4(a+h)\}-(a^2+4a)=h\{2(a+\theta h)+4\}$
$2ah+h^2+4h=2ah+2\theta h^2+4h$
$h^2=2\theta h^2$ ∴ $\theta=\dfrac{1}{2}$ $(\because h>0)$

답 ③

참고

$f(a+h)-f(a)=hf'\left(a+\dfrac{1}{2}h\right)$, 즉
$$\frac{f(a+h)-f(a)}{h}=f'\left(a+\frac{1}{2}h\right)$$의

기하적 의미는 열린구간 $(a, a+h)$에 두
점 $(a, f(a))$, $(a+h, f(a+h))$를 지나
는 직선과 평행한 곡선 $y=f(x)$의 접선이
존재하고, 이때 접점의 x좌표가 $a+\dfrac{1}{2}h$
라는 뜻이다.

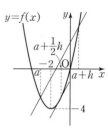

080

①은 옳다.
　열린구간 $\left(-\dfrac{3}{2}, -1\right)$에서 $f'(x)<0$이므로 $f(x)$는 감소한다.

②도 옳다.
　열린구간 $(-1, 0)$에서 $f'(x)>0$이므로 $f(x)$는 증가한다.

③은 옳지 않다.
　열린구간 $(0, 1)$에서 $f'(x)>0$이므로 $f(x)$는 증가한다.

④는 옳다.
　열린구간 $(1, 3)$에서 $f'(x)>0$이므로 $f(x)$는 증가한다.

⑤도 옳다.
　열린구간 $(3, \infty)$에서 $f'(x)<0$이므로 $f(x)$는 감소한다.

따라서 옳지 않은 것은 ③이다.

답 ③

풍쌤 비법

함수의 그래프와 증가, 감소

함수 $f(x)$의 도함수 $y=f'(x)$의 그래프가 어떤 열린구간에서

(1) x축의 위쪽 부분에 있으면
　➡ $f'(x)>0$
　➡ 이 구간에서 함수 $f(x)$는 증가한다.

(2) x축의 아래쪽 부분에 있으면
　➡ $f'(x)<0$
　➡ 이 구간에서 함수 $f(x)$는 감소한다.

081

부등식 $f'(x)\{f(x)-2\}\leq 0$을 만족시키려면
$f'(x)\geq 0$, $f(x)-2\leq 0$ 또는 $f'(x)\leq 0$, $f(x)-2\geq 0$
∴ $f'(x)\geq 0$, $f(x)\leq 2$ 또는 $f'(x)\leq 0$, $f(x)\geq 2$

(i) $f'(x)\geq 0$, $f(x)\leq 2$인 경우
　$y=f(x)$가 증가하고 $y=f(x)$의 그래프가 직선 $y=2$와 만나
　거나 그 아래쪽에 있어야 하므로 열린구간 $(-3, 7)$에서 이를
　만족시키는 정수 x는 -2, -1이다.

(ii) $f'(x)\leq 0$, $f(x)\geq 2$인 경우
　$y=f(x)$가 감소하고 $y=f(x)$의 그래프가 직선 $y=2$와 만나
　거나 그 위쪽에 있어야 하므로 열린구간 $(-3, 7)$에서 이를 만
　족시키는 정수 x는 2, 3, 4이다.

(i), (ii)에 의하여 주어진 부등식을 만족시키는 정수 x는 -2, -1,
2, 3, 4의 5개이다.

답 ②

082

$f(x)=-2x^3+9x^2-12x+4$에서

$f'(x)=-6x^2+18x-12$

함수 $f(x)$는 $f'(x)\geq0$인 구간에서 증가하므로

$-6x^2+18x-12\geq0,\ x^2-3x+2\leq0$

$(x-1)(x-2)\leq0$ $\therefore 1\leq x\leq2$

따라서 함수 $f(x)$가 증가하는 구간은 [1, 2]이다.

답 ①

083

$f(x)=\dfrac{1}{3}x^3-2x^2-12x$에서

$f'(x)=x^2-4x-12$

$f'(x)\leq0$에서

$x^2-4x-12\leq0,\ (x+2)(x-6)\leq0$

$\therefore -2\leq x\leq6$

따라서 구간 $[-2, 6]$에서 함수 $f(x)$는 감소한다.

이때 구간 $(-a, a)$가 구간 $[-2, 6]$에 포함되어야 하므로 양수 a의 최댓값은 2이다.

답 ②

084

$f(x)=x^3+3ax^2+2$에서

$f'(x)=3x^2+6ax$

함수 $f(x)$가 닫힌구간 [1, 2]에서 감소하므로 이 구간에서 $f'(x)\leq0$이어야 하고, 반닫힌 구간 $[3, \infty)$에서 증가하므로 이 구간에서 $f'(x)\geq0$이어야 한다.

즉, 함수 $y=f'(x)$의 그래프가 오른쪽 그림과 같아야 하므로

$f'(1)=3+6a\leq0$ $\therefore a\leq-\dfrac{1}{2}$

$f'(2)=12+12a\leq0$ $\therefore a\leq-1$

$f'(3)=27+18a\geq0$ $\therefore a\geq-\dfrac{3}{2}$

따라서 $-\dfrac{3}{2}\leq a\leq-1$이므로 정수 a의 값은 -1이다.

답 ⑤

085

> ▸ 접근
> 주어진 조건을 만족시키는 함수 $f(x)$는 증가하는 함수이어야 한다.

임의의 두 실수 x_1과 x_2에 대하여 $x_1<x_2$이면 $f(x_1)<f(x_2)$가 성립하려면 함수 $f(x)$가 실수 전체의 집합에서 증가해야 한다. 즉, 실수 전체의 집합에서 $f'(x)\geq0$이어야 한다.

$f(x)=x^3-ax^2-ax+1$에서

$f'(x)=3x^2-2ax-a$

$f'(x)\geq0$에서 $3x^2-2ax-a\geq0$

이것이 모든 실수 x에 대하여 성립해야 하므로 이차방정식 $3x^2-2ax-a=0$의 판별식을 D라고 하면

$\dfrac{D}{4}=(-a)^2+3a\leq0,\ a(a+3)\leq0$

$\therefore -3\leq a\leq0$

따라서 정수 a는 $-3, -2, -1, 0$의 4개이다.

답 ④

086

삼차함수 $f(x)=-x^3+2ax^2-5ax+4$의 역함수가 존재하려면 $f(x)$가 일대일대응이어야 한다.

함수 $f(x)$의 최고차항의 계수가 음수이므로 $f(x)$가 일대일대응이려면 구간 $(-\infty, \infty)$에서 감소해야 한다. 즉, 모든 실수 x에 대하여 $f'(x)\leq0$이어야 한다.

$f(x)=-x^3+2ax^2-5ax+4$에서

$f'(x)=-3x^2+4ax-5a$

모든 실수 x에 대하여 $-3x^2+4ax-5a\leq0$, 즉

$3x^2-4ax+5a\geq0$

이어야 하므로 이차방정식 $3x^2-4ax+5a=0$의 판별식을 D라고 하면

$\dfrac{D}{4}=(-2a)^2-15a\leq0,\ a(4a-15)\leq0$

$\therefore 0\leq a\leq\dfrac{15}{4}$

따라서 정수 a는 0, 1, 2, 3의 4개이다.

답 4

087

$f(x)=ax^3+bx^2+4bx+5$에서

$f'(x)=3ax^2+2bx+4b$

함수 $f(x)$가 $x=-1$에서 극솟값 -2를 가지므로

$f'(-1)=0,\ f(-1)=-2$

$3a-2b+4b=0,\ -a+b-4b+5=-2$

$3a+2b=0$, $a+3b=7$

위의 두 식을 연립하여 풀면 $a=-2$, $b=3$

따라서 $f(x)=-2x^3+3x^2+12x+5$이므로

$f'(x)=-6x^2+6x+12=-6(x+1)(x-2)$

$f'(x)=0$에서 $x=-1$ 또는 $x=2$

함수 $f(x)$의 증가와 감소를 표로 나타내면 다음과 같다.

x	$\cdots$	-1	$\cdots$	2	$\cdots$
$f'(x)$	$-$	0	$+$	0	$-$
$f(x)$	$\searrow$	극소	$\nearrow$	극대	$\searrow$

따라서 함수 $f(x)$는 $x=2$에서 극댓값을 가지므로 구하는 극댓값은

$f(2)=-16+12+24+5=25$

답 ⑤

088

$f(x)=-2x^3+6x+3$에서

$f'(x)=-6x^2+6=-6(x+1)(x-1)$

$f'(x)=0$에서 $x=-1$ 또는 $x=1$

함수 $f(x)$의 증가와 감소를 표로 나타내면 다음과 같다.

x	$\cdots$	-1	$\cdots$	1	$\cdots$
$f'(x)$	$-$	0	$+$	0	$-$
$f(x)$	$\searrow$	극소	$\nearrow$	극대	$\searrow$

따라서 함수 $f(x)$는 $x=-1$에서 극솟값 $f(-1)=-1$, $x=1$에서 극댓값 $f(1)=7$을 가지므로

$A(-1, -1)$, $B(1, 7)$ 또는 $A(1, 7)$, $B(-1, -1)$

즉, 구하는 직선 AB의 기울기는

$\dfrac{7-(-1)}{1-(-1)}=\dfrac{8}{2}=4$

답 4

089

▶ 접근

이차방정식 $f'(x)=0$의 두 실근이 α, β이므로 삼차함수 $f(x)$가 $x=\alpha$, $x=\beta$에서 극값을 가짐을 알 수 있고, 두 조건을 이용하여 $f(\alpha)$, $f(\beta)$에 대한 식을 세운다.

조건 ㈏에서 두 점 $(\alpha, f(\alpha))$, $(\beta, f(\beta))$ 사이의 거리는 15이므로

$\sqrt{(\beta-\alpha)^2+\{f(\beta)-f(\alpha)\}^2}=15$

양변을 제곱하면

$(\beta-\alpha)^2+\{f(\beta)-f(\alpha)\}^2=225$ ...... ㉠

이때 조건 ㈎에서 $\alpha-\beta=10$이므로

$(\beta-\alpha)^2=(\alpha-\beta)^2=100$

이것을 ㉠에 대입하여 정리하면

$\{f(\beta)-f(\alpha)\}^2=125$ ...... ㉡

한편 방정식 $f'(x)=0$의 두 실근이 α, β이므로 함수 $f(x)$는 $x=\alpha$, $x=\beta$에서 극값을 갖는다.

따라서 함수 $f(x)$의 극댓값과 극솟값의 차는

$|f(\beta)-f(\alpha)|=\sqrt{125}=5\sqrt{5}$ $(\because$ ㉡$)$

답 ⑤

참고

(i) 삼차항의 계수가 양수이면 이차함수 $y=f'(x)$의 그래프는 오른쪽 그림과 같고, 함수 $f(x)$는 $x=\beta$에서 극댓값 $f(\beta)$, $x=\alpha$에서 극솟값 $f(\alpha)$를 갖는다.

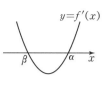

(ii) 삼차항의 계수가 음수이면 이차함수 $y=f'(x)$의 그래프는 오른쪽 그림과 같고, 함수 $f(x)$는 $x=\beta$에서 극솟값 $f(\beta)$, $x=\alpha$에서 극댓값 $f(\alpha)$를 갖는다.

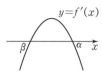

090

$f(x)=x^3+ax^2+(a^2-4a)x+3$에서

$f'(x)=3x^2+2ax+(a^2-4a)$

삼차함수 $f(x)$가 극값을 가지려면 이차방정식 $f'(x)=0$이 서로 다른 두 실근을 가져야 한다.

이차방정식 $f'(x)=0$의 판별식을 D라고 하면

$\dfrac{D}{4}=a^2-3(a^2-4a)>0$

$-2a^2+12a>0$, $a^2-6a<0$

$a(a-6)<0$ $\therefore 0<a<6$

따라서 정수 a는 1, 2, 3, 4, 5의 5개이다.

답 ①

풍쌤 비법

삼차함수 $f(x)$에 대하여 다음이 성립한다.

(단, D는 이차방정식 $f'(x)=0$의 판별식이다.)

(1) 삼차함수 $f(x)$가 극값을 갖는다.

└ 극댓값과 극솟값을 모두 갖는다.

$\Longleftrightarrow$ 이차방정식 $f'(x)=0$이 서로 다른 두 실근을 갖는다.

$\Longleftrightarrow D>0$

(2) 삼차함수 $f(x)$가 극값을 갖지 않는다.

└ 극댓값과 극솟값을 모두 갖지 않는다.

$\Longleftrightarrow$ 이차방정식 $f'(x)=0$이 중근을 갖거나 서로 다른 두 허근을 갖는다.

$\Longleftrightarrow D\leq0$

091

$f(x)=x^3-x^2+ax-1$에서

$f'(x)=3x^2-2x+a$

함수 $f(x)$가 열린구간 $(-1, 2)$에서 극댓값과 극솟값을 모두 가지려면 이차방정식 $f'(x)=0$이 $-1<x<2$에서 서로 다른 두 실근을 가져야 한다.

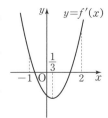

(i) 이차방정식 $f'(x)=0$의 판별식을 D라고 하면

$\dfrac{D}{4}=(-1)^2-3a>0$

$$\therefore a < \frac{1}{3}$$

(ii) $f'(-1)>0,\ f'(2)>0$이어야 하므로

   $3+2+a>0,\ 12-4+a>0$ $\therefore a>-5$

(iii) 이차함수 $y=f'(x)$의 그래프의 축의 방정식은 $x=\frac{1}{3}$이고

   $-1<\frac{1}{3}<2$이므로 조건을 만족시킨다.

(i), (ii), (iii)에 의하여 $-5<a<\frac{1}{3}$

$$\boxed{\text{답}}\ -5<a<\frac{1}{3}$$

참고

삼차함수 $f(x)$가 구간 $(a,\ b)$에서 극댓값과 극솟값을 모두 가지면 이차방정식 $f'(x)=0$이 $a<x<b$에서 서로 다른 두 실근을 가져야 하므로 다음 세 가지를 조사한다.

(i) 이차방정식 $f'(x)=0$의 판별식 D의 부호

(ii) $f'(a),\ f'(b)$의 값의 부호

(iii) $y=f'(x)$의 그래프의 축의 위치

092

$f(x)=3x^4-4x^3+ax^2+3$에서

$f'(x)=12x^3-12x^2+2ax=2x(6x^2-6x+a)$

사차함수 $f(x)$가 극댓값을 갖기 위해서는 삼차방정식 $f'(x)=0$이 서로 다른 세 실근을 가져야 한다. 그런데 방정식 $f'(x)=0$의 한 실근이 $x=0$이므로 $6x^2-6x+a=0$이 0이 아닌 서로 다른 두 실근을 가져야 한다.

이차방정식 $6x^2-6x+a=0$의 판별식을 D라고 하면

$$\frac{D}{4}=(-3)^2-6a>0 \quad \therefore a<\frac{3}{2} \qquad \cdots\cdots \ \bigcirc$$

이때 $x=0$이 방정식 $6x^2-6x+a=0$의 근이 아니어야 하므로

$a\neq 0$ $\qquad\qquad\qquad\qquad\qquad\qquad\qquad \cdots\cdots \ \bigcirc$

$\bigcirc$, $\bigcirc$에서 $a<0$ 또는 $0<a<\frac{3}{2}$

따라서 정수 a의 최댓값은 1이다.

$$\boxed{\text{답}}\ ②$$

풍쌤 비법

사차함수 $f(x)$에 대하여 다음이 성립한다.

(1) 최고차항의 계수가 양수일 때
   └─ 항상 극솟값을 갖는다.

   ① 사차함수 $f(x)$가 극댓값을 갖는다.

   $\iff$ 삼차방정식 $f'(x)=0$이 서로 다른 세 실근을 갖는다.

   ② 사차함수 $f(x)$가 극댓값을 갖지 않는다.

   $\iff$ 삼차방정식 $f'(x)=0$이 한 실근과 두 허근 또는 한 실근과 중근 또는 삼중근을 갖는다.

(2) 최고차항의 계수가 음수일 때
   └─ 항상 극댓값을 갖는다.

   ① 사차함수 $f(x)$가 극솟값을 갖는다.

   $\iff$ 삼차방정식 $f'(x)=0$이 서로 다른 세 실근을 갖는다.

   ② 사차함수 $f(x)$가 극솟값을 갖지 않는다.

   $\iff$ 삼차방정식 $f'(x)=0$이 한 실근과 두 허근 또는 한 실근과 중근 또는 삼중근을 갖는다.

093

$f(x)=-x^4+10x^3-2(3a+4)x^2-2(3a+8)x-1$에서

$f'(x)=-4x^3+30x^2-4(3a+4)x-2(3a+8)$

$\qquad =-2(2x+1)(x^2-8x+3a+8)$

사차함수 $f(x)$가 극솟값을 갖지 않으려면 삼차방정식 $f'(x)=0$이 한 실근과 두 허근 또는 한 실근과 중근 또는 삼중근을 가져야 한다.
$\qquad\qquad\quad$└─(i)$\qquad\qquad\quad$└─(ii)$\qquad\quad$└─(iii)

$g(x)=x^2-8x+3a+8$이라 하고 이차방정식 $g(x)=0$의 판별식을 D라고 하면

(i) 방정식 $g(x)=0$이 허근을 갖는 경우

$$\frac{D}{4}=(-4)^2-(3a+8)<0,\ 3a>8 \quad \therefore a>\frac{8}{3}$$

(ii) 방정식 $g(x)=0$이 중근을 갖는 경우

$$\frac{D}{4}=(-4)^2-(3a+8)=0,\ 3a=8 \quad \therefore a=\frac{8}{3}$$

(iii) 방정식 $g(x)=0$이 $x=-\frac{1}{2}$을 근으로 갖는 경우

$$g\left(-\frac{1}{2}\right)=\frac{1}{4}+4+3a+8=0$$이므로 $a=-\frac{49}{12}$

(i), (ii), (iii)에 의하여 $a=-\frac{49}{12}$ 또는 $a\geq\frac{8}{3}$

따라서 양의 정수 a의 최솟값은 3이다.

$$\boxed{\text{답}}\ ③$$

094

$y=x^3+ax^2-3x+2$에서

$y'=3x^2+2ax-3$

곡선 위의 어떤 점에서도 기울기가 -4인 접선을 그을 수 없으려면 이차방정식 $3x^2+2ax-3=-4$, 즉 $3x^2+2ax+1=0$이 실근을 갖지 않아야 하므로 이차방정식 $3x^2+2ax+1=0$의 판별식을 D라고 하면

$$\frac{D}{4}=a^2-3<0,\ (a+\sqrt{3})(a-\sqrt{3})<0$$

$$\therefore -\sqrt{3}<a<\sqrt{3}$$

따라서 정수 a는 $-1,\ 0,\ 1$의 3개이다.

$$\boxed{\text{답}}\ ③$$

095

$f(x)$는 최고차항의 계수가 1인 삼차함수이고 $f(0)=2$이므로

$f(x)=x^3+ax^2+bx+2\ (a,\ b$는 상수$)$ $\qquad\cdots\cdots\ \bigcirc$

라고 하자.

$\displaystyle\lim_{x\to 1}\frac{f(x)-x^2}{x-1}=-2$에서 $x\to 1$일 때 극한값이 존재하고

(분모) $\to 0$이므로 (분자) $\to 0$이어야 한다.

즉, $\displaystyle\lim_{x\to 1}\{f(x)-x^2\}=0$이므로

$f(1)-1=0$ $\therefore f(1)=1$

$\bigcirc$에 $x=1$을 대입하면

$f(1)=1+a+b+2=1$ $\therefore b=-2-a$ $\qquad\cdots\cdots\ \bigcirc$

$\bigcirc$을 $\bigcirc$에 대입하면

$f(x)=x^3+ax^2-(2+a)x+2$

$\lim\limits_{x\to 1}\dfrac{f(x)-x^2}{x-1}=-2$에서

$\lim\limits_{x\to 1}\dfrac{f(x)-x^2}{x-1}=\lim\limits_{x\to 1}\dfrac{\{x^3+ax^2-(2+a)x+2\}-x^2}{x-1}$

$\qquad\qquad\qquad\;\;=\lim\limits_{x\to 1}\dfrac{x^3+(a-1)x^2-(2+a)x+2}{x-1}$

$\qquad\qquad\qquad\;\;=\lim\limits_{x\to 1}\dfrac{(x-1)(x^2+ax-2)}{x-1}$

$\qquad\qquad\qquad\;\;=\lim\limits_{x\to 1}(x^2+ax-2)$

$\qquad\qquad\qquad\;\;=a-1$

이므로 $a-1=-2$ $\therefore a=-1$

$a=-1$을 ㉡에 대입하면 $b=-1$

$f(x)=x^3-x^2-x+2$이므로

$f'(x)=3x^2-2x-1$

따라서 점 $(3,\ f(3))$에서의 접선의 기울기는

$f'(3)=27-6-1=20$

답 20

다른 풀이

$f(x)=x^3+ax^2+bx+2$ (a, b는 상수)라고 하면

$\lim\limits_{x\to 1}\dfrac{f(x)-x^2}{x-1}=-2$에서 $f(1)=1$이므로

$1+a+b+2=1$ $\therefore a+b=-2$ $\qquad\cdots\cdots$ ㉠

$g(x)=f(x)-x^2$이라고 하면 $g(1)=f(1)-1=0$이므로

$\lim\limits_{x\to 1}\dfrac{f(x)-x^2}{x-1}=-2$에서

$\lim\limits_{x\to 1}\dfrac{f(x)-x^2}{x-1}=\lim\limits_{x\to 1}\dfrac{g(x)-g(1)}{x-1}=g'(1)$

이므로 $g'(1)=-2$

$g(x)=f(x)-x^2$에서 $g'(x)=f'(x)-2x$이므로

$g'(1)=f'(1)-2=-2$ $\therefore f'(1)=0$

$f(x)=x^3+ax^2+bx+2$에서 $f'(x)=3x^2+2ax+b$이므로

$f'(1)=3+2a+b=0$ $\therefore 2a+b=-3$ $\qquad\cdots\cdots$ ㉡

㉠, ㉡을 연립하여 풀면 $a=-1$, $b=-1$

096

$f(x)=-2x^3$, $g(x)=-2x^3+64$에서

$f'(x)=-6x^2$, $g'(x)=-6x^2$

곡선 $y=f(x)$ 위의 점 $(a,\ -2a^3)$에서의 접선의 기울기가 $-6a^2$

이므로 접선의 방정식은

$y-(-2a^3)=-6a^2(x-a)$

$\therefore y=-6a^2x+4a^3$ $\qquad\cdots\cdots$ ㉠

곡선 $y=g(x)$ 위의 점 $(b,\ -2b^3+64)$에서의 접선의 기울기가

$-6b^2$이므로 접선의 방정식은

$y-(-2b^3+64)=-6b^2(x-b)$

$\therefore y=-6b^2x+4b^3+64$ $\qquad\cdots\cdots$ ㉡

㉠, ㉡이 일치해야 하므로

$-6a^2=-6b^2$, $4a^3=4b^3+64$

$-6a^2=-6b^2$에서 $a^2=b^2$

이때 $a=b$이면 $4a^3=4b^3+64$가 성립하지 않으므로

$a=-b$ $\qquad\cdots\cdots$ ㉢

이것을 $4a^3=4b^3+64$에 대입하면

$-4b^3=4b^3+64$, $b^3=-8$ $\therefore b=-2$

이것을 ㉢에 대입하면 $a=2$

$\therefore a-b=4$

답 ⑤

097

주어진 그래프에서 $f(-2)=1$, $f'(-2)=0$

$g(x)=x^2f(x)$이므로

$g(-2)=4f(-2)=4\times 1=4$

$g'(x)=2xf(x)+x^2f'(x)$이므로 곡선 $y=g(x)$ 위의 점

$(-2,\ 4)$에서의 접선의 기울기는

$g'(-2)=-4f(-2)+4f'(-2)=-4\times 1+0=-4$

따라서 구하는 접선의 방정식은

$y-4=-4\{x-(-2)\}$

$\therefore y=-4x-4$

답 ②

098

$y=-x^2$에서 $y'=-2x$

곡선 $y=-x^2$ 위의 점 $\mathrm{P}(t,\ -t^2)$에서의 접선의 기울기는 $-2t$이

므로 점 P를 지나고 이 접선에 수직인 직선의 방정식은

$y-(-t^2)=\dfrac{1}{2t}(x-t)$

$\therefore y=\dfrac{1}{2t}x-\dfrac{1}{2}-t^2$

따라서 $f(t)=-\dfrac{1}{2}-t^2$이므로

$\lim\limits_{t\to 0}f(t)=\lim\limits_{t\to 0}\left(-\dfrac{1}{2}-t^2\right)=-\dfrac{1}{2}$

답 ⑤

099

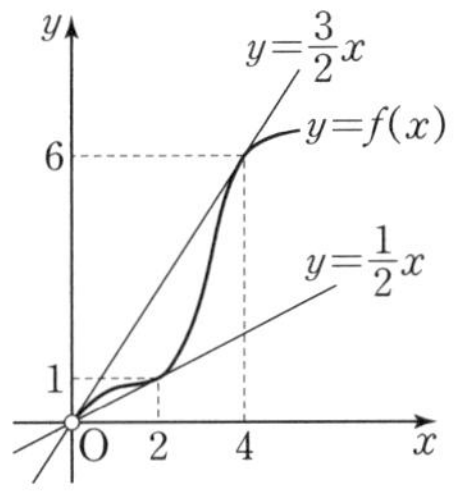

$f(2)=1$, $f(4)=6$이므로 함수

$y=f(x)$의 그래프는 점 $(2,\ 1)$,

$(4,\ 6)$을 지난다.

또, $x>0$에서 함수 $f(x)$가 미분가능

하고 $\dfrac{1}{2}x\le f(x)\le\dfrac{3}{2}x$이므로 $y=f(x)$

의 그래프는 오른쪽 그림과 같이 두 직

선 $y=\dfrac{1}{2}x$, $y=\dfrac{3}{2}x$와 만나거나 그 사이에 있어야 한다.

이때 $y=f(x)$의 그래프는 점 $(2,\ 1)$에서 직선 $y=\dfrac{1}{2}x$와 접하고,

점 $(4,\ 6)$에서 직선 $y=\dfrac{3}{2}x$와 접하므로

$f'(2)=\dfrac{1}{2}$, $f'(4)=\dfrac{3}{2}$

$\therefore f'(2)+f'(4)=2$

답 2

100

접근

곡선 위의 한 점 $(a, f(a))$에서의 접선의 방정식을 구하여 평행이동한 직선의 방정식과 일치함을 이용한다.

직선 $y=x+2$를 x축의 방향으로 $-k$만큼 평행이동하면

$$y=x+k+2 \qquad \cdots\cdots ㉠$$

이 직선이 곡선 $y=x^3-x^2+2$와 접할 때의 접점의 좌표를 (a, a^3-a^2+2)라고 하면 $y'=3x^2-2x$이므로 접선의 기울기는

$3a^2-2a$

따라서 접선의 방정식은

$$y-(a^3-a^2+2)=(3a^2-2a)(x-a)$$
$$\therefore y=(3a^2-2a)x-2a^3+a^2+2 \qquad \cdots\cdots ㉡$$

㉠, ㉡이 일치해야 하므로

$$3a^2-2a=1, \ -2a^3+a^2+2=k+2$$

$3a^2-2a=1$에서

$$3a^2-2a-1=0, \ (3a+1)(a-1)=0$$
$$\therefore a=-\frac{1}{3} \ \text{또는} \ a=1$$

$-2a^3+a^2+2=k+2$에서 $k=-2a^3+a^2$이므로

$a=-\dfrac{1}{3}$이면 $k=-2\times\left(-\dfrac{1}{27}\right)+\dfrac{1}{9}=\dfrac{5}{27}$

$a=1$이면 $k=-2\times1+1=-1$

이때 $k>0$이므로 $k=\dfrac{5}{27}$

따라서 $p=27$, $q=5$이므로

$p+q=32$

답 ②

101

$f(x)=x^3-6x-1$이라고 하면 $f'(x)=3x^2-6$

곡선 $y=f(x)$ 위의 점 $P(1, -6)$에서의 접선의 기울기는

$f'(1)=-3$이므로 접선의 방정식은

$$y-(-6)=-3(x-1) \qquad \therefore y=-3x-3$$
$$\therefore Q(0, -3)$$

곡선 $y=f(x)$와 직선 $y=-3x-3$이 만나는 점의 x좌표를 구하면

$$x^3-6x-1=-3x-3, \ x^3-3x+2=0$$
$$(x+2)(x-1)^2=0 \qquad \therefore x=-2 \ \text{또는} \ x=1$$
$$\therefore R(-2, 3)$$

따라서

$$\overline{PQ}=\sqrt{(0-1)^2+\{-3-(-6)\}^2}=\sqrt{10}$$
$$\overline{QR}=\sqrt{(-2-0)^2+\{3-(-3)\}^2}=\sqrt{40}=2\sqrt{10}$$

이므로

$$\frac{\overline{QR}}{\overline{PQ}}=\frac{2\sqrt{10}}{\sqrt{10}}=2$$

답 2

다른 풀이

곡선과 접선의 방정식을 연립하여 삼차방정식을 세운 후 삼차방정식의 근과 계수의 관계를 이용하여 점 Q, R의 좌표를 구할 수도 있다.

곡선 $y=x^3-6x-1$ 위의 점 $P(1, -6)$에서의 접선의 방정식을

$y=m(x-1)-6$ (m은 상수)

이라고 하자.

점 R의 x좌표를 a라고 하면 곡선 $y=x^3-6x-1$과 접선 $y=m(x-1)-6$의 교점의 x좌표는 방정식

$$x^3-6x-1=m(x-1)-6, \ \text{즉}$$
$$x^3-(m+6)x+m+5=0 \qquad \cdots\cdots ㉠$$

의 실근이므로 ㉠은 중근 $x=1$과 다른 한 실근 $x=a$를 갖는다.

따라서 삼차방정식의 근과 계수의 관계에 의하여

$$1+1+a=0, \ 1+a+a=-m-6, \ a=-m-5$$
$$\therefore a=-2, \ m=-3$$

점 R는 곡선 $y=x^3-6x-1$ 위의 점이므로 $R(-2, 3)$

접선의 방정식은 $y=-3(x-1)-6$, 즉 $y=-3x-3$이므로

$Q(0, -3)$

102

$f(x)=x^3-x^2+2x-1$이라고 하면

$$f'(x)=3x^2-2x+2$$

점 A의 x좌표가 1이므로 점 A에서의 접선의 기울기는

$f'(1)=3$

점 B의 x좌표를 a $(a\neq1)$라고 하면 점 B에서의 접선의 기울기는

$f'(a)=3a^2-2a+2$

두 점 A, B에서의 접선이 서로 평행하므로 $f'(a)=f'(1)$에서

$3a^2-2a+2=3, \ 3a^2-2a-1=0$ — 기울기가 같다.

$$(3a+1)(a-1)=0 \qquad \therefore a=-\frac{1}{3} \ (\because a\neq1)$$

따라서 점 $B\left(-\dfrac{1}{3}, -\dfrac{49}{27}\right)$에서의 접선의 방정식은

$$y-\left(-\frac{49}{27}\right)=3\left\{x-\left(-\frac{1}{3}\right)\right\}$$
$$\therefore y=3x-\frac{22}{27}$$

답 ③

103

$f(x)=x^3+4x^2+3x$라고 하면 $f'(x)=3x^2+8x+3$

접점의 좌표를 (t, t^3+4t^2+3t)라고 하면 접선의 기울기는

$f'(t)=3t^2+8t+3$이므로 접선의 방정식은

$$y-(t^3+4t^2+3t)=(3t^2+8t+3)(x-t)$$
$$\therefore y=(3t^2+8t+3)x-2t^3-4t^2$$

이 직선과 곡선 $y=x^3+4x^2+3x$의 교점의 x좌표를 구하면

$$x^3+4x^2+3x=(3t^2+8t+3)x-2t^3-4t^2$$
$$x^3+4x^2-(3t^2+8t)x+2t^3+4t^2=0$$
$$(x-t)^2(x+2t+4)=0$$
$$\therefore x=t \ \text{또는} \ x=-2t-4$$

이때 접선과 곡선이 접점 이외의 점에서 만나지 않아야 하므로

$$t=-2t-4 \qquad \therefore t=-\frac{4}{3}$$

즉, 접점의 좌표는 $\left(-\dfrac{4}{3}, \dfrac{20}{27}\right)$

따라서 접선의 기울기는 $f'\left(-\dfrac{4}{3}\right)=-\dfrac{7}{3}$이므로 구하는 접선의 방정식은

$$y-\frac{20}{27}=-\frac{7}{3}\left\{x-\left(-\frac{4}{3}\right)\right\}$$
$$\therefore y=-\frac{7}{3}x-\frac{64}{27}$$

답 ③

104

$f(x)=-x^3+3x^2+3x$라고 하면 $f'(x)=-3x^2+6x+3$

곡선 $y=f(x)$ 위의 원점에서의 접선의 기울기는 $f'(0)=3$이므로

접선의 방정식은

$y=3x$

이 직선과 곡선 $y=f(x)$의 교점의 x좌표를 구하면

$-x^3+3x^2+3x=3x$

$x^3-3x^2=0,\ x^2(x-3)=0$

$\therefore\ x=0$ 또는 $x=3$

$\therefore\ \mathrm{A}(3,\ 9)$

삼각형 OAP의 넓이가 최대가 되는 경우는 오른쪽 그림과 같이 점 P에서의 접선이 직선 OA와 평행한 경우이다.

점 P의 x좌표를 $t\ (t\neq0)$라고 하면

$f'(t)=3$이어야 하므로

$-3t^2+6t+3=3$

$3t^2-6t=0,\ 3t(t-2)=0$

$\therefore\ t=2\ (\because\ t\neq0)$

즉, 삼각형 OAP의 넓이가 최대가 될 때의 점 P의 좌표는 $(2,\ 10)$이다.

이때 $\overline{\mathrm{OA}}=\sqrt{3^2+9^2}=3\sqrt{10}$이고 점 $\mathrm{P}(2,\ 10)$과 직선 OA, 즉

$3x-y=0$ 사이의 거리는

$$\dfrac{|3\times2-1\times10|}{\sqrt{3^2+(-1)^2}}=\dfrac{4}{\sqrt{10}}$$

이므로 구하는 넓이의 최댓값은

$$\dfrac{1}{2}\times3\sqrt{10}\times\dfrac{4}{\sqrt{10}}=6$$

답 6

105

$f(x)=x^2$에서 $f'(x)=2x$

곡선 $y=f(x)$ 위의 점 $\mathrm{P}(1,\ 1)$에서의 접선의 기울기는 $f'(1)=2$

이므로 접선 l의 방정식은

$y-1=2(x-1)$ $\therefore\ y=2x-1$

점 Q의 x좌표를 a라고 하면 점 Q는 직선 l 위의 점이므로

$\mathrm{Q}(a,\ 2a-1)$

$g(x)=-(x-3)^2+k=-x^2+6x-9+k$에서

$g'(x)=-2x+6$

이므로 점 Q에서의 접선의 기울기는 $g'(a)=-2a+6$

이때 점 Q에서의 접선은 직선 l과 일치하므로 이 접선의 기울기는 2이다.

즉, $-2a+6=2$이므로 $a=2$

$\therefore\ \mathrm{Q}(2,\ 3)$

이 점이 곡선 $y=g(x)$ 위의 점이므로

$3=-(2-3)^2+k$ $\therefore\ k=4$

즉, $g(x)=-x^2+6x-5$이므로 곡선 $y=g(x)$와 x축과의 교점의

x좌표는

$-x^2+6x-5=0,\ x^2-6x+5=0$

$(x-1)(x-5)=0$ $\therefore\ x=1$ 또는 $x=5$

따라서 $\mathrm{R}(1,\ 0)$, $\mathrm{S}(5,\ 0)$ 또는 $\mathrm{R}(5,\ 0)$, $\mathrm{S}(1,\ 0)$이므로

$\overline{\mathrm{RS}}=5-1=4$

$\therefore\ \triangle\mathrm{QRS}=\dfrac{1}{2}\times4\times3=6$

답 ⑤

106

두 곡선 $y=f(x)$, $y=g(x)$가 점 $(2,\ a)$에서 만나므로

$f(2)=g(2)=a$ ...... ㉠

또, 점 $(2,\ a)$에서의 두 곡선의 접선이 서로 수직이므로

$f'(2)g'(2)=-1$ ...... ㉡

$y=f(x)g(x)$에서

$y'=f'(x)g(x)+f(x)g'(x)$

곡선 $y=f(x)g(x)$ 위의 점 $(2,\ a^2)$에서의 접선의 기울기가 0이므로

$f'(2)g(2)+f(2)g'(2)=0$

이 식에 ㉠을 대입하면

$a\{f'(2)+g'(2)\}=0$

$\therefore\ f'(2)+g'(2)=0\ (\because\ a\neq0)$

따라서 $f'(2)=-g'(2)$이므로 이것을 ㉡에 대입하면

$-g'(2)g'(2)=-1,\ \{g'(2)\}^2=1$

$\therefore\ g'(2)=\pm1$

$g'(2)=-1$이면 $f'(2)=1$

$g'(2)=1$이면 $f'(2)=-1$

이때 $f'(2)>g'(2)$이므로 $f'(2)=1$, $g'(2)=-1$

$\therefore\ \{f'(2)\}^2+\{g'(2)\}^2=2$

답 ①

다른 풀이

$f'(2)g'(2)=-1$, $f'(2)+g'(2)=0$에서 곱셈 공식의 변형을 이용하여 $\{f'(2)\}^2+\{g'(2)\}^2$의 값을 구할 수도 있다.

$\{f'(2)\}^2+\{g'(2)\}^2=\{f'(2)+g'(2)\}^2-2f'(2)g'(2)$

$=-2\times(-1)=2$

107

$f(x)=-x^2+2x$, $g(x)=x^2-4$라고 하면

$f'(x)=-2x+2$, $g'(x)=2x$

두 곡선이 제3사분면에서 만나는 점 P의 x좌표를 $t\ (t<0)$라고 하면 $f(t)=g(t)$에서

$-t^2+2t=t^2-4,\ 2t^2-2t-4=0$

$2(t+1)(t-2)=0$ $\therefore\ t=-1\ (\because\ t<0)$

$\therefore\ \mathrm{P}(-1,\ -3)$

곡선 $y=f(x)$ 위의 점 $\mathrm{P}(-1,\ -3)$에서의 접선의 기울기는

$f'(-1)=4$이므로 직선 l의 방정식은

$y-(-3)=4\{x-(-1)\}$ $\therefore\ y=4x+1$

곡선 $y=g(x)$ 위의 점 $\mathrm{P}(-1,\ -3)$에서의 접선의 기울기는

$g'(-1)=-2$이므로 직선 m의 방정식은

$y-(-3)=-2\{x-(-1)\}$

$\therefore\ y=-2x-5$

두 직선 l, m의 교점의 x좌표는

$4x+1=-2x-5$

$6x=-6$ $\therefore\ x=-1$

따라서 오른쪽 그림에서 두 직선 l, m과 y

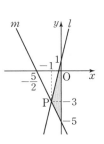

축으로 둘러싸인 도형의 넓이는

$\dfrac{1}{2} \times \{1-(-5)\} \times 1 = 3$

답 ③

108

$f(x) = -2x^3 + 1$이라고 하면 $f'(x) = -6x^2$

곡선 $y = f(x)$ 위의 점 $(1, -1)$에서의 접선을 l이라고 하면 직선 l의 기울기는

$f'(1) = -6$

직선 l에 접하고 중심이 y축 위에 있는 원의 중심의 좌표를 $(0, a)$라고 하면 점 $(0, a)$는 직선 l에 수직이면서 점 $(1, -1)$을 지나는 직선 위에 있다.

직선 l에 수직이면서 점 $(1, -1)$을 지나는 직선의 방정식은

기울기는 $\dfrac{1}{6}$

$y - (-1) = \dfrac{1}{6}(x-1)$ $\therefore y = \dfrac{1}{6}x - \dfrac{7}{6}$

점 $(0, a)$가 이 직선 위에 있으므로

$a = -\dfrac{7}{6}$

원의 반지름의 길이는 두 점 $(1, -1)$, $\left(0, -\dfrac{7}{6}\right)$ 사이의 거리와 같으므로

$\sqrt{(0-1)^2 + \left\{-\dfrac{7}{6}-(-1)\right\}^2}$

$= \sqrt{\dfrac{37}{36}} = \dfrac{\sqrt{37}}{6}$

따라서 원의 넓이는 $\dfrac{37}{36}\pi$이므로

$p = 36, q = 37$

$\therefore p + q = 73$

답 73

109

보기에 주어진 세 함수는 모두 $f(-1) = f(1)$이므로

$\dfrac{f(1) - f(-1)}{2} = f'(c)$에서 $f'(c) = 0$

따라서 $f'(c) = 0$을 만족시키는 c가 열린구간 $(-1, 1)$에 존재하는 함수를 찾으면 된다.

ㄱ. 함수 $f(x)$는 닫힌구간 $[-1, 1]$에서 연속이고 열린구간 $(-1, 1)$에서 미분가능하며

$f(-1) = f(1) = 1$

이므로 롤의 정리에 의하여 $f'(c) = 0$을 만족시키는 c가 열린구간 $(-1, 1)$에 존재한다.

ㄴ. 함수 $f(x)$는 닫힌구간 $[-1, 1]$에서 연속이고 $f(-1) = f(1) = 1$이지만 $x = 0$에서 미분가능하지 않으므로 $f'(c) = 0$을 만족시키는 c가 열린구간 $(-1, 1)$에 존재하지 않는다.

ㄷ. 함수 $f(x)$는 닫힌구간 $[-1, 1]$에서 연속이고 열린구간 $(-1, 1)$에서 미분가능하며

$f(-1) = f(1) = 0$

이므로 롤의 정리에 의하여 $f'(c) = 0$을 만족시키는 c가 열린구간 $(-1, 1)$에 존재한다.

따라서 주어진 조건을 만족시키는 함수는 ㄱ, ㄷ이다.

답 ⑤

참고

롤의 정리는 열린구간 (a, b)에서 곡선 $y = f(x)$의 접선 중 x축과 평행한 직선이 적어도 하나 존재함을 의미한다.

ㄱ. $x = 0$에서 x축에 평행한 접선이 존재한다.

ㄷ. $x = -\dfrac{\sqrt{3}}{3}$, $x = \dfrac{\sqrt{3}}{3}$에서 x축에 평행한 접선이 존재한다.

110

함수 $f(x) = \dfrac{2}{3}x^3 - 2x^2 + 2$가 실수 전체의 집합에서 연속이고 미분가능하므로 평균값 정리에 의하여

$\dfrac{f(b) - f(a)}{b - a} = f'(c)$

인 c가 열린구간 (a, b)에 적어도 하나 존재한다.

이때 $0 \le a < c < b \le 2$이므로 $0 < c < 2$

한편 $f'(x) = 2x^2 - 4x$에서

$f'(c) = 2c^2 - 4c = 2(c-1)^2 - 2$

$0 < c < 2$이므로 $-2 \le f'(c) < 0$

$\therefore -2 \le t < 0$

답 ③

111

함수 $f(x)$는 닫힌구간 $[-1, 3]$에서 연속이고 열린구간 $(-1, 3)$에서 미분가능하므로 평균값 정리에 의하여

$\dfrac{f(3) - f(-1)}{3 - (-1)} = f'(c)$

인 c가 열린구간 $(-1, 3)$에 적어도 하나 존재한다.

조건 (나)에 의하여 $|f'(c)| \le 3$이므로

$\left| \dfrac{f(3) - f(-1)}{3 - (-1)} \right| \le 3$

이때 $f(-1) = k$이고 조건 (가)에 의하여 $f(3) = 2$이므로

$\left| \dfrac{2 - k}{4} \right| \le 3, \ \dfrac{|k-2|}{4} \le 3, \ |k-2| \le 12$

$-12 \le k - 2 \le 12$ $\therefore 10 \le k \le 14$

따라서 k의 값이 될 수 없는 것은 ⑤이다.

답 ⑤

112

함수 $f(x)$가 미분가능하므로 함수 $g(x) = (x^2+1)f(x)$는 닫힌구간 $[-2, 2]$에서 연속이고 열린구간 $(-2, 2)$에서 미분가능하다.

따라서 평균값 정리에 의하여

$\dfrac{g(2) - g(-2)}{2 - (-2)} = g'(c)$

인 c가 열린구간 $(-2, 2)$에 적어도 하나 존재한다.
$g(2)=5f(2)=5\times(-1)=-5$, $g(-2)=5f(-2)=5\times3=15$
이므로

$$g'(c)=\frac{g(2)-g(-2)}{2-(-2)}=\frac{-5-15}{4}=-5$$

답 -5

113

$\frac{1}{x}=t$라고 하면 $x\to0+$일 때 $t\to\infty$이므로

$$\lim_{x\to0+}\left\{f\left(\frac{1+2x}{x}\right)-f\left(\frac{1-2x}{x}\right)\right\}=\lim_{x\to0+}\left\{f\left(\frac{1}{x}+2\right)-f\left(\frac{1}{x}-2\right)\right\}$$
$$=\lim_{t\to\infty}\{f(t+2)-f(t-2)\}$$

함수 $f(x)$가 닫힌구간 $[t-2, t+2]$에서 연속이고 열린구간
$(t-2, t+2)$에서 미분가능하므로 평균값 정리에 의하여
$$\frac{f(t+2)-f(t-2)}{t+2-(t-2)}=f'(c)$$
인 c가 열린구간 $(t-2, t+2)$에 적어도 하나 존재한다.
이때 $t\to\infty$이면 $c\to\infty$이므로

$$\lim_{x\to0+}\left\{f\left(\frac{1+2x}{x}\right)-f\left(\frac{1-2x}{x}\right)\right\}=\lim_{t\to\infty}\{f(t+2)-f(t-2)\}$$
$$=4\lim_{t\to\infty}\frac{f(t+2)-f(t-2)}{t+2-(t-2)}$$
$$=4\lim_{c\to\infty}f'(c)$$
$$=4\times2=8$$

답 ④

114

삼차함수 $f(x)$의 최고차항의 계수가 양수이고 조건 ㈎를 만족시키려면 $f(x)$는 일대일함수이어야 하므로 $f(x)$는 실수 전체의 집합에서 증가해야 한다.
$f(x)=\frac{1}{3}x^3+ax^2+2|b|x+a$에서
$f'(x)=x^2+2ax+2|b|$
모든 실수 x에 대하여 $f'(x)\geq0$이어야 하므로 이차방정식
$f'(x)=0$의 판별식을 D라고 하면
$$\frac{D}{4}=a^2-2|b|\leq0 \qquad \therefore |b|\geq\frac{a^2}{2} \qquad \cdots\cdots \text{㉠}$$
조건 ㈏에서 $|a|<3$이므로
$a=-2, -1, 0, 1, 2$
(i) $a=-2, 2$일 때
    ㉠과 조건 ㈏에 의하여 $2\leq|b|<3$이므로
    $b=-2, 2$
    따라서 순서쌍 (a, b)의 개수는 $2\times2=4$
(ii) $a=-1, 1$일 때
    ㉠과 조건 ㈏에 의하여 $\frac{1}{2}\leq|b|<3$이므로
    $b=-2, -1, 1, 2$
    따라서 순서쌍 (a, b)의 개수는 $2\times4=8$
(iii) $a=0$일 때
    ㉠과 조건 ㈏에 의하여 $0\leq|b|<3$이므로
    $b=-2, -1, 0, 1, 2$
    따라서 순서쌍 (a, b)의 개수는 $1\times5=5$

(i), (ii), (iii)에 의하여 구하는 순서쌍 (a, b)의 개수는
$4+8+5=17$

답 ④

115

최고차항의 계수가 음수인 사차함수 $f(x)$의 도함수 $f'(x)$는 최고차항의 계수가 음수인 삼차함수이다.
함수 $y=f'(x)$의 그래프가 세 점 $(2a, 0)$, $(b, 0)$, $(2b, 0)$을 지나므로
$f'(x)=k(x-2a)(x-b)(x-2b)$ $(k<0)$
로 놓을 수 있다.
함수 $f(x)$가 $x\leq-4$, $2\leq x\leq4$에서 증가하므로
$x\leq-4$, $2\leq x\leq4$에서 $f'(x)\geq0$이다.
따라서 $y=f'(x)$의 그래프의 개형은
오른쪽 그림과 같아야 한다.

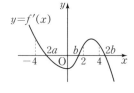

즉, $-4\leq2a<0$이고
$0<b\leq2$, $2b\geq4$이어야 하므로
$-2\leq a<0$, $b=2$
따라서 $a=-2$일 때 $\frac{b}{a}$는 최대가 되므로 구하는 최댓값은
$$\frac{2}{-2}=-1$$
└─ $a<0$이고 b의 값이 2로 일정하므로 a의 값이 최소일 때 $\frac{b}{a}$의 값은 최대가 된다.

답 -1

116

$$f(x)=\begin{cases}x^3+2x^2+15x-15a+1 & (x\geq a)\\ x^3+2x^2-15x+15a+1 & (x<a)\end{cases}$$

(i) $x>a$일 때
    $$f'(x)=3x^2+4x+15=3\left(x+\frac{2}{3}\right)^2+\frac{41}{3}>0$$이므로 함수
    $f(x)$는 증가한다.
(ii) $x<a$일 때
    $f'(x)=3x^2+4x-15=(x+3)(3x-5)$이므로 함수 $f(x)$가
    증가하려면 $(x+3)(3x-5)>0$에서
    $$x<-3 \text{ 또는 } x>\frac{5}{3}$$
    그런데 $x<a$에서 $x<-3$ 또는 $x>\frac{5}{3}$이어야 하므로
    $a\leq-3$
(i), (ii)에 의하여 실수 a의 최댓값은 -3이다.

답 -3

117

┌ 접근
│ 곱의 미분법을 이용하여 $g'(x)$를 구하고, 주어진 그래프를 이용하여
│ 각 구간에서의 $g'(x)$의 부호를 조사한다.

$g(x)=(x-1)f(x)$에서
$g'(x)=f(x)+(x-1)f'(x)$
① 구간 $(-\infty, -4)$에서 $f(x)<0$, $x-1<0$, $f'(x)>0$이므로
    $g'(x)=f(x)+(x-1)f'(x)<0$
    즉, 이 구간에서 함수 $g(x)$는 감소한다.
② 구간 $(-4, -3)$에서 $f(x)<0$, $x-1<0$, $f'(x)>0$이므로

$g'(x)=f(x)+(x-1)f'(x)<0$

즉, 이 구간에서 함수 $g(x)$는 감소한다.

③ 구간 $(-1,\,0)$에서 $f(x)>0$, $x-1<0$, $f'(x)<0$이므로

　$g'(x)=f(x)+(x-1)f'(x)>0$

즉, 이 구간에서 함수 $g(x)$는 증가한다.

④ 구간 $(1,\,2)$에서 $f(x)<0$, $x-1>0$, $f'(x)<0$이므로

　$g'(x)=f(x)+(x-1)f'(x)<0$

즉, 이 구간에서 함수 $g(x)$는 감소한다.

⑤ 구간 $(2,\,3)$에서 $f(x)<0$, $x-1>0$, $f'(x)<0$이므로

　$g'(x)=f(x)+(x-1)f'(x)<0$

즉, 이 구간에서 함수 $g(x)$는 감소한다.

답 ③

118

$f'(x)=(x+1)(x^2+ax+b)$에서　$f'(-1)=0$

함수 $y=f(x)$가 구간 $(-\infty,\,0)$에서 감소하므로 이 구간에서

$f'(x)\leq0$

$f'(-1)=0$이고 $x<0$에서 $f'(x)\leq0$이므로 함수 $y=f'(x)$의 그래프는 $x=-1$에서 x축에 접해야 한다.

또, 함수 $y=f(x)$가 구간 $(2,\,\infty)$에서 증가하므로 이 구간에서

$f'(x)\geq0$

따라서 삼차함수 $y=f'(x)$의 그래프의 개형은 오른쪽 그림과 같다.

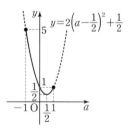

한편 삼차방정식

$f'(x)=(x+1)(x^2+ax+b)=0$이 중근

$x=-1$을 가지므로 이차방정식

$x^2+ax+b=0$의 한 근이 -1이다.

따라서 $1-a+b=0$이므로　$b=a-1$　　……㉠

또, $f'(0)\leq0$이므로　$b\leq0$

즉, $a-1\leq0$ ($\because$ ㉠)이므로　$a\leq1$　　……㉡

$f'(2)\geq0$이므로　$3(4+2a+b)\geq0$

$4+2a+b\geq0$, $4+2a+a-1\geq0$ ($\because$ ㉠)

$3a\geq-3$　　$\therefore a\geq-1$　　……㉢

㉡, ㉢에서　$-1\leq a\leq1$

$\therefore a^2+b^2=a^2+(a-1)^2$

$\qquad\qquad\quad=2a^2-2a+1$

$\qquad\qquad\quad=2\left(a-\dfrac{1}{2}\right)^2+\dfrac{1}{2}$

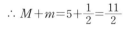

이때 $-1\leq a\leq1$이므로 a^2+b^2은

$a=-1$일 때 최댓값 5를 갖고,

$a=\dfrac{1}{2}$일 때 최솟값 $\dfrac{1}{2}$을 갖는다.

$\therefore M+m=5+\dfrac{1}{2}=\dfrac{11}{2}$

답 ③

119

함수 $f(x)$는 최고차항의 계수가 음수인 삼차함수이고 조건 (나)에 의하여 $f(x)$의 역함수 $g(x)$가 존재하므로 실수 전체의 집합에서 감소해야 한다.

$f(x)=-x^3+ax^2+(a^2-3)x+8$에서

$f'(x)=-3x^2+2ax+(a^2-3)$

모든 실수 x에 대하여 $f'(x)\leq0$이어야 하므로 이차방정식

$f'(x)=0$의 판별식을 D라고 하면

$\dfrac{D}{4}=a^2+3(a^2-3)\leq0$

$4a^2-9\leq0$, $(2a+3)(2a-3)\leq0$

$\therefore -\dfrac{3}{2}\leq a\leq\dfrac{3}{2}$　　　　……㉠

조건 (가)에서 $g(0)=2$이므로　$f(2)=0$

　$\underline{\ \ g^{-1}(2)=0이고\ g(x)의\ 역함수가\ f(x)이므로\ f(2)=0}$

즉, $-8+4a+2(a^2-3)+8=0$이므로

$2a^2+4a-6=0$, $2(a+3)(a-1)=0$

$\therefore a=1$ ($\because$ ㉠)

따라서 $f'(x)=-3x^2+2x-2$이므로

$f'(2)=-12+4-2=-10$

답 -10

120

$f(x)=x^3-(2a-1)x^2+3ax$에서

$f'(x)=3x^2-2(2a-1)x+3a$

곡선 $y=f(x)$ 위의 점 $(t,\,f(t))$에서의 접선의 기울기가

$f'(t)=3t^2-2(2a-1)t+3a$이므로 접선의 방정식은

$y-\{t^3-(2a-1)t^2+3at\}=\{3t^2-2(2a-1)t+3a\}(x-t)$

$\therefore y=\{3t^2-2(2a-1)t+3a\}x-2t^3+(2a-1)t^2$

따라서 $g(t)=-2t^3+(2a-1)t^2$이므로

$g'(t)=-6t^2+2(2a-1)t$

함수 $g(t)$가 닫힌구간 $[0,\,2]$에서 증가하려면 이 구간에서

$g'(t)\geq0$이어야 하므로

$g'(2)=-24+4(2a-1)\geq0$

$8a\geq28$　　$\therefore a\geq\dfrac{7}{2}$

따라서 실수 a의 최솟값은 $\dfrac{7}{2}$이다.

답 $\dfrac{7}{2}$

121

$f(x)=2x^3-6x$에서　$f'(x)=6x^2-6$

구간 $[0,\,a_n]$에서의 평균변화율과 같은 순간변화율을 갖는 점의 x좌표를 a_{n+1}이라고 하면

$\dfrac{f(a_n)-f(0)}{a_n-0}=f'(a_{n+1})$, $\dfrac{2a_n^3-6a_n}{a_n}=6a_{n+1}^2-6$

$2a_n^2-6=6a_{n+1}^2-6$, $a_{n+1}^2=\dfrac{1}{3}a_n^2$

$\therefore a_{n+1}=\dfrac{\sqrt{3}}{3}a_n$ ($\because a_n>0$, $a_{n+1}>0$)　　……㉠

　$\underline{\ 수열\ \{a_n\}은\ 공비가\ \dfrac{\sqrt{3}}{3}인\ 등비수열이다.}$

따라서 $a_n=a_1\times\left(\dfrac{\sqrt{3}}{3}\right)^{n-1}$이므로

$0<a_{n+1}<a_n<a_1$ $\left(\because 0<\dfrac{\sqrt{3}}{3}<1\right)$

ㄱ은 옳다.

　구간 $(0,\,1)$에서 $f'(x)=6x^2-6<0$이므로

$0<a_{n+1}<a_n<a_1$을 만족시키는 모든 a_n에 대하여
$f(a_n)<f(a_{n+1})$
ㄴ은 옳지 않다.
$f'(a_n)=6a_n^2-6$, $f'(a_{n+1})=6a_{n+1}^2-6$이므로
$$f'(a_n)-f'(a_{n+1})=6a_n^2-6-(6a_{n+1}^2-6)$$
$$=6a_n^2-6a_{n+1}^2$$
$$=6a_n^2-6\times\frac{1}{3}a_n^2\ (\because \text{㉠})$$
$$=4a_n^2>0$$
$$\therefore f'(a_n)>f'(a_{n+1})$$
ㄷ은 옳다.
$\lim\limits_{n\to\infty}a_n=\lim\limits_{n\to\infty}\left\{a_1\times\left(\dfrac{\sqrt{3}}{3}\right)^{n-1}\right\}=0$이므로
$\lim\limits_{n\to\infty}f'(a_n)=f'(0)=-6$
따라서 옳은 것은 ㄱ, ㄷ이다.

답 ③

122

오른쪽 그림에서 $x=a$, $x=4$,
$x=b$에서 $f'(x)=0$이고
$x=a$, $x=b$의 좌우에서 $f'(x)$의 부
호가 바뀌므로 함수 $f(x)$는 $x=a$,
$x=b$에서 극값을 갖는다.
따라서 함수 $f(x)$의 극값의 개수는 2
이다.

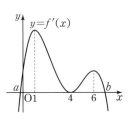

답 ③

참고

함수 $f(x)$의 증가와 감소를 표로 나타내면 다음과 같다.

x	$\cdots$	a	$\cdots$	4	$\cdots$	b	$\cdots$
$f'(x)$	$-$	0	$+$	0	$+$	0	$-$
$f(x)$	↘	극소	↗		↗	극대	↘

$x=4$에서 $f'(x)=0$이지만 그 좌우에서 $f'(x)$의 부호가 바뀌지
않으므로 함수 $f(x)$는 $x=4$에서 극값을 갖지 않는다.

123

함수 $f(x)$의 증가와 감소를 표로 나타내면 다음과 같다.

x	$\cdots$	0	$\cdots$	2	$\cdots$	4	$\cdots$
$f'(x)$	$+$	0	$-$	0	$+$	0	$-$
$f(x)$	↗	극대	↘	극소	↗	극대	↘

ㄱ은 옳지 않다.
$x=3$에서 $f'(x)>0$이므로 함수 $f(x)$는 증가하는 상태이다.
즉, 함수 $f(x)$는 $x=3$에서 극대가 아니다.
ㄴ은 옳다.
$0<x<2$에서 $f'(x)<0$이므로 함수 $f(x)$는 감소한다.
ㄷ도 옳다.
$x=0$, $x=2$, $x=4$에서 $f'(x)=0$이고 그 좌우에서 $f'(x)$의
부호가 바뀌므로 함수 $f(x)$는 $x=0$, $x=2$, $x=4$에서 극값을
갖는다. 즉, 함수 $f(x)$는 세 개의 극값을 갖는다.

ㄹ도 옳다.
$x>4$에서 $f'(x)<0$이므로 함수 $f(x)$는 감소한다.
ㅁ도 옳다.
$x=2$에서 $f'(x)=0$이고 그 좌우에서 $f'(x)$의 부호가 음에서
양으로 바뀌므로 함수 $f(x)$는 $x=2$에서 극소이다.
따라서 항상 성립하는 것은 ㄴ, ㄷ, ㄹ, ㅁ의 4개이다.

답 ④

124

$y=f'(x)$의 그래프가 x축과 만나는 점의 x좌표가 α, γ이므로
$f'(x)=0$에서 $x=\alpha$ 또는 $x=\gamma$
함수 $f(x)$의 증가와 감소를 표로 나타내면 다음과 같다.

x	$\cdots$	α	$\cdots$	γ	$\cdots$
$f'(x)$	$+$	0	$-$	0	$-$
$f(x)$	↗	극대	↘		↘

위의 표에 의하여 함수 $f(x)$는 $x=\alpha$에서 극대이고 $x=\gamma$의 좌우
에서는 $f'(x)$의 부호가 바뀌지 않으므로 $x=\gamma$에서 극값을 갖지
않는다.
또, $x=\beta$에서 $f'(x)<0$이므로 $x=\beta$에서 함수 $f(x)$는 감소하는
상태이어야 한다.
따라서 함수 $y=f(x)$의 그래프의 개형이 될 수 있는 것은 ①이다.

답 ①

125

$f(x)=x^3-3ax^2+3(a^2-1)x$에서
$$f'(x)=3x^2-6ax+3(a^2-1)=3(x^2-2ax+a^2-1)$$
$$=3(x-a-1)(x-a+1)$$
$f'(x)=0$에서 $x=a+1$ 또는 $x=a-1$
함수 $f(x)$의 증가와 감소를 표로 나타내면 다음과 같다.

x	$\cdots$	$a-1$	$\cdots$	$a+1$	$\cdots$
$f'(x)$	$+$	0	$-$	0	$+$
$f(x)$	↗	극대	↘	극소	↗

따라서 함수 $f(x)$는 $x=a-1$에서 극대이고 극댓값이 4이므로
$f(a-1)=4$
즉, $(a-1)^3-3a(a-1)^2+3(a^2-1)(a-1)=4$이므로
$(a-1)^3-3a(a-1)^2+3(a+1)(a-1)^2=4$
$(a-1)^2\{(a-1)-3a+3(a+1)\}=4$
$(a-1)^2(a+2)-4=0$
$a^3-3a-2=0$, $(a+1)^2(a-2)=0$
$\therefore a=-1$ 또는 $a=2$
(i) $a=-1$일 때
$f(x)=x^3+3x^2$이고 $f(-2)=-8+12=4>0$이므로 주어진
조건을 만족시킨다.
$\therefore f(-1)=-1+3=2$
(ii) $a=2$일 때
$f(x)=x^3-6x^2+9x$이고 $f(-2)=-8-24-18=-50<0$
이므로 주어진 조건을 만족시키지 않는다.
(i), (ii)에 의하여 $f(-1)=2$

답 ②

126

함수 $f(x)$는 최고차항의 계수가 1인 삼차함수이므로

$f(x)=x^3+ax^2+bx+c$ (a, b, c는 상수)

라고 하면

$f'(x)=3x^2+2ax+b$

조건 ㈎에서 $f'(x)=f'(-x)$이므로 $f'(x)$는 짝수 차수의 항으로만 이루어져야 한다.

따라서 $a=0$이므로

$f(x)=x^3+bx+c$, $f'(x)=3x^2+b$

조건 ㈏에 의하여 $f'(1)=0$, $f(1)=16$이므로

$f'(1)=3+b=0$ $\therefore b=-3$

$f(1)=1+b+c=16$, $1-3+c=16$ $\therefore c=18$

따라서 $f(x)=x^3-3x+18$이므로

$f'(x)=3x^2-3=3(x+1)(x-1)$

$f'(x)=0$에서 $x=-1$ 또는 $x=1$

함수 $f(x)$의 증가와 감소를 표로 나타내면 다음과 같다.

x	$\cdots$	-1	$\cdots$	1	$\cdots$
$f'(x)$	$+$	0	$-$	0	$+$
$f(x)$	↗	극대	↘	극소	↗

따라서 함수 $f(x)$는 $x=-1$에서 극댓값을 가지므로 구하는 극댓값은

$f(-1)=-1+3+18=20$

답 20

127

조건 ㈎의 $\lim\limits_{x \to 0} \dfrac{f(x)}{x}=6$에서 $x \longrightarrow 0$일 때 극한값이 존재하고

(분모) $\longrightarrow 0$이므로 (분자) $\longrightarrow 0$이어야 한다.

즉, $\lim\limits_{x \to 0} f(x)=0$이므로 $f(0)=0$

따라서 삼차함수 $f(x)=ax^3+bx^2+cx$ ($a \neq 0$, a, b, c는 상수)로 놓을 수 있다.

$\lim\limits_{x \to 0} \dfrac{f(x)}{x}=6$에서

$\lim\limits_{x \to 0} \dfrac{f(x)}{x}=\lim\limits_{x \to 0} \dfrac{ax^3+bx^2+cx}{x}=\lim\limits_{x \to 0} (ax^2+bx+c)=c$

이므로 $c=6$

따라서 $f(x)=ax^3+bx^2+6x$이므로

$f'(x)=3ax^2+2bx+6$

조건 ㈏에 의하여 $f'(-1)=0$, $f'(1)=0$이므로

$f'(-1)=3a-2b+6=0$, $f'(1)=3a+2b+6=0$

위의 두 식을 연립하여 풀면 $a=-2$, $b=0$

$\therefore f(x)=-2x^3+6x$

$\therefore f(1)=-2+6=4$

답 ④

128

$f(x)=x^3+2x^2-4x-6$에서

$f'(x)=3x^2+4x-4=(x+2)(3x-2)$

$f'(x)=0$에서 $x=-2$ 또는 $x=\dfrac{2}{3}$

함수 $f(x)$의 증가와 감소를 표로 나타내면 다음과 같다.

x	$\cdots$	-2	$\cdots$	$\dfrac{2}{3}$	$\cdots$
$f'(x)$	$+$	0	$-$	0	$+$
$f(x)$	↗	극대	↘	극소	↗

따라서 함수 $f(x)$는 $x=-2$에서 극대이므로

P$(-2, 2)$

점 P에서 곡선 $y=f(x)$에 그은 접선 중 점 P가 아닌 접점의 좌표를 $(t, t^3+2t^2-4t-6)(t \neq -2)$이라고 하면 이 점에서의 접선의 기울기는 $f'(t)=3t^2+4t-4$이므로 접선의 방정식은

$y-(t^3+2t^2-4t-6)=(3t^2+4t-4)(x-t)$

$\therefore y=(3t^2+4t-4)x-2t^3-2t^2-6$

이 직선이 점 P$(-2, 2)$를 지나므로

$2=-2(3t^2+4t-4)-2t^3-2t^2-6$

$2t^3+8t^2+8t=0$, $2t(t+2)^2=0$

$\therefore t=0$ ($\because t \neq -2$)

따라서 구하는 기울기는 $f'(0)=-4$이다.

답 ③

129

$f(x)=x^4-12ax^3+4x^2+7$에서

$f'(x)=4x^3-36ax^2+8x=4x(x^2-9ax+2)$

사차함수 $f(x)$가 극값을 하나만 가지려면 삼차방정식 $f'(x)=0$이 한 실근과 두 허근 또는 한 실근과 중근 또는 삼중근을 가져야 한다. ┌ 좌변에 $x=0$을 대입하면 $2 \neq 0$이므로 $x=0$을 근으로 갖지 않는다.

이때 방정식 $x^2-9ax+2=0$이 0을 근으로 갖지 않으므로 방정식 $x^2-9ax+2=0$은 중근 또는 두 허근을 가져야 한다.

이차방정식 $x^2-9ax+2=0$의 판별식을 D라고 하면

$D=81a^2-8 \leq 0$, $(9a+2\sqrt{2})(9a-2\sqrt{2}) \leq 0$

$\therefore -\dfrac{2\sqrt{2}}{9} \leq a \leq \dfrac{2\sqrt{2}}{9}$

따라서 $M=\dfrac{2\sqrt{2}}{9}$, $m=-\dfrac{2\sqrt{2}}{9}$이므로

$Mm=-\dfrac{8}{81}$

답 ⑤

참고

최고차항의 계수가 양수인 사차함수는 항상 극솟값을 가지므로 주어진 함수 $f(x)$가 극값을 하나만 가질 때에는 극솟값만 갖는 경우이다.

130

이차함수는 축에서 극값을 가지므로 함수 $f(x)$는

$x=\dfrac{-4+2}{2}=-1$에서 극솟값을 갖는다.

$\therefore f'(-1)=0$

$g(x)=\{f(x)\}^2$이라고 하면 $g'(x)=2f(x)f'(x)$

$g'(x)=0$에서 $f(x)=0$ 또는 $f'(x)=0$

$f(x)=0$이면 $x=-4$ 또는 $x=2$

$f'(x)=0$이면 $x=-1$

함수 $g(x)$의 증가와 감소를 표로 나타내면 다음과 같다.

x	$\cdots$	-4	$\cdots$	-1	$\cdots$	2	$\cdots$
$f(x)$	$+$	0	$-$	$-$	$-$	0	$+$
$f'(x)$	$-$	$-$	$-$	0	$+$	$+$	$+$
$g'(x)$	$-$	0	$+$	0	$-$	0	$+$
$g(x)$	$\searrow$	극소	$\nearrow$	극대	$\searrow$	극소	$\nearrow$

따라서 함수 $g(x)$는 $x=-4$, $x=2$에서 극솟값을 가지므로

$ab=-4\times 2=-8$

답 -8

131

$f(x)=\dfrac{3}{4}x^4+\dfrac{2}{3}ax^3+bx^2+3x$에서

$f'(x)=3x^3+2ax^2+2bx+3$ ...... ㉠

조건 ㈎에 의하여 $f'(-1)=0$이고 조건 ㈏에 의하여 $f'(c)=0$이지만 $x=c$의 좌우에서 $f'(x)$의 부호가 바뀌지 않아야 한다.

즉, $f'(x)$는 $x+1$과 $(x-c)^2$을 인수로 가져야 하므로

$f'(x)=3(x+1)(x-c)^2$

$\quad\quad =3x^3+(3-6c)x^2+(3c^2-6c)x+3c^2$ ...... ㉡

㉠, ㉡이 일치해야 하므로

$2a=3-6c,\ 2b=3c^2-6c,\ 3=3c^2$

$3=3c^2$에서 $c^2=1$ $\therefore c=1\ (\because c\neq -1)$

$2a=3-6c$에서 $2a=-3$ $\therefore a=-\dfrac{3}{2}$

$2b=3c^2-6c$에서 $2b=-3$ $\therefore b=-\dfrac{3}{2}$

$\therefore a+b+c=-2$

답 -2

132

접근

두 점 A, B의 x좌표를 각각 α, β로 놓고, 두 점 P, Q의 x좌표를 α, β에 대한 식으로 나타낸다. 이때 $\overline{PQ}$가 y축과 만나므로 (점 P의 x좌표)$\times$(점 Q의 x좌표)≤ 0임을 이용한다.

$f(x)=-x^3+3kx^2+6x+3$에서

$f'(x)=-3x^2+6kx+6$

두 점 A, B의 x좌표를 각각 α, β라고 하면 $x=\alpha$, $x=\beta$에서 함수 $f(x)$가 극값을 가지므로 α, β는 이차방정식 $f'(x)=0$의 두 근이다.

따라서 이차방정식의 근과 계수의 관계에 의하여

$\alpha+\beta=-\dfrac{6k}{-3}=2k,\ \alpha\beta=\dfrac{6}{-3}=-2$ ...... ㉠

두 점 P, Q가 선분 AB를 삼등분한 점이므로 두 점 P, Q는 선분 AB를 각각 $1:2$, $2:1$로 내분하는 점이다.

따라서 두 점 P, Q의 x좌표는 각각 $\dfrac{\beta+2\alpha}{1+2}$, $\dfrac{2\beta+\alpha}{2+1}$, 즉 $\dfrac{2\alpha+\beta}{3}$, $\dfrac{\alpha+2\beta}{3}$이다.

선분 PQ가 y축과 만나려면 두 점 P, Q의 x좌표의 부호가 서로 다르거나 두 점 중 하나의 x좌표가 0이 되어야 하므로

$\dfrac{2\alpha+\beta}{3}\times\dfrac{\alpha+2\beta}{3}\leq 0$

양변에 9를 곱하여 정리하면

$2\alpha^2+5\alpha\beta+2\beta^2\leq 0,\ 2(\alpha+\beta)^2+\alpha\beta\leq 0$

$2(2k)^2-2\leq 0\ (\because ㉠)$

$2(2k+1)(2k-1)\leq 0$

$\therefore -\dfrac{1}{2}\leq k\leq\dfrac{1}{2}$

답 ②

참고

선분을 내분하는 점

좌표평면 위의 두 점 A$(x_1,\ y_1)$, B$(x_2,\ y_2)$를 잇는 선분 AB를 $m:n\ (m>0,\ n>0)$으로 내분하는 점의 좌표는

$\left(\dfrac{mx_2+nx_1}{m+n},\ \dfrac{my_2+ny_1}{m+n}\right)$

133

두 조건 ㈎, ㈏를 만족시키는 함수 $y=f(x)$의 그래프의 개형은 오른쪽 그림과 같아야 한다.

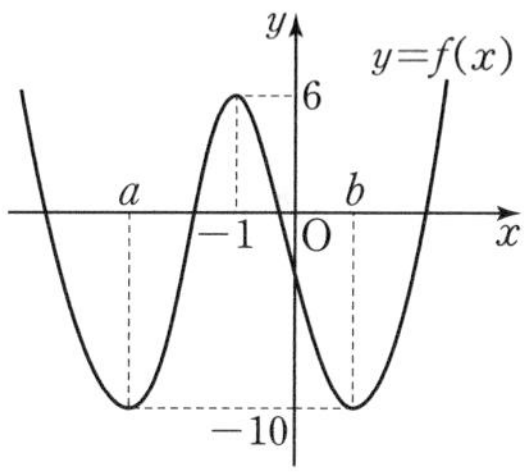

$x=a$, $x=b$에서 극솟값 -10을 갖는다고 하면

$f(x)=(x-a)^2(x-b)^2-10$ $(a<-1<b)$으로 놓을 수 있다.

$f'(x)=2(x-a)(x-b)^2+2(x-a)^2(x-b)$

$\quad\quad =2(x-a)(x-b)(2x-a-b)$

$f'(x)=0$에서 $x=a$ 또는 $x=\dfrac{a+b}{2}$ 또는 $x=b$

$\dfrac{a+b}{2}=-1$이므로 $a+b=-2$

$\therefore b=-2-a$ ...... ㉠

$f(-1)=6$이므로

$(-1-a)^2(-1-b)^2-10=6$

$(a+1)^2(b+1)^2=16$

$(a+1)^2(-2-a+1)^2=16\ (\because ㉠)$

$(a+1)^4=16$

즉, $a+1=-2$ 또는 $a+1=2$이므로

$a=-3$ 또는 $a=1$

그런데 $a<-1$이므로 $a=-3$

이것을 ㉠에 대입하면 $b=1$

따라서 $f(x)=(x+3)^2(x-1)^2-10$이므로

$f(4)=49\times 9-10=431$

답 ②

134

$f(x)=x^3-2x^2-1$에서

$f'(x)=3x^2-4x=x(3x-4)$

$f'(x)=0$에서 $x=0$ $(\because -2\le x\le 1)$

$-2\le x\le 1$에서 함수 $f(x)$의 증가와 감소를 표로 나타내면 다음과 같다.

x	-2	$\cdots$	0	$\cdots$	1
$f'(x)$		$+$	0	$-$	
$f(x)$	-17	$\nearrow$	-1	$\searrow$	-2

따라서 함수 $f(x)$는 $x=0$에서 최댓값 -1을 갖고, $x=-2$에서 최솟값 -17을 가지므로 최댓값과 최솟값의 곱은

$-1\times(-17)=17$

답 ③

135

$f(x)=-x^3+12x+k$에서

$f'(x)=-3x^2+12=-3(x+2)(x-2)$

$f'(x)=0$에서 $x=2$ $(\because 0\le x\le 3)$

$0\le x\le 3$에서 함수 $f(x)$의 증가와 감소를 표로 나타내면 다음과 같다.

x	0	$\cdots$	2	$\cdots$	3
$f'(x)$		$+$	0	$-$	
$f(x)$	k	$\nearrow$	$16+k$	$\searrow$	$9+k$

따라서 함수 $f(x)$는 $x=2$에서 최댓값 $16+k$를 갖고, $x=0$에서 최솟값 k를 갖는다.

이때 최댓값과 최솟값의 합이 18이므로

$(16+k)+k=18$, $2k=2$

$\therefore k=1$

답 ①

136

$f(x)=-x^3+3x^2-k$에서

$f'(x)=-3x^2+6x=-3x(x-2)$

$f'(x)=0$에서 $x=0$ 또는 $x=2$

$-2\le x\le 2$에서 함수 $f(x)$의 증가와 감소를 표로 나타내면 다음과 같다.

x	-2	$\cdots$	0	$\cdots$	2
$f'(x)$		$-$	0	$+$	0
$f(x)$	$20-k$	$\searrow$	$-k$	$\nearrow$	$4-k$

따라서 함수 $f(x)$는 $x=-2$에서 최댓값 $20-k$를 갖고, $x=0$에서 최솟값 $-k$를 갖는다.

이때 최솟값이 -6이므로 $-k=-6$ $\therefore k=6$

즉, 구하는 최댓값은

$20-k=20-6=14$

답 ①

137

$f(x)=ax^4-2ax^2+b$에서

$f'(x)=4ax^3-4ax=4ax(x+1)(x-1)$

$f'(x)=0$에서 $x=-1$ 또는 $x=0$ 또는 $x=1$

$-1\le x\le 2$에서 함수 $f(x)$의 증가와 감소를 표로 나타내면 다음과 같다.

x	-1	$\cdots$	0	$\cdots$	1	$\cdots$	2
$f'(x)$	0	$+$	0	$-$	0	$+$	
$f(x)$	$-a+b$	$\nearrow$	b	$\searrow$	$-a+b$	$\nearrow$	$8a+b$

따라서 함수 $f(x)$는 $x=2$에서 최댓값 $8a+b$를 갖고, $x=-1$ 또는 $x=1$에서 최솟값 $-a+b$를 갖는다.

이때 최댓값이 10, 최솟값이 -8이므로

$8a+b=10$, $-a+b=-8$

위의 두 식을 연립하여 풀면 $a=2$, $b=-6$

$\therefore a+b=2+(-6)=-4$

답 ②

138

> ┌ 접근 ─
>
> 주어진 도함수 $y=f'(x)$의 그래프를 이용하여 구간 $[0, 4]$에서 함수 $f(x)$의 증가와 감소를 조사한다.

$0\le x\le 4$에서 함수 $f(x)$의 증가와 감소를 표로 나타내면 다음과 같다.

x	0	$\cdots$	2	$\cdots$	4
$f'(x)$	0	$-$	0	$+$	0
$f(x)$		$\searrow$	극소	$\nearrow$	

따라서 함수 $f(x)$는 $x=2$에서 극소이면서 최소이다.

$\therefore a=2$

답 ③

139

직선 OP의 기울기가 $\dfrac{2}{t}$이므로 선분 OP의 수직이등분선의 기울기는 $-\dfrac{t}{2}$이다.

선분 OP의 중점을 M이라고 하면 $M\left(\dfrac{t}{2}, 1\right)$이므로 선분 OP의 수직이등분선의 방정식은

$y-1=-\dfrac{t}{2}\left(x-\dfrac{t}{2}\right)$ $\therefore y=-\dfrac{t}{2}x+\dfrac{t^2}{4}+1$

$\therefore B\left(0, \dfrac{t^2}{4}+1\right)$

$0<t<2$에서 $1<\dfrac{t^2}{4}+1<2$이므로

$\overline{AB}=2-\left(\dfrac{t^2}{4}+1\right)=1-\dfrac{t^2}{4}$

또, $\overline{AP}=t$이므로

$f(t)=\dfrac{1}{2}\times\overline{AP}\times\overline{AB}=\dfrac{1}{2}\times t\times\left(1-\dfrac{t^2}{4}\right)=-\dfrac{1}{8}t^3+\dfrac{1}{2}t$

$f'(t)=-\dfrac{3}{8}t^2+\dfrac{1}{2}=-\dfrac{1}{8}(\sqrt{3}t+2)(\sqrt{3}t-2)$이므로

$f'(t)=0$에서 $t=\dfrac{2\sqrt{3}}{3}$ $(\because 0<t<2)$

$0<t<2$에서 함수 $f(t)$의 증가와 감소를 표로 나타내면 다음과 같다.

t	(0)	$\cdots$	$\dfrac{2\sqrt{3}}{3}$	$\cdots$	(2)
$f'(t)$		$+$	0	$-$	0
$f(t)$		↗	극대	↘	

따라서 $f(t)$는 $t=\dfrac{2\sqrt{3}}{3}$에서 극대이면서 최대이므로 최댓값은

$f\left(\dfrac{2\sqrt{3}}{3}\right)=-\dfrac{1}{8}\times\left(\dfrac{2\sqrt{3}}{3}\right)^3+\dfrac{1}{2}\times\left(\dfrac{2\sqrt{3}}{3}\right)=\dfrac{2}{9}\sqrt{3}$

즉, $a=9$, $b=2$이므로 $a+b=11$

답 11

140

직육면체의 밑면의 가로의 길이를 x $(0<x<3\sqrt{2})$라고 하면 직육면체가 정사각뿔에 내접하므로 밑면의 세로의 길이도 x이다.
다음 [그림 1]과 같이 점 A, B, C, D, E를 잡으면 정사각뿔의 높이는 $\overline{AC}$이고 정사각뿔의 모든 모서리의 길이가 $3\sqrt{2}$이므로 높이는 3이다.

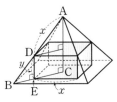

[그림 1]　　　　[그림 2]

직육면체의 높이를 y라고 하면 [그림 2]에서
$\triangle ABC \backsim \triangle DBE$ (AA 닮음)이므로
$\overline{AB}:\overline{DB}=\overline{AC}:\overline{DE}$, $3\sqrt{2}:(3\sqrt{2}-x)=3:y$

$3\sqrt{2}y=3(3\sqrt{2}-x)$　　$\therefore y=3-\dfrac{\sqrt{2}}{2}x$

직육면체의 부피를 $V(x)$라고 하면

$V(x)=x^2y=x^2\left(3-\dfrac{\sqrt{2}}{2}x\right)=3x^2-\dfrac{\sqrt{2}}{2}x^3$ (단, $0<x<3\sqrt{2}$)

$V'(x)=6x-\dfrac{3\sqrt{2}}{2}x^2=-\dfrac{3\sqrt{2}}{2}x(x-2\sqrt{2})$이므로

$V'(x)=0$에서 $x=2\sqrt{2}$ $(\because 0<x<3\sqrt{2})$

$0<x<3\sqrt{2}$에서 함수 $V(x)$의 증가와 감소를 표로 나타내면 다음과 같다.

x	(0)	$\cdots$	$2\sqrt{2}$	$\cdots$	$(3\sqrt{2})$
$V'(x)$		$+$	0	$-$	
$V(x)$		↗	극대	↘	

따라서 $V(x)$는 $x=2\sqrt{2}$에서 극대이면서 최대이므로 구하는 부피의 최댓값은

$V(2\sqrt{2})=3\times(2\sqrt{2})^2-\dfrac{\sqrt{2}}{2}\times(2\sqrt{2})^3=8$

답 8

참고

[그림 1]에서 점 C는 정사각뿔의 밑면인 정사각형의 두 대각선의 교점이다.
오른쪽 그림과 같이 정사각뿔의 밑면인 사각형에서 삼각형 BCF는 빗변의 길이가 $3\sqrt{2}$인 직각이등변삼각형이므로
$\overline{BC}:\overline{CF}:\overline{BF}=1:1:\sqrt{2}$

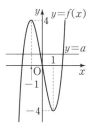

정사각형의 두 대각선은 길이가 같고 서로를 수직이등분하므로
$\overline{BC}=\overline{CF}$, $\angle BCF=90°$

$\therefore \overline{BC}=3$
[그림 1]의 직각삼각형 ABC에서
$\overline{AC}=\sqrt{\overline{AB}^2-\overline{BC}^2}=\sqrt{(3\sqrt{2})^2-3^2}=3$
따라서 주어진 정사각뿔의 높이는 3이다.

141

$f(x)=2x^3-6x-a$라고 하면
$f'(x)=6x^2-6=6(x+1)(x-1)$
$f'(x)=0$에서 $x=-1$ 또는 $x=1$
함수 $f(x)$의 증가와 감소를 표로 나타내면 다음과 같다.

x	$\cdots$	-1	$\cdots$	1	$\cdots$
$f'(x)$	$+$	0	$-$	0	$+$
$f(x)$	↗	극대	↘	극소	↗

삼차방정식 $f(x)=0$이 서로 다른 세 실근을 가지려면
(극댓값)$\times$(극솟값)<0이어야 하므로
$f(-1)\times f(1)=(4-a)(-4-a)<0$
$(a-4)(a+4)<0$　　$\therefore -4<a<4$
따라서 정수 a는 -3, -2, -1, $\cdots$, 3의 7개이다.

답 ④

다른 풀이

$2x^3-6x-a=0$에서 $2x^3-6x=a$
방정식 $2x^3-6x-a=0$이 서로 다른 세 실근을 가지려면 곡선 $y=2x^3-6x$와 직선 $y=a$가 서로 다른 세 점에서 만나야 한다.
$f(x)=2x^3-6x$라고 하면
$f'(x)=6x^2-6=6(x+1)(x-1)$
$f'(x)=0$에서 $x=-1$ 또는 $x=1$
함수 $f(x)$의 증가와 감소를 표로 나타내면 다음과 같다.

x	$\cdots$	-1	$\cdots$	1	$\cdots$
$f'(x)$	$+$	0	$-$	0	$+$
$f(x)$	↗	4	↘	-4	↗

따라서 함수 $y=f(x)$의 그래프는 오른쪽 그림과 같으므로 곡선 $y=f(x)$와 직선 $y=a$가 서로 다른 세 점에서 만나려면
$-4<a<4$
즉, 정수 a는 -3, -2, -1, $\cdots$, 3의 7개이다.

142

$3x^4+4x^3-12x^2-k=0$에서
$3x^4+4x^3-12x^2=k$

이므로 주어진 방정식이 서로 다른 네 실근을 가지려면 곡선 $y=3x^4+4x^3-12x^2$과 직선 $y=k$가 서로 다른 네 점에서 만나야 한다.

$f(x)=3x^4+4x^3-12x^2$이라고 하면

$f'(x)=12x^3+12x^2-24x=12x(x+2)(x-1)$

$f'(x)=0$에서 $x=-2$ 또는 $x=0$ 또는 $x=1$

함수 $f(x)$의 증가와 감소를 표로 나타내면 다음과 같다.

x	$\cdots$	-2	$\cdots$	0	$\cdots$	1	$\cdots$
$f'(x)$	$-$	0	$+$	0	$-$	0	$+$
$f(x)$	$\searrow$	-32	$\nearrow$	0	$\searrow$	-5	$\nearrow$

따라서 함수 $y=f(x)$의 그래프는 오른쪽 그림과 같으므로 직선 $y=k$와 서로 다른 네 점에서 만나려면

$-5<k<0$

즉, 정수 k는 -4, -3, -2, -1의 4개이다.

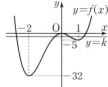

답 4

143

$x^3-9x+2=-3x^2+k$에서

$x^3+3x^2-9x+2=k$

이므로 주어진 방정식의 실근은 함수 $y=x^3+3x^2-9x+2$의 그래프와 직선 $y=k$의 교점의 x좌표와 같다.

$f(x)=x^3+3x^2-9x+2$라고 하면

$f'(x)=3x^2+6x-9=3(x+3)(x-1)$

$f'(x)=0$에서 $x=-3$ 또는 $x=1$

함수 $f(x)$의 증가와 감소를 표로 나타내면 다음과 같다.

x	$\cdots$	-3	$\cdots$	1	$\cdots$
$f'(x)$	$+$	0	$-$	0	$+$
$f(x)$	$\nearrow$	29	$\searrow$	-3	$\nearrow$

따라서 함수 $y=f(x)$의 그래프는 오른쪽 그림과 같다.

이때 직선 $y=k$와의 교점의 x좌표가 한 개는 음수, 두 개는 양수가 되려면

$-3<k<2$

이어야 한다.

즉, 정수 k는 -2, -1, 0, 1의 4개이다.

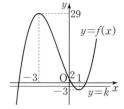

답 ④

다른 풀이

$x^3-9x+2=-3x^2+k$에서

$x^3+3x^2-9x+2-k=0$

$f(x)=x^3+3x^2-9x+2-k$라고 하면

$f'(x)=3x^2+6x-9=3(x+3)(x-1)$

$f'(x)=0$에서 $x=-3$ 또는 $x=1$

함수 $f(x)$의 증가와 감소를 표로 나타내면 다음과 같다.

x	$\cdots$	-3	$\cdots$	1	$\cdots$
$f'(x)$	$+$	0	$-$	0	$+$
$f(x)$	$\nearrow$	극대	$\searrow$	극소	$\nearrow$

이때 방정식 $f(x)=0$이 서로 다른 두 개의 양의 근과 한 개의 음의 근을 가져야 하므로 함수 $y=f(x)$의 그래프는 오른쪽 그림과 같아야 한다. 즉,

(극댓값)$\times$(극솟값)<0, $f(0)>0$이어야 하므로

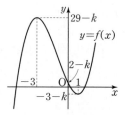

$f(-3)f(1)<0$, $2-k>0$

$f(-3)f(1)<0$에서 $(29-k)(-3-k)<0$

$(k+3)(k-29)<0$ $\therefore -3<k<29$ $\cdots\cdots$ ㉠

$2-k>0$에서 $k<2$ $\cdots\cdots$ ㉡

㉠, ㉡에서 $-3<k<2$

따라서 정수 k는 -2, -1, 0, 1의 4개이다.

144

주어진 곡선과 직선이 한 점에서 만나고 다른 한 점에서 접하려면 방정식 $x^3+8=12x+k$, 즉 $x^3-12x+8-k=0$이 한 실근과 중근을 가져야 한다.

$f(x)=x^3-12x+8-k$라 하면

$f'(x)=3x^2-12=3(x+2)(x-2)$

$f'(x)=0$에서 $x=-2$ 또는 $x=2$

함수 $f(x)$의 증가와 감소를 표로 나타내면 다음과 같다.

x	$\cdots$	-2	$\cdots$	2	$\cdots$
$f'(x)$	$+$	0	$-$	0	$+$
$f(x)$	$\nearrow$	극대	$\searrow$	극소	$\nearrow$

삼차방정식 $f(x)=0$이 한 실근과 중근을 가지려면

(극댓값)$\times$(극솟값)$=0$이어야 하므로

$f(-2)f(2)=(24-k)(-8-k)=0$

$(k+8)(k-24)=0$

$\therefore k=-8$ 또는 $k=24$

따라서 구하는 모든 실수 k의 값의 합은

$-8+24=16$

답 16

145

방정식 $|f(x)|=k$의 서로 다른 실근의 개수는 함수 $y=|f(x)|$의 그래프와 직선 $y=k$의 교점의 개수와 같다.

$f(x)=x^3-6x^2+9x-3$에서

$f'(x)=3x^2-12x+9=3(x-1)(x-3)$

$f'(x)=0$에서 $x=1$ 또는 $x=3$

함수 $f(x)$의 증가와 감소를 표로 나타내면 다음과 같다.

x	$\cdots$	1	$\cdots$	3	$\cdots$
$f'(x)$	$+$	0	$-$	0	$+$
$f(x)$	$\nearrow$	1	$\searrow$	-3	$\nearrow$

따라서 함수 $y=|f(x)|$의 그래프는 오른쪽 그림과 같으므로

$a_1+a_2+a_3+a_4$

$=5+4+3+2$

$=14$

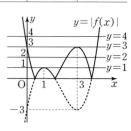

답 ②

146

도함수 $y=f'(x)$의 그래프와 x축이 만나는 점의 x좌표가 $x=-1$ 또는 $x=2$이므로 함수 $f(x)$의 증가와 감소를 표로 나타내면 다음과 같다.

x	$\cdots$	-1	$\cdots$	2	$\cdots$
$f'(x)$	$-$	0	$+$	0	$+$
$f(x)$	$\searrow$	극소	$\nearrow$		$\nearrow$

$\therefore f(-1) < f(2)$

ㄱ은 옳다.

$f(-1) > 0$이면 $f(2) > 0$이고, 함수 $y=f(x)$의 그래프는 오른쪽 그림과 같으므로 방정식 $f(x)=0$은 실근을 갖지 않는다.

ㄴ은 옳지 않다.

$f(-1)f(2)=0$이면 $f(-1)=0$ 또는 $f(2)=0$이므로 함수 $y=f(x)$의 그래프는 다음 두 가지 경우가 가능하다.

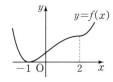 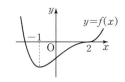

따라서 방정식 $f(x)=0$은 한 실근(중근)과 서로 다른 두 허근 또는 서로 다른 두 실근(한 실근과 삼중근)을 갖는다.

ㄷ은 옳다.

$f(-1)f(2) < 0$이면 $f(-1) < f(2)$에서 $f(-1) < 0$, $f(2) > 0$ 이므로 함수 $y=f(x)$의 그래프는 오른쪽 그림과 같다.

즉, 방정식 $f(x)=0$은 서로 다른 두 실근과 서로 다른 두 허근을 갖는다.

따라서 옳은 것은 ㄱ, ㄷ이다.

답 ④

147

점 $(1, a)$에서 곡선 $y=2x^3$에 그은 접선의 접점을 $(t, 2t^3)$이라고 하면 $y'=6x^2$에서 접선의 기울기는 $6t^2$이므로 접선의 방정식은

$y-2t^3=6t^2(x-t)$ $\quad \therefore y=6t^2x-4t^3$

이 직선이 점 $(1, a)$를 지나므로

$a=6t^2-4t^3$ $\quad\quad\quad \cdots\cdots$ ㉠

점 $(1, a)$에서 곡선 $y=2x^3$에 서로 다른 두 개의 접선을 그을 수 있으려면 t에 대한 삼차방정식 ㉠이 서로 다른 두 실근을 가져야 한다. 즉, 함수 $y=6t^2-4t^3$의 그래프와 직선 $y=a$가 서로 다른 두 점에서 만나야 한다.

$f(t)=6t^2-4t^3$이라고 하면 $f'(t)=12t-12t^2=-12t(t-1)$

$f'(t)=0$에서 $t=0$ 또는 $t=1$

함수 $f(t)$의 증가와 감소를 표로 나타내면 다음과 같다.

t	$\cdots$	0	$\cdots$	1	$\cdots$
$f'(t)$	$-$	0	$+$	0	$-$
$f(t)$	$\searrow$	0	$\nearrow$	2	$\searrow$

따라서 함수 $y=f(t)$의 그래프는 오른쪽 그림과 같으므로 직선 $y=a$와 서로 다른 세 점에서 만나려면

$0 < a < 2$

이어야 한다.

즉, 정수 a의 값은 1이다.

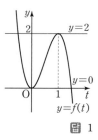

답 1

148

$x^3-3x^2 > a$에서 $x^3-3x^2-a > 0$

$f(x)=x^3-3x^2-a$라고 하면

$f'(x)=3x^2-6x=3x(x-2)$

$x > 2$에서 $f'(x) > 0$이므로 부등식 $f(x) > 0$이 성립하려면 $f(2) \geq 0$이어야 한다.

즉, $f(2)=8-12-a \geq 0$이므로

$a \leq -4$

답 ④

다른 풀이

$f(x)=x^3-3x^2$이라고 하면

$f'(x)=3x^2-6x=3x(x-2)$

$x > 2$에서 $f'(x) > 0$이고 $f(2)=-4$이므로 $f(x) > -4$

따라서 $x > 2$인 모든 실수 x에 대하여 부등식 $f(x) > a$가 항상 성립하려면

$a \leq -4$

이어야 한다.

149

$f(x)=x^4-4x-a^2+a+9$라고 하면

$f'(x)=4x^3-4=4(x-1)(x^2+x+1)$

$f'(x)=0$에서 $x=1$ ($\because x^2+x+1 > 0$)

함수 $f(x)$의 증가와 감소를 표로 나타내면 오른쪽과 같다.

x	$\cdots$	1	$\cdots$
$f'(x)$	$-$	0	$+$
$f(x)$	$\searrow$	극소	$\nearrow$

따라서 함수 $f(x)$는 $x=1$에서 극소이면서 최소이므로 함수 $f(x)$의 최솟값은

$f(1)=1-4-a^2+a+9=-a^2+a+6$

모든 실수 x에 대하여 부등식 $f(x) \geq 0$이어야 하므로

$(f(x)$의 최솟값$) \geq 0$

이어야 한다.

즉, $f(1)=-a^2+a+6 \geq 0$이므로

$a^2-a-6 \leq 0$, $(a+2)(a-3) \leq 0$

$\therefore -2 \leq a \leq 3$

따라서 주어진 부등식이 항상 성립하도록 하는 정수 a는 -2, -1, 0, 1, 2, 3의 6개이다.

답 ①

다른 풀이

부등식 $x^4-4x-a^2+a+9 \geq 0$에서

$x^4-4x \geq a^2-a-9$

$f(x)=x^4-4x$라고 하면

$f'(x)=4x^3-4=4(x-1)(x^2+x+1)$

$f'(x)=0$에서 $x=1\ (\because\ x^2+x+1>0)$

함수 $f(x)$의 증가와 감소를 표로 나타
내면 오른쪽과 같다.

x	$\cdots$	1	$\cdots$
$f'(x)$	$-$	0	$+$
$f(x)$	↘	극소	↗

즉, 함수 $f(x)$는 $x=1$에서 극소이면
서 최소이므로 $f(x)$의 최솟값은

$f(1)=1-4=-3$

따라서 모든 실수 x에 대하여 부등식 $f(x)\geq a^2-a-9$가 항상 성
립하려면

$a^2-a-9\leq-3$

이어야 하므로

$a^2-a-6\leq0,\ (a+2)(a-3)\leq0$ $\therefore\ -2\leq a\leq3$

즉, 정수 a는 $-2,\ -1,\ 0,\ 1,\ 2,\ 3$의 6개이다.

[풍쌤 비법]

(1) 어떤 구간에서 부등식 $f(x)\geq k$임을 보일 때
  ➡ 그 구간에서 $k\leq(f(x)$의 최솟값)임을 보인다.

(2) 어떤 구간에서 부등식 $f(x)\leq k$임을 보일 때
  ➡ 그 구간에서 $k\geq(f(x)$의 최댓값)임을 보인다.

150

$4x^3-24x+k<6x^2$에서

$4x^3-6x^2-24x+k<0$

$f(x)=4x^3-6x^2-24x+k$라고 하면

$f'(x)=12x^2-12x-24=12(x+1)(x-2)$

$x<-2$에서 $f'(x)>0$이므로 부등식 $f(x)<0$이 항상 성립하려
면 $f(-2)\leq0$이어야 한다.

즉, $f(-2)=-32-24+48+k\leq0$이므로

$-8+k\leq0$ $\therefore\ k\leq8$

따라서 k의 최댓값은 8이다.

🔲 ③

151

$h(x)=f(x)-g(x)$라고 하면

$h(x)=x^3+2x^2-x+3-(-x^2+8x+k)$

$\quad\ =x^3+3x^2-9x+3-k$

$h'(x)=3x^2+6x-9=3(x+3)(x-1)$이므로

$h'(x)=0$에서 $x=1\ (\because\ 0\leq x\leq3)$

$0\leq x\leq3$에서 함수 $h(x)$의 증가와 감소를 표로 나타내면 다음과
같다.

x	0	$\cdots$	1	$\cdots$	3
$h'(x)$		$-$	0	$+$	
$h(x)$	$3-k$	↘	$-2-k$	↗	$30-k$

따라서 함수 $h(x)$의 최댓값은 $h(3)=30-k$이므로 부등식

$h(x)=f(x)-g(x)\leq0$이 성립하려면

$h(3)=30-k\leq0$이어야 한다.

$\therefore\ k\geq30$

즉, k의 최솟값은 30이다.

🔲 30

152

직선 $y=f'(t)(x-t)+f(t)$는 곡선 $y=f(x)$ 위의 점 $(t,\ f(t))$
에서의 접선의 방정식이다.

따라서 부등식 $f'(t)(x-t)+f(t)\leq f(x)$는 곡선 $y=f(x)$의 접
선이 $-3\leq x\leq0$에서 함수 $y=f(x)$의 그래프와 만나거나 그 아래
쪽에 있음을 의미한다.

점 $(-3,\ 0)$에서 곡선에 그은 접선의 접점을 $(t_1,\ f(t_1))$이라 하고,
원점에서 곡선에 그은 접선의 접점을 $(t_2,\ f(t_2))$라고 하면 부등식
$f'(t)(x-t)+f(t)\leq f(x)$가 성립하려면 접선이 닫힌구간 $[t_1,\ t_2]$
에 존재해야 한다.

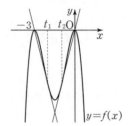

$f(x)=-x^2(x+3)^2$에서

$f'(x)=-2x(x+3)^2-x^2\times2(x+3)$

$\quad\ =-2x(x+3)(x+3+x)$

$\quad\ =-2x(x+3)(2x+3)$

점 $(t,\ -t^2(t+3)^2)$에서의 접선의 기울기가

$f'(t)=-2t(t+3)(2t+3)$

이므로 접선의 방정식은

$y-\{-t^2(t+3)^2\}=-2t(t+3)(2t+3)(x-t)$ ······ ㉠

(i) 직선 ㉠이 점 $(-3,\ 0)$을 지날 때

$\quad -\{-t^2(t+3)^2\}=-2t(t+3)(2t+3)(-3-t)$

$\quad 2t(t+3)^2(2t+3)-t^2(t+3)^2=0$

$\quad t(t+3)^2(4t+6-t)=0$

$\quad 3t(t+2)(t+3)^2=0$

$\quad \therefore\ t=-2\left(\because\ -3<t<-\dfrac{3}{2}\right)$

(ii) 직선 ㉠이 점 $(0,\ 0)$을 지날 때

$\quad -\{-t^2(t+3)^2\}=-2t(t+3)(2t+3)(-t)$

$\quad 2t^2(t+3)(2t+3)-t^2(t+3)^2=0$

$\quad t^2(t+3)(4t+6-t-3)=0$

$\quad 3t^2(t+1)(t+3)=0$

$\quad \therefore\ t=-1\left(\because\ -\dfrac{3}{2}<t<0\right)$

(i), (ii)에서 주어진 부등식을 만족시키는 실수 t의 값의 범위는

$-2\leq t\leq-1$

🔲 $-2\leq t\leq-1$

153

점 P의 시각 t에서의 속도를 $v(t)$, 가속도를 $a(t)$라고 하면

$v(t)=\dfrac{d}{dt}x(t)=2t-4$

$a(t)=\dfrac{d}{dt}v(t)=2$

$\therefore\ a=v(3)=2\times3-4=2,\ b=a(3)=2$

운동 방향을 바꿀 때의 속도는 0이므로 그때의 시각은

$2t-4=0$ $\therefore t=2$

$\therefore c=2$

$\therefore a+b+c=2+2+2=6$

답 ①

154

두 점 P, Q의 시각 t에서의 속도를 각각 $v_P(t)$, $v_Q(t)$라고 하면

$v_P(t)=\dfrac{d}{dt}f(t)=4t-2$, $v_Q(t)=\dfrac{d}{dt}g(t)=2t-8$

두 점 P, Q가 서로 반대 방향으로 움직일 때 $v_P(t)v_Q(t)<0$이므로

$(4t-2)(2t-8)<0$, $4(2t-1)(t-4)<0$

$\therefore \dfrac{1}{2}<t<4$

따라서 $a=\dfrac{1}{2}$, $b=4$이므로

$a+b=\dfrac{9}{2}$

답 ④

풍쌤 비법

수직선 위를 움직이는 두 점 P, Q가 서로 반대 방향으로 움직이면 ➡ (두 점의 속도의 곱)<0

155

▶ 접근

비행기의 속도가 $D'(t)$이므로 비행기의 속도가 200 km/h가 되는 t의 값 t_1을 찾아 $D(t_1)$의 값을 구한다.

비행기의 시각 t에서의 속도를 $v(t)$라고 하면

$v(t)=\dfrac{d}{dt}D(t)=\dfrac{20}{9}t$ (m/s)

속도가 $200\,(\text{km/h})=\dfrac{200000}{60\times60}\,(\text{m/s})=\dfrac{500}{9}\,(\text{m/s})$가 될 때의

시각 t는

$\dfrac{20}{9}t=\dfrac{500}{9}$ $\therefore t=25$

따라서 구하는 이동 거리는

$D(25)=\dfrac{10}{9}\times25^2=\dfrac{6250}{9}\,(\text{m})$

답 $\dfrac{6250}{9}$ m

156

$x_M=\dfrac{1}{2}(x_P+x_Q)=\dfrac{1}{2}\left(\dfrac{1}{3}t^3+t^2-3t\right)$

세 점 P, Q, M의 시각에서의 속도를 각각 $v_P(t)$, $v_Q(t)$, $v_M(t)$라고 하면

$v_P(t)=\dfrac{d}{dt}x_P=t^2-3$, $v_Q(t)=\dfrac{d}{dt}x_Q=2t$,

$v_M(t)=\dfrac{d}{dt}x_M=\dfrac{1}{2}(t^2+2t-3)$

운동 방향을 바꿀 때의 속도는 0이므로

$v_P(t)=t^2-3=(t+\sqrt{3})(t-\sqrt{3})=0$에서

$t=\sqrt{3}\,(\because 0<t<3)$

즉, 점 P는 시각 $t=\sqrt{3}$에서 1번 운동 방향을 바꾼다.

$0<t<3$에서 $v_Q(t)=2t=0$이 되는 t의 값은 없으므로 점 Q는 운동 방향을 바꾸지 않는다.

$v_M(t)=\dfrac{1}{2}(t^2+2t-3)=\dfrac{1}{2}(t+3)(t-1)=0$에서

$t=1\,(\because 0<t<3)$

즉, 점 M은 시각 $t=1$에서 1번 운동 방향을 바꾼다.

따라서 $a=1$, $b=0$, $c=1$이므로

$a+b+c=2$

답 2

157

t초 후 밑면인 정사각형의 한 변의 길이는 $(4+t)$ cm, 높이는 $(8-t)$ cm이므로 t초 후의 부피를 $V(t)$ cm³라고 하면

$V(t)=(4+t)^2(8-t)$

$\therefore \dfrac{d}{dt}V(t)=2(4+t)(8-t)-(4+t)^2$

$\qquad\qquad\quad=(4+t)(16-2t-4-t)$

$\qquad\qquad\quad=-3(4+t)(t-4)$

부피의 변화율이 0이 될 때의 시각은

$\dfrac{d}{dt}V(t)=-3(t+4)(t-4)=0$에서 $t=4\,(\because t>0)$

따라서 이때의 직육면체의 부피는

$V(4)=(4+4)^2(8-4)=256$

즉, 256 cm³이다.

답 256 cm³

158

t초 후 직사각형의 가로의 길이는 $(18-t)$ cm, 세로의 길이는 $\left(8+\dfrac{3}{2}t\right)$ cm이므로 t초 후 직사각형의 넓이를 $S(t)$ cm²라고 하면

$S(t)=(18-t)\left(8+\dfrac{3}{2}t\right)$

$\therefore \dfrac{d}{dt}S(t)=-\left(8+\dfrac{3}{2}t\right)+\dfrac{3}{2}(18-t)=-3t+19$

직사각형이 정사각형이 되는 순간의 시각은

$18-t=8+\dfrac{3}{2}t$에서 ← (가로의 길이)=(세로의 길이)

$\dfrac{5}{2}t=10$ $\therefore t=4$

따라서 직사각형이 정사각형이 되는 순간의 넓이의 변화율은

$\dfrac{d}{dt}S(4)=-3\times4+19=7\,(\text{cm}^2/\text{s})$

답 ③

159

t초 동안 영미가 움직인 거리를 x m, 영미의 그림자의 길이를 y m라고 하면 오른쪽 그림에서

$\triangle ABC \backsim \triangle DBE$ (AA 닮음)

이므로

$\overline{AC}:\overline{DE}=\overline{BC}:\overline{BE}$

$4.8:1.6=(x+y):y$

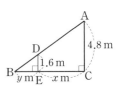

$3:1=(x+y):y,\ 3y=x+y$

$\therefore y=\dfrac{1}{2}x$

영미는 가로등 바로 밑에서 출발하여 매초 1.2 m의 속도로 움직였으므로

$x=1.2t=\dfrac{6}{5}t$

$\therefore y=\dfrac{1}{2}x=\dfrac{1}{2}\times\dfrac{6}{5}t=\dfrac{3}{5}t$

$\therefore \dfrac{dy}{dt}=\dfrac{3}{5}$

따라서 영미의 그림자의 길이의 변화율은 $\dfrac{3}{5}$ m/s이다.

답 ⑤

160

물을 붓기 시작한 후 t초 후의 그릇에 담긴 물의 깊이를 h cm, 수면의 반지름의 길이를 r cm라고 하면 오른쪽 그림에서
$\triangle OAB \backsim \triangle OCD$ (AA 닮음)
이므로
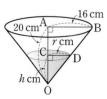
$\overline{OA}:\overline{OC}=\overline{AB}:\overline{CD}$

$20:h=16:r,\ 20r=16h$

$\therefore r=\dfrac{4}{5}h$

수면의 상승 속도가 $\dfrac{9}{4}$ cm/s이므로 t초 동안 수면의 높이는

$\dfrac{9}{4}t$ cm만큼 상승한다.

$\therefore h=\dfrac{9}{4}t,\ r=\dfrac{4}{5}h=\dfrac{4}{5}\times\dfrac{9}{4}t=\dfrac{9}{5}t$

물의 부피를 V cm³라고 하면

$V=\dfrac{1}{3}\pi r^2 h=\dfrac{1}{3}\pi\times\left(\dfrac{9}{5}t\right)^2\times\dfrac{9}{4}t=\dfrac{243}{100}\pi t^3$

$\therefore \dfrac{dV}{dt}=\dfrac{729}{100}\pi t^2$

물의 깊이가 10 cm가 되는 시각은

$h=\dfrac{9}{4}t=10$에서 $t=\dfrac{40}{9}$

따라서 구하는 물의 부피의 변화율은

$\dfrac{729}{100}\pi\times\left(\dfrac{40}{9}\right)^2=144\pi$ (cm³/s)

답 144π cm³/s

161

t초 후 정삼각형의 한 변의 길이를 $l(t)$, 내접하는 원의 반지름의 길이를 $r(t)$라고 하면
$l(t)=12\sqrt{3}+3\sqrt{3}t$
정삼각형 ABC의 넓이에서
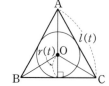
$\triangle ABC=\triangle OAB+\triangle OBC+\triangle OCA$

$\dfrac{\sqrt{3}}{4}\{l(t)\}^2=\dfrac{1}{2}\times 3l(t)\times r(t)$

$\therefore r(t)=\dfrac{\sqrt{3}}{6}l(t)=\dfrac{\sqrt{3}}{6}(12\sqrt{3}+3\sqrt{3}t)=6+\dfrac{3}{2}t$ ······ ㉠

내접하는 원의 t초 후의 넓이를 $S(t)$라고 하면

$S(t)=\pi\{r(t)\}^2=\pi\left(6+\dfrac{3}{2}t\right)^2$

$\therefore \dfrac{d}{dt}S(t)=2\pi\left(6+\dfrac{3}{2}t\right)\times\dfrac{3}{2}=3\pi\left(6+\dfrac{3}{2}t\right)$

정삼각형의 한 변의 길이가 $24\sqrt{3}$이 되는 순간의 시각은
$12\sqrt{3}+3\sqrt{3}t=24\sqrt{3}$에서
$3\sqrt{3}t=12\sqrt{3}$ $\therefore t=4$
따라서 이때의 원의 넓이의 변화율은

$\dfrac{d}{dt}S(4)=3\pi\left(6+\dfrac{3}{2}\times 4\right)=36\pi$ $\therefore a=36$

답 36

다른 풀이

위의 ㉠은 다음과 같이 정삼각형의 무게중심을 이용하여 구할 수도 있다.

$\triangle ABC$는 정삼각형이므로 내접원의 중심 O는 $\triangle ABC$의 무게중심과 일치한다.
따라서 점 O는 중선 AH를 $2:1$로 내분하고, $\overline{AH}=\dfrac{\sqrt{3}}{2}l(t)$이므로
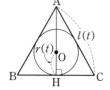

$r(t)=\dfrac{1}{3}\overline{AH}=\dfrac{1}{3}\times\dfrac{\sqrt{3}}{2}l(t)=\dfrac{\sqrt{3}}{6}l(t)$

$=\dfrac{\sqrt{3}}{6}(12\sqrt{3}+3\sqrt{3}t)=6+\dfrac{3}{2}t$

참고

(1) 정삼각형의 무게중심, 외심, 내심은 모두 일치한다.
(2) 삼각형의 무게중심은 세 중선의 길이를 각 꼭짓점으로부터 각각 $2:1$로 내분한다.
(3) 한 변의 길이가 a인 정삼각형의 높이는 $\dfrac{\sqrt{3}}{2}a$, 넓이는 $\dfrac{\sqrt{3}}{4}a^2$이다.

162

$f(x)=-x^4+4x^2-2$에서
$f'(x)=-4x^3+8x=-4x(x+\sqrt{2})(x-\sqrt{2})$
$f'(x)=0$에서 $x=-\sqrt{2}$ 또는 $x=0$ 또는 $x=\sqrt{2}$
함수 $f(x)$의 증가와 감소를 표로 나타내면 다음과 같다.

x	$\cdots$	$-\sqrt{2}$	$\cdots$	0	$\cdots$	$\sqrt{2}$	$\cdots$
$f'(x)$	$+$	0	$-$	0	$+$	0	$-$
$f(x)$	↗	2	↘	-2	↗	2	↘

닫힌구간 $[-1,\ 1]$에서 $f(x)$는 $x=-1$ 또는 $x=1$에서 최댓값 1을 가지므로 $M(1)=1$
닫힌구간 $[-2,\ 2]$, $[-3,\ 3]$에서 $f(x)$는 $x=-\sqrt{2}$ 또는 $x=\sqrt{2}$에서 최댓값 2를 가지므로 $M(2)=M(3)=2$
$\therefore M(1)+M(2)+M(3)=1+2+2=5$

답 ③

163

$f(x)=4x^3+3ax^2-6a^2x+3$에서
$f'(x)=12x^2+6ax-6a^2=6(x+a)(2x-a)$

$f'(x)=0$에서 $x=-a$ 또는 $x=\dfrac{a}{2}$

$-a\le x\le a$에서 함수 $f(x)$의 증가와 감소를 표로 나타내면 다음과 같다.

x	$-a$	$\cdots$	$\dfrac{a}{2}$	$\cdots$	a
$f'(x)$	0	$-$	0	$+$	
$f(x)$	$5a^3+3$	$\searrow$	$-\dfrac{7}{4}a^3+3$	$\nearrow$	a^3+3

따라서 함수 $f(x)$는 $x=-a$에서 최댓값 $5a^3+3$을 갖고 $x=\dfrac{a}{2}$에서 최솟값 $-\dfrac{7}{4}a^3+3$을 갖는다.

이때 최솟값이 $\dfrac{5}{4}$이므로

$-\dfrac{7}{4}a^3+3=\dfrac{5}{4}$, $-\dfrac{7}{4}a^3=-\dfrac{7}{4}$

$a^3=1$ $\quad\therefore a=1$

따라서 최댓값은 $5a^3+3=5+3=8$이므로 $M=8$

$\therefore a+M=1+8=9$

답 9

164

$f(x)=\dfrac{1}{3}x^3-2x^2+3x+a$에서

$f'(x)=x^2-4x+3=(x-1)(x-3)$

$f'(x)=0$에서 $x=1$ 또는 $x=3$

함수 $f(x)$의 증가와 감소를 표로 나타내면 다음과 같다.

x	$\cdots$	1	$\cdots$	3	$\cdots$
$f'(x)$	$+$	0	$-$	0	$+$
$f(x)$	$\nearrow$	$a+\dfrac{4}{3}$	$\searrow$	a	$\nearrow$

따라서 함수 $f(x)$는 $x=1$에서 극댓값 $f(1)=a+\dfrac{4}{3}$, $x=3$에서 극솟값 $f(3)=a$를 갖는다.

이때 함수 $y=f(x)$의 그래프가 직선 $y=1$과 서로 다른 두 점에서 만나야 하므로 다음 그림과 같이 극댓값 또는 극솟값이 1이어야 한다.

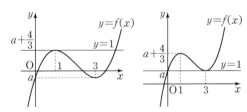

즉, $a+\dfrac{4}{3}=1$ 또는 $a=1$이므로

$a=-\dfrac{1}{3}$ 또는 $a=1$

그런데 a는 양수이므로 $a=1$

닫힌구간 $[0, b]$에서 함수 $f(x)$의 최솟값은 1이므로 최댓값과 최솟값의 차가 $\dfrac{4}{3}$이려면 최댓값은 $1+\dfrac{4}{3}=\dfrac{7}{3}$이어야 한다.

$f(x)=\dfrac{7}{3}$에서 $\dfrac{1}{3}x^3-2x^2+3x+1=\dfrac{7}{3}$

$x^3-6x^2+9x+3=7$, $x^3-6x^2+9x-4=0$

$(x-1)^2(x-4)=0$ $\quad\therefore x=1$ 또는 $x=4$

$\therefore 1\le b\le 4$

따라서 $a+b$의 최댓값은

$1+4=5$ └─ a의 값이 1로 일정하므로 b가 최대일 때 $a+b$도 최대가 된다.

답 5

165

$x^2+4y^2=16$에서 $y^2=\dfrac{16-x^2}{4}$ $\quad\cdots\cdots\ \bigcirc$

x, y가 실수이므로 $y^2=\dfrac{16-x^2}{4}\ge 0$

$16-x^2\ge 0$, $x^2-16\le 0$

$(x+4)(x-4)\le 0$ $\quad\therefore -4\le x\le 4$

x^2+xy^2에 $\bigcirc$을 대입하면

$x^2+xy^2=x^2+x\times\dfrac{16-x^2}{4}=-\dfrac{1}{4}x^3+x^2+4x$

$f(x)=-\dfrac{1}{4}x^3+x^2+4x$라고 하면

$f'(x)=-\dfrac{3}{4}x^2+2x+4=-\dfrac{1}{4}(3x+4)(x-4)$

$f'(x)=0$에서 $x=-\dfrac{4}{3}$ 또는 $x=4$

$-4\le x\le 4$에서 함수 $f(x)$의 증가와 감소를 표로 나타내면 다음과 같다.

x	-4	$\cdots$	$-\dfrac{4}{3}$	$\cdots$	4
$f'(x)$		$-$	0	$+$	0
$f(x)$	16	$\searrow$	$-\dfrac{80}{27}$	$\nearrow$	16

따라서 함수 $f(x)$는 $x=-4$ 또는 $x=4$에서 최댓값 16을 갖고, $x=-\dfrac{4}{3}$에서 최솟값 $-\dfrac{80}{27}$을 갖는다.

즉, $M=16$, $m=-\dfrac{80}{27}$이므로

$M+\dfrac{27}{4}m=16+\dfrac{27}{4}\times\left(-\dfrac{80}{27}\right)=16-20=-4$

답 ②

166

$x^2-4x+1=t$라고 하면

$t=x^2-4x+1=(x-2)^2-3$

이므로 닫힌구간 $[0, 3]$에서

$-3\le t\le 1$

$g(t)=2t^3-24t$라고 하면

$g'(t)=6t^2-24=6(t+2)(t-2)$

$g'(t)=0$에서 $t=-2\ (\because\ -3\le t\le 1)$

$-3\le t\le 1$에서 함수 $g(t)$의 증가와 감소를 표로 나타내면 다음과 같다.

t	-3	$\cdots$	-2	$\cdots$	1
$g'(t)$		$+$	0	$-$	
$g(t)$	18	$\nearrow$	32	$\searrow$	-22

따라서 함수 $g(t)$는 $t=-2$일 때 최댓값 32, $t=1$일 때 최솟값 -22를 가지므로 최댓값과 최솟값의 합은

$32+(-22)=10$

답 ②

167

$$f(x)=x^3+\frac{1}{x^3}-45\left(x+\frac{1}{x}\right)+120$$
$$=\left(x+\frac{1}{x}\right)^3-3\times x\times\frac{1}{x}\times\left(x+\frac{1}{x}\right)-45\left(x+\frac{1}{x}\right)+120$$
$$=\left(x+\frac{1}{x}\right)^3-48\left(x+\frac{1}{x}\right)+120$$

$t=x+\dfrac{1}{x}$이라고 하면 $x>0$이므로 산술평균과 기하평균의 관계에 의하여

$t=x+\dfrac{1}{x}\geq2\sqrt{x\times\dfrac{1}{x}}=2$ (단, 등호는 $x=1$일 때 성립한다.)

$g(t)=t^3-48t+120$이라고 하면

$g'(t)=3t^2-48=3(t+4)(t-4)$

$g'(t)=0$에서 $t=4$ ($\because t\geq2$)

$t\geq2$에서 함수 $g(t)$의 증가와 감소를 표로 나타내면 다음과 같다.

t	2	$\cdots$	4	$\cdots$
$g'(t)$		$-$	0	$+$
$g(t)$	32	$\searrow$	-8	$\nearrow$

따라서 함수 $g(t)$는 $t=4$일 때 극소이면서 최소이므로 구하는 최솟값은

$g(4)=-8$

답 ②

참고

산술평균과 기하평균의 관계

$a>0$, $b>0$일 때, $\dfrac{a+b}{2}\geq\sqrt{ab}$ (단, 등호는 $a=b$일 때 성립한다.)

168

$f(x)=-x^3+ax^2+bx+c$ (a, b, c는 상수)라고 하면

$f'(x)=-3x^2+2ax+b$

방정식 $f'(x)=0$이 -3과 2를 두 실근으로 가지므로

$\llcorner$ $f'(-3)=0$, $f'(2)=0$이므로 $f'(x)$는 $x+3$, $x-2$를 인수로 갖는다.

$f'(x)=-3x^2+2ax+b=-3(x+3)(x-2)$

즉, $-3x^2+2ax+b=-3x^2-3x+18$이므로

$2a=-3$, $b=18$ $\therefore a=-\dfrac{3}{2}$, $b=18$

$\therefore f(x)=-x^3-\dfrac{3}{2}x^2+18x+c$

$f'(x)=0$에서 $x=2$ ($\because -1\leq x\leq3$)

$-1\leq x\leq3$에서 함수 $f(x)$의 증가와 감소를 표로 나타내면 다음과 같다.

x	-1	$\cdots$	2	$\cdots$	3
$f'(x)$		$+$	0	$-$	
$f(x)$	$c-\dfrac{37}{2}$	$\nearrow$	$c+22$	$\searrow$	$c+\dfrac{27}{2}$

따라서 함수 $f(x)$는 $x=2$에서 극대이면서 최대이므로

$f(2)=c+22=\dfrac{41}{2}$ $\therefore c=-\dfrac{3}{2}$

함수 $f(x)$는 $x=-1$에서 최소이므로 구하는 최솟값은

$f(-1)=c-\dfrac{37}{2}=-\dfrac{3}{2}-\dfrac{37}{2}=-20$

답 ③

169

$f(x)=-x^3+3ax^2+(a^3-9a+1)x$에서

$f'(x)=-3x^2+6ax+(a^3-9a+1)$

곡선 $y=f(x)$ 위의 점의 좌표를 $(t, f(t))$로 놓으면 접점에서의 접선의 기울기는

$f'(t)=-3t^2+6at+(a^3-9a+1)$
$=-3(t-a)^2+a^3+3a^2-9a+1$

이므로 접선의 기울기 $f'(t)$는 $t=a$일 때 최댓값 a^3+3a^2-9a+1을 갖는다.

즉, $M(a)=a^3+3a^2-9a+1$이므로

$M'(a)=3a^2+6a-9=3(a+3)(a-1)$

$M'(a)=0$에서 $a=1$ ($\because -1\leq a\leq2$)

$-1\leq a\leq2$에서 $M(a)$의 증가와 감소를 표로 나타내면 다음과 같다.

a	-1	$\cdots$	1	$\cdots$	2
$M'(a)$		$-$	0	$+$	
$M(a)$	12	$\searrow$	-4	$\nearrow$	3

따라서 $M(a)$는 $a=-1$에서 최댓값 12, $a=1$에서 최솟값 -4를 가지므로 최댓값과 최솟값의 합은

$12+(-4)=8$

답 8

170

$f'(x)=6(kx-1)(x-3)$이므로 $f'(x)=0$에서

$x=\dfrac{1}{k}$ 또는 $x=3$

이때 $\dfrac{1}{k}=3$, 즉 $k=\dfrac{1}{3}$이면 모든 실수 x에 대하여

$f'(x)=2(x-3)^2\geq0$

이 되므로 함수 $f(x)$는 항상 증가한다.

따라서 $k=\boxed{^{(가)}\ \dfrac{1}{3}}$인 경우를 제외하고 함수 $f(x)$는 실수 전체의 집합에서 극댓값과 극솟값을 모두 가지므로

(i) $0<k\leq\boxed{^{(가)}\ \dfrac{1}{3}}$일 때

$0<x<3$에서 $f'(x)>0$이므로 함수 $f(x)$는 증가한다.

따라서 닫힌구간 $[0, 3]$에서 함수 $f(x)$의 최댓값은

$f(3)=54k-27(3k+1)+54-2$
$=\boxed{^{(나)}\ -27k+25}$

이다.

그러나 $\boxed{^{(나)}\ -27k+25}=12$를 만족시키는 k의 값은 $k=\dfrac{13}{27}$이므로 $0<k\leq\boxed{^{(가)}\ \dfrac{1}{3}}$에 존재하지 않는다.

(ii) $k>\boxed{^{(가)}\ \dfrac{1}{3}}$일 때

닫힌구간 $[0, 3]$에서 함수 $f(x)$는 $x=\dfrac{1}{k}$에서 극대이면서 최대이다.

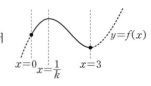

따라서 함수 $f(x)$의 최댓값은

$$f\left(\frac{1}{k}\right)=2k\times\left(\frac{1}{k}\right)^3-3(3k+1)\times\left(\frac{1}{k}\right)^2+18\times\frac{1}{k}-2$$
$$=-\frac{1}{k^2}+\frac{9}{k}-2$$

즉, $-\frac{1}{k^2}+\frac{9}{k}-2=12$이므로

$$\frac{1}{k^2}-\frac{9}{k}+14=0,\ 14k^2-9k+1=0$$
$$(7k-1)(2k-1)=0$$
$$\therefore k=\frac{1}{2}\ \left(\because k>\frac{1}{3}\right)$$

(i), (ii)에 의하여 함수 $f(x)$가 닫힌구간 $[0,\ 3]$에서 최댓값 12를

가질 때, $k=\boxed{^{(나)}\ \frac{1}{2}}$이다.

따라서 $a=\frac{1}{3}$, $b=\frac{1}{2}$, $g(k)=-27k+25$이므로

$$\frac{g(a)}{b}=\frac{g\left(\frac{1}{3}\right)}{\frac{1}{2}}=2\left(-27\times\frac{1}{3}+25\right)=32$$

답 ⑤

171

$y=\frac{1}{3}(x-3)^2$에서 $y'=\frac{2}{3}(x-3)$

점 P의 좌표를 $\left(t,\ \frac{1}{3}(t-3)^2\right)$으로 놓으면 접선의 기울기가

$\frac{2}{3}(t-3)$이므로 접선의 방정식은

$$y-\frac{1}{3}(t-3)^2=\frac{2}{3}(t-3)(x-t)$$
$$\therefore y=\frac{2}{3}(t-3)x-\frac{1}{3}(t^2-9)$$

따라서 $A\left(\frac{1}{2}(t+3),\ 0\right)$, $B\left(0,\ -\frac{1}{3}(t^2-9)\right)$이므로 삼각형

OAB의 넓이를 $S(t)$라고 하면

$$S(t)=\frac{1}{2}\times\overline{OA}\times\overline{OB}$$
$$=\frac{1}{2}\times\frac{1}{2}(t+3)\times\left\{-\frac{1}{3}(t^2-9)\right\}$$
$$=-\frac{1}{12}(t^3+3t^2-9t-27)$$
$$\therefore S'(t)=-\frac{1}{12}(3t^2+6t-9)=-\frac{1}{4}(t+3)(t-1)$$

$S'(t)=0$에서 $t=1$ $(\because 0<t<3)$

$0<t<3$에서 함수 $S(t)$의 증가와 감소를 표로 나타내면 다음과 같다.

t	(0)	$\cdots$	1	$\cdots$	(3)
$S'(t)$		$+$	0	$-$	
$S(t)$		↗	극대	↘	

따라서 $S(t)$는 $t=1$에서 극대이면서 최대이므로 넓이의 최댓값은

$$S(1)=-\frac{1}{12}(1+3-9-27)=\frac{8}{3}$$

즉, $p=3$, $q=8$이므로 $p+q=11$

답 11

172

$f(x)=3-2x-x^2=-(x+1)^2+4$이므로 닫힌구간 $[-2,\ 2]$에서 $-5\leq f(x)\leq 4$

$f(x)=t$라고 하면

$$(g\circ f)(x)=g(f(x))=g(t)$$
$$=2t^3-3t^2-12t+5\ (단,\ -5\leq t\leq 4)$$
$$\therefore g'(t)=6t^2-6t-12=6(t+1)(t-2)$$

$g'(t)=0$에서 $t=-1$ 또는 $t=2$

$-5\leq t\leq 4$에서 함수 $g(t)$의 증가와 감소를 표로 나타내면 다음과 같다.

t	-5	$\cdots$	-1	$\cdots$	2	$\cdots$	4
$g'(t)$		$+$	0	$-$	0	$+$	
$g(t)$	-260	↗	12	↘	-15	↗	37

따라서 함수 $g(t)$는 $t=4$에서 최댓값 $g(4)=37$을 갖는다.

답 ⑤

173

상자의 높이를 x라 하고 정삼각형의 세 꼭짓점
에서 길이 y만큼 잘라 낸다고 하면 세 귀퉁이에
서 잘라 내는 사각형은 오른쪽 그림과 같다.

이 사각형은 합동인 두 직각삼각형으로 나누어
지고 정삼각형의 한 내각의 크기가 $60°$이므로 합동인 두 직각삼각
형은 세 각의 크기가 각각 $30°$, $60°$, $90°$이다.

즉, $x:y=1:\sqrt{3}$이므로

$$y=\sqrt{3}x$$

따라서 상자는 한 변의 길이가 $10-2y$, 즉 $10-2\sqrt{3}x$인 정삼각형
을 밑면으로 하고 높이가 x인 삼각기둥이 된다.

이때 $x>0$, $10-2\sqrt{3}x>0$이므로

$$0<x<\frac{5\sqrt{3}}{3}$$

상자의 부피를 $V(x)$라고 하면

$$V(x)=\frac{\sqrt{3}}{4}(10-2\sqrt{3}x)^2\times x=\sqrt{3}x(\sqrt{3}x-5)^2$$
$$\therefore V'(x)=\sqrt{3}(\sqrt{3}x-5)^2+\sqrt{3}x\times 2(\sqrt{3}x-5)\times\sqrt{3}$$
$$=(\sqrt{3}x-5)(9x-5\sqrt{3})$$

$V'(x)=0$에서 $x=\frac{5\sqrt{3}}{9}\ \left(\because 0<x<\frac{5\sqrt{3}}{3}\right)$

$0<x<\frac{5\sqrt{3}}{3}$에서 함수 $V(x)$의 증가와 감소를 표로 나타내면 다음과 같다.

x	(0)	$\cdots$	$\frac{5\sqrt{3}}{9}$	$\cdots$	$\left(\frac{5\sqrt{3}}{3}\right)$
$V'(x)$		$+$	0	$-$	
$V(x)$		↗	극대	↘	

따라서 $V(x)$는 $x=\frac{5\sqrt{3}}{9}$에서 극대이면서 최대이므로 부피가 최대

가 될 때의 높이는 $\frac{5\sqrt{3}}{9}$이다.

답 $\frac{5\sqrt{3}}{9}$

174

$f'(x)=0$에서 $x=-1$ 또는 $x=1$ 또는 $x=3$

함수 $f(x)$의 증가와 감소를 표로 나타내면 다음과 같다.

x	$\cdots$	-1	$\cdots$	1	$\cdots$	3	$\cdots$
$f'(x)$	$-$	0	$+$	0	$-$	0	$+$
$f(x)$	$\searrow$	극소	$\nearrow$	극대	$\searrow$	극소	$\nearrow$

이때 $f(-1)<f(3)<0<f(1)$이므로 함
수 $y=f(x)$의 그래프의 개형은 오른쪽
그림과 같다.

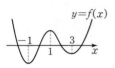

ㄱ은 옳지 않다.

주어진 조건만으로는 $f(2)$의 값의 부호를 알 수 없다.

ㄴ은 옳다.

함수 $f(x)$는 $x=-1$ 또는 $x=3$에서 극소이고, $x=1$에서 극
대이다.

ㄷ도 옳다.

함수 $y=f(x)$의 그래프는 x축과 서로 다른 네 점에서 만나므로
방정식 $f(x)=0$은 서로 다른 네 실근을 갖는다.

따라서 옳은 것은 ㄴ, ㄷ이다.

답 ④

175

방정식 $2x^3+3x^2-12x+10-3k=0$에서

$2x^3+3x^2-12x+10=3k$

이므로 주어진 방정식의 서로 다른 실근의 개수는 함수

$y=2x^3+3x^2-12x+10$의 그래프와 직선 $y=3k$의 교점의 개수와
같다.

$g(x)=2x^3+3x^2-12x+10$이라고 하면

$g'(x)=6x^2+6x-12=6(x+2)(x-1)$

$g'(x)=0$에서 $x=-2$ 또는 $x=1$

함수 $g(x)$의 증가와 감소를 표로 나타내면 다음과 같다.

x	$\cdots$	-2	$\cdots$	1	$\cdots$
$g'(x)$	$+$	0	$-$	0	$+$
$g(x)$	$\nearrow$	30	$\searrow$	3	$\nearrow$

따라서 함수 $y=g(x)$의 그래프는 오
른쪽 그림과 같으므로

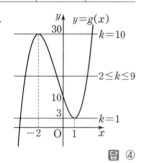

$k=1$일 때 $f(k)=2$

$2\leq k\leq9$일 때 $f(k)=3$

$k=10$일 때 $f(k)=2$

$\therefore f(1)+f(2)+f(3)+\cdots+f(10)$

$\qquad =2+8\times3+2=28$

답 ④

176

두 점 $A(-2, 3)$, $B(3, -2)$를 지나는 직선의 방정식은

$y-3=\dfrac{-2-3}{3-(-2)}\{x-(-2)\}$

$\therefore y=-x+1$

곡선 $y=x^3+x^2-6x-k$와 선분 AB가 서로 다른 두 점에서 만나
려면 방정식 $x^3+x^2-6x-k=-x+1$이 $-2\leq x\leq3$에서 서로 다
른 두 실근을 가져야 한다.

즉, $x^3+x^2-6x-k=-x+1$에서

$x^3+x^2-5x-1=k$

이므로 함수 $y=x^3+x^2-5x-1$의 그래프가 직선 $y=k$와

$-2\leq x\leq3$에서 서로 다른 두 점에서 만나면 된다.

$f(x)=x^3+x^2-5x-1$이라고 하면

$f'(x)=3x^2+2x-5=(3x+5)(x-1)$

$f'(x)=0$에서 $x=-\dfrac{5}{3}$ 또는 $x=1$

$-2\leq x\leq3$에서 함수 $f(x)$의 증가와 감소를 표로 나타내면 다음
과 같다.

x	-2	$\cdots$	$-\dfrac{5}{3}$	$\cdots$	1	$\cdots$	3
$f'(x)$		$+$	0	$-$	0	$+$	
$f(x)$	5	$\nearrow$	$\dfrac{148}{27}$	$\searrow$	-4	$\nearrow$	20

따라서 함수 $y=f(x)$의 그래프는 오
른쪽 그림과 같으므로 $-2\leq x\leq3$에
서 직선 $y=k$와 서로 다른 두 점에서
만나려면

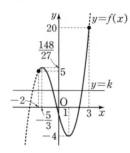

$-4<k<5$ 또는 $k=\dfrac{148}{27}$

이어야 한다.

이때 정수 k는

-3, -2, -1, $\cdots$, 4

의 8개이다.

답 8

177

> **접근**
>
> 삼차함수 $y=2x^3-3x^2-12x$의 그래프와 직선 $y=k$를 그려서 주어
> 진 조건을 만족시키는 a의 값의 범위를 구한다.

방정식 $2x^3-3x^2-12x-k=0$에서

$2x^3-3x^2-12x=k$

이므로 방정식 $2x^3-3x^2-12x-k=0$이 서로 다른 세 실근을 가
지려면 곡선 $y=2x^3-3x^2-12x$와 직선 $y=k$가 서로 다른 세 점에
서 만나야 한다.

$f(x)=2x^3-3x^2-12x$라고 하면

$f'(x)=6x^2-6x-12=6(x+1)(x-2)$

$f'(x)=0$에서 $x=-1$ 또는 $x=2$

함수 $f(x)$의 증가와 감소를 표로 나타내면 다음과 같다.

x	$\cdots$	-1	$\cdots$	2	$\cdots$
$f'(x)$	$+$	0	$-$	0	$+$
$f(x)$	$\nearrow$	7	$\searrow$	-20	$\nearrow$

따라서 함수 $y=f(x)$의 그래프는 오른쪽
그림과 같으므로 곡선 $y=f(x)$와 직선
$y=k$가 서로 다른 세 점에서 만나려면

$-20<k<7$

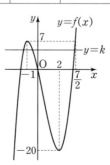

이어야 한다. 이때 $f(2)=-20$이므로
주어진 방정식의 가장 큰 실근 a는 2와
$f(x)=7 (x>0)$이 되는 x의 값 사이에
있다.

$f(x)=7$에서

$2x^3-3x^2-12x=7,\ 2x^3-3x^2-12x-7=0$

$(x+1)^2(2x-7)=0$ $\therefore\ x=\dfrac{7}{2}\ (\because\ x>0)$

$\therefore\ 2<a<\dfrac{7}{2}$

답 ⑤

다른 풀이

$f(x)=2x^3-3x^2-12x-k$라고 하면

$f'(x)=6x^2-6x-12=6(x+1)(x-2)$

$f'(x)=0$에서 $x=-1$ 또는 $x=2$

함수 $f(x)$의 증가와 감소를 표로 나타내면 다음과 같다.

x	$\cdots$	-1	$\cdots$	2	$\cdots$
$f'(x)$	$+$	0	$-$	0	$+$
$f(x)$	↗	극대	↘	극소	↗

삼차방정식 $f(x)=0$이 서로 다른 세 실근을 가지려면 (극댓값)$\times$(극솟값)<0이어야 하므로

$f(-1)\times f(2)<0$

즉, $(7-k)\times(-20-k)<0$이므로

$(k+20)(k-7)<0$

$\therefore\ -20<k<7$

$k=-20,\ k=7$일 때의 곡선 $y=f(x)$는

위의 그림과 같으므로 방정식 $f(x)=0$의 가장 큰 근 a는 2와 $\dfrac{7}{2}$ 사이에 있다.

$\therefore\ 2<a<\dfrac{7}{2}$

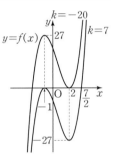

178

방정식 $3x^3-9x-k=0$에서

$3x^3-9x=k$

이므로 주어진 방정식의 실근은 함수 $y=3x^3-9x$의 그래프와 직선 $y=k$의 교점의 x좌표와 같다.

$f(x)=3x^3-9x$라고 하면

$f'(x)=9x^2-9=9(x+1)(x-1)$

$f'(x)=0$에서 $x=-1$ 또는 $x=1$

함수 $f(x)$의 증가와 감소를 표로 나타내면 다음과 같다.

x	$\cdots$	-1	$\cdots$	1	$\cdots$
$f'(x)$	$+$	0	$-$	0	$+$
$f(x)$	↗	6	↘	-6	↗

따라서 함수 $y=f(x)$의 그래프가 오른쪽 그림과 같으므로 방정식 $3x^3-9x-k=0$이 세 실근을 가지려면

$-6\le k\le 6$

이어야 한다.

곡선 $y=f(x)$는 원점에 대하여 대칭이므로 $0\le k\le 6$에서 세 실근을 $\alpha\le\beta\le\gamma$라고 하면 $\alpha\le\beta\le 0,\ \gamma>0$

삼차방정식 $3x^3-9x-k=0$에서 근과 계수의 관계에 의하여

$\alpha+\beta+\gamma=0$ $\therefore\ \alpha+\beta=-\gamma$

$\therefore\ |\alpha|+|\beta|+|\gamma|=-\alpha-\beta+\gamma$

$\qquad\qquad\qquad\quad =-(\alpha+\beta)+\gamma=2\gamma$

$0\le k\le 6$에서 $\sqrt{3}\le\gamma\le 2$이므로

$2\sqrt{3}\le 2\gamma\le 4$, 즉 $2\sqrt{3}\le|\alpha|+|\beta|+|\gamma|\le 4$

$f(2)=6$

따라서 $|\alpha|+|\beta|+|\gamma|$의 최댓값은 4, 최솟값은 $2\sqrt{3}$이므로 구하는 최댓값과 최솟값의 곱은

$4\times 2\sqrt{3}=8\sqrt{3}$

답 $8\sqrt{3}$

참고

방정식 $3x^3-9x-k=0$이 서로 다른 세 실근을 갖는다면

$-6<k<6$

이어야 한다. 그런데 문제에서 주어진 방정식은 세 실근을 가지므로 한 실근과 중근을 가질 수도 있음에 주의한다.

곡선 $y=3x^3-9x$가 $x>0$에서 x축과 만나는 점의 x좌표는 $\sqrt{3}$이고, $y=6$일 때 x의 값은 $3x^3-9x=6$에서

$x^3-3x-2=0,\ (x+1)^2(x-2)=0$

$\therefore\ x=-1$ 또는 $x=2$

따라서 $0\le k\le 6$에서 $\sqrt{3}\le\gamma\le 2$이다.

179

$f(x)$는 최고차항의 계수가 1인 삼차함수이고 조건 ㈎에서 모든 실수 x에 대하여 $f(-x)=-f(x)$이므로 $f(x)$는 홀수 차수의 항으로 이루어진 함수이다. 따라서

$f(x)=x^3-ax\ (a$는 상수$)$

로 놓을 수 있다.

조건 ㈏에서 방정식 $|f(x)|=2$의 서로 다른 실근의 개수가 4이므로 함수 $y=|f(x)|$의 그래프와 직선 $y=2$는 서로 다른 네 점에서 만나야 한다.

따라서 함수 $y=|f(x)|$의 그래프는 [그림 1]과 같아야 하므로 함수 $y=f(x)$의 그래프는 [그림 2]와 같아야 한다.

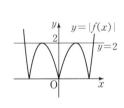
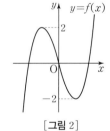

[그림 1]   [그림 2]

즉, 함수 $f(x)$는 극댓값 2, 극솟값 -2를 가져야 한다.

$f(x)=x^3-ax$에서

$f'(x)=3x^2-a$

함수 $f(x)$가 극댓값과 극솟값을 모두 가져야 하므로 이차방정식 $f'(x)=0$은 서로 다른 두 실근을 가져야 한다.

$\therefore\ a>0$

$f'(x)=0$에서 $x=\pm\sqrt{\dfrac{a}{3}}$

함수 $f(x)$는 $x=\sqrt{\dfrac{a}{3}}$에서 극솟값 -2를 가지므로

$f\left(\sqrt{\dfrac{a}{3}}\right)=\left(\sqrt{\dfrac{a}{3}}\right)^3-a\sqrt{\dfrac{a}{3}}=-2$

$$\frac{a}{3}\sqrt{\frac{a}{3}}-a\sqrt{\frac{a}{3}}=-2, \quad -\frac{2}{3}a\sqrt{\frac{a}{3}}=-2, \quad \frac{a}{3}\sqrt{\frac{a}{3}}=1$$

양변을 제곱하여 정리하면

$$a^3=27=3^3 \quad \therefore a=3$$

따라서 $f(x)=x^3-3x$이므로

$$f(3)=27-9=18$$

답 ③

180

ㄱ은 옳다.

$h(x)=f(x)-g(x)$에서 $h'(x)=f'(x)-g'(x)$

$h'(x)=0$에서 $x=a$ 또는 $x=b$

함수 $h(x)$의 증가와 감소를 표로 나타내면 다음과 같다.

x	$\cdots$	a	$\cdots$	b	$\cdots$
$h'(x)$	+	0	−	0	+
$h(x)$	↗	극대	↘	극소	↗

따라서 함수 $h(x)$는 $x=a$에서 극댓값을 갖는다.

ㄴ도 옳다.

$h(b)=0$이면 함수 $y=h(x)$의 그래프
는 오른쪽 그림과 같으므로 방정식
$h(x)=0$의 서로 다른 실근의 개수는 2
이다.

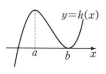

ㄷ도 옳다.

함수 $h(x)$는 닫힌구간 $[\alpha, \beta]$에서 연속이고 열린구간 (α, β)
에서 미분가능하므로 평균값 정리에 의하여

$$\frac{h(\beta)-h(\alpha)}{\beta-\alpha}=h'(t) \quad \cdots\cdots ㉠$$

를 만족시키는 t가 열린구간 (α, β)에 존재한다.

한편 $f'(0)=7$, $g'(0)=2$이므로

$$h'(0)=f'(0)-g'(0)=7-2=5$$

$0<x<a$에서 함수 $h'(x)$는 감소하므로

$h'(x)<h'(0)$ $\quad\therefore h'(x)<5$ └ $0<x<a$에서 $f'(x)$는 감소하

또, $a<x<b$에서 $h'(x)<0$이므로 고 $g'(x)$는 증가하므로 $h'(x)$

$0<x<b$에서 $h'(x)<5$ 는 감소한다.

따라서 열린구간 $(0, b)$의 모든 실수 x에 대하여 $h'(x)<5$이
므로 ㉠에서

$$\frac{h(\beta)-h(\alpha)}{\beta-\alpha}=h'(t)<5$$

$$\therefore h(\beta)-h(\alpha)<5(\beta-\alpha)$$

따라서 옳은 것은 ㄱ, ㄴ, ㄷ이다.

답 ⑤

181

점 P의 좌표를 $\left(t, t^2-\frac{3}{2}\right)$이라고 하자.

$y=x^2-\frac{3}{2}$에서 $y'=2x$이므로 곡선 $y=x^2-\frac{3}{2}$ 위의 점 P에서의
접선의 기울기는 $2t$이다.

따라서 직선 l의 기울기는 $-\frac{1}{2t}$이므로 그 직선의 방정식은

$$y-\left(t^2-\frac{3}{2}\right)=-\frac{1}{2t}(x-t)$$

$$\therefore y=-\frac{1}{2t}x+t^2-1$$

이 직선이 점 $A(a, 2)$를 지나므로

$$2=-\frac{1}{2t}\times a+t^2-1, \quad \frac{a}{2t}=t^2-3$$

$$\therefore a=2t^3-6t$$

점 A를 지나는 직선 l이 3개 존재하려면 t에 대한 방정식
$a=2t^3-6t$가 서로 다른 세 실근을 가져야 한다. 즉, 곡선
$y=2t^3-6t$와 직선 $y=a$가 서로 다른 세 점에서 만나야 한다.

$f(t)=2t^3-6t$라고 하면

$$f'(t)=6t^2-6=6(t+1)(t-1)$$

$f'(t)=0$에서 $t=-1$ 또는 $t=1$

함수 $f(t)$의 증가와 감소를 표로 나타내면 다음과 같다.

t	$\cdots$	-1	$\cdots$	1	$\cdots$
$f'(t)$	+	0	−	0	+
$f(t)$	↗	4	↘	-4	↗

따라서 함수 $y=f(t)$의 그래프는 오른쪽 그
림과 같고, $y=f(t)$의 그래프와 직선 $y=a$
가 서로 다른 세 점에서 만나려면

$$-4<a<4$$

이어야 한다.

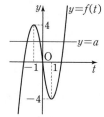

답 ③

182

함수 $g(x)$가 함수 $f(x)$의 역함수이므로 함수 $y=f(x)$와
$y=g(x)$의 그래프가 서로 다른 두 점에서 만나면 함수 $y=f(x)$의
그래프와 직선 $y=x$는 서로 다른 두 점에서 만난다.

그런데 $f(x)$가 삼차함수이므로 $y=f(x)$의 그래프와 직선 $y=x$는
한 점에서 만나고 다른 한 점에서는 접해야 한다.

$y=f(x)$의 그래프와 직선 $y=x$의 접점의 x좌표를 t라고 하면

$$f(t)=t$$

이므로

$$\frac{1}{3}t^3+a=t \quad \therefore a=-\frac{1}{3}t^3+t \quad \cdots\cdots ㉠$$

또, 접점 (t, t)에서의 접선의 기울기가 1이므로

$$f'(t)=1 \quad \cdots\cdots ㉡$$

$f(x)=\frac{1}{3}x^3+a$에서 $f'(x)=x^2$이므로

㉡에서 $t^2=1$ $\quad\therefore t=\pm 1$

$t=1$을 ㉠에 대입하면 $a=-\frac{1}{3}+1=\frac{2}{3}$

$t=-1$을 ㉠에 대입하면 $a=\frac{1}{3}-1=-\frac{2}{3}$

따라서 구하는 모든 상수 a의 값의 곱은

$$\frac{2}{3}\times\left(-\frac{2}{3}\right)=-\frac{4}{9}$$

답 ②

(i) $a=\dfrac{2}{3}$, $t=1$일 때

  즉, $f(x)=\dfrac{1}{3}x^3+\dfrac{2}{3}$이고 접점이

  (1, 1)이면 오른쪽 그림과 같이

  $y=f(x)$의 그래프와 직선 $y=x$는 두

  점 $(-2, -2)$, $(1, 1)$에서 만난다.

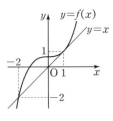

(ii) $a=-\dfrac{2}{3}$, $t=-1$일 때

  즉, $f(x)=\dfrac{1}{3}x^3-\dfrac{2}{3}$이고 접점이

  $(-1, -1)$이면 오른쪽 그림과 같이

  $y=f(x)$의 그래프와 직선 $y=x$는 두

  점 $(-1, -1)$, $(2, 2)$에서 만난다.

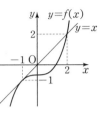

183

삼차함수 $f(x)$의 최고차항의 계수가 양수이고, 삼차방정식

$f(x)=0$이 한 개의 음의 실근과 서로 다른 두 양의 실근을 가지므로

$f(x)=a(x-\alpha)(x-\beta)(x-\gamma)$ $(a>0, \alpha<0<\beta<\gamma)$

로 놓을 수 있다.

ㄱ은 옳다.

  $a>0$, $\alpha<0<\beta<\gamma$이므로 $g(0)=f(0)=-a\alpha\beta\gamma>0$

ㄴ도 옳다.

  $g(x)=f(x)+xf'(x)=\{xf(x)\}'$이므로

  $g(x)=\{ax(x-\alpha)(x-\beta)(x-\gamma)\}'$

  함수 $y=ax(x-\alpha)(x-\beta)(x-\gamma)$의 그래프는 x축과 네 점

  $(\alpha, 0)$, $(0, 0)$, $(\beta, 0)$, $(\gamma, 0)$에서 만나고

  $\alpha<0<\beta<\gamma$

  이므로 그 그래프는 다음 그림과 같다.

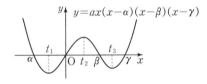

  이때 방정식 $g(x)=0$의 세 근은 함수

  $y=ax(x-\alpha)(x-\beta)(x-\gamma)$의 그래프에서 극대 또는 극소가

  되는 x좌표이므로 위의 그림과 같이 그 x좌표들을 t_1, t_2, t_3이라

  고 하면

  $\alpha<t_1<0<t_2<\beta<t_3<\gamma$

  따라서 방정식 $g(x)=0$은 한 개의 음의 실근과 서로 다른 두

  양의 실근을 갖는다.

ㄷ은 옳지 않다.

  ㄴ에서 방정식 $g(x)=0$의 음의 실근은 t_1이다.

  그런데 방정식 $f(x)=0$의 음의 실근은 α이고, $\alpha<t_1<0$이므로

  방정식 $f(x)=0$과 $g(x)=0$은 공통인 음의 실근을 갖지 않는다.

따라서 옳은 것은 ㄱ, ㄴ이다.

답 ④

184

방정식 $x^4-2x^2+1-t=0$에서

$x^4-2x^2+1=t$

이므로 사차방정식 $x^4-2x^2+1-t=0$의 서로 다른 실근의 개수는

함수 $y=x^4-2x^2+1$의 그래프와 직선 $y=t$의 교점의 개수와 같다.

$g(x)=x^4-2x^2+1$이라고 하면

$g'(x)=4x^3-4x=4x(x+1)(x-1)$

$g'(x)=0$에서 $x=-1$ 또는 $x=0$ 또는 $x=1$

함수 $g(x)$의 증가와 감소를 표로 나타내면 다음과 같다.

x	$\cdots$	-1	$\cdots$	0	$\cdots$	1	$\cdots$
$g'(x)$	$-$	0	$+$	0	$-$	0	$+$
$g(x)$	$\searrow$	0	$\nearrow$	1	$\searrow$	0	$\nearrow$

따라서 함수 $y=g(x)$의 그래프는 오른

쪽 그림과 같고, t의 값에 따른 함수

$y=g(x)$의 그래프와 직선 $y=t$의 교점

의 개수 $f(t)$는 다음과 같다.

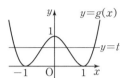

$$f(t)=\begin{cases} 2\ (t>1\ \text{또는}\ t=0) \\ 3\ (t=1) \\ 4\ (0<t<1) \\ 0\ (t<0) \end{cases}$$

방정식 $f(t)=kt+k$의 실근의 개수는 함수 $y=f(t)$의 그래프와

직선 $y=kt+k$의 교점의 개수와 같으므로 방정식 $f(t)=kt+k$의

서로 다른 실근의 개수가 2가 되려면 함수 $y=f(t)$의 그래프와 직

선 $y=kt+k$가 서로 다른 두 점에서 만나야 한다.

이때 직선 $y=kt+k=k(t+1)$은 k의 값

에 관계없이 항상 점 $(-1, 0)$을 지나므

로 함수 $y=f(t)$의 그래프와 직선

$y=kt+k$가 서로 다른 두 점에서 만나는

경우는 오른쪽 그림과 같다.

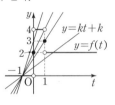

(i) 직선 $y=kt+k$가 점 $(1, 2)$를 지날 때

  $2=k+k$ $\therefore k=1$

(ii) 직선 $y=kt+k$가 점 $(1, 3)$을 지날 때

  $3=k+k$ $\therefore k=\dfrac{3}{2}$

(iii) 직선 $y=kt+k$가 점 $(1, 4)$를 지날 때

  $4=k+k$ $\therefore k=2$

(iv) 직선 $y=kt+k$가 점 $(0, 4)$를 지날 때 $k=4$

(i)~(iv)에서 함수 $y=f(t)$의 그래프와 직선 $y=kt+k$가 서로 다른

두 점에서 만나려면

$0<k<1$ 또는 $k=\dfrac{3}{2}$ 또는 $2\leq k<4$

이어야 한다.

따라서 정수 k의 최댓값은 3이다.

답 3

참고

함수 $y=f(t)$의 그래프와 직선 $y=kt+k$는 항상 점 $(-1, 0)$에서

만나므로 방정식 $f(t)=kt+k$가 서로 다른 두 실근을 가지려면 두

함수의 그래프가 점 $(-1, 0)$이 아닌 다른 한 점에서 만나야 한다.

직선 $y=kt+k$가 점 $(1, 4)$를 지날 때, 이 직선은 점 $(0, 2)$를 지

나므로 함수 $y=f(t)$의 그래프와 직선 $y=kt+k$는 서로 다른 두

점에서 만난다.

그런데 직선 $y=kt+k$가 점 $(0, 4)$를 지나거나 점 $(1, 2)$를 지날

때에는 함수 $y=f(t)$의 그래프와 직선 $y=kt+k$는 점 $(-1, 0)$에

서만 만난다.

따라서 $k=1$ 또는 $k=4$가 되는 경우는 제외되고 $k=2$가 되는 경우는 포함되는 것이다.

또, $k=0$이면 직선 $y=kt+k$는 x축이 되므로 함수 $y=f(x)$의 그래프와 무수히 많은 점에서 만나게 되어 $k=0$이 되는 경우는 제외된다.

$k<0$이면 함수 $y=f(t)$의 그래프와 직선 $y=kt+k$는 점 $(-1, 0)$에서만 만난다.

185

$x^3-3x^2+10 \geq k$에서 $x^3-3x^2+10-k \geq 0$

$f(x)=x^3-3x^2+10-k$라고 하면

$f'(x)=3x^2-6x=3x(x-2)$

$f'(x)=0$에서 $x=0$ $(\because -2 \leq x \leq 1)$

$-2 \leq x \leq 1$에서 함수 $f(x)$의 증가와 감소를 표로 나타내면 다음과 같다.

x	-2	$\cdots$	0	$\cdots$	1
$f'(x)$		$+$	0	$-$	
$f(x)$	$-10-k$	$\nearrow$	$10-k$	$\searrow$	$8-k$

따라서 $f(x)$의 최솟값은 $f(-2)=-10-k$이므로 부등식 $f(x) \geq 0$이 항상 성립하려면

$-10-k \geq 0$

이어야 한다.

즉, $k \leq -10$이므로 구하는 k의 최댓값은 -10이다.

답 ①

다른 풀이

$f(x)=x^3-3x^2+10$이라고 하면

$f'(x)=3x^2-6x=3x(x-2)$

$f'(x)=0$에서 $x=0$ $(\because -2 \leq x \leq 1)$

$-2 \leq x \leq 1$에서 함수 $f(x)$의 증가와 감소를 표로 나타내면 다음과 같다.

x	-2	$\cdots$	0	$\cdots$	1
$f'(x)$		$+$	0	$-$	
$f(x)$	-10	$\nearrow$	10	$\searrow$	8

따라서 $f(x)$의 최솟값은 $f(-2)=-10$이므로 부등식

$x^3-3x^2+10 \geq k$가 항상 성립하려면

$k \leq -10$

이어야 한다. 즉, 구하는 k의 최댓값은 -10이다.

186

$x>0$에서 함수 $y=x^{n+1}-n(n-6)$의 그래프가 직선

$y=(n+1)x$보다 항상 위쪽에 있으려면 $x>0$에서 부등식

$x^{n+1}-n(n-6)>(n+1)x$가 항상 성립해야 한다.

$x^{n+1}-n(n-6)>(n+1)x$에서

$x^{n+1}-(n+1)x-n(n-6)>0$

$f(x)=x^{n+1}-(n+1)x-n(n-6)$이라고 하면

$f'(x)=(n+1)x^n-(n+1)=(n+1)(x^n-1)$

$f'(x)=0$에서 $x=1$ $(\because x>0)$

$x>0$에서 함수 $f(x)$의 증가와 감소를 표로 나타내면 오른쪽과 같다.

x	(0)	$\cdots$	1	$\cdots$
$f'(x)$		$-$	0	$+$
$f(x)$		$\searrow$	극소	$\nearrow$

따라서 함수 $f(x)$는 $x=1$에서 극소이면서 최소이므로 $x>0$에서 부등식 $f(x)>0$이 항상 성립하려면

$f(1)>0$

이어야 한다.

즉, $f(1)=1-(n+1)-n(n-6)>0$이므로

$-n^2+5n>0$, $n^2-5n<0$

$n(n-5)<0$ $\therefore 0<n<5$

따라서 자연수 n은 1, 2, 3, 4의 4개이다.

답 ④

187

임의의 두 실수 x_1, x_2에 대하여 부등식 $f(x_1) \geq g(x_2)$가 성립하려면

$(f(x)$의 최솟값$) \geq (g(x)$의 최댓값$)$

이어야 한다.

$f(x)=x^4-2x^2+2a-15$에서

$f'(x)=4x^3-4x=4x(x+1)(x-1)$

$f'(x)=0$에서 $x=-1$ 또는 $x=0$ 또는 $x=1$

함수 $f(x)$의 증가와 감소를 표로 나타내면 다음과 같다.

x	$\cdots$	-1	$\cdots$	0	$\cdots$	1	$\cdots$
$f'(x)$	$-$	0	$+$	0	$-$	0	$+$
$f(x)$	$\searrow$	$2a-16$	$\nearrow$	$2a-15$	$\searrow$	$2a-16$	$\nearrow$

따라서 함수 $f(x)$는 $x=-1$ 또는 $x=1$에서 최솟값 $2a-16$을 갖는다.

한편

$g(x)=-x^2+6x+a=-(x-3)^2+a+9$

이므로 함수 $g(x)$는 $x=3$에서 최댓값 $a+9$를 갖는다.

따라서 임의의 두 실수 x_1, x_2에 대하여 부등식 $f(x_1) \geq g(x_2)$가 성립하려면

$2a-16 \geq a+9$

이어야 하므로

$a \geq 25$

즉, 실수 a의 최솟값은 25이다.

답 25

풍쌤 비법

두 함수 $f(x)$, $g(x)$와 임의의 두 실수 x_1, x_2에 대하여

(1) 부등식 $f(x_1) \geq g(x_2)$임을 보일 때

➡ $(f(x)$의 최솟값$) \geq (g(x)$의 최댓값$)$임을 보인다.

(2) 부등식 $f(x_1) \leq g(x_2)$임을 보일 때

➡ $(f(x)$의 최댓값$) \leq (g(x)$의 최솟값$)$임을 보인다.

188

$f(x)=x^3-3x^2-9x+k$라고 하면

$f'(x)=3x^2-6x-9=3(x+1)(x-3)$

$f'(x)=0$에서 $x=-1$ ($\because -2\leq x\leq2$)

$-2\leq x\leq2$에서 함수 $f(x)$의 증가와 감소를 표로 나타내면 다음과 같다.

x	-2	$\cdots$	-1	$\cdots$	2
$f'(x)$		$+$	0	$-$	
$f(x)$	$k-2$	$\nearrow$	$k+5$	$\searrow$	$k-22$

따라서 함수 $f(x)$는 $x=-1$에서 최댓값 $k+5$, $x=2$에서 최솟값 $k-22$를 가지므로 주어진 부등식이 성립하려면

$k+5\leq25$, $k-22\geq-5$

이어야 한다.

즉, $17\leq k\leq20$이므로 실수 k의 최댓값은 20, 최솟값은 17이다.

따라서 구하는 최댓값과 최솟값의 합은

$20+17=37$

$\qquad\qquad\qquad\qquad\qquad\qquad\qquad$ 답 ③

189

$g(x)-k\leq f(x)\leq g(x)+k$에서

$-k\leq f(x)-g(x)\leq k$

$h(x)=f(x)-g(x)$라고 하면

$h(x)=(x^3+3x^2-5x+2)-(x^2-x)$

$\qquad=x^3+2x^2-4x+2$

$\therefore h'(x)=3x^2+4x-4=(x+2)(3x-2)$

$h'(x)=0$에서 $x=-2$ ($\because -4\leq x\leq0$)

$-4\leq x\leq0$에서 함수 $h(x)$의 증가와 감소를 표로 나타내면 다음과 같다.

x	-4	$\cdots$	-2	$\cdots$	0
$h'(x)$		$+$	0	$-$	
$h(x)$	-14	$\nearrow$	10	$\searrow$	2

따라서 함수 $h(x)$는 $x=-2$에서 최댓값 10, $x=-4$에서 최솟값 -14를 가지므로

$-14\leq h(x)\leq10$

닫힌구간 $[-4,\,0]$에서 $-k\leq h(x)\leq k$를 만족시키려면

$k\geq14$

이어야 하므로 실수 k의 최솟값은 14이다.

$\qquad\qquad\qquad\qquad\qquad\qquad\qquad$ 답 ⑤

190

조건 ㈏에 의하여 $f(0)=g(0)$

조건 ㈐에 의하여 $f(4)=g(4)$, $f'(4)=g'(4)$

$f(x)\geq g(x)+5$에서 $f(x)-g(x)\geq5$

$h(x)=f(x)-g(x)$라고 하면

$f(0)=g(0)$에서 $h(0)=0$ $\qquad\cdots\cdots$ ㉠

$f(4)=g(4)$에서 $h(4)=0$ ── $h(x)$는 x를 인수로 갖는다. $\qquad\cdots\cdots$ ㉡

$h'(x)=f'(x)-g'(x)$이므로 ── $h(x)$는 $(x-4)^2$을 인수로 갖는다.

$f'(4)=g'(4)$에서 $h'(4)=0$ $\qquad\cdots\cdots$ ㉢

조건 ㈎에서 삼차함수 $f(x)$의 최고차항의 계수가 1이므로 ㉠, ㉡, ㉢에 의하여

$h(x)=x(x-4)^2=x^3-8x^2+16x$

$\therefore h'(x)=3x^2-16x+16=(3x-4)(x-4)$

$h'(x)=0$에서 $x=\dfrac{4}{3}$ 또는 $x=4$

함수 $h(x)$의 증가와 감소를 표로 나타내면 다음과 같다.

x	$\cdots$	$\dfrac{4}{3}$	$\cdots$	4	$\cdots$
$h'(x)$	$+$	0	$-$	0	$+$
$h(x)$	$\nearrow$	$\dfrac{256}{27}$	$\searrow$	0	$\nearrow$

따라서 함수 $y=h(x)$의 그래프는 오른쪽 그림과 같다.

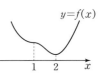

$h(x)=5$를 만족시키는 x의 값은

$x^3-8x^2+16x=5$에서

$x^3-8x^2+16x-5=0$

$(x-5)(x^2-3x+1)=0$

$\therefore x=5$ 또는 $x=\dfrac{3\pm\sqrt5}{2}$ $\left[\dfrac{3-\sqrt5}{2}<\dfrac{3+\sqrt5}{2}<5\right]$

따라서 $x\geq k$에서 부등식 $h(x)\geq5$가 항상 성립하려면

$k\geq5$

이어야 하므로 구하는 실수 k의 최솟값은 5이다.

$\qquad\qquad\qquad\qquad\qquad\qquad\qquad$ 답 ②

191

$f'(x)=(x-1)^2(x-2)$이므로

$f'(x)=0$에서 $x=1$ 또는 $x=2$

함수 $f(x)$의 증가와 감소를 표로 나타내면 다음과 같다.

x	$\cdots$	1	$\cdots$	2	$\cdots$
$f'(x)$	$-$	0	$-$	0	$+$
$f(x)$	$\searrow$		$\searrow$	극소	$\nearrow$

따라서 함수 $f(x)$는 $x=2$에서 극소이면서 최소이다.

ㄱ은 옳다.

$f(2)>0$이면 함수 $y=f(x)$의 그래프의 개형은 오른쪽 그림과 같으므로 모든 실수 x에 대하여 부등식 $f(x)>0$이 성립한다.

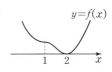

ㄴ도 옳다.

$f(2)=0$이면 함수 $y=f(x)$의 그래프의 개형은 오른쪽 그림과 같으므로 모든 실수 x에 대하여 부등식 $f(x)<0$은 성립하지 않는다.

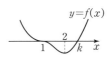

ㄷ도 옳다.

$f(1)=0$이면 함수 $y=f(x)$의 그래프의 개형은 오른쪽 그림과 같으므로 부등식 $f(x)\leq0$을 만족시키는 x의 값의 범위는 $1\leq x\leq k$

따라서 부등식 $f(x)\leq0$을 만족시키는 x의 최솟값은 1이다.

ㄹ은 옳지 않다.

$f(1)>f(2)$이므로 $f(1)=-f(2)$이면

$f(1)>0$, $f(2)<0$, $\dfrac{f(1)+f(2)}{2}=0$

따라서 함수 $y=|f(x)|$의 그래프의 개형은 오른쪽 그림과 같으므로 $y=|f(x)|$의 그래프와 직선 $y=f(1)$은 서로 다른 세 점에서 만

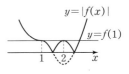

난다.

즉, 방정식 $|f(x)|=f(1)$은 서로 다른 세 실근을 갖는다.

따라서 옳은 것은 ㄱ, ㄴ, ㄷ이다.

답 ④

192

점 P의 시각 t에서의 속도를 $v(t)$라고 하면

$$v(t)=\frac{d}{dt}x(t)=t^2-4t+3=(t-2)^2-1$$

$0\leq t\leq 5$에서 $-1\leq v(t)\leq 8$

따라서 점 P의 최대 속도는 8이고 그때의 시각은 $t=5$이므로

$a=5$, $b=8$

$\therefore a+b=13$

답 13

193

점 P의 시각 t에서의 속도를 $v(t)$라고 하면

$$v(t)=\frac{d}{dt}x(t)=6t^2-24t+18$$

운동 방향이 바뀌는 순간의 속도는 0이므로

$v(t)=0$에서 $6t^2-24t+18=6(t-1)(t-3)=0$

$\therefore t=1$ 또는 $t=3$

즉, 점 P는 $t=1$, $t=3$일 때 각각 운동 방향을 바꾸므로

$t=1$일 때의 위치를 A라고 하면 점 A의 위치는

$x(1)=2-12+18=8$

$t=3$일 때의 위치를 B라고 하면 점 B의 위치는

$x(3)=54-108+54=0$

따라서 두 점 A, B 사이의 거리는 8이다.

답 8

194

$$f(t)=25t-5t^2=-5\left(t-\frac{5}{2}\right)^2+\frac{125}{4}$$

이므로 물체의 최고 높이는 $t=\frac{5}{2}$일 때 $\frac{125}{4}$ m이다.

$\therefore a=\frac{125}{4}$

주어진 물체의 t초 후의 속도를 $v(t)$ m/s라고 하면

$$v(t)=\frac{d}{dt}f(t)=25-10t$$

물체가 지면에 떨어질 때의 높이는 0 m이므로 이때의 시각 t를 구하면 $25t-5t^2=0$에서

$t^2-5t=0$, $t(t-5)=0$ $\therefore t=5\ (\because t>0)$

즉, 쏘아 올린 지 5초 후에 지면에 떨어지므로 이때의 속도는

$v(5)=25-50=-25$ $\therefore b=-25$

$\therefore a+b=\frac{125}{4}-25=\frac{25}{4}$

답 ②

195

점 P의 시각 t에서의 속도를 $v(t)$라고 하면

$$v(t)=\frac{dx}{dt}=3t^2-10t+a$$

점 P가 움직이는 방향이 바뀌지 않으려면 $t\geq 0$에서 항상

$v(t)\geq 0$이거나 $v(t)\leq 0$이어야 한다.

$$v(t)=3t^2-10t+a=3\left(t-\frac{5}{3}\right)^2+a-\frac{25}{3}$$

에서 $v(t)$의 최고차항의 계수가 양수이므로 $t\geq 0$에서 항상

$v(t)\geq 0$이어야 한다.

즉, $a-\frac{25}{3}\geq 0$이어야 하므로

$$a\geq\frac{25}{3}$$

따라서 자연수 a의 최솟값은 9이다.

답 ①

196

ㄱ은 옳지 않다.

점 P의 시각 t에서의 가속도를 $a(t)$라고 하면

$$a(t)=\frac{d}{dt}v(t)=v'(t)$$

이므로 가속도가 0이 되는 순간은 $v(t)$가 극대 또는 극소가 되는 순간이므로 $t=1$, $t=3$, $t=5$, $t=7$의 4번이다.

ㄴ은 옳다.

$t=2$, $t=4$, $t=6$에서 $v(t)=0$이고 그 좌우에서 $v(t)$의 부호가 바뀌므로 점 P는 8초 동안 3번 운동 방향을 바꾼다.

ㄷ은 옳지 않다.

출발 후 2초까지 $v(t)>0$이므로 점 P는 양의 방향으로 이동한다. 이때 점 P가 원점에서 출발하므로 출발 후 2초가 되었을 때 점 P의 위치는 원점이 아니다.

따라서 옳은 것은 ㄴ이다.

답 ②

197

ㄱ은 옳다.

$0<t<7$에서 $t=5$일 때 $|x(t)|$의 값이 가장 크므로 이때의 점 P의 위치가 원점에서 가장 멀리 있다.

ㄴ도 옳다.

$0<t<1$에서 $x'(t)>0$이므로 점 P는 양의 방향으로 움직이고, $1<t<3$에서 $x'(t)=0$이므로 점 P는 움직이지 않는다. $3<t<5$에서 $x'(t)<0$이므로 점 P는 음의 방향으로 움직이고, $5<t<7$에서 $x'(t)>0$이므로 점 P는 양의 방향으로 움직인다.

즉, 7초 동안 점 P는 운동 방향을 두 번 바꾼다.

ㄷ도 옳다.

$t=4$일 때 점 P의 속도는 두 점 $(3, 2)$, $(5, -3)$을 지나는 직선의 기울기와 같다. 따라서 이때의 속도는

$$\frac{-3-2}{5-3}=-\frac{5}{2}$$

따라서 옳은 것은 ㄱ, ㄴ, ㄷ이다.

답 ⑤

198

ㄱ은 옳지 않다.

$0<t<10$에서 곡선 $y=f(t)$ 위의 점에서의 접선의 기울기는 증가하므로 $0<t<10$에서 점 P의 속도는 증가한다.

ㄴ은 옳다.

두 점 P, Q는 $t=1$, $t=10$일 때 모두 두 번 만난다.

ㄷ도 옳다.

$5\leq t\leq 10$일 때, 점 P, Q가 움직인 거리는 각각

$f(10)-f(5)=21-9=12$

$\{g(8)-g(5)\}+\{g(8)-g(10)\}=22-19+22-21=4$

이므로 점 P가 움직인 거리는 점 Q가 움직인 거리보다 길다.

따라서 옳은 것은 ㄴ, ㄷ이다.

답 ④

199

t초 후의 두 점 P, Q의 좌표는 각각 $(3t, 0)$, $(0, 2t)$이므로 두 점 P, Q를 지나는 직선의 방정식은

$\dfrac{x}{3t}+\dfrac{y}{2t}=1$ ...... ㉠

직선 ㉠과 직선 $y=x$의 교점 A의 x좌표를 구하면

$\dfrac{x}{3t}+\dfrac{x}{2t}=1$, $\dfrac{5x}{6t}=1$ $\therefore x=\dfrac{6t}{5}$

$\therefore A\left(\dfrac{6t}{5}, \dfrac{6t}{5}\right)$

선분 OA의 길이를 l이라고 하면

$l=\sqrt{\left(\dfrac{6t}{5}\right)^2+\left(\dfrac{6t}{5}\right)^2}=\dfrac{6\sqrt{2}}{5}t$

$\therefore \dfrac{dl}{dt}=\dfrac{6\sqrt{2}}{5}$

따라서 선분 OA의 길이의 변화율은 $\dfrac{6\sqrt{2}}{5}$이다.

답 $\dfrac{6\sqrt{2}}{5}$

200

t초 후 선분 PA의 길이는 $10-\dfrac{4}{3}t$, 선분 AQ의 길이는 t

$\left(0<t<\dfrac{15}{2}\right)$이므로 직각삼각형 PAQ에서

$10-\dfrac{4}{3}t>0$, $t>0$이므로 $0<t<\dfrac{15}{2}$

$\overline{PQ}=\sqrt{\left(10-\dfrac{4}{3}t\right)^2+t^2}=\sqrt{\dfrac{25}{9}t^2-\dfrac{80}{3}t+100}$

$=\sqrt{\dfrac{25}{9}\left(t-\dfrac{24}{5}\right)^2+36}$

따라서 선분 PQ의 길이는 $t=\dfrac{24}{5}$일 때 최소이고 이때의 길이는 6이다.

삼각형 PAQ의 넓이를 S라고 하면

$S=\dfrac{1}{2}\times\left(10-\dfrac{4}{3}t\right)\times t=5t-\dfrac{2}{3}t^2$

$\therefore \dfrac{dS}{dt}=5-\dfrac{4}{3}t$

즉, 구하는 넓이의 변화율은

$5-\dfrac{4}{3}\times\dfrac{24}{5}=-\dfrac{7}{5}$

답 ④

201

▶접근

점 B를 좌표평면 위의 원점으로 놓고, 두 점 P, Q의 좌표를 t에 대한 식으로 나타내어 $\dfrac{d\overline{PQ}^2}{dt}$을 구한다.

다음 그림과 같이 직선 AF가 x축, 직선 BC가 y축이 되도록 주어진 두 정사각형을 좌표평면 위에 놓으면 점 B는 원점이 된다.

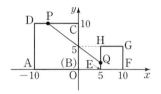

점 P가 점 A를 출발하여 매초 3씩 정사각형 ABCD의 변을 따라 움직이므로, $\dfrac{20}{3}\leq t\leq\dfrac{30}{3}$일 때 점 P는 선분 CD 위에 있고 이때 점 P의 좌표는 $(20-3t, 10)$이다.

점 Q가 점 E를 출발하여 매초 2씩 정사각형 EFGH의 변을 따라 움직이므로, $\dfrac{15}{2}\leq t\leq\dfrac{20}{2}$일 때 점 Q는 선분 HE 위에 있고 이때 점 Q의 좌표는 $(5, 20-2t)$이다.

$\therefore \overline{PQ}^2=\{5-(20-3t)\}^2+\{(20-2t)-10\}^2$

$=(3t-15)^2+(10-2t)^2=13(t-5)^2$

$=13t^2-130t+325$

$\therefore \dfrac{d\overline{PQ}^2}{dt}=26t-130$

따라서 출발한 후 9초가 되는 순간의 $\overline{PQ}^2$의 변화율은

$26\times 9-130=104$

답 104

202

t초 후의 점 P의 좌표는 $(2t, 0)$이므로 원점과 점 P를 지나고 최고차항의 계수가 -1인 이차함수는

$y=-x(x-2t)=-x^2+2tx$

점 A는 선분 OP를 $1:3$으로 내분하는 점이므로

$A\left(\dfrac{t}{2}, 0\right)$

점 B는 선분 OP를 $3:1$로 내분하는 점이므로

$B\left(\dfrac{3t}{2}, 0\right)$

점 C, D는 각각 점 B, A와 x좌표가 같고, 곡선 $y=-x^2+2tx$ 위의 점이므로

$C\left(\dfrac{3t}{2}, \dfrac{3t^2}{4}\right)$, $D\left(\dfrac{t}{2}, \dfrac{3t^2}{4}\right)$

사각형 ABCD의 넓이를 $S(t)$라고 하면

$S(t)=\left(\dfrac{3t}{2}-\dfrac{t}{2}\right)\times\dfrac{3t^2}{4}=\dfrac{3}{4}t^3$

$\therefore \dfrac{d}{dt}S(t)=\dfrac{9}{4}t^2$

사각형 ABCD가 정사각형이 되는 순간의 시각은

$\dfrac{3t}{2}-\dfrac{t}{2}=\dfrac{3t^2}{4}$에서 $3t^2-4t=0$, $t(3t-4)=0$

$\therefore t=\dfrac{4}{3}$ $(\because t>0)$

따라서 구하는 넓이의 변화율은

$$\frac{d}{dt}S\left(\frac{4}{3}\right)=\frac{9}{4}\times\left(\frac{4}{3}\right)^2=4$$

답 4

203

수면의 높이가 매초 $\frac{1}{4}$ cm씩 증가하므로 t초 후의 수면의 높이를 h cm라고 하면

$$h=\frac{1}{4}t$$

수면의 높이가 그릇의 높이의 $\frac{1}{4}$이 되는 순간의 시각은

$$\frac{1}{4}t=\frac{1}{4}\times16 \quad \therefore t=16$$

오른쪽 그림과 같이 원뿔대 모양의 그릇에 높이의 $\frac{1}{4}$만큼 물을 부었을 때를 표시하고 원뿔대로 자르기 전의 원뿔을 그려 $\overline{OE}=a$ cm, $\overline{CD}=b$ cm라고 하자.

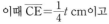

이때 $\overline{CE}=\frac{1}{4}t$ cm이고

$\triangle OAB\infty\triangle OEF$(AA 닮음)이므로

$$\overline{OA}:\overline{OE}=\overline{AB}:\overline{EF}$$

$$(a+16):a=12:8$$

$$8(a+16)=12a,\ 8a+128=12a$$

$$4a=128 \quad \therefore a=32$$

또, $\triangle OCD\infty\triangle OEF$(AA 닮음)이므로

$$\overline{OC}:\overline{OE}=\overline{CD}:\overline{EF},\ \left(32+\frac{1}{4}t\right):32=b:8$$

$$8\left(32+\frac{1}{4}t\right)=32b,\ 256+2t=32b$$

$$\therefore b=8+\frac{1}{16}t$$

그릇에 담긴 물의 부피를 V cm^{3}라고 하면

$$V=\frac{1}{3}\pi\left(8+\frac{1}{16}t\right)^2\left(32+\frac{1}{4}t\right)-\frac{1}{3}\pi\times8^2\times32$$

$$\therefore \frac{dV}{dt}=\frac{\pi}{3}\times2\times\frac{1}{16}\times\left(8+\frac{1}{16}t\right)\left(32+\frac{1}{4}t\right)$$

$$+\frac{\pi}{3}\times\frac{1}{4}\times\left(8+\frac{1}{16}t\right)^2$$

$$=\frac{\pi}{24}\left(8+\frac{1}{16}t\right)\left(32+\frac{1}{4}t\right)+\frac{\pi}{12}\left(8+\frac{1}{16}t\right)^2$$

따라서 수면의 높이가 그릇의 높이의 $\frac{1}{4}$이 되는 순간의 시각, 즉 $t=16$일 때의 부피의 변화율은

$$\frac{\pi}{24}\left(8+\frac{1}{16}\times16\right)\left(32+\frac{1}{4}\times16\right)+\frac{\pi}{12}\left(8+\frac{1}{16}\times16\right)^2$$

$$=\frac{\pi}{24}\times9\times36+\frac{\pi}{12}\times9^2=\frac{81}{4}\pi\ (\text{cm}^3/\text{s})$$

답 ②

참고

두 함수 $f(x)$, $g(x)$가 미분가능할 때

$y=\{f(x)\}^n g(x)$ (n은 자연수)

➡ $y'=n\{f(x)\}^{n-1}f'(x)g(x)+\{f(x)\}^n g'(x)$

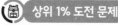

204

함수 $f(x)$는 실수 전체의 집합에서 미분가능하므로 함수 $g(x)$가 실수 전체의 집합에서 미분가능하려면 $x=1$에서 미분가능하면 된다.

함수 $g(x)$가 $x=1$에서 미분가능하면 $x=1$에서 연속이므로

$$\lim_{x\to1-}g(x)=\lim_{x\to1+}g(x)=g(1)$$

즉, $\lim_{x\to1-}\{-f(-x+a)+b\}=\lim_{x\to1+}f(x)=f(1)$이므로

$$-f(-1+a)+b=f(1)$$

$$\therefore b=f(-1+a)+f(1) \quad\quad\cdots\cdots\ \boxdot$$

함수 $g(x)$의 $x=1$에서의 미분계수가 존재하므로

$$\lim_{x\to1-}g'(x)=\lim_{x\to1+}g'(x)$$

이때 $f'(x)=3x^2+2x-1$이므로

$$\lim_{x\to1+}g'(x)=\lim_{x\to1+}f'(x)=f'(1)=4 \quad\quad\cdots\cdots\ \boxdot$$

한편 $y=-f(-x+a)+b$의 그래프는 $y=f(x)$의 그래프를 원점에 대하여 대칭이동한 후 x축의 방향으로 a만큼, y축의 방향으로 b만큼 평행이동한 것이다.

$y=x^3+x^2-x+1$의 그래프를 원점에 대하여 대칭이동하면

$$-y=(-x)^3+(-x)^2-(-x)+1$$

$$\therefore y=x^3-x^2-x-1$$

이것을 다시 x축의 방향으로 a만큼, y축의 방향으로 b만큼 평행이동하면

$$y-b=(x-a)^3-(x-a)^2-(x-a)-1$$

$$\therefore y=(x-a)^3-(x-a)^2-(x-a)+b-1$$

$-f(-x+a)+b=h(x)$라고 하면

$$h(x)=(x-a)^3-(x-a)^2-(x-a)+b-1$$

이므로

$$h'(x)=3(x-a)^2-2(x-a)-1$$

$$\therefore \lim_{x\to1-}g'(x)=\lim_{x\to1-}h'(x)=h'(1)$$

$$=3(1-a)^2-2(1-a)-1$$

$$=3a^2-4a \quad\quad\cdots\cdots\ \boxdot$$

$\boxdot$, $\boxdot$이 서로 같아야 하므로

$$3a^2-4a=4,\ 3a^2-4a-4=0$$

$$(3a+2)(a-2)=0 \quad \therefore a=2$$

$a=2$를 $\boxdot$에 대입하면

$$b=2f(1)=4$$

$$\therefore a+b=2+4=6$$

답 6

205

네 개의 수 -2, -1, 0, 1이 이 순서대로 등차수열을 이루고, 조건 ㈎에 의하여 네 개의 수 $f(-2)$, $f(-1)$, $f(0)$, $f(1)$이 이 순서대로 등차수열을 이루므로 네 점 $(-2,\ f(-2))$, $(-1,\ f(-1))$, $(0,\ f(0))$, $(1,\ f(1))$은 한 직선 위에 있다.

이 직선의 방정식을

$y=mx+n$ (m, n은 상수)

이라고 하면 이 직선과 곡선 $y=f(x)$는 네 점 $(-2,\ f(-2))$, $(-1,\ f(-1))$, $(0,\ f(0))$, $(1,\ f(1))$에서 만난다.

이때 함수 $f(x)$는 최고차항의 계수가 1인 사차함수이므로
$$f(x)-(mx+n)=x(x+2)(x+1)(x-1)$$
$$\therefore f(x)=x(x+2)(x+1)(x-1)+mx+n$$
$$f'(x)=(x+2)(x+1)(x-1)+x(x+1)(x-1)$$
$$\qquad\qquad +x(x+2)(x-1)+x(x+2)(x+1)+m$$
조건 (나)에 의하여 곡선 $y=f(x)$ 위의 점 $(-1, f(-1))$에서의 접선과 점 $(1, f(1))$에서의 접선이 점 $(a, 0)$에서 만나므로 두 접선은 점 $(a, 0)$을 지난다.
$f(-1)=-m+n$, $f'(-1)=2+m$이므로 점 $(-1, f(-1))$에서의 접선의 방정식은
$$y-(-m+n)=(2+m)\{x-(-1)\}$$
$$\therefore y=(2+m)x+2+n$$
이 직선이 점 $(a, 0)$을 지나므로
$$(2+m)a+2+n=0 \qquad\cdots\cdots\text{㉠}$$
$f(1)=m+n$, $f'(1)=6+m$이므로 점 $(1, f(1))$에서의 접선의 방정식은
$$y-(m+n)=(6+m)(x-1)$$
$$\therefore y=(6+m)x-6+n$$
이 직선이 점 $(a, 0)$을 지나므로
$$(6+m)a-6+n=0 \qquad\cdots\cdots\text{㉡}$$
㉠$-$㉡을 하면
$$-4a+8=0 \quad\therefore a=2$$
㉠$+$㉡을 하면
$$2(8+2m)-4+2n=0 \;(\because a=2)$$
$$\therefore 2m+n=-6 \qquad\cdots\cdots\text{㉢}$$
$f\left(\dfrac{3}{2}a\right)=100$, 즉 $f(3)=100$이므로
$$3\times5\times4\times2+3m+n=100$$
$$\therefore 3m+n=-20 \qquad\cdots\cdots\text{㉣}$$
㉢, ㉣을 연립하여 풀면 $m=-14$, $n=22$
따라서 $f(x)=x(x+2)(x+1)(x-1)-14x+22$이므로
$$f(2a)=f(4)=4\times6\times5\times3-14\times4+22=326$$

답 326

다른 풀이

$f(x)=x^4+px^3+qx^2+rx+s$라고 하자.
$f(-1)$, $f(0)$, $f(1)$이 등차수열을 이루므로
$$f(1)-f(0)=f(0)-f(-1)$$
$1+p+q+r=-1+p-q+r$에서 $q=-1$
또, $f(-2)$, $f(-1)$, $f(0)$이 등차수열을 이루므로
$$f(-1)-f(-2)=f(0)-f(-1)$$
$-15+7p-3q+r=-1+p-q+r$에서 $p=2$
$$\therefore f(x)=x^4+2x^3-x^2+rx+s \qquad\cdots\cdots\text{㉠}$$
$$f'(x)=4x^3+6x^2-2x+r \qquad\cdots\cdots\text{㉡}$$
한편 두 직선 $y=f'(-1)(x+1)+f(-1)$,
$y=f'(1)(x-1)+f(1)$은 점 $(a, 0)$을 지나므로
$$f'(-1)(a+1)+f(-1)=0 \qquad\cdots\cdots\text{㉢}$$
$$f'(1)(a-1)+f(1)=0 \qquad\cdots\cdots\text{㉣}$$
㉠, ㉡에서
$$f(-1)=-2-r+s, \quad f'(-1)=4+r,$$
$$f(1)=2+r+s, \quad f'(1)=8+r$$
이므로 위의 네 식을 ㉢, ㉣에 대입하면

$$ar+s+4a+2=0, \quad ar+s+8a-6=0$$
$$\therefore a=2, \quad 2r+s=-10$$
$f\left(\dfrac{3}{2}a\right)=f(3)=126+3r+s=100$이므로
$$3r+s=-26$$
$$\therefore r=-16, \; s=22$$
따라서 $f(x)=x^4+2x^3-x^2-16x+22$이므로
$$f(2a)=f(4)=326$$

206

$x<0$일 때,
$f'(x)=12x^3+12x^2=12x^2(x+1)$이므로 $x=-1$에서 극솟값을 갖는다.
$x\geq0$일 때,
$$f'(x)=12x^3-12x^2+12ax^2$$
$$\qquad =12x^2\{x-(1-a)\}$$
이때 $1-a<0$이면 함수 $f(x)$는 극댓값을 갖지 않으므로 모순이다.
따라서 함수 $f(x)$가 극댓값을 가지므로 $1-a>0$이다.
함수 $f(x)$의 증가와 감소를 표로 나타내면 다음과 같다.

x	$\cdots$	-1	$\cdots$	0	$\cdots$	$1-a$	$\cdots$
$f'(x)$	$-$	0	$+$	0	$-$	0	$+$
$f(x)$	$\searrow$	-1	$\nearrow$	0	$\searrow$	$-(a-1)^4$	$\nearrow$

이때 함수 $y=f(x)$의 그래프의 개형은 다음 그림과 같다.

[$0<a<1$일 때]   [$a\leq0$일 때]

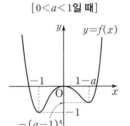 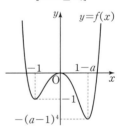

따라서 $f(x)$의 최솟값은
$$g(a)=\begin{cases} f(-1) & (0<1-a<1) \\ f(1-a) & (1-a\geq1) \end{cases}$$
$$\qquad =\begin{cases} -1 & (0<a<1) \\ -(a-1)^4 & (a\leq0) \end{cases}$$
$$\therefore g(-1)+g\left(\dfrac{1}{2}\right)=-16+(-1)=-17$$

답 ④

207

ㄱ은 옳다.
직선 $y=2x+k$와 곡선 $y=-x^2+16$의 교점의 x좌표는 방정식 $-x^2+16=2x+k$, 즉
$$x^2+2x+k-16=0 \qquad\cdots\cdots\text{㉠}$$
의 실근이다.

따라서 두 점 A, B의 x좌표를 각각 α, β라고 하면 α, β는 방정식 ㉠의 두 실근이므로 이차방정식의 근과 계수의 관계에 의하여

$$\alpha+\beta=-2 \qquad \therefore \frac{\alpha+\beta}{2}=-1$$

즉, 선분 AB의 중점의 x좌표는 -1이다.

ㄴ도 옳다.

$k=13$을 ㉠에 대입하면

$$x^2+2x-3=0, \ (x+3)(x-1)=0$$

$$\therefore x=-3 \ \text{또는} \ x=1$$

점 A의 x좌표가 점 B의 x좌표보다 크므로

$A(1, 15)$, $B(-3, 7)$

또, $C(0, 13)$이므로 삼각형 OAC의 넓이는

$$\frac{1}{2}\times13\times1=\frac{13}{2}$$

삼각형 OCB의 넓이는

$$\frac{1}{2}\times13\times3=\frac{39}{2}$$

따라서 삼각형 OCB의 넓이는 삼각형 OAC의 넓이의 3배이다.

ㄷ도 옳다.

두 점 A, B의 x좌표를 각각 α, β라고 하면 α, β는 방정식 ㉠의 두 실근이므로 이차방정식의 근과 계수의 관계에 의하여

$$\alpha+\beta=-2, \ \alpha\beta=k-16 \qquad \cdots\cdots \text{㉡}$$

$C(0, k)$이고, 삼각형 OAB의 넓이는 삼각형 OAC의 넓이와 삼각형 OCB의 넓이의 합과 같으므로

$$\triangle OAB=\frac{1}{2}\times k\times|\alpha|+\frac{1}{2}\times k\times|\beta|$$

$8<k<16$에서 직선 $y=2x+k$와 곡선 $y=-x^2+16$의 두 교점은 각각 제1사분면과 제2사분면에 존재하고 점 A의 x좌표가 점 B의 x좌표보다 크므로

$\alpha>0$, $\beta<0$

$$\therefore \triangle OAB=\frac{1}{2}k\alpha-\frac{1}{2}k\beta=\frac{k}{2}(\alpha-\beta)$$

한편 $(\alpha-\beta)^2=(\alpha+\beta)^2-4\alpha\beta$이므로 이 식에 ㉡을 대입하면

$$(\alpha-\beta)^2=(-2)^2-4(k-16)=-4k+68$$

$$\therefore \alpha-\beta=\sqrt{-4k+68} \ (\because \alpha>\beta)$$

$$\therefore \triangle OAB=\frac{k}{2}(\alpha-\beta)=\frac{k}{2}\sqrt{-4k+68}$$

$$=\frac{1}{2}\sqrt{-4k^3+68k^2}$$

즉, 삼각형 OAB의 넓이는 $-4k^3+68k^2$이 최대일 때 최대가 된다.

$f(k)=-4k^3+68k^2$이라고 하면

$$f'(k)=-12k^2+136k=-4k(3k-34)$$

$f'(k)=0$에서 $k=\frac{34}{3} \ (\because 8<k<16)$

$8<k<16$에서 함수 $f(k)$의 증가와 감소를 표로 나타내면 다음과 같다.

k	(8)	$\cdots$	$\frac{34}{3}$	$\cdots$	(16)
$f'(k)$		$+$	0	$-$	
$f(k)$		↗	극대	↘	

따라서 함수 $f(k)$는 $k=\frac{34}{3}$일 때 극대이면서 최대가 되므로 삼각형 OAB의 넓이는 $k=\frac{34}{3}$일 때 최대가 된다.

따라서 옳은 것은 ㄱ, ㄴ, ㄷ이다.

답 ⑤

참고

$k=8$, $k=16$일 때 직선 $y=2x+k$와 곡선 $y=-x^2+16$의 두 교점의 위치는 각각 다음 [그림 1], [그림 2]와 같다.

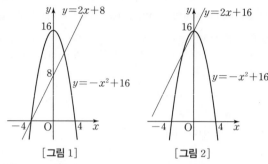

[그림 1]   [그림 2]

따라서 $8<k<16$에서 직선 $y=2x+k$와 곡선 $y=-x^2+16$의 두 교점은 각각 제1사분면과 제2사분면에 존재함을 알 수 있다.

208

조건 ㈎에서 만약 삼차함수 $f(x)$가 극값을 갖지 않는다면 함수 $|f(x)|$는 극댓값을 갖지 않는다.

따라서 삼차함수 $f(x)$는 극댓값과 극솟값이 모두 존재한다.

조건 ㈏에서 함수 $|f(x)|$가 $x=t$($t>6$)에서만 미분가능하지 않으려면 삼차함수 $y=f(x)$의 그래프의 개형은 오른쪽 그림과 같아야 한다.

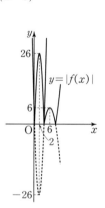

조건 ㈎에 의하여 $f'(6)=0$이므로

$f'(x)=-3x^2+24x+p$에서

$f'(6)=-3\times36+24\times6+p=0$

$\therefore p=-36$

즉, $f'(x)=-3x^2+24x-36=-3(x-2)(x-6)$

이므로

$f'(2)=0$

또, 조건 ㈏에 의하여

$f(2)=6$ 또는 $f(6)=6$이다.

$f(x)=-x^3+12x^2-36x+q$이므로

$f(6)=6$이면

$f(6)=-216+432-216+q=6$에서

$q=6$

$f(2)=-8+48-72+6=-26<0$

이때 함수 $y=|f(x)|$의 그래프가 오른쪽 그림과 같으므로 조건 ㈏에 모순이다.

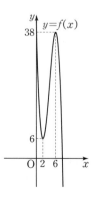

$\therefore f(2)=6$

$f(2)=-8+48-72+q=6$이므로

$q=38$

$\therefore f(x)=-x^3+12x^2-36x+38$

즉, 함수 $f(x)$의 극솟값은 $f(2)=6$, 극댓값은 $f(6)=38$이고, 함수 $y=f(x)$의 그래프는 오른쪽 그림과 같다.

한편 $|f(x)|=n$에서

$f(x)=\pm n$

(i) $1 \leq n \leq 5$일 때

$f(x)=n$을 만족시키는 x의 값은 1개, $f(x)=-n$을 만족시키는 x의 값은 1개이므로

$a_1=a_2=\cdots=a_5=1+1=2$

(ii) $n=6$일 때

$f(x)=n$을 만족시키는 x의 값은 2개, $f(x)=-n$을 만족시키는 x의 값은 1개이므로

$a_6=2+1=3$

(iii) $7 \leq n \leq 37$

$f(x)=n$을 만족시키는 x의 값은 3개, $f(x)=-n$을 만족시키는 x의 값은 1개이므로

$a_7=a_8=\cdots=a_{37}=3+1=4$

(iv) $n=38$일 때

$f(x)=n$을 만족시키는 x의 값은 2개, $f(x)=-n$을 만족시키는 x의 값은 1개이므로

$a_{38}=2+1=3$

(v) $39 \leq n \leq 50$일 때

$f(x)=n$을 만족시키는 x의 값은 1개, $f(x)=-n$을 만족시키는 x의 값은 1개이므로

$a_{39}=a_{40}=\cdots=a_{50}=1+1=2$

$\therefore \sum_{k=1}^{50} a_k = (a_1+a_2+\cdots+a_5)+a_6+(a_7+a_8+\cdots+a_{37})$
$+a_{38}+(a_{39}+a_{40}+\cdots+a_{50})$

$=5 \times 2 + 3 + 31 \times 4 + 3 + 12 \times 2 = 164$

답 164

미니 모의고사 - 1회

01

$m=\dfrac{f(2)-f(0)}{2-0}=\dfrac{8-4a+2b}{2}=4-2a+b$

$f(x)=x^3-ax^2+bx$에서

$f'(x)=3x^2-2ax+b$

$\therefore n=f'(2)=12-4a+b$

$m+n=-2$이므로

$(4-2a+b)+(12-4a+b)=-2$

$\therefore 3a-b=9$ ...... ㉠

한편 점 $(2, 2)$가 곡선 $y=f(x)$ 위의 점이므로

$2=8-4a+2b$

$\therefore 2a-b=3$ ...... ㉡

㉠, ㉡을 연립하여 풀면 $a=6$, $b=9$

$\therefore a+b=15$

답 ⑤

02

$\lim\limits_{x \to 2} \dfrac{f(x+1)-3}{f(x)-f(2)}=k$에서 $x \to 2$일 때 극한값이 존재하고

(분모) $\to 0$이므로 (분자) $\to 0$이어야 한다.

즉, $\lim\limits_{x \to 2}\{f(x+1)-3\}=0$이므로 $f(3)=3$

$\therefore k=\lim\limits_{x \to 2} \dfrac{f(x+1)-3}{f(x)-f(2)}$

$=\lim\limits_{x \to 2}\left\{\dfrac{x-2}{f(x)-f(2)} \times \dfrac{f(x+1)-f(3)}{(x+1)-3}\right\}$

$=\dfrac{1}{f'(2)} \times f'(3) = \dfrac{1}{4} \times 4 = 1$

$\therefore f(3)+k=3+1=4$

답 ④

참고

$\lim\limits_{x \to 2} \dfrac{f(x+1)-3}{(x+1)-3}$에서 $x+1=t$라고 하면 $x \to 2$일 때 $t \to 3$이므로

$\lim\limits_{x \to 2} \dfrac{f(x+1)-3}{(x+1)-3} = \lim\limits_{t \to 3} \dfrac{f(t)-f(3)}{t-3}=f'(3)$

03

$y=(x-1)(x+2)(x-3)$에서

$y'=(x+2)(x-3)+(x-1)(x-3)+(x-1)(x+2)$

$=x^2-x-6+x^2-4x+3+x^2+x-2$

$=3x^2-4x-5$

점 P의 x좌표를 t라고 하면 점 P에서의 접선의 기울기가 -1이므로

판별식을 D라고 하면 $\dfrac{D}{4}=(-2)^2-3 \times (-5)=16>0$

$3t^2-4t-5=-1$ $\therefore 3t^2-4t-4=0$ ...... ㉠

점 P의 x좌표는 t에 대한 이차방정식 ㉠의 근이므로 이차방정식의 근과 계수의 관계에 의하여 점 P의 모든 x좌표의 합은

$-\left(-\dfrac{4}{3}\right)=\dfrac{4}{3}$

답 ⑤

04

$R(x)=ax+b$ (a, b는 상수)라고 하면

$x^{2021}-x^{2020}+x^{10}+3=(x-1)^2Q(x)+ax+b$ ...... ㉠

㉠의 양변에 $x=1$을 대입하여 정리하면

$a+b=4$ ...... ㉡

㉠의 양변을 x에 대하여 미분하면

$2021x^{2020}-2020x^{2019}+10x^9$

$=2(x-1)Q(x)+(x-1)^2Q'(x)+a$ ...... ㉢

㉢의 양변에 $x=1$을 대입하면

$a=11$

이것을 ㉡에 대입하면

$b=-7$

따라서 $R(x)=11x-7$이므로

$R(2)=11 \times 2 - 7 = 15$

답 15

05

$f(x)=x^2+ax+b$, $g(x)=-x^2+x+3$이라 하고 점 P의 x좌표를 t라고 하면 두 곡선 $y=f(x)$, $y=g(x)$가 점 P에서 만나고 점 P에서의 접선이 서로 수직이므로

$f(t)=g(t)$, $f'(t)\times g'(t)=-1$

$f(t)=g(t)$에서

$t^2+at+b=-t^2+t+3$

$\therefore 2t^2+(a-1)t+b-3=0$ ······ ㉠

$f'(x)=2x+a$, $g'(x)=-2x+1$이므로

$f'(t)\times g'(t)=-1$에서

$(2t+a)(-2t+1)=-1$

$\therefore 4t^2+2(a-1)t-a-1=0$ ······ ㉡

㉠×2-㉡을 하면

$2b-6+a+1=0$

$\therefore a+2b=5$

답 ①

06

ㄱ은 옳지 않다.

곡선 $y=f(x)$와 직선 $y=3x$가 원점에서 접하므로

$f'(0)=3$

ㄴ은 옳다.

$\dfrac{f(a)}{a}$는 원점과 점 $(a, f(a))$를 지나는 직선의 기울기이고, $\dfrac{f(b)}{b}$는 원점과 점 $(b, f(b))$를 지나는 직선의 기울기이므로 오른쪽 그림에서

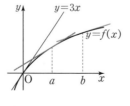

$\dfrac{f(b)}{b}<\dfrac{f(a)}{a}<3$

임을 알 수 있다.

ㄷ도 옳다.

$\dfrac{f(b)-f(a)}{b-a}$는 두 점 $(a, f(a))$, $(b, f(b))$를 지나는 직선의 기울기이므로 오른쪽 그림에서

$\dfrac{f(b)-f(a)}{b-a}<3$

임을 알 수 있다.

ㄹ은 옳지 않다.

$f'(a)$는 점 $(a, f(a))$에서의 접선의 기울기이고 $f'(b)$는 점 $(b, f(b))$에서의 접선의 기울기이므로 오른쪽 그림에서

$f'(b)<f'(a)$

임을 알 수 있다.

따라서 옳은 것은 ㄴ, ㄷ이다.

답 ③

07

도함수 $f'(x)$는 최고차항의 계수가 음수인 이차함수이므로 함수 $f(x)$는 최고차항의 계수가 음수인 삼차함수이다.

따라서

$f(x)=ax^3+bx^2+cx+d$ $(a<0$, a, b, c, d는 상수$)$

로 놓으면

$f'(x)=3ax^2+2bx+c$ ······ ㉠

한편 주어진 그림에서 $y=f'(x)$의 그래프는 x축과 $x=0$, $x=2$인 점에서 만나므로

$f'(x)=3ax(x-2)$

$\qquad =3ax^2-6ax$ ······ ㉡

㉠, ㉡이 서로 일치해야 하므로

$2b=-6a$, $c=0$ $\therefore b=-3a$, $c=0$

$\therefore f(x)=ax^3-3ax^2+d$

주어진 그래프를 보고 함수 $f(x)$의 증가와 감소를 표로 나타내면 다음과 같다.

x	$\cdots$	0	$\cdots$	2	$\cdots$
$f'(x)$	$-$	0	$+$	0	$-$
$f(x)$	$\searrow$	극소	$\nearrow$	극대	$\searrow$

따라서 함수 $f(x)$는 $x=2$에서 극대이고, $x=0$에서 극소이다.

이때 극댓값이 0이므로 $f(2)=0$에서

$8a-12a+d=0$ $\therefore 4a-d=0$ ······ ㉢

또, 극솟값이 -4이므로 $f(0)=-4$에서

$d=-4$

이것을 ㉢에 대입하면

$4a+4=0$ $\therefore a=-1$

즉, $f(x)=-x^3+3x^2-4$이므로

$f(1)=-1+3-4=-2$

답 ①

08

오른쪽 그림과 같이 네 점 A, B, C, D를 잡고 점 A의 x좌표를 t $(0<t<1)$라고 하면

$A(t, 1-t^2)$, $B(-t, 1-t^2)$, $C(-1, 0)$, $D(1, 0)$ └ $y=1-x^2$의 그래프가 y축에 대하여 대칭이므로 두 점 A, B도 y축에 대하여 대칭이다.

사다리꼴 ABCD의 넓이를 $S(t)$라고 하면

$S(t)=\dfrac{1}{2}\times(2t+2)\times(1-t^2)$

$\qquad =-t^3-t^2+t+1$

$\therefore S'(t)=-3t^2-2t+1$

$\qquad\quad =-(3t-1)(t+1)$

$S'(t)=0$에서 $t=\dfrac{1}{3}$ $(\because 0<t<1)$

$0<t<1$에서 $S(t)$의 증가와 감소를 표로 나타내면 다음과 같다.

t	(0)	$\cdots$	$\dfrac{1}{3}$	$\cdots$	(1)
$S'(t)$		$+$	0	$-$	
$S(t)$		↗	극대	↘	

따라서 $S(t)$는 $t=\dfrac{1}{3}$에서 극대이면서 최대이므로 사다리꼴의 넓이의 최댓값은

$$S\left(\dfrac{1}{3}\right)=-\left(\dfrac{1}{3}\right)^3-\left(\dfrac{1}{3}\right)^2+\dfrac{1}{3}+1=\dfrac{32}{27}$$

즉, $p=27$, $q=32$이므로
$p+q=59$

답 ④

09

두 점 P, Q의 시각 t에서의 속도를 각각 v_P, v_Q라고 하면

$$v_P=\dfrac{dx_P}{dt}=4t^3-24t^2+36t,\quad v_Q=\dfrac{dx_Q}{dt}=m$$

두 점 P, Q의 속도가 같아질 때
$$4t^3-24t^2+36t=m$$
이고 이때의 두 점의 속도가 같게 될 때의 횟수는 곡선
$y=4t^3-24t^2+36t$와 직선 $y=m$의 교점의 개수와 같다.
$g(t)=4t^3-24t^2+36t$라고 하면
$$g'(t)=12t^2-48t+36=12(t-1)(t-3)$$
$g'(t)=0$에서 $t=1$ 또는 $t=3$
$t>0$에서 $g(t)$의 증가와 감소를 표로 나타내면 다음과 같다.

t	(0)	$\cdots$	1	$\cdots$	3	$\cdots$
$g'(t)$		$+$	0	$-$	0	$+$
$g(t)$		↗	16	↘	0	↗

따라서 $y=g(t)$의 그래프는 오른쪽 그림과 같으므로 $f(m)$은 다음과 같다.

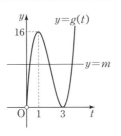

$$f(m)=\begin{cases} 1\ (m>16\ \text{또는}\ m=0) \\ 2\ (m=16) \\ 3\ (0<m<16) \\ 0\ (m<0) \end{cases}$$

방정식 $f(m)=km+1$의 서로 다른 실근의 개수가 3이 되려면 $y=f(m)$의 그래프와 직선 $y=km+1$이 서로 다른 세 점에서 만나야 한다.
$y=f(m)$의 그래프는 다음 그림과 같고, 직선 $y=km+1$은 k의 값에 관계없이 항상 점 $(0, 1)$을 지나므로 $y=f(m)$의 그래프와 서로 다른 세 점에서 만나려면 점 $(16, 3)$을 지날 때보다 기울기가 크거나 점 $(16, 2)$를 지나야 한다.

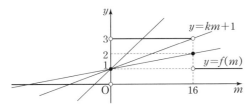

직선 $y=km+1$이 점 $(16, 3)$을 지날 때
$$3=16k+1 \qquad \therefore k=\dfrac{1}{8}$$

직선 $y=km+1$이 점 $(16, 2)$를 지날 때
$$2=16k+1 \qquad \therefore k=\dfrac{1}{16}$$

따라서 k의 값의 범위는 $k>\dfrac{1}{8}$ 또는 $k=\dfrac{1}{16}$이므로 구하는 최솟값은 $\dfrac{1}{16}$이다.

답 $\dfrac{1}{16}$

10

t초 후의 두 점 P, Q의 좌표는
P$(50-2t, 0)$, Q$(0, 50+3t)$
t초 후의 직사각형을 밑면으로 하고 그때의 선분 OQ의 길이를 높이로 하는 직육면체의 부피를 $V(t)$라고 하면
$$V(t)=(50-2t)(50+3t)^2$$
$$\therefore V'(t)=-2(50+3t)^2+6(50-2t)(50+3t)$$
$$=-2(50+3t)(9t-100)$$
$V'(t)=0$에서 $t=\dfrac{100}{9}$ $(\because 0<t<25)$

$0<t<25$에서 $V(t)$의 증가와 감소를 표로 나타내면 다음과 같다.

t	(0)	$\cdots$	$\dfrac{100}{9}$	$\cdots$	(25)
$V'(t)$		$+$	0	$-$	
$V(t)$		↗	극대	↘	

따라서 $V(t)$는 $t=\dfrac{100}{9}$일 때 극대이면서 최대이므로 직육면체의 부피가 최대가 될 때의 시각은 $\dfrac{100}{9}$초이다.

답 ①

미니 모의고사 - 2회

01

x의 값이 -2에서 a까지 변할 때의 평균변화율은
$$\dfrac{f(a)-f(-2)}{a-(-2)}=\dfrac{(a^2+3a+2)-0}{a+2}$$
$$=\dfrac{(a+1)(a+2)}{a+2}$$
$$=a+1 \qquad \cdots\cdots ㉠$$
$f(x)=x^2+3x+2$에서
$$f'(x)=2x+3$$
따라서 $x=-3$에서의 미분계수는
$$f'(-3)=2\times(-3)+3=-3 \qquad \cdots\cdots ㉡$$
㉠, ㉡이 서로 같아야 하므로
$$a+1=-3 \qquad \therefore a=-4$$

답 ②

02

함수 $f(x)$가 실수 전체의 집합에서 미분가능하므로 $x=1$에서도 미분가능하다.

함수 $f(x)$가 $x=1$에서 미분가능하므로 $x=1$에서 연속이다.

즉, $\lim\limits_{x\to1-}f(x)=\lim\limits_{x\to1+}f(x)=f(1)$이므로

$1+b=a+1$ $\quad \therefore a=b$ $\qquad\qquad$ ...... ㉠

$f(x)=\begin{cases} ax^2+1 & (x\geq1) \\ x^3+bx & (x<1) \end{cases}$ 에서

$f'(x)=\begin{cases} 2ax & (x>1) \\ 3x^2+b & (x<1) \end{cases}$

이고 함수 $f(x)$가 $x=1$에서 미분가능하므로

$\lim\limits_{x\to1-}f'(x)=\lim\limits_{x\to1+}f'(x)$

$3+b=2a$ $\qquad\qquad$ ...... ㉡

㉠, ㉡을 연립하여 풀면 $a=3$, $b=3$

$\therefore a+b=6$

답 ①

03

삼차함수 $f(x)=-2x^3+x^2+ax+2021$의 역함수가 존재하려면 $f(x)$가 일대일대응이어야 한다.

함수 $f(x)$의 최고차항의 계수가 음수이므로 $f(x)$가 일대일대응이려면 구간 $(-\infty, \infty)$에서 감소해야 한다. 즉, 모든 실수 x에 대하여 $f'(x)\leq0$이어야 한다.

$f(x)=-2x^3+x^2+ax+2021$에서

$f'(x)=-6x^2+2x+a$

모든 실수 x에 대하여 $-6x^2+2x+a\leq0$, 즉

$6x^2-2x-a\geq0$

이어야 하므로 이차방정식 $6x^2-2x-a=0$의 판별식을 D라고 하면

$\dfrac{D}{4}=(-1)^2+6a\leq0$ $\quad \therefore a\leq-\dfrac{1}{6}$

따라서 정수 a의 최댓값은 -1이다.

답 ①

04

$f(x)=x^3+2ax^2+bx+c$에서

$f'(x)=3x^2+4ax+b$

함수 $f(x)$가 $x=1$에서 극댓값 2를 가지므로

$f(1)=2$, $f'(1)=0$

$f(1)=2$에서

$1+2a+b+c=2$ $\quad \therefore 2a+b+c=1$ $\qquad$ ...... ㉠

$f'(1)=0$에서

$3+4a+b=0$ $\qquad\qquad$ ...... ㉡

곡선 $y=f(x)$ 위의 $x=0$인 점에서의 접선의 기울기가 4이므로

$f'(0)=4$ $\quad \therefore b=4$

$b=4$를 ㉡에 대입하면 $a=-\dfrac{7}{4}$

$a=-\dfrac{7}{4}$, $b=4$를 ㉠에 대입하면 $c=\dfrac{1}{2}$

따라서 $f(x)=x^3-\dfrac{7}{2}x^2+4x+\dfrac{1}{2}$이므로

$f(3)=27-\dfrac{63}{2}+12+\dfrac{1}{2}=8$

답 ①

05

$h(x)=f(x)-g(x)$라고 하면

$h(x)=(4x^4-x^3+x^2+k)-(2x^4+3x^3+x^2)$

$\qquad =2x^4-4x^3+k$

$\therefore h'(x)=8x^3-12x^2=4x^2(2x-3)$

$h'(x)=0$에서 $x=0$ 또는 $x=\dfrac{3}{2}$

함수 $h(x)$의 증가와 감소를 표로 나타내면 다음과 같다.

x	$\cdots$	0	$\cdots$	$\dfrac{3}{2}$	$\cdots$
$h'(x)$	$-$	0	$-$	0	$+$
$h(x)$	$\searrow$	k	$\searrow$	$k-\dfrac{27}{8}$	$\nearrow$

따라서 함수 $h(x)$는 $x=\dfrac{3}{2}$에서 최솟값 $k-\dfrac{27}{8}$을 가지므로 주어진 부등식이 모든 실수 x에 대하여 성립하려면

$k-\dfrac{27}{8}\geq0$

이어야 한다.

즉, $k\geq\dfrac{27}{8}$이므로 정수 k의 최솟값은 4이다.

답 ③

06

$f(x+y)=f(x)+f(y)-xy$의 양변에 $x=0$, $y=0$을 대입하면

$f(0)=f(0)+f(0)$ $\quad \therefore f(0)=0$

$f'(2)=4$이므로

$f'(2)=\lim\limits_{h\to0}\dfrac{f(2+h)-f(2)}{h}$

$\qquad =\lim\limits_{h\to0}\dfrac{f(2)+f(h)-2h-f(2)}{h}$

$\qquad =\lim\limits_{h\to0}\dfrac{f(h)-2h}{h}$

$\qquad =\lim\limits_{h\to0}\dfrac{f(h)-f(0)}{h}-2$ $(\because f(0)=0)$

$\qquad =f'(0)-2=4$

$\therefore f'(0)=6$

$\therefore f'(x)=\lim\limits_{h\to0}\dfrac{f(x+h)-f(x)}{h}$

$\qquad =\lim\limits_{h\to0}\dfrac{f(x)+f(h)-xh-f(x)}{h}$

$\qquad =\lim\limits_{h\to0}\dfrac{f(h)-xh}{h}$

$\qquad =\lim\limits_{h\to0}\dfrac{f(h)-f(0)}{h}-x$ $(\because f(0)=0)$

$\qquad =f'(0)-x=6-x$ $(\because f'(0)=6)$

답 $f'(x)=6-x$

07

$f(x)=(2x+1)(x+3)$에서

$f'(x)=2(x+3)+(2x+1)=4x+7$

$\lim\limits_{x \to 1}\dfrac{g(x)-3}{x^2-1}=2$에서 $x \to 1$일 때 극한값이 존재하고

(분모) $\to 0$이므로 (분자) $\to 0$이어야 한다.

즉, $\lim\limits_{x \to 1}\{g(x)-3\}=0$이므로 $g(1)=3$

이때

$\lim\limits_{x \to 1}\dfrac{g(x)-3}{x^2-1}=\lim\limits_{x \to 1}\left\{\dfrac{g(x)-g(1)}{x-1}\times\dfrac{1}{x+1}\right\}=\dfrac{1}{2}g'(1)$

이므로

$\dfrac{1}{2}g'(1)=2 \qquad \therefore g'(1)=4$

$h(x)=f(x)g(x)$에서

$h'(x)=f'(x)g(x)+f(x)g'(x)$

$f(1)=12, \ f'(1)=11, \ g(1)=3, \ g'(1)=4$이므로

$h'(1)=f'(1)g(1)+f(1)g'(1)$

$\qquad =11\times3+12\times4=81$

답 ④

08

$y=x^3-11x$에서 $\ y'=3x^2-11$

두 변 AB와 CD가 곡선 $y=x^3-11x$에 접하므로 직선 AB와 CD
는 곡선 $y=x^3-11x$의 접선이다.

이때 접점의 좌표를 $(t, \ t^3-11t)$라고 하면 접선의 기울기는

$3t^2-11$이므로 접선의 방정식은

$y-(t^3-11t)=(3t^2-11)(x-t)$

$\therefore y=(3t^2-11)x-2t^3 \qquad\qquad \cdots\cdots\cdot \bigcirc$

한편 사각형 ABCD가 정사각형이므로

$\overline{OA}=\overline{OB}=\overline{OC}=\overline{OD}$

_{└ 정사각형은 두 대각선의 길이가 같고 서로 수직이등분한다.}

따라서 직선 AB와 CD의 기울기는 1이다.

즉, $3t^2-11=1$이므로

$3t^2=12, \ t^2=4 \qquad \therefore t=\pm2$

$t=-2$를 $\bigcirc$에 대입하면 $\ y=x+16$

$t=2$를 $\bigcirc$에 대입하면 $\ y=x-16$

따라서 $\mathrm{A}(0, 16), \ \mathrm{B}(-16, 0), \ \mathrm{C}(0, -16), \ \mathrm{D}(16, 0)$이므로 구
하는 정사각형의 한 변의 길이는

$\overline{AB}=\sqrt{(-16)^2+(-16)^2}=16\sqrt{2}$

답 ③

09

주어진 그래프에서 함수 $f(x)$의 증가와 감소를 조사하여 표로 나
타내면 다음과 같다.

x	$\cdots$	-4	$\cdots$	1	$\cdots$
$f'(x)$	$+$	0	$-$	0	$-$
$f(x)$	$\nearrow$	극대	$\searrow$		$\searrow$

ㄱ은 옳다.

$f(0)=0$이므로 함수 $y=f(x)$의 그래프의 개형은 다음 그림과
같다.

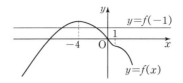

따라서 $x>0$일 때 $f(x)<0$이다.

ㄴ도 옳다.

함수 $f(x)$는 $x=-4$에서 극대이면서 최대이므로 최댓값은
$f(-4)$이다.

ㄷ도 옳다.

$f(-1)<f(-4)$이므로 함수 $y=f(x)$의 그래프와 직선
$y=f(-1)$은 위의 그림과 같이 서로 다른 두 점에서 만난다.

즉, 방정식 $f(x)=f(-1)$은 서로 다른 두 실근을 갖는다.

따라서 옳은 것은 ㄱ, ㄴ, ㄷ이다.

답 ⑤

10

ㄱ은 옳다.

$0<t<10$에서 $y=f(t)$의 그래프와 $y=g(t)$의 그래프가 $t=b$,
$t=e$에서 만나므로 두 점 P, Q는 두 번 만난다.

ㄴ도 옳다.

$b<t<e$에서 $y=g(t)$의 그래프가 $y=f(t)$의 그래프보다 위쪽
에 있으므로 점 P는 점 Q의 왼쪽에 있다.

ㄷ도 옳다.

$d<t<e$에서 $f'(t)>0, \ g'(t)<0$이므로 두 점 P, Q는 서로
반대 방향으로 움직인다. _{└ 점 P는 양의 방향으로 움직이고, 점 Q는 음의 방향으로 움직인다.}

따라서 옳은 것은 ㄱ, ㄴ, ㄷ이다.

답 ⑤

III. 적분

06 부정적분과 정적분

001

$\dfrac{d}{dx}\displaystyle\int (ax^2+3x+b)dx=5x^2+cx-1$에서

$ax^2+3x+b=5x^2+cx-1$

위의 식이 모든 실수 x에 대하여 성립하므로

$a=5,\ b=-1,\ c=3$ ⎯ 항등식이므로 항등식의 성질을 이용한다.

$\therefore a+b+c=5-1+3=7$

답 ⑤

참고

항등식의 성질

(1) $ax^2+bx+c=0$이 x에 대한 항등식이면 $a=b=c=0$이다.

(2) $ax^2+bx+c=a'x^2+b'x+c'$이 x에 대한 항등식이면 $a=a'$, $b=b'$, $c=c'$이다.

002

$\displaystyle\int (x+1)f(x)dx=x^4+4x-3$의 양변을 x에 대하여 미분하면

$(x+1)f(x)=4x^3+4=4(x+1)(x^2-x+1)$

따라서 $f(x)=4(x^2-x+1)$이므로

$f(2)=4(4-2+1)=12$

답 ④

003

$\displaystyle\int\left\{\dfrac{d}{dx}f(x)\right\}dx=f(x)+C_1$ (C_1은 적분상수)이므로

$f(x)+C_1=3x^2-4x+C$

$\therefore f(x)=3x^2-4x+C-C_1$

$f(2)=-1$이므로

$12-8+C-C_1=-1$

$\therefore C-C_1=-5$

따라서 $f(x)=3x^2-4x-5$이므로

$f(3)=27-12-5=10$

답 10

004

두 함수 $F(x)$, $G(x)$가 함수 $f(x)$의 부정적분이므로

$G(x)=F(x)+C$ (단, C는 적분상수이다.)

$\therefore G(x)=x^3+3x-4+C$

이때 $G(1)=1$이므로 $C=1$

따라서 $G(x)=x^3+3x-3$이므로

$G(0)=-3$

답 ③

005

$\displaystyle\int f(x)dx=x^5-2x^3+3x+C$의 양변을 x에 대하여 미분하면

$f(x)=5x^4-6x^2+3$

이므로 $f'(x)=20x^3-12x$

$\therefore \displaystyle\lim_{x\to 1}\dfrac{f(x)-f(1)}{x-1}=f'(1)=20-12=8$

답 8

참고

함수 $f(x)$의 $x=a$에서의 미분계수는

$f'(a)=\displaystyle\lim_{h\to 0}\dfrac{f(a+h)-f(a)}{h}=\lim_{x\to a}\dfrac{f(x)-f(a)}{x-a}$

다른 풀이

$f(x)=5x^4-6x^2+3$에서 $f(1)=5-6+3=2$

$\therefore \displaystyle\lim_{x\to 1}\dfrac{f(x)-f(1)}{x-1}=\lim_{x\to 1}\dfrac{(5x^4-6x^2+3)-2}{x-1}$

$=\displaystyle\lim_{x\to 1}\dfrac{5x^4-6x^2+1}{x-1}$

$=\displaystyle\lim_{x\to 1}\dfrac{(x+1)(x-1)(5x^2-1)}{x-1}$

$=\displaystyle\lim_{x\to 1}(x+1)(5x^2-1)$

$=2\times 4=8$

006

접근

주어진 등식의 양변을 x에 대하여 미분하여 $f(x)$를 구한 후, α, β가 이차방정식 $f(x)$의 두 근임을 이용한다.

$\displaystyle\int f(x)dx=x^3-2x^2+x+C$의 양변을 x에 대하여 미분하면

$f(x)=3x^2-4x+1$

이때 $f(\alpha)=0$, $f(\beta)=0$을 만족시키는 상수 α, β는 이차방정식 $f(x)=0$, 즉 $3x^2-4x+1=0$의 두 근이므로 이차방정식의 근과 계수의 관계에 의하여

$\alpha+\beta=\dfrac{4}{3},\ \alpha\beta=\dfrac{1}{3}$

$\therefore \alpha^2+\beta^2=(\alpha+\beta)^2-2\alpha\beta$

$=\left(\dfrac{4}{3}\right)^2-2\times\dfrac{1}{3}$

$=\dfrac{16}{9}-\dfrac{2}{3}=\dfrac{10}{9}$

답 ⑤

참고

이차방정식의 근과 계수의 관계

이차방정식 $ax^2+bx+c=0$의 두 근을 α, β라고 하면

$\alpha+\beta=-\dfrac{b}{a},\ \alpha\beta=\dfrac{c}{a}$

다른 풀이

$f(x)=(3x-1)(x-1)$이므로 $f(x)=0$에서

$x=\dfrac{1}{3}$ 또는 $x=1$

$\therefore \alpha^2+\beta^2=\left(\dfrac{1}{3}\right)^2+1^2=\dfrac{10}{9}$

007

곡선 $y=f(x)$ 위의 임의의 점 (x, y)에서의 접선의 기울기가

$4x-3$이므로 $f'(x)=4x-3$

$$\therefore f(x)=\int (4x-3)dx$$
$$=2x^2-3x+C \text{ (단, } C\text{는 적분상수이다.)}$$

이때 $f(2)=3$이므로

$8-6+C=3$ $\quad \therefore C=1$

따라서 $f(x)=2x^2-3x+1$이므로

$f(-1)=2+3+1=6$

답 ⑤

풍쌤 비법

곡선 $y=f(x)$ 위의 임의의 점 $(x, f(x))$에서의 접선의 기울기는

$f'(x)$이므로 $f(x)=\int f'(x)dx$이다.

008

$$f(x)=\int \frac{x^3}{x-1}dx-\int \frac{1}{x-1}dx$$
$$=\int \frac{x^3-1}{x-1}dx=\int \frac{(x-1)(x^2+x+1)}{x-1}dx$$
$$=\int (x^2+x+1)dx$$
$$=\frac{1}{3}x^3+\frac{1}{2}x^2+x+C \text{ (단, } C\text{는 적분상수이다.)}$$

$f(0)=-3$이므로 $C=-3$

따라서 $f(x)=\frac{1}{3}x^3+\frac{1}{2}x^2+x-3$이므로

$f(6)=72+18+6-3=93$

답 93

009

$f'(x)=4ax$에서 $f'(1)=8$이므로

$4a=8$ $\quad \therefore a=2$

즉, $f'(x)=8x$이므로

$$f(x)=\int f'(x)dx=\int 8xdx$$
$$=4x^2+C \text{ (단, } C\text{는 적분상수이다.)}$$

이때 $f(1)=4$이므로

$4+C=4$ $\quad \therefore C=0$

따라서 $f(x)=4x^2$이므로

$f(a)=f(2)=4\times 2^2=16$

$\therefore a+f(a)=2+16=18$

답 ③

010

$\frac{d}{dx}\{f(x)g(x)\}=3x^2$에서

$$\int \left[\frac{d}{dx}\{f(x)g(x)\}\right]dx=\int 3x^2dx$$

$\therefore f(x)g(x)=x^3+C$ (단, C는 적분상수이다.)

$f(1)=13, g(1)=-2$이므로

$f(1)g(1)=1+C=-26$

$\therefore C=-27$

$\therefore f(x)g(x)=x^3-27=(x-3)(x^2+3x+9)$

따라서 $\begin{cases} f(x)=x-3 \\ g(x)=x^2+3x+9 \end{cases}$ 또는 $\begin{cases} f(x)=x^2+3x+9 \\ g(x)=x-3 \end{cases}$ 이다.

그런데 $f(1)=13, g(1)=-2$이므로

$f(x)=x^2+3x+9, g(x)=x-3$

$\therefore f(-1)+g(2)=7-1=6$

답 ⑤

011

$F(x)=xf(x)+2x^3-x^2+5$의 양변을 x에 대하여 미분하면

$f(x)=f(x)+xf'(x)+6x^2-2x$

$xf'(x)=-6x^2+2x$ $\quad \therefore f'(x)=-6x+2$

$$\therefore f(x)=\int (-6x+2)dx$$
$$=-3x^2+2x+C \text{ (단, } C\text{는 적분상수이다.)}$$

한편 $f(1)=2$이므로

$-3+2+C=2$ $\quad \therefore C=3$

따라서 $f(x)=-3x^2+2x+3$이므로 방정식 $f(x)=0$, 즉

$-3x^2+2x+3=0$의 모든 근의 합은 이차방정식의 근과 계수의 관

계에 의하여 └─ 판별식을 D라고 하면 $\frac{D}{4}=1+9=10>0$

$-\frac{2}{-3}=\frac{2}{3}$

답 ②

012

함수 $f(x)$가 실수 전체의 집합에서 미분가능하므로 $x=0$에서의

미분계수가 존재한다.

즉, $\lim\limits_{x\to 0+} f'(x)=\lim\limits_{x\to 0-} f'(x)$이므로 $a=1$

$f'(x)=\begin{cases} -2x+1 & (x<0) \\ 2x+1 & (x>0) \end{cases}$ 이므로

$f(x)=\begin{cases} -x^2+x+C_1 & (x<0) \\ x^2+x+C_2 & (x>0) \end{cases}$ (단, C_1, C_2는 적분상수이다.)

이때 $f(-2)=-1$이므로

$-4-2+C_1=-1$ $\quad \therefore C_1=5$

함수 $f(x)$가 실수 전체의 집합에서 미분가능하면 실수 전체의 집

합에서 연속이므로 $x=0$에서도 연속이다.

즉, $\lim\limits_{x\to 0+} f(x)=\lim\limits_{x\to 0-} f(x)=f(0)$이므로 $C_2=C_1=5$

따라서 $f(x)=\begin{cases} -x^2+x+5 & (x<0) \\ x^2+x+5 & (x\geq 0) \end{cases}$ 이므로

$(f\circ f)(-1)=f(f(-1))=f(3)=9+3+5=17$

답 17

013

조건 (나)의 식 $f(x+y)=f(x)+f(y)-2xy$의 양변에 $x=0, y=0$

을 대입하면

$f(0)=f(0)+f(0)-0$

$\therefore f(0)=0$

$f(0)=0, f'(0)=5$이므로

$$f'(0) = \lim_{h \to 0} \frac{f(0+h) - f(0)}{h}$$
$$= \lim_{h \to 0} \frac{f(h)}{h} = 5$$
$$\therefore f'(x) = \lim_{h \to 0} \frac{f(x+h) - f(x)}{h}$$
$$= \lim_{h \to 0} \frac{f(x) + f(h) - 2xh - f(x)}{h}$$
$$= \lim_{h \to 0} \frac{f(h)}{h} - 2x$$
$$= 5 - 2x$$
$$\therefore f(x) = \int (5 - 2x) dx = 5x - x^2 + C \text{ (단, } C\text{는 적분상수이다.)}$$

이때 $f(0) = 0$이므로 $C = 0$

따라서 $f(x) = -x^2 + 5x$이므로

$f(1) = -1 + 5 = 4$

답 ④

014

$y = f'(x)$의 그래프가 x축과 만나는 점의 x좌표가 0, 2이므로

$f'(x) = ax(x-2) \ (a > 0)$

로 놓을 수 있다.

$$\therefore f(x) = \int ax(x-2) dx = \int (ax^2 - 2ax) dx$$
$$= \frac{a}{3} x^3 - ax^2 + C \text{ (단, } C\text{는 적분상수이다.)}$$

$f'(x) = 0$에서 $x = 0$ 또는 $x = 2$

함수 $f(x)$의 증가와 감소를 표로 나타내면 다음과 같다.

x	$\cdots$	0	$\cdots$	2	$\cdots$
$f'(x)$	$+$	0	$-$	0	$+$
$f(x)$	↗	극대	↘	극소	↗

따라서 $f(x)$는 $x = 0$에서 극댓값을 갖고, $x = 2$에서 극솟값을 가지므로

$f(0) = 4$, $f(2) = -4$

$C = 4$, $-\frac{4}{3} a + C = -4$ ∴ $a = 6$

따라서 $f(x) = 2x^3 - 6x^2 + 4$이므로

$f(-1) = -2 - 6 + 4 = -4$

답 -4

015

$$f(x) = \int f'(x) dx = \int (x-1)^3 dx$$
$$= \frac{1}{4} (x-1)^4 + C \text{ (단, } C\text{는 적분상수이다.)}$$

이때 함수 $f(x)$의 극값은 $f(1)$이므로 $M = C$

$f'(0) = -1$, $f(0) = \frac{1}{4} + C$이므로 점 $A(0, f(0))$에서의 접선의

방정식은 $y = -x + \frac{1}{4} + C$

$f'(2) = 1$, $f(2) = \frac{1}{4} + C$이므로 점 $B(2, f(2))$에서의 접선의 방

정식은 $y = (x-2) + \frac{1}{4} + C$ ∴ $y = x - \frac{7}{4} + C$

두 접선의 교점의 y좌표는

$-y + \frac{1}{4} + C = y + \frac{7}{4} - C$에서

$2y = -\frac{3}{2} + 2C$ ∴ $y = -\frac{3}{4} + C$

따라서 $N = -\frac{3}{4} + C$이므로

$M - N = C - \left(-\frac{3}{4} + C \right) = \frac{3}{4}$

$\therefore 16(M - N) = 16 \times \frac{3}{4} = 12$

답 12

참고

미분가능한 함수 $f(x)$의 그래프 위의 점 $(a, f(a))$에서의 접선의

방정식은 $y = f'(a)(x-a) + f(a)$

016

$$\int_0^2 (4x+2) dx - \int_k^2 (4y+2) dy$$
$$= \int_0^2 (4x+2) dx - \int_k^2 (4x+2) dx$$
$$= \int_0^2 (4x+2) dx + \int_2^k (4x+2) dx$$
$$= \int_0^k (4x+2) dx = \left[2x^2 + 2x \right]_0^k$$
$$= 2k^2 + 2k = 24$$

$k^2 + k - 12 = 0$, $(k+4)(k-3) = 0$

$\therefore k = 3 \ (\because k > 0)$

답 ③

017

$\int_5^{-3} \{f(x) - g(x)\} dx = 4$에서

$-\int_{-3}^5 \{f(x) - g(x)\} dx = 4$

$\therefore \int_{-3}^5 \{f(x) - g(x)\} dx = -4$

$\int_{-3}^5 \{f(x) + g(x)\} dx + \int_{-3}^5 \{f(x) - g(x)\} dx = 2 \int_{-3}^5 f(x) dx$

이므로

$2 \int_{-3}^5 f(x) dx = 10 - 4 = 6$ $\therefore \int_{-3}^5 f(x) dx = 3$

$\int_{-3}^5 \{f(x) + g(x)\} dx - \int_{-3}^5 \{f(x) - g(x)\} dx = 2 \int_{-3}^5 g(x) dx$

이므로

$2 \int_{-3}^5 g(x) dx = 10 - (-4) = 14$ $\therefore \int_{-3}^5 g(x) dx = 7$

$\therefore \int_{-3}^5 \{f(x) - 2g(x)\} dx = \int_{-3}^5 f(x) dx - 2 \int_{-3}^5 g(x) dx$
$$= 3 - 2 \times 7 = -11$$

답 ①

018

접근

함수의 그래프의 평행이동을 이용하여 $f(x)$의 식을 구한 후, 정적분
의 값을 n에 대한 식으로 나타낸다.

$f(x)=4x^3-6x^2+n$이므로

$$\int_0^3 f(x)dx=\int_0^3 (4x^3-6x^2+n)dx$$
$$=\left[x^4-2x^3+nx\right]_0^3$$
$$=81-54+3n=0$$

$3n+27=0,\ 3n=-27$

$\therefore n=-9$

답 -9

참고

도형의 평행이동

방정식 $f(x,\ y)=0$이 나타내는 도형을 x축의 방향으로 m만큼, y
축의 방향으로 n만큼 평행이동한 도형의 방정식은

$f(x-m,\ y-n)=0$

└ x 대신 $x-m$, y 대신 $y-n$을 대입한다.

019

$f(x)$가 삼차함수이고, $f(-2)=f(2)=f(3)=0$이므로
$f(x)=a(x+2)(x-2)(x-3)\ (a>0)$ ┘ $f(x)$는 $x+2$, $x-2$, $x-3$을

인수로 갖는다.
으로 놓을 수 있다.

이때 $f(0)=3$이므로

$12a=3$ $\therefore a=\dfrac{1}{4}$

$\therefore f(x)=\dfrac{1}{4}(x+2)(x-2)(x-3)$

$$\therefore \int_0^3 f'(x)dx=\left[f(x)\right]_0^3$$
$$=\left[\dfrac{1}{4}(x+2)(x-2)(x-3)\right]_0^3$$
$$=0-3=-3$$

답 ①

간단 풀이

삼차함수 $y=f(x)$의 도함수가 $f'(x)$이므로 주어진 그래프와 정적
분의 정의에 의하여

$$\int_0^3 f'(x)dx=\left[f(x)\right]_0^3$$
$$=f(3)-f(0)$$
$$=0-3=-3$$

020

$$\int_0^1 (9a^2x^2-12ax-1)dx=\left[3a^2x^3-6ax^2-x\right]_0^1$$
$$=3a^2-6a-1$$
$$=3(a-1)^2-4$$

이므로 주어진 정적분은 $a=1$일 때 최솟값 -4를 갖는다.

따라서 $m=1$, $n=-4$이므로

$m+n=1-4=-3$

답 ②

021

접근

정적분을 이용하여 $f(n)$을 n에 대한 식으로 나타낸 후, 부분분수의
변형을 이용한다.

$$f(n)=\int_0^1 \dfrac{1}{n}x^n dx=\dfrac{1}{n}\int_0^1 x^n dx$$
$$=\dfrac{1}{n}\left[\dfrac{1}{n+1}x^{n+1}\right]_0^1=\dfrac{1}{n(n+1)}$$
$$=\dfrac{1}{n}-\dfrac{1}{n+1}$$

이므로

$$f(1)+f(2)+f(3)+\cdots+f(100)$$
$$=\left(1-\dfrac{1}{2}\right)+\left(\dfrac{1}{2}-\dfrac{1}{3}\right)+\left(\dfrac{1}{3}-\dfrac{1}{4}\right)+\cdots+\left(\dfrac{1}{100}-\dfrac{1}{101}\right)$$
$$=1-\dfrac{1}{101}=\dfrac{100}{101}$$

답 ⑤

참고

부분분수로의 변형

$$\dfrac{1}{AB}=\dfrac{1}{B-A}\left(\dfrac{1}{A}-\dfrac{1}{B}\right)\ (\text{단},\ A\neq B)$$

022

ㄱ은 옳지 않다.

(반례) 다항함수 $f(x)=2x$에 대하여

$$\int_0^3 f(x)dx=\int_0^3 2xdx=\left[x^2\right]_0^3=9$$
$$3\int_0^1 f(x)dx=3\int_0^1 2xdx=3\left[x^2\right]_0^1=3$$
$$\therefore \int_0^3 f(x)dx\neq 3\int_0^1 f(x)dx$$

ㄴ은 옳다.

정적분의 성질에 의하여

$$\int_a^b f(x)dx=\int_a^c f(x)dx+\int_c^b f(x)dx \text{가 성립하므로}$$
$$\int_0^1 f(x)dx=\int_0^2 f(x)dx+\int_2^1 f(x)dx$$

ㄷ은 옳지 않다.

(반례) 다항함수 $f(x)=2x$에 대하여

$$\int_0^1 \{f(x)\}^2 dx=\int_0^1 4x^2 dx=\left[\dfrac{4}{3}x^3\right]_0^1=\dfrac{4}{3}$$
$$\left\{\int_0^1 f(x)dx\right\}^2=\left\{\int_0^1 2xdx\right\}^2=\left\{\left[x^2\right]_0^1\right\}^2=1$$
$$\therefore \int_0^1 \{f(x)\}^2 dx\neq \left\{\int_0^1 f(x)dx\right\}^2$$

따라서 옳은 것은 ㄴ이다.

답 ①

다른 풀이

ㄴ은 옳다.

함수 $f(x)$의 한 부정적분을 $F(x)$라고 하면

$$\int_0^2 f(x)dx+\int_2^1 f(x)dx=\left[F(x)\right]_0^2+\left[F(x)\right]_2^1$$
$$=\{F(2)-F(0)\}+\{F(1)-F(2)\}$$
$$=F(1)-F(0)=\int_0^1 f(x)dx$$

023

모든 실수 x에 대하여 $f(x+3)=f(x)$이므로

$$\int_{-2}^{1} f(x)dx=\int_{1}^{4} f(x)dx=\int_{4}^{7} f(x)dx=\int_{7}^{10} f(x)dx=4$$

$$\therefore \int_{-2}^{10} f(x)dx$$

$$=\int_{-2}^{1} f(x)dx+\int_{1}^{4} f(x)dx+\int_{4}^{7} f(x)dx+\int_{7}^{10} f(x)dx$$

$$=4\int_{-2}^{1} f(x)dx=4\times 4=16$$

답 ②

풍쌤 비법

함수 $f(x)$가 주기가 p인 주기함수일 때

$$\int_{a}^{b} f(x)dx=\int_{a+p}^{b+p} f(x)dx=\int_{a+2p}^{b+2p} f(x)dx=\cdots$$

024

$|x^2(x-1)|=0$, 즉 $x^2|x-1|=0$에서

$x=0$ 또는 $x=1$

$$\therefore |x^2(x-1)|=\begin{cases} -x^2(x-1) & (x<1) \\ x^2(x-1) & (x\geq 1) \end{cases}$$

$$=\begin{cases} -x^3+x^2 & (x<1) \\ x^3-x^2 & (x\geq 1) \end{cases}$$

$$\therefore \int_{-1}^{2} |x^2(x-1)|dx$$

$$=\int_{-1}^{1} (-x^3+x^2)dx+\int_{1}^{2} (x^3-x^2)dx$$

$$=\left[-\frac{1}{4}x^4+\frac{1}{3}x^3\right]_{-1}^{1}+\left[\frac{1}{4}x^4-\frac{1}{3}x^3\right]_{1}^{2}$$

$$=\left\{\left(-\frac{1}{4}+\frac{1}{3}\right)-\left(-\frac{1}{4}-\frac{1}{3}\right)\right\}+\left\{\left(4-\frac{8}{3}\right)-\left(\frac{1}{4}-\frac{1}{3}\right)\right\}$$

$$=\frac{25}{12}$$

따라서 $p=12$, $q=25$이므로

$p+q=12+25=37$

답 37

025

$$\int_{-1}^{0} f(x)dx+\int_{0}^{1} f(t)dt$$

$$=\int_{-1}^{0} f(x)dx+\int_{0}^{1} f(x)dx$$

$$=\int_{-1}^{1} f(x)dx$$

$$=\int_{-1}^{1} (10x^5-5x^4+x^3+2x-4)dx$$

$$=\int_{-1}^{1} (10x^5+x^3+2x)dx+\int_{-1}^{1} (-5x^4-4)dx$$

$$=0+2\int_{0}^{1} (-5x^4-4)dx$$

$$=2\left[-x^5-4x\right]_{0}^{1}=2(-1-4)=-10$$

답 ①

다른 풀이

우함수, 기함수의 정적분을 이용하지 않고 정적분을 계산할 수도 있다.

$$\int_{-1}^{1} f(x)dx=\int_{-1}^{1} (10x^5-5x^4+x^3+2x-4)dx$$

$$=\left[\frac{5}{3}x^6-x^5+\frac{1}{4}x^4+x^2-4x\right]_{-1}^{1}$$

$$=\left(\frac{5}{3}-1+\frac{1}{4}+1-4\right)-\left(\frac{5}{3}+1+\frac{1}{4}+1+4\right)$$

$$=-10$$

026

$$\underline{\int_{-a}^{a} (7x^3-10x+4)dx}=2\int_{0}^{a} 4dx=2\left[4x\right]_{0}^{a}=8a=16$$

따라서 $a=2$이므로 $\underline{\quad}$ $7x^3-10x$는 기함수이므로 $\int_{-a}^{a} (7x^3-10x)dx=0$

$a^2=2^2=4$

답 4

다른 풀이

우함수, 기함수의 정적분을 이용하지 않고 정적분을 계산할 수도 있다.

$$\int_{-a}^{a} (7x^3-10x+4)dx=\left[\frac{7}{4}x^4-5x^2+4x\right]_{-a}^{a}$$

$$=\left(\frac{7}{4}a^4-5a^2+4a\right)-\left(\frac{7}{4}a^4-5a^2-4a\right)$$

$$=8a$$

027

모든 실수 x에 대하여 $f(-x)=f(x)$이므로 함수 $f(x)$는 우함수이다.

이때 $\int_{-5}^{5} f(x)dx=2\int_{0}^{5} f(x)dx=16$이므로

$$\int_{0}^{5} f(x)dx=8$$

$$\therefore \int_{3}^{5} f(x)dx=\int_{3}^{0} f(x)dx+\int_{0}^{5} f(x)dx$$

$$=-\int_{0}^{3} f(x)dx+\int_{0}^{5} f(x)dx$$

$$=-5+8=3$$

답 ③

028

모든 실수 x에 대하여 $f(x)=f(-x)$이므로 함수 $f(x)$는 우함수이다.

따라서 $xf(x)$는 기함수이다. 즉,

$$\int_{-2}^{2} f(x)dx=2\int_{-2}^{0} f(x)dx, \quad \int_{-2}^{2} xf(x)dx=0$$

$$\therefore \int_{-2}^{2} (3x-2)f(x)dx=3\int_{-2}^{2} xf(x)dx-2\int_{-2}^{2} f(x)dx$$

$$=-4\int_{-2}^{0} f(x)dx$$

$$=(-4)\times 4=-16$$

답 -16

기함수와 우함수의 곱

(기함수)×(기함수)=(우함수)

(우함수)×(기함수)=(기함수)

(우함수)×(우함수)=(우함수)

029

조건 (나)에 의하여 함수 $f(x)$는 기함수이므로, $xf(x)$는 우함수, $x^2f(x)$는 기함수이다.

즉, $\int_{-1}^{1} xf(x)dx = 2\int_{0}^{1} xf(x)dx$,

$\int_{-1}^{1} x^2f(x)dx = \int_{-1}^{1} f(x)dx = 0$이므로

$\int_{-1}^{1} (x+3)(x-2)f(x)dx$

$= \int_{-1}^{1} (x^2+x-6)f(x)dx$

$= \int_{-1}^{1} x^2f(x)dx + \int_{-1}^{1} xf(x)dx - 6\int_{-1}^{1} f(x)dx$

$= 2\int_{0}^{1} xf(x)dx$

$= 2 \times 5 = 10$

답 ⑤

030

$f(x) = x^4 + 2x^2 - 3x - 4$의 부정적분 중 하나를 $F(x)$라고 하면

$\lim_{x \to 1} \frac{1}{x^2-1} \int_{1}^{x} f(t)dt = \lim_{x \to 1} \frac{F(x)-F(1)}{x^2-1}$

$= \lim_{x \to 1} \left\{ \frac{F(x)-F(1)}{x-1} \times \frac{1}{x+1} \right\}$

$= \frac{1}{2}F'(1) = \frac{1}{2}f(1)$

$= \frac{1}{2}(1+2-3-4) = -2$

답 -2

031

$\int_{0}^{1} f(t)dt = k$ (k는 상수)로 놓으면

$f(x) = 3x^2 - 4x + 2k$

이므로

$\int_{0}^{1} f(t)dt = \int_{0}^{1} (3t^2 - 4t + 2k)dt$

$= \left[t^3 - 2t^2 + 2kt \right]_{0}^{1} = 2k - 1 = k$

$\therefore k = 1$

따라서 $f(x) = 3x^2 - 4x + 2$, $f'(x) = 6x - 4$이므로

$f(-1) + f'(-1) = 9 - 10 = -1$

답 ②

032

$f(x) = \int_{0}^{x} (t-1)(t-2)dt$의 양변을 x에 대하여 미분하면

$f'(x) = (x-1)(x-2)$

$f'(x) = 0$에서 $x = 1$ 또는 $x = 2$

함수 $f(x)$의 증가와 감소를 표로 나타내면 다음과 같다.

x	$\cdots$	1	$\cdots$	2	$\cdots$
$f'(x)$	+	0	−	0	+
$f(x)$	↗	극대	↘	극소	↗

따라서 함수 $f(x)$는 $x=1$에서 극댓값을 갖고, $x=2$에서 극솟값을 갖는다.

$f(x) = \int_{0}^{x} (t-1)(t-2)dt$에서

$f(x) = \int_{0}^{x} (t^2 - 3t + 2)dt$

$= \left[\frac{1}{3}t^3 - \frac{3}{2}t^2 + 2t \right]_{0}^{x}$

$= \frac{1}{3}x^3 - \frac{3}{2}x^2 + 2x$

$\therefore f(1) = \frac{5}{6}$, $f(2) = \frac{2}{3}$

따라서 극댓값과 극솟값의 합은

$f(1) + f(2) = \frac{5}{6} + \frac{2}{3} = \frac{3}{2}$

답 ②

033

$\int_{a}^{x} (x-t)f(t)dt = x^3 - 2x^2 - 3x + 6$에서

$x\int_{a}^{x} f(t)dt - \int_{a}^{x} tf(t)dt = x^3 - 2x^2 - 3x + 6$

위의 식의 양변을 x에 대하여 미분하면

$\int_{a}^{x} f(t)dt + xf(x) - xf(x) = 3x^2 - 4x - 3$

$\therefore \int_{a}^{x} f(t)dt = 3x^2 - 4x - 3$

위의 식의 양변을 x에 대하여 미분하면

$f(x) = 6x - 4$

$\therefore f(3) = 6 \times 3 - 4 = 14$

답 14

$\int_{a}^{x} (x-t)f(t)dt = g(x)$ 꼴로 주어진 함수는 좌변을

$\int_{a}^{x} (x-t)f(t)dt = x\int_{a}^{x} f(t)dt - \int_{a}^{x} tf(t)dt$

└ 적분변수 이외의 문자는 상수로 생각하고 정리한다.

로 변형한 후 양변을 x에 대하여 미분한다.

034

▶ 접근

주어진 등식의 양변을 x에 대하여 미분하여 $f'(x)$를 구한 후, 부정적분을 취하여 $f(x)$를 구한다.

$x^2f(x) = \frac{3}{4}x^4 + 2\int_{1}^{x} tf(t)dt - 1$ ...... ㉠

㉠의 양변을 x에 대하여 미분하면

$2xf(x) + x^2f'(x) = 3x^3 + 2xf(x)$

$x^2f'(x) = 3x^3$ $\therefore f'(x) = 3x$

$$\therefore f(x) = \int f'(x)dx = \int 3xdx$$
$$= \frac{3}{2}x^2 + C \ (\text{단}, C\text{는 적분상수이다.}) \quad \cdots\cdots \ ⓛ$$

한편 ㉠의 양변에 $x=1$을 대입하면
$$f(1) = \frac{3}{4} - 1 = -\frac{1}{4} \quad \underbrace{}_{\int_1^1 f(t)dt=0}$$

ⓛ의 양변에 $x=1$을 대입하면
$$f(1) = \frac{3}{2} + C = -\frac{1}{4} \quad \therefore C = -\frac{7}{4}$$
$$\therefore f(x) = \frac{3}{2}x^2 - \frac{7}{4}$$

방정식 $f(x)=2$에서
$$\frac{3}{2}x^2 - \frac{7}{4} = 2 \quad \therefore \underbrace{6x^2 - 15 = 0}_{\substack{\text{판별식을 } D\text{라고 하면} \\ D = -4 \times 6 \times (-15) = 360 > 0 \\ \text{이므로 서로 다른 두 실근을 갖는다.}}}$$

따라서 이차방정식의 근과 계수의 관계에 의하여 모든 근의 곱은
$$-\frac{15}{6} = -\frac{5}{2}$$

답 ①

다른 풀이

방정식 $f(x)=2$에서
$$\frac{3}{2}x^2 - \frac{7}{4} = 2, \ \frac{3}{2}x^2 = \frac{15}{4}, \ x^2 = \frac{5}{2} \quad \therefore x = \pm\frac{\sqrt{10}}{2}$$

따라서 모든 근의 곱은
$$\frac{\sqrt{10}}{2} \times \left(-\frac{\sqrt{10}}{2}\right) = -\frac{5}{2}$$

035

$$\int_1^x f(t)dt = \{f(x)\}^2 \quad \cdots\cdots \ ㉠$$

㉠의 양변을 x에 대하여 미분하면
$$f(x) = 2f(x)f'(x)$$
$$f(x) - 2f(x)f'(x) = 0$$
$$f(x)\{1 - 2f'(x)\} = 0$$

이때 $f(x)$는 상수함수가 아니므로 위의 등식이 모든 실수 x에 대하여 성립하려면
$$1 - 2f'(x) = 0 \quad \therefore f'(x) = \frac{1}{2}$$
$$\therefore f(x) = \int f'(x)dx$$
$$= \int \frac{1}{2}dx$$
$$= \frac{1}{2}x + C \ (\text{단}, C\text{는 적분상수이다.})$$

㉠의 양변에 $x=1$을 대입하면
$$\{f(1)\}^2 = 0 \quad \therefore f(1) = 0 \quad \underbrace{}_{\int_1^1 f(t)dt=0}$$

즉, $\frac{1}{2} + C = 0$이므로 $C = -\frac{1}{2}$

따라서 $f(x) = \frac{1}{2}x - \frac{1}{2}$이므로
$$f(3) = \frac{1}{2} \times 3 - \frac{1}{2} = 1$$

답 ①

036

$f(t)\{f'(t)\}^3$의 부정적분 중 하나를 $F(t)$라고 하면
$$F'(t) = f(t)\{f'(t)\}^3 \text{이고 } f(4) = 5, \ f'(4) = 1\text{이므로}$$

$$\lim_{x \to 2} \frac{1}{x-2} \int_4^{x^2} f(t)\{f'(t)\}^3 dt$$
$$= \lim_{x \to 2} \frac{F(x^2) - F(4)}{x-2}$$
$$= \lim_{x \to 2} \left\{ \frac{F(x^2) - F(4)}{x^2 - 4} \times (x+2) \right\}$$
$$= 4F'(4) = 4f(4)\{f'(4)\}^3$$
$$= 4 \times 5 \times 1^3 = 20$$

답 20

037

$\int_1^x \left\{ \frac{d}{dt}f(t) \right\}dt = x^3 + ax^2 - 2$가 모든 실수 x에 대하여 성립하므로 양변에 $x=1$을 대입하면
$$1^3 + a \times 1^2 - 2 = 0 \quad \underbrace{}_{\int_1^1 \left\{\frac{d}{dt}f(t)\right\}dt=0}$$
$$a - 1 = 0 \quad \therefore a = 1$$

또, $\int_1^x \left\{ \frac{d}{dt}f(t) \right\}dt = f(x) - f(1)$이므로

$\int_1^x \left\{ \frac{d}{dt}f(t) \right\}dt = x^3 + x^2 - 2$에서
$$f(x) - f(1) = x^3 + x^2 - 2$$
$$\therefore f(x) = x^3 + x^2 - 2 + f(1)$$

따라서 $f'(x) = 3x^2 + 2x$이므로
$$f'(a) = f'(1) = 3 + 2 = 5$$

답 ⑤

038

$$f(x) = \int \left\{ \frac{d}{dx}(x^2 - 6x) \right\}dx$$
$$= x^2 - 6x + C \ (\text{단}, C\text{는 적분상수이다.})$$

위의 식의 양변을 x에 대하여 미분하면
$$f'(x) = 2x - 6$$
$$f'(x) = 0\text{에서} \quad x = 3$$

함수 $f(x)$의 증가와 감소를 표로 나타내면 다음과 같다.

x	$\cdots$	3	$\cdots$
$f'(x)$	$-$	0	$+$
$f(x)$	$\searrow$	극소	$\nearrow$

즉, $f(x)$는 $x=3$에서 극소이면서 최소이고 최솟값이 8이므로
$$f(3) = -9 + C = 8 \quad \therefore C = 17$$

따라서 $f(x) = x^2 - 6x + 17$이므로
$$f(1) = 1 - 6 + 17 = 12$$

답 12

다른 풀이

$f(x) = x^2 - 6x + C = (x-3)^2 + C - 9$이므로 $f(x)$는 $x=3$에서 최솟값 $C-9$를 갖는다.

즉, $C - 9 = 8$이므로 $C = 17$

039

$$F(x) = \int \left[\frac{d}{dx} \int \left\{ \frac{d}{dx}f(x) \right\}dx \right]dx$$
$$= \int \left[\frac{d}{dx}\{f(x) + C_1\} \right]dx$$

$$=f(x)+C_2$$
$$=x^9+2x^8+3x^7+\cdots+9x+10+C_2$$
(단, C_1, C_2는 적분상수이다.)

$F(0)=-10$이므로

$10+C_2=-10$ $\quad$ $\therefore C_2=-20$

따라서 $F(x)=x^9+2x^8+3x^7+\cdots+9x-10$이므로 함수 $F(x)$의 모든 계수와 상수항의 합은

$$1+2+3+\cdots+9-10=35$$

답 ②

$\sum\limits_{k=1}^{n}k=\dfrac{n(n+1)}{2}$이므로

$$1+2+3+\cdots+9=\dfrac{9\times10}{2}=45$$

040

$3\displaystyle\int f(x)dx=(x-2)f(x)$의 양변을 x에 대하여 미분하면

$3f(x)=f(x)+(x-2)f'(x)$

$\therefore 2f(x)=(x-2)f'(x)$ $\quad$ $\cdots\cdots$ ㉠

$f(x)$의 최고차항을 ax^n ($a\neq0$인 상수, n은 자연수)이라고 하면

$2f(x)$의 최고차항은 $2ax^n$, $(x-2)f'(x)$의 최고차항은 anx^n이므로

$2a=an$, $a(n-2)=0$ $\quad$ $\therefore n=2$ $(\because a\neq0)$

즉, $f(x)$가 이차함수이고 $f(0)=2$이므로

$f(x)=ax^2+bx+2$ (a, b는 상수, $a\neq0$)

로 놓을 수 있다.

$f(x)=ax^2+bx+2$, $f'(x)=2ax+b$를 ㉠에 대입하면

$2(ax^2+bx+2)=(x-2)(2ax+b)$

$\therefore 2ax^2+2bx+4=2ax^2+(b-4a)x-2b$

위의 식은 x에 대한 항등식이므로

$2b=b-4a$, $4=-2b$ $\quad$ $\therefore a=\dfrac{1}{2}$, $b=-2$

따라서 $f(x)=\dfrac{1}{2}x^2-2x+2$이므로

$$f(8)=32-16+2=18$$

답 18

041

$\displaystyle\lim_{h\to0}\dfrac{f(-2+h)-f(-2-h)}{h}$

$=\displaystyle\lim_{h\to0}\dfrac{\{f(-2+h)-f(-2)\}-\{f(-2-h)-f(-2)\}}{h}$

$=\displaystyle\lim_{h\to0}\dfrac{f(-2+h)-f(-2)}{h}+\lim_{h\to0}\dfrac{f(-2-h)-f(-2)}{-h}$

$=f'(-2)+f'(-2)$

$=2f'(-2)$

$f(x)=\displaystyle\int(x^5+3x^2+9)dx$의 양변을 x에 대하여 미분하면

$f'(x)=x^5+3x^2+9$

$\therefore f'(-2)=-32+12+9=-11$

따라서 구하는 값은

$$2f'(-2)=2\times(-11)=-22$$

답 ①

042

$f(x)$가 이차함수이므로

$f(x)=ax^2+bx+c$ ($a\neq0$, a, b, c는 상수)

로 놓을 수 있다.

조건 ㈎에서 $f(0)=-8$이므로

$c=-8$

조건 ㈏에서 모든 실수 x에 대하여 $f(-x)=f(x)$이므로 $f(x)$는 우함수이다.

$\therefore b=0$

따라서 $f(x)=ax^2-8$이므로

$f'(x)=2ax$

조건 ㈐에서 $f(f'(x))=f'(f(x))$이므로

$a(2ax)^2-8=2a(ax^2-8)$

$\therefore 4a^3x^2-8=2a^2x^2-16a$

위의 식은 x에 대한 항등식이므로

$4a^3=2a^2$, $-8=-16a$ $\quad$ $\therefore a=\dfrac{1}{2}$

$\therefore f(x)=\dfrac{1}{2}x^2-8$

$F(x)=\displaystyle\int f(x)dx$에서 $\quad$ $F'(x)=f(x)$

함수 $F(x)$는 $F'(x)\leq0$, 즉 $f(x)\leq0$인 구간에서 감소하므로

$\dfrac{1}{2}x^2-8\leq0$에서 $\quad$ $x^2-16\leq0$, $(x+4)(x-4)\leq0$

$\therefore -4\leq x\leq4$

따라서 $p=-4$, $q=4$이므로

$$q-p=4-(-4)=8$$

답 ⑤

참고

함수 $f(x)$가 어떤 열린구간에서 미분가능하고, 이 구간에서

(1) 함수 $f(x)$가 증가하면 이 구간의 모든 x에 대하여 $f'(x)\geq0$이다.

(2) 함수 $f(x)$가 감소하면 이 구간의 모든 x에 대하여 $f'(x)\leq0$이다.

043

접근

주어진 등식의 양변을 x에 대하여 미분하여 $f(x)$를 찾는다.

$2F(x)=(x-1)\{f(x)-4\}$의 양변을 x에 대하여 미분하면

$2f(x)=f(x)-4+(x-1)f'(x)$

$\therefore f(x)=(x-1)f'(x)-4$ $\quad$ $\cdots\cdots$ ㉠

이때 다항식 $f(x)$의 최고차항을 x^n (n은 음이 아닌 정수)이라고 하면

(i) $n=0$일 때

$f(x)=1$, $f'(x)=0$이므로 ㉠을 만족시키지 않는다.

(ii) $n=1$일 때

$f(x)=x+a$ (a는 실수)라고 하면 $\quad$ $f'(x)=1$

㉠에서

$x+a=x-1-4=x-5$

$\therefore a=-5$ $\quad$ $\therefore f(x)=x-5$

(iii) $n \geq 2$일 때

$f(x) = x^n + a_1 x^{n-1} + a_2 x^{n-2} + \cdots + a_n$ ($a_1, a_2, \cdots, a_n$은 실수)

이라고 하면

$f'(x) = n x^{n-1} + a_1(n-1)x^{n-2} + a_2(n-2)x^{n-3} + \cdots + a_{n-1}$

㉠에서

$x^n + a_1 x^{n-1} + a_2 x^{n-2} + \cdots + a_n$

$= (x-1)\{n x^{n-1} + a_1(n-1)x^{n-2} + a_2(n-2)x^{n-3}$
$\qquad\qquad\qquad\qquad + \cdots + a_{n-1}\} - 4$

$= n x^n + \{a_1(n-1) - n\}x^{n-1} + \{a_2(n-2) - a_1(n-1)\}x^{n-2}$
$\qquad\qquad\qquad\qquad + \cdots - a_{n-1} - 4$

그런데 $n \geq 2$를 만족시키는 n의 값은 존재하지 않는다.

(i), (ii), (iii)에서 $f(x) = x - 5$이므로

$2F(x) = (x-1)\{(x-5) - 4\} = (x-1)(x-9)$

$\qquad\qquad = x^2 - 10x + 9$

$\therefore F(x) = \dfrac{1}{2}x^2 - 5x + \dfrac{9}{2}$

따라서 함수 $F(x)$의 상수항은 $\dfrac{9}{2}$이다.

답 ③

044

$f(x) = \displaystyle\int f'(x)\,dx = \int (3x^2 + 2ax - 1)\,dx$

$\qquad\quad = x^3 + ax^2 - x + C$ (단, C는 적분상수이다.)

이때 $f(x)$가 $x-1$, $x+2$를 인수로 가지므로

$f(1) = 0$, $f(-2) = 0$

$f(1) = 0$에서 $\quad 1 + a - 1 + C = 0$

$\therefore a + C = 0$ $\qquad\qquad\qquad$ ……㉠

$f(-2) = 0$에서 $\quad -8 + 4a + 2 + C = 0$

$\therefore 4a + C = 6$ $\qquad\qquad\qquad$ ……㉡

㉠, ㉡을 연립하여 풀면 $a = 2$, $C = -2$

따라서 $f(x) = x^3 + 2x^2 - x - 2$이므로 함수 $y = f(x)$의 그래프가 y축과 만나는 점의 y좌표는 -2이다.

답 ③

045

함수 $y = f'(x)$의 그래프가 x축과 만나는 점의 x좌표가 -1, 1이므로

$f'(x) = a(x+1)(x-1)$ $(a < 0)$

로 놓을 수 있다.

이때 함수 $y = f'(x)$의 그래프가 점 $(0, 2)$를 지나므로

$f'(0) = 2$에서 $\quad -a = 2$ $\quad \therefore a = -2$

$\therefore f'(x) = -2(x+1)(x-1) = -2x^2 + 2$

$\therefore f(x) = \displaystyle\int (-2x^2 + 2)\,dx$

$\qquad\quad = -\dfrac{2}{3}x^3 + 2x + C$ (단, C는 적분상수이다.)

이때 $f(0) = 0$이므로 $\quad C = 0$

$\therefore f(x) = -\dfrac{2}{3}x^3 + 2x$

방정식 $f(x) = kx$, 즉 $-\dfrac{2}{3}x^3 + 2x = kx$에서

$2x^3 + 3(k-2)x = 0$

$\therefore x\{2x^2 + 3(k-2)\} = 0$

이 삼차방정식이 서로 다른 세 실근을 가지려면 이차방정식

$2x^2 + 3(k-2) = 0$, 즉 $x^2 = \dfrac{3(2-k)}{2}$가 0이 아닌 서로 다른 두 실

근을 가져야 한다.

따라서 $2 - k > 0$이어야 하므로 $\quad k < 2$

답 ③

간단 풀이

도함수 $y = f'(x)$의 그래프가 y축에 대하여 대칭이면서 위로 볼록하고 $f(0) = 0$이므로 함수 $y = f(x)$의 그래프는 원점을 지나면서 원점에 대하여 대칭이다. ┗ $f'(x)$가 우함수이므로 $f(x)$는 기함수이다.

이때 원점에서의 곡선 $y = f(x)$의 접선의 기울기는 주어진 그래프로부터 $f'(0) = 2$

따라서 x에 대한 방정식 $f(x) = kx$가 서로 다른 세 실근을 가지려면, 즉 곡선 $y = f(x)$와 원점을 지나는 직선 $y = kx$가 서로 다른 세 점에서 만나려면 오른쪽 그림과 같이 $k < 2$이어야 한다. ┗ $y = kx$의 기울기 k가 $y = 2x$의 기울기 2보다 작아야 한다.

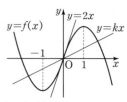

참고

(1) 함수 $f(x)$가 기함수, 즉 $f(-x) = -f(x)$이면
$\Rightarrow$ 함수 $f(x)$의 도함수 $f'(x)$는 우함수이다.

(2) 함수 $f(x)$가 우함수, 즉 $f(-x) = f(x)$이면
$\Rightarrow$ 함수 $f(x)$의 도함수 $f'(x)$는 기함수이다.

046

$\displaystyle\lim_{x \to 1}\dfrac{f(x)}{x-1} = 2a - 1$에서 $x \to 1$일 때 극한값이 존재하고

(분모) $\to 0$이므로 (분자) $\to 0$이어야 한다.

즉, $\displaystyle\lim_{x \to 1} f(x) = 0$이므로 $\quad f(1) = 0$

이때

$\displaystyle\lim_{x \to 1}\dfrac{f(x)}{x-1} = \lim_{x \to 1}\dfrac{f(x) - f(1)}{x-1} = f'(1) = 2 + a$

이므로 $a + 2 = 2a - 1$ $\quad \therefore a = 3$

$\therefore f(x) = \displaystyle\int f'(x)\,dx = \int (2x+3)\,dx$

$\qquad\quad = x^2 + 3x + C$ (단, C는 적분상수이다.)

$f(1) = 0$이므로 $\quad 1 + 3 + C = 0$ $\quad \therefore C = -4$

따라서 $f(x) = x^2 + 3x - 4$이므로

$a + f(-5) = 3 + 6 = 9$

답 ⑤

참고

미정계수의 결정

두 함수 $f(x)$, $g(x)$에 대하여

(1) $\displaystyle\lim_{x \to a}\dfrac{f(x)}{g(x)} = A$ (A는 상수)일 때,

$\displaystyle\lim_{x \to a} g(x) = 0$이면 $\displaystyle\lim_{x \to a} f(x) = 0$

(2) $\displaystyle\lim_{x \to a}\dfrac{f(x)}{g(x)} = A$ (A는 0이 아닌 상수)일 때,

$\displaystyle\lim_{x \to a} f(x) = 0$이면 $\displaystyle\lim_{x \to a} g(x) = 0$

047

→ 접근

$f(x)=ax^2+bx+c\ (a\neq0)$로 놓고 주어진 등식에 대입하여 $g(x)$의 식을 구한다.

함수 $f(x)$가 이차함수이므로
$f(x)=ax^2+bx+c\ (a\neq0,\ a,\ b,\ c$는 상수$)$
로 놓으면
$$f(x)g(x)=(ax^2+bx+c)g(x)$$
$$=-2x^4+6x^3+12x^2+4x \qquad \cdots\cdots ㉠$$
이므로 $g(x)$는 이차함수이다.
이때
$$g(x)=\int\{x^2+f(x)\}dx$$
$$=\int(x^2+ax^2+bx+c)dx$$
$$=\int\{(1+a)x^2+bx+c\}dx$$
$$=\frac{1}{3}(1+a)x^3+\frac{b}{2}x^2+cx+C\ (C$는 적분상수$)$$
이므로
$a=-1$
$$\therefore g(x)=\frac{b}{2}x^2+cx+C$$
이 식을 ㉠에 대입하면
$$\left(-x^2+bx+c\right)\left(\frac{b}{2}x^2+cx+C\right)$$
$$=-\frac{b}{2}x^4+\left(\frac{b^2}{2}-c\right)x^3+\left(\frac{3}{2}bc-C\right)x^2+(bC+c^2)x+cC$$
$$=-2x^4+6x^3+12x^2+4x$$
이 식은 x에 대한 항등식이므로
$$-\frac{b}{2}=-2,\ \frac{b^2}{2}-c=6,\ \frac{3}{2}bc-C=12,\ bC+c^2=4,\ cC=0$$
$$\therefore b=4,\ c=2,\ C=0$$
$$\therefore g(x)=2x^2+2x$$

답 ⑤

다른 풀이

정적분으로 정의된 함수의 미분을 이용하여 다음과 같이 풀 수도 있다.
$f(x)$는 이차함수이고 $f(x)g(x)$는 사차함수이므로 $g(x)$는 이차함수이다.
$$f(x)g(x)=-2x^4+6x^3+12x^2+4x$$
$$=-2x(x+1)(x^2-4x-2)$$
$$=-2(x^2+x)(x^2-4x-2)$$
한편 $g(x)=\int\{x^2+f(x)\}dx$의 양변을 x에 대하여 미분하면
$g'(x)=x^2+f(x)$
$$\therefore f(x)-g'(x)=-x^2 \qquad \cdots\cdots ㉠$$
이때 $f(x)$는 이차함수, $g'(x)$는 일차함수이므로 $f(x)$의 최고차항의 계수는 -1이다.
(i) $f(x)=-(x^2+x)$, $g(x)=2(x^2-4x-2)$일 때
$$f(x)-g'(x)=(-x^2-x)-(4x-8)$$
$$=-x^2-5x+8$$
이때 위의 식은 ㉠을 만족시키지 않는다.

(ii) $f(x)=-(x^2-4x-2)$, $g(x)=2(x^2+x)$일 때
$$f(x)-g'(x)=-(x^2-4x-2)-(4x+2)$$
$$=-x^2$$
이때 위의 식은 ㉠을 만족시킨다.
$$\therefore g(x)=2x^2+2x$$

048

$f'(x)=x^2-4x=x(x-4)$
$f'(x)=0$에서 $x=0$ 또는 $x=4$
함수 $f(x)$의 증가와 감소를 표로 나타내면 다음과 같다.

x	$\cdots$	0	$\cdots$	4	$\cdots$
$f'(x)$	$+$	0	$-$	0	$+$
$f(x)$	↗	극대	↘	극소	↗

따라서 함수 $f(x)$는 $x=0$에서 극대이고 $x=4$에서 극소이다.
$$f(x)=\int f'(x)dx$$
$$=\int(x^2-4x)dx$$
$$=\frac{1}{3}x^3-2x^2+C\ (C$는 적분상수$)$$
이므로
$$f(0)=C,\ f(4)=\frac{1}{3}\times4^3-2\times4^2+C=C-\frac{32}{3}$$
이때 함수 $f(x)$의 극댓값은 극솟값의 2배이므로
$f(0)=2f(4)$
$$C=2C-\frac{64}{3} \qquad \therefore C=\frac{64}{3}$$
따라서 함수 $f(x)$의 극댓값과 극솟값의 합은
$$f(0)+f(4)=2C-\frac{32}{3}=2\times\frac{64}{3}-\frac{32}{3}=32$$

답 ④

049

$f(k+h)=f(k)+ak^2h+6kh^2+2h^3$에서
$f(k+h)-f(k)=ak^2h+6kh^2+2h^3$
$$\therefore f(x+h)-f(x)=ax^2h+6xh^2+2h^3$$
도함수의 정의에 의하여
$$f'(x)=\lim_{h\to0}\frac{f(x+h)-f(x)}{h}$$
$$=\lim_{h\to0}\frac{ax^2h+6xh^2+2h^3}{h}$$
$$=\lim_{h\to0}(ax^2+6xh+2h^2)=ax^2$$
$$\therefore f(x)=\int f'(x)dx=\int ax^2dx$$
$$=\frac{a}{3}x^3+C\ (단, C$는 적분상수이다.$)$$
이때 $f(-1)=-9$, $f(1)=-5$이므로
$$-\frac{a}{3}+C=-9,\ \frac{a}{3}+C=-5$$
위의 두 식을 연립하여 풀면 $a=6$, $C=-7$
따라서 $f(x)=2x^3-7$이므로
$f(2)=16-7=9$

답 9

$$f(k+h)=f(k)+ak^2h+6kh^2+2h^3 \qquad \cdots\cdots \ \text{㉠}$$

㉠의 양변에 $k=-1$, $h=1$을 대입하면

$$f(0)=f(-1)+a-6+2=a-13 \ (\because f(-1)=-9) \quad \cdots\cdots \ \text{㉡}$$

㉠의 양변에 $k=1$, $h=-1$을 대입하면

$$f(0)=f(1)-a+6-2=-a-1 \ (\because f(1)=-5) \quad \cdots\cdots \ \text{㉢}$$

㉡, ㉢이 서로 같아야 하므로

$$a-13=-a-1, \ 2a=12 \qquad \therefore a=6$$

$$\therefore f(k+h)=f(k)+6k^2h+6kh^2+2h^3 \qquad \cdots\cdots \ \text{㉣}$$

㉣의 양변에 $k=1$, $h=1$을 대입하면

$$f(2)=f(1)+6+6+2=9 \ (\because f(1)=-5)$$

050

삼차방정식 $f(x)=0$의 근이 $x=0$ 또는 $x=\alpha$ (중근)이고, $f(x)$는 최고차항의 계수가 1인 삼차함수이므로

$$f(x)=x(x-\alpha)^2$$

조건 ㈎에서 $g'(x)=f(x)+xf'(x)=\{xf(x)\}'$이므로

$$g(x)=\int g'(x)dx=\int \{xf(x)\}'dx$$
$$=xf(x)+C=x^2(x-\alpha)^2+C \ (\text{단, } C\text{는 적분상수이다.})$$
$$\therefore g'(x)=2x(x-\alpha)^2+2x^2(x-\alpha)$$
$$=2x(x-\alpha)\{(x-\alpha)+x\}$$
$$=2x(x-\alpha)(2x-\alpha)$$
$$=4x\left(x-\frac{\alpha}{2}\right)(x-\alpha)$$

$g'(x)=0$에서 $x=0$ 또는 $x=\dfrac{\alpha}{2}$ 또는 $x=\alpha$

함수 $g(x)$의 증가와 감소를 표로 나타내면 다음과 같다.

x	$\cdots$	0	$\cdots$	$\frac{\alpha}{2}$	$\cdots$	α	$\cdots$
$g'(x)$	$-$	0	$+$	0	$-$	0	$+$
$g(x)$	$\searrow$	극소	$\nearrow$	극대	$\searrow$	극소	$\nearrow$

따라서 함수 $g(x)$는 $x=0$, $x=\alpha$에서 극솟값 $g(0)=g(\alpha)=C$를 갖고, $x=\dfrac{\alpha}{2}$에서 극댓값 $g\left(\dfrac{\alpha}{2}\right)=\dfrac{\alpha^4}{16}+C$를 갖는다.

이때 조건 ㈏에 의하여

$$\frac{\alpha^4}{16}+C=81, \ C=0$$

$C=0$을 $\dfrac{\alpha^4}{16}+C=81$에 대입하면

$$\frac{\alpha^4}{16}=81, \ \alpha^4=2^4\times3^4=6^4$$

$$\therefore \alpha=6 \ (\because \alpha>0)$$

따라서 $g(x)=x^2(x-6)^2$이므로

$$g\left(\frac{\alpha}{3}\right)=g(2)=2^2\times(2-6)^2$$
$$=4\times16=64$$

답 ⑤

051

$f'(x)=4x+|x^2-1|$에서

$$f'(x)=\begin{cases} x^2+4x-1 & (x<-1 \text{ 또는 } x>1) \\ -x^2+4x+1 & (-1<x<1) \end{cases}$$

$$\therefore f(x)=\begin{cases} \dfrac{1}{3}x^3+2x^2-x+C_1 & (x<-1) \\ -\dfrac{1}{3}x^3+2x^2+x+C_2 & (-1\le x\le 1) \\ \dfrac{1}{3}x^3+2x^2-x+C_3 & (x>1) \end{cases}$$

(단, C_1, C_2, C_3은 적분상수이다.)

$f(0)=1$에서 $C_2=1$

또, 함수 $f(x)$는 실수 전체의 집합에서 연속이므로 $x=-1$, $x=1$에서도 연속이다.

$\lim\limits_{x\to-1+}f(x)=\lim\limits_{x\to-1-}f(x)=f(-1)$이므로

$$\frac{1}{3}+2-1+1=-\frac{1}{3}+2+1+C_1$$

$$\therefore C_1=-\frac{1}{3}$$

$\lim\limits_{x\to1+}f(x)=\lim\limits_{x\to1-}f(x)=f(1)$이므로

$$\frac{1}{3}+2-1+C_3=-\frac{1}{3}+2+1+1$$

$$\therefore C_3=\frac{7}{3}$$

따라서 $f(x)=\begin{cases} \dfrac{1}{3}x^3+2x^2-x-\dfrac{1}{3} & (x<-1) \\ -\dfrac{1}{3}x^3+2x^2+x+1 & (-1\le x\le1) \\ \dfrac{1}{3}x^3+2x^2-x+\dfrac{7}{3} & (x>1) \end{cases}$ 이므로

$$f(-2)+f(2)=\left(-\frac{8}{3}+8+2-\frac{1}{3}\right)+\left(\frac{8}{3}+8-2+\frac{7}{3}\right)$$
$$=18$$

답 18

052

$$f(x)=\int f'(x)dx=\int(x^2-2)dx=\frac{1}{3}x^3-2x+C_1$$

$$g(x)=\int g'(x)dx=\int xdx=\frac{1}{2}x^2+C_2$$

(단, C_1, C_2는 적분상수이다.)

방정식 $f(x)=g(x)$에서

$$\frac{1}{3}x^3-2x+C_1=\frac{1}{2}x^2+C_2$$

$$\therefore \frac{1}{3}x^3-\frac{1}{2}x^2-2x+C_1-C_2=0$$

$h(x)=\dfrac{1}{3}x^3-\dfrac{1}{2}x^2-2x+C_1-C_2$라고 하면

$$h'(x)=x^2-x-2=(x+1)(x-2)$$

$h'(x)=0$에서 $x=-1$ 또는 $x=2$

함수 $h(x)$의 증가와 감소를 표로 나타내면 다음과 같다.

x	$\cdots$	-1	$\cdots$	2	$\cdots$
$h'(x)$	$+$	0	$-$	0	$+$
$h(x)$	$\nearrow$	극대	$\searrow$	극소	$\nearrow$

따라서 $h(x)$는 $x=-1$에서 극대이고, $x=2$에서 극소이다.

이때 삼차방정식 $h(x)=0$이 서로 다른 두 실근 α, β를 가지려면 극댓값 또는 극솟값이 0이어야 한다.

(i) 극댓값이 0인 경우

$h(-1)=\dfrac{7}{6}+C_1-C_2=0$이므로 $C_1-C_2=-\dfrac{7}{6}$

$\therefore h(x)=\dfrac{1}{3}x^3-\dfrac{1}{2}x^2-2x-\dfrac{7}{6}$

이때 방정식 $h(x)=0$, 즉 $\dfrac{1}{3}x^3-\dfrac{1}{2}x^2-2x-\dfrac{7}{6}=0$에서

$2x^3-3x^2-12x-7=0$

$(x+1)^2(2x-7)=0$

따라서 $\alpha=-1$, $\beta=\dfrac{7}{2}$ 또는 $\alpha=\dfrac{7}{2}$, $\beta=-1$이므로

$\alpha+\beta=-1+\dfrac{7}{2}=\dfrac{5}{2}$

(ii) 극솟값이 0인 경우

$h(2)=-\dfrac{10}{3}+C_1-C_2=0$이므로 $C_1-C_2=\dfrac{10}{3}$

$\therefore h(x)=\dfrac{1}{3}x^3-\dfrac{1}{2}x^2-2x+\dfrac{10}{3}$

이때 방정식 $h(x)=0$, 즉 $\dfrac{1}{3}x^3-\dfrac{1}{2}x^2-2x+\dfrac{10}{3}=0$에서

$2x^3-3x^2-12x+20=0$

$(x-2)^2(2x+5)=0$

따라서 $\alpha=2$, $\beta=-\dfrac{5}{2}$ 또는 $\alpha=-\dfrac{5}{2}$, $\beta=2$이므로

$\alpha+\beta=2-\dfrac{5}{2}=-\dfrac{1}{2}$

이것은 $\alpha+\beta>0$이라는 조건을 만족시키지 않는다.

(i), (ii)에 의하여 $\alpha+\beta=\dfrac{5}{2}$

답 ④

참고

삼차방정식의 근의 판별

삼차함수 $f(x)$가 극값을 가질 때, 삼차방정식 $f(x)=0$의 근은 극값을 이용하여 다음과 같이 판별할 수 있다.

(1) (극댓값)×(극솟값)<0 ⟺ 서로 다른 세 실근

(2) (극댓값)×(극솟값)=0 ⟺ 서로 다른 두 실근 (중근과 다른 한 실근)

(3) (극댓값)×(극솟값)>0 ⟺ 한 실근과 두 허근

053

$g(x)=f(x-m)+n=(x-m)^2+n$

곡선 $y=g(x)$가 원점을 지나므로 $g(0)=0$에서

$m^2+n=0$ $\quad\therefore n=-m^2$ $\qquad\cdots\cdots$ ㉠

$\displaystyle\int_0^m f(x)dx-\int_m^{2m}g(x)dx=27$에서

$\displaystyle\int_m^{2m}g(x)dx=\int_m^{2m}\{f(x-m)+n\}dx$

$\displaystyle\qquad=\int_{m-m}^{2m-m}\{f(x+m-m)+n\}dx$

$\displaystyle\qquad=\int_0^m\{f(x)+n\}dx$

$\displaystyle\therefore \int_0^m f(x)dx-\int_m^{2m}g(x)dx$

$\displaystyle=\int_0^m f(x)dx-\int_0^m\{f(x)+n\}dx$

$\displaystyle=\int_0^m [f(x)-\{f(x)+n\}]dx$

$\displaystyle=\int_0^m(-n)dx=\Big[-nx\Big]_0^m$

$=-mn=27$ $\qquad\cdots\cdots$ ㉡

㉠을 ㉡에 대입하면

$m^3=27=3^3$ $\quad\therefore m=3$

답 ③

풍쌤 비법

연속함수 $f(x)$에 대하여 $\displaystyle\int_a^b f(x)dx=\int_{a-k}^{b-k}f(x+k)dx$

054

$f(x)=ax(x-4)\,(a>0)$

함수 $y=f(x)$의 그래프는 오른쪽 그림과 같이 직선 $x=2$에 대하여 대칭이므로

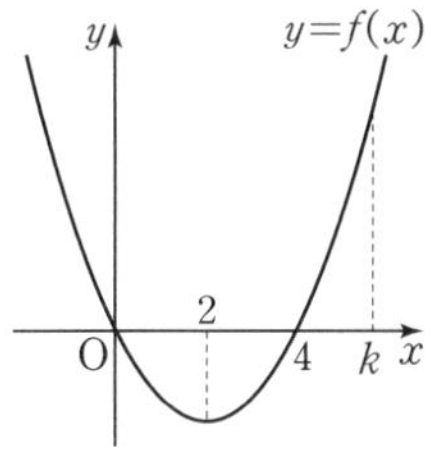

$\displaystyle\int_0^2 f(x)dx=\int_2^4 f(x)dx$ $\qquad\cdots\cdots$ ㉠

$\displaystyle\int_2^k f(x)dx=0$이므로 $k>4$이어야 하고,

$\displaystyle\int_2^4 f(x)dx+\int_4^k f(x)dx=0$

즉, $\displaystyle\int_2^4 f(x)dx=-\int_4^k f(x)dx$ $\qquad\cdots\cdots$ ㉡

㉠, ㉡에서 $\displaystyle\int_4^k f(x)dx=-\int_0^2 f(x)dx$

따라서

$\displaystyle A=\int_0^2 |f(x)|dx=-\int_0^2 f(x)dx=\int_4^k f(x)dx$

$\displaystyle B=\int_2^k |f(x)|dx=-\int_2^4 f(x)dx+\int_4^k f(x)dx$

$\displaystyle\quad=\int_4^k f(x)dx+\int_4^k f(x)dx=2\int_4^k f(x)dx$

이므로

$\dfrac{A}{B}=\dfrac{\displaystyle\int_4^k f(x)dx}{\displaystyle 2\int_4^k f(x)dx}=\dfrac{1}{2}$

답 ①

055

조건 ㈎의 식 $\displaystyle\int\{f'(x)\}^2 dx=3f(x)-8$의 양변을 x에 대하여 미분하면

$\{f'(x)\}^2=3f'(x)$, $f'(x)\{f'(x)-3\}=0$

$\therefore f'(x)=0$ 또는 $f'(x)=3$

$f(x)$는 상수함수가 아니므로 $f'(x)\neq0$

따라서 $f'(x)=3$이므로

$f(x)=\displaystyle\int 3dx=3x+C$ (단, C는 적분상수이다.)

이때 조건 ㈏에서 $\displaystyle\int_0^2 f(x)dx-2\int_1^3 f(x)dx=0$이므로

$\displaystyle\int_0^2(3x+C)dx-2\int_1^3(3x+C)dx=0$

$\Big[\dfrac{3}{2}x^2+Cx\Big]_0^2-2\Big[\dfrac{3}{2}x^2+Cx\Big]_1^3=0$

$$6+2C-2\left\{\left(\frac{27}{2}+3C\right)-\left(\frac{3}{2}+C\right)\right\}=0$$

$$-2C=18 \quad \therefore C=-9$$

따라서 $f(x)=3x-9$이므로

$$f(7)=3\times7-9=12$$

답 ③

056

(i) $0\leq\frac{x}{2}<2$, 즉 $0\leq x<4$일 때

$$f(x)=\int_0^{\frac{x}{2}}(x-2t)dt+\int_{\frac{x}{2}}^2(2t-x)dt$$

$$=\left[xt-t^2\right]_0^{\frac{x}{2}}+\left[t^2-xt\right]_{\frac{x}{2}}^2$$

$$=\left(\frac{1}{2}x^2-\frac{1}{4}x^2\right)+(4-2x)-\left(\frac{1}{4}x^2-\frac{1}{2}x^2\right)$$

$$=\frac{1}{2}x^2-2x+4$$

(ii) $\frac{x}{2}\geq2$, 즉 $x\geq4$일 때

$$f(x)=\int_0^2(x-2t)dt$$

$$=\left[xt-t^2\right]_0^2$$

$$=2x-4$$

(i), (ii)에 의하여

$$\int_2^5 f(x)dx=\int_2^4 f(x)dx+\int_4^5 f(x)dx$$

$$=\int_2^4\left(\frac{1}{2}x^2-2x+4\right)dx+\int_4^5(2x-4)dx$$

$$=\left[\frac{1}{6}x^3-x^2+4x\right]_2^4+\left[x^2-4x\right]_4^5$$

$$=\left(\frac{32}{3}-16+16\right)-\left(\frac{4}{3}-4+8\right)$$
$$+(25-20)-(16-16)$$

$$=\frac{31}{3}$$

따라서 $p=3$, $q=31$이므로

$$p+q=3+31=34$$

답 ③

057

$0<a<1$이므로

$$f(a)=\int_0^1(x+a)|x-a|dx$$

$$=\int_0^a(a^2-x^2)dx+\int_a^1(x^2-a^2)dx$$

$$=\left[a^2x-\frac{1}{3}x^3\right]_0^a+\left[\frac{1}{3}x^3-a^2x\right]_a^1$$

$$=\left(a^3-\frac{1}{3}a^3\right)+\left(\frac{1}{3}-a^2\right)-\left(\frac{1}{3}a^3-a^3\right)$$

$$=\frac{4}{3}a^3-a^2+\frac{1}{3}$$

$$\therefore f'(a)=4a^2-2a=2a(2a-1)$$

$f'(a)=0$에서 $a=\frac{1}{2}$ $(\because 0<a<1)$

$0<a<1$에서 함수 $f(a)$의 증가와 감소를 표로 나타내면 다음과 같다.

a	(0)	$\cdots$	$\frac{1}{2}$	$\cdots$	(1)
$f'(a)$		$-$	0	$+$	
$f(a)$		$\searrow$	극소	$\nearrow$	

따라서 함수 $f(a)$는 $a=\frac{1}{2}$일 때 극소이면서 최소이므로 최솟값은

$$f\left(\frac{1}{2}\right)=\frac{1}{6}-\frac{1}{4}+\frac{1}{3}=\frac{1}{4}$$

즉, $m=\frac{1}{4}$이므로 $20m=20\times\frac{1}{4}=5$

답 5

058

> ○ 접근
>
> 함수 $y=f(x)$의 그래프를 그려 $f'(x)<0$인 부분과 $f'(x)>0$인 부분으로 나누어 정적분의 값을 구한다.

조건을 만족시키는 삼차함수 $y=f(x)$의 그래프는 오른쪽 그림과 같다.

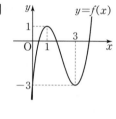

$0<x<1$에서 $f(x)$는 증가하므로
$f'(x)>0$

$1<x<3$에서 $f(x)$는 감소하므로
$f'(x)<0$

$$\therefore \int_0^3|f'(x)|dx=\int_0^1 f'(x)dx-\int_1^3 f'(x)dx$$

$$=\left[f(x)\right]_0^1-\left[f(x)\right]_1^3$$

$$=\{f(1)-f(0)\}-\{f(3)-f(1)\}$$

$$=2f(1)-f(0)-f(3)$$

$$=2+3+3=8$$

답 ①

다른 풀이

$f(x)$가 삼차함수이므로 $f'(x)$는 이차함수이고, 함수 $f(x)$가 $x=1$에서 극댓값, $x=3$에서 극솟값을 가지므로

$$f'(x)=a(x-1)(x-3)=ax^2-4ax+3a \ (a>0)$$

로 놓을 수 있다.

$$\therefore f(x)=\int f'(x)dx=\int(ax^2-4ax+3a)dx$$

$$=\frac{a}{3}x^3-2ax^2+3ax+C \ (단, C는 적분상수이다.)$$

이때 $f(0)=-3$이므로 $C=-3$

또, $f(1)=1$이므로

$$\frac{a}{3}-2a+3a-3=1 \quad \therefore a=3$$

따라서 $f(x)=x^3-6x^2+9x-3$이므로

$$f'(x)=3x^2-12x+9=3(x-1)(x-3) \begin{bmatrix} 0<x<1에서 \ f'(x)>0 \\ 1<x<3에서 \ f'(x)<0 \end{bmatrix}$$

$$\therefore \int_0^3|f'(x)|dx=\int_0^1(3x^2-12x+9)dx-\int_1^3(3x^2-12x+9)dx$$

$$=\left[x^3-6x^2+9x\right]_0^1-\left[x^3-6x^2+9x\right]_1^3$$

$$=4-(-4)=8$$

059

$f(x)=\begin{cases} 1 & (|x|>1) \\ |x| & (|x|\le 1) \end{cases}$ 의 양변에 x 대신 $2-x$를 대입하면

$f(2-x)=\begin{cases} 1 & (|2-x|>1) \\ |2-x| & (|2-x|\le 1) \end{cases}$

이때 $|2-x|=|x-2|$이므로

$|2-x|>1$에서 $|x-2|>1$ $\therefore x<1$ 또는 $x>3$

$|2-x|\le 1$에서 $|x-2|\le 1$ $\therefore 1\le x\le 3$

$\therefore \displaystyle\int_0^2 x^2 f(2-x)dx=\int_0^1 x^2 f(2-x)dx+\int_1^2 x^2 f(2-x)dx$

$\displaystyle =\int_0^1 x^2 dx+\int_1^2 x^2 |2-x|dx$

$\displaystyle =\int_0^1 x^2 dx+\int_1^2 x^2 (2-x)dx$

$\displaystyle =\left[\frac{1}{3}x^3\right]_0^1+\left[\frac{2}{3}x^3-\frac{1}{4}x^4\right]_1^2$

$\displaystyle =\frac{1}{3}+\left(\frac{4}{3}-\frac{5}{12}\right)=\frac{5}{4}$

답 ②

060

$\displaystyle\int_{-a}^a f(x)dx=\int_{-a}^0 (2x+4)dx+\int_0^a (-x^2+2x+4)dx$

$\displaystyle =\left[x^2+4x\right]_{-a}^0+\left[-\frac{1}{3}x^3+x^2+4x\right]_0^a$

$\displaystyle =-(a^2-4a)+\left(-\frac{1}{3}a^3+a^2+4a\right)$

$\displaystyle =-\frac{1}{3}a^3+8a$

$g(a)=-\dfrac{1}{3}a^3+8a$라고 하면

$g'(a)=-a^2+8=-(a+2\sqrt{2})(a-2\sqrt{2})$

$g'(a)=0$에서 $a=2\sqrt{2}$ $(\because a>0)$

$a>0$에서 함수 $g(a)$의 증가와 감소를 표로 나타내면 다음과 같다.

a	(0)	$\cdots$	$2\sqrt{2}$	$\cdots$
$g'(a)$		$+$	0	$-$
$g(a)$		↗	극대	↘

따라서 함수 $g(a)$는 $a=2\sqrt{2}$에서 극대이면서 최대이므로 구하는 최댓값은

$g(2\sqrt{2})=-\dfrac{16\sqrt{2}}{3}+16\sqrt{2}=\dfrac{32\sqrt{2}}{3}$

답 $\dfrac{32\sqrt{2}}{3}$

061

$\displaystyle\lim_{x\to 0}\frac{1}{x}\int_{f(0)}^{f(x)}(3t^2-2t)dt$

$\displaystyle =\lim_{x\to 0}\frac{1}{x}\left[t^3-t^2\right]_{f(0)}^{f(x)}$

$\displaystyle =\lim_{x\to 0}\frac{[\{f(x)\}^3-\{f(x)\}^2]-[\{f(0)\}^3-\{f(0)\}^2]}{x}$

$\displaystyle =\lim_{x\to 0}\frac{\{f(x)\}^3-\{f(0)\}^3}{x}-\lim_{x\to 0}\frac{\{f(x)\}^2-\{f(0)\}^2}{x}$

$\displaystyle =\lim_{x\to 0}\frac{\{f(x)-f(0)\}[\{f(x)\}^2+f(x)f(0)+\{f(0)\}^2]}{x}$

$\displaystyle \qquad -\lim_{x\to 0}\frac{\{f(x)+f(0)\}\{f(x)-f(0)\}}{x}$

$\displaystyle =3\{f(0)\}^2\times\lim_{x\to 0}\frac{f(x)-f(0)}{x}-2f(0)\times\lim_{x\to 0}\frac{f(x)-f(0)}{x}$

$=[3\{f(0)\}^2-2f(0)]f'(0)$

$=(3-2)\times(-3)=-3 \ (\because f(0)=1, \ f'(0)=-3)$

답 -3

062

이차함수 $y=x^2-2kx+k-1=(x-k)^2-k^2+k-1$의 그래프는 직선 $x=k$에 대하여 대칭이고 x축과 만나는 점의 x좌표가 α, $\beta \ (\alpha<\beta)$이므로 $\alpha<k<\beta$

$\displaystyle \therefore \int_\alpha^\beta |x-k|dx=\int_\alpha^k (-x+k)dx+\int_k^\beta (x-k)dx$

$\displaystyle =\left[-\frac{1}{2}x^2+kx\right]_\alpha^k+\left[\frac{1}{2}x^2-kx\right]_k^\beta$

$\displaystyle =\left\{\left(-\frac{1}{2}k^2+k^2\right)-\left(-\frac{1}{2}\alpha^2+k\alpha\right)\right\}$

$\displaystyle \qquad +\left\{\left(\frac{1}{2}\beta^2-k\beta\right)-\left(\frac{1}{2}k^2-k^2\right)\right\}$

$\displaystyle =\left(\frac{1}{2}k^2+\frac{1}{2}\alpha^2-k\alpha\right)+\left(\frac{1}{2}k^2+\frac{1}{2}\beta^2-k\beta\right)$

$\displaystyle =k^2-(\alpha+\beta)k+\frac{1}{2}(\alpha^2+\beta^2)$

이차방정식의 근과 계수의 관계에 의하여

$\alpha+\beta=2k, \ \alpha\beta=k-1$

이므로

$\alpha^2+\beta^2=(\alpha+\beta)^2-2\alpha\beta=4k^2-2k+2$

$\displaystyle \therefore \int_\alpha^\beta |x-k|dx=k^2-(\alpha+\beta)k+\frac{1}{2}(\alpha^2+\beta^2)$

$\displaystyle =k^2-2k^2+\frac{1}{2}(4k^2-2k+2)$

$=k^2-k+1$

$=\left(k-\dfrac{1}{2}\right)^2+\dfrac{3}{4}$

따라서 $\displaystyle\int_\alpha^\beta |x-k|dx$는 $k=\dfrac{1}{2}$일 때 최솟값 $\dfrac{3}{4}$을 갖는다.

답 ③

063

조건 ㈎에서 모든 실수 x에 대하여

$f(x+3)-f(x)=2x+1$ ······ ㉠

이므로 ㉠의 양변에 x 대신 $x+3$을 대입하면

$f(x+6)-f(x+3)=2(x+3)+1$

$\qquad\qquad\qquad =2x+7$ ······ ㉡

㉠+㉡을 하면

$f(x+6)-f(x)=4x+8$ ······ ㉢

조건 ㈏에서 $\displaystyle\int_{-2}^7 f(x)dx=21$이므로

$\displaystyle\int_{-2}^7 f(x)dx$

$\displaystyle =\int_{-2}^1 f(x)dx+\int_1^4 f(x)dx+\int_4^7 f(x)dx$

$\displaystyle =\int_{-2}^1 f(x)dx+\int_{-2}^1 f(x+3)dx+\int_{-2}^1 f(x+6)dx$

$\displaystyle =\int_{-2}^1 f(x)dx+\int_{-2}^1 \{f(x)+(2x+1)\}dx$

$\displaystyle \qquad +\int_{-2}^1 \{f(x)+(4x+8)\}dx \ (\because ㉠, ㉢)$

$\displaystyle =3\int_{-2}^1 f(x)dx+\int_{-2}^1 (6x+9)dx$

$$=3\int_{-2}^{1}f(x)dx+\Big[3x^2+9x\Big]_{-2}^{1}$$
$$=3\int_{-2}^{1}f(x)dx+18=21$$

따라서 $3\int_{-2}^{1}f(x)dx=3$이므로 $\int_{-2}^{1}f(x)dx=1$

답 ③

064

$f(1)=16$이므로

$1+a+b=16$ ∴ $b=15-a$

$x\geq0$에서 $f(x)\geq0$이므로

$f(x)=x^3+ax^2+bx=x(x^2+ax+b)$

에서 $x\geq0$일 때 $x^2+ax+b\geq0$이어야 한다.

이차방정식 $x^2+ax+b=0$의 판별식을 D라고 하자.

(ⅰ) 방정식 $x^2+ax+b=0$이 허근 또는 중근을 가질 때

$D=a^2-4b\leq0$이므로 $b=15-a$를 대입하면

$a^2+4a-60\leq0$, $(a+10)(a-6)\leq0$

∴ $-10\leq a\leq6$

(ⅱ) 방정식 $x^2+ax+b=0$의 두 실근이 모두 음수이거나 한 실근이

음수이고 0을 근으로 가질 때

이차함수 $y=x^2+ax+b$의 그래프의 꼭짓점의 x좌표가 음수이

고 y축과의 교점의 y좌표가 0 이상이어야 한다.

$a>0$, $b\geq0$이고 $D=a^2-4b>0$이므로 $b=15-a$를 대입하면

$a^2+4a-60>0$, $(a+10)(a-6)>0$

∴ $a<-10$ 또는 $a>6$ ······ ㉠

또, $a>0$, $b=15-a\geq0$이므로 $0<a\leq15$ ······ ㉡

㉠, ㉡의 공통 범위는 $6<a\leq15$

(ⅰ), (ⅱ)에서 $-10\leq a\leq15$이고

$$\int_{-1}^{1}f(x)dx=\int_{-1}^{1}(x^3+ax^2+bx)dx=2\int_{0}^{1}ax^2dx$$
$$=2\Big[\frac{a}{3}x^3\Big]_{0}^{1}=\frac{2}{3}a\qquad \int_{-1}^{1}(x^3+bx)dx=0$$

이므로 $\int_{-1}^{1}f(x)dx$는 $a=15$일 때 최댓값 $\frac{2}{3}\times15=10$을 갖고,

$a=-10$일 때 최솟값 $\frac{2}{3}\times(-10)=-\frac{20}{3}$을 갖는다.

따라서 최댓값과 최솟값의 합은

$10-\frac{20}{3}=\frac{10}{3}$

답 ①

065

$0\leq x<2$에서 $f(x)=ax^2$이므로 $f(0)=0$

$f(x+2)=f(x)+2$의 양변에 $x=0$을 대입하면

$f(2)=f(0)+2=2$

함수 $f(x)$가 모든 실수에서 연속이므로 $x=2$에서도 연속이다.

즉, $\lim_{x\to2+}f(x)=\lim_{x\to2-}f(x)=f(2)$이므로

$4a=2$ ∴ $a=\frac{1}{2}$

∴ $f(x)=\frac{1}{2}x^2$ (단, $0\leq x<2$)

$f(x+2)=f(x)+2$이므로 모든 정수 n에 대하여

$f(x+2n)=f(x)+2n$

∴ $\int_{2n}^{2+2n}f(x)dx=\int_{0}^{2}f(x+2n)dx$
$$=\int_{0}^{2}\{f(x)+2n\}dx$$
$$=\int_{0}^{2}\Big(\frac{1}{2}x^2+2n\Big)dx$$
$$=\Big[\frac{1}{6}x^3+2nx\Big]_{0}^{2}=\frac{4}{3}+4n$$

한편

$\int_{12}^{13}f(x)dx=\int_{0}^{1}f(x+12)dx=\int_{0}^{1}\{f(x)+12\}dx$
$$=\int_{0}^{1}f(x)dx+\int_{0}^{1}12dx$$
$$=\int_{0}^{1}f(x)dx+12$$

이므로

$\int_{1}^{13}f(x)dx=\int_{1}^{2}f(x)dx+\int_{2}^{4}f(x)dx+\int_{4}^{6}f(x)dx$

$A+B$
$=\int_{0}^{2}f(x)dx \quad +\int_{6}^{8}f(x)dx+\int_{8}^{10}f(x)dx+\int_{10}^{12}f(x)dx$
$+12 \qquad +\int_{12}^{13}f(x)dx$
B

$=\Big(\frac{4}{3}+4\times0\Big)+\Big(\frac{4}{3}+4\times1\Big)+\Big(\frac{4}{3}+4\times2\Big)$
$+\Big(\frac{4}{3}+4\times3\Big)+\Big(\frac{4}{3}+4\times4\Big)+\Big(\frac{4}{3}+4\times5\Big)+12$
$=\frac{4}{3}\times6+4(1+2+3+4+5)+12$
$=80$

답 80

◀다른 풀이▶

정적분과 넓이의 관계를 이용하여 다음과 같이 풀 수도 있다.

$0\leq x<2$에서 $f(x)=\frac{1}{2}x^2$이고 모든 실수 x에 대하여

$f(x+2)=f(x)+2$이므로 함수 $y=f(x)$의 그래프는 다음 그림과

같다.

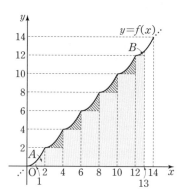

위의 그림에서 $A+B$와 빗금친 부분들은 모두 그 넓이가

$\int_{0}^{2}f(x)dx=\int_{0}^{2}\frac{1}{2}x^2dx=\Big[\frac{1}{6}x^3\Big]_{0}^{2}=\frac{4}{3}$

로 같고 $\int_{1}^{13}f(x)dx$의 값은 함수 $y=f(x)$의 그래프와 x축 및 두

직선 $x=1$, $x=13$으로 둘러싸인 부분의 넓이와 같으므로

$\int_{1}^{13}f(x)dx=6\times\frac{4}{3}+2\times2+2\times4+2\times6+2\times8+2\times10+1\times12$
$=8+4+8+12+16+20+12$
$=80$

066

(i) $x<0$일 때

$$f(x)=\int_0^1 t|t-x|dt=\int_0^1 t(t-x)dt$$
$$=-x\int_0^1 tdt+\int_0^1 t^2dt$$
$$=-x\left[\frac{1}{2}t^2\right]_0^1+\left[\frac{1}{3}t^3\right]_0^1=-\frac{1}{2}x+\frac{1}{3}$$

(ii) $0\le x<1$일 때

$$f(x)=\int_0^1 t|t-x|dx$$
$$=\int_0^x t(x-t)dt+\int_x^1 t(t-x)dt$$
$$=\int_0^x (xt-t^2)dt+\int_x^1 (xt-t^2)dt$$
$$=\left[\frac{1}{2}xt^2-\frac{1}{3}t^3\right]_0^x+\left[\frac{1}{2}xt^2-\frac{1}{3}t^3\right]_x^1$$
$$=\frac{1}{2}x^3-\frac{1}{3}x^3+\left(\frac{1}{2}x^3-\frac{1}{3}x^3\right)-\left(\frac{1}{2}x-\frac{1}{3}\right)$$
$$=\frac{1}{3}x^3-\frac{1}{2}x+\frac{1}{3}$$

(iii) $x\ge 1$일 때

$$f(x)=\int_0^1 t|t-x|dt=\int_0^1 t(x-t)dt$$
$$=\int_0^1 (xt-t^2)dt=\left[\frac{1}{2}xt^2-\frac{1}{3}t^3\right]_0^1$$
$$=\frac{1}{2}x-\frac{1}{3}$$

함수 $f(x)$는 (i)에서 기울기가 음수인 직선으로 감소하고, (iii)에서 기울기가 양수인 직선으로 증가한다.

한편 함수 $f(x)$는 미분가능한 함수이므로 $0\le x<1$일 때 최솟값을 갖는다.

구간 $[0,\,1)$에서 $f'(x)=x^2-\frac{1}{2}$이므로 $f'(x)=0$에서

$x=\frac{\sqrt{2}}{2}\ (\because\ 0\le x<1)$

$x=\frac{\sqrt{2}}{2}$일 때 극소이면서 최소이므로 최솟값은

$$f\left(\frac{\sqrt{2}}{2}\right)=\frac{\sqrt{2}}{12}-\frac{\sqrt{2}}{4}+\frac{1}{3}=\frac{2-\sqrt{2}}{6}$$

따라서 $m=\frac{2-\sqrt{2}}{6}$, $n=\frac{\sqrt{2}}{2}$이므로

$$mn=\frac{2-\sqrt{2}}{6}\times\frac{\sqrt{2}}{2}=\frac{2\sqrt{2}-2}{12}=-\frac{1}{6}+\frac{1}{6}\sqrt{2}$$

즉, $a=-\frac{1}{6}$, $b=\frac{1}{6}$이므로 $a+b=-\frac{1}{6}+\frac{1}{6}=0$

답 ③

067

▶ **접근**

$g(x)=f(x)+f(-x)$, $h(x)=f(x)-f(-x)$로 놓고 두 함수 $y=g(x)$, $y=h(x)$의 그래프의 대칭성을 파악한다.

$g(x)=f(x)+f(-x)$라고 하면

$g(-x)=f(-x)+f(x)=g(x)$

즉, $g(x)$는 우함수이므로

$$\int_{-3}^3 g(x)dx=2\int_0^3 g(x)dx=4$$

$$\int_0^3 g(x)dx=2,\ \int_0^3 \{f(x)+f(-x)\}dx=2$$

$$\therefore \int_0^3 f(x)dx+\int_0^3 f(-x)dx=2 \qquad \cdots\cdots \text{㉠}$$

한편 $h(x)=f(x)-f(-x)$라고 하면

$h(-x)=f(-x)-f(x)=-h(x)$

즉, $h(x)$는 기함수이므로

$$\int_{-3}^3 h(x)dx=0,\ \int_{-3}^0 h(x)dx+\int_0^3 h(x)dx=0$$

$$\int_0^3 h(x)dx=-\int_{-3}^0 h(x)dx$$

$$\int_0^3 \{f(x)-f(-x)\}dx=-\int_{-3}^0 \{f(x)-f(-x)\}dx$$
$$=-(-8)=8$$

$$\therefore \int_0^3 f(x)dx-\int_0^3 f(-x)dx=8 \qquad \cdots\cdots \text{㉡}$$

㉠+㉡을 하면 $2\int_0^3 f(x)dx=10$

$$\therefore \int_0^3 f(x)dx=5$$

답 5

068

$f(x)$는 기함수이고 $g(x)$는 우함수이다.

ㄱ은 옳다.

$$\int_{-a}^a \{f(x)+g(x)\}dx=\int_{-a}^a f(x)dx+\int_{-a}^a g(x)dx$$
$$=2\int_0^a g(x)dx$$

ㄴ은 옳지 않다.

$g(f(-x))=g(-f(x))=g(f(x))$이므로 함수 $g(f(x))$는 우함수이다.

$$\therefore \int_{-a}^a g(f(x))dx=2\int_0^a g(f(x))dx$$

ㄷ은 옳다.

ㄴ에서 함수 $g(f(x))$는 우함수이므로

$$\int_{-\frac{a}{2}}^0 g(f(x))dx+\int_{\frac{a}{2}}^a g(f(x))dx$$
$$=\int_0^{\frac{a}{2}} g(f(x))dx+\int_{\frac{a}{2}}^a g(f(x))dx$$
$$=\int_0^a g(f(x))dx=\frac{1}{2}\int_{-a}^a g(f(x))dx$$

따라서 옳은 것은 ㄱ, ㄷ이다.

답 ③

069

(기함수) × (우함수) = (기함수)

$f(x)$는 기함수, $g(x)$는 우함수이므로 $h(x)$는 기함수이다.

따라서 $h'(x)$는 우함수, $xh'(x)$는 기함수이므로

$$\int_{-1}^1 (4x+5)h'(x)dx=4\int_{-1}^1 xh'(x)dx+5\int_{-1}^1 h'(x)dx$$
$$=5\times 2\int_0^1 h'(x)dx$$
$$=10\Big[h(x)\Big]_0^1=10\{h(1)-h(0)\}=10$$

즉, $h(1)-h(0)=1$이므로

$$h(1)=h(0)+1 \qquad \cdots\cdots \text{㉠}$$

이때 $\underline{h(-x)=-h(x)}$이므로 양변에 $x=0$을 대입하면
$h(0)=-h(0)$ $\quad\therefore h(0)=0$ $\qquad$ <small>$h(x)$는 기함수</small>
$h(0)=0$을 ㉠에 대입하면
$h(1)=1$

답 ④

070

함수 $y=5x^4+3x^2+2$는 우함수이므로
$$\int_{-2}^{2}\{f(x)+f(-x)\}dx=\int_{-2}^{2}(5x^4+3x^2+2)dx$$
$$=2\int_{0}^{2}(5x^4+3x^2+2)dx$$
$$=2\Big[x^5+x^3+2x\Big]_{0}^{2}$$
$$=2(32+8+4)=88 \qquad \cdots\cdots ㉠$$

이때 $h(x)=f(x)-f(-x)$라고 하면
$h(-x)=f(-x)-f(x)=-h(x)$
즉, $h(x)$는 기함수이므로
$$\int_{-2}^{2}\{f(x)-f(-x)\}dx=\int_{-2}^{2}h(x)dx=0 \qquad \cdots\cdots ㉡$$

㉠-㉡을 하면 $2\displaystyle\int_{-2}^{2}f(-x)dx=88$
$$\therefore \int_{-2}^{2}f(-x)dx=44$$

답 44

다른 풀이
$\quad\quad\quad\quad\quad\quad\lceil g(-x)=g(x)$
다항함수 $f(x)$의 짝수 차수의 항과 상수항의 합을 $g(x)$, 홀수 차수의 항의 합을 $h(x)$라 하면 $f(x)=g(x)+h(x)$이므로
$\underline{f(-x)=g(-x)+h(-x)}$ $\qquad$ <small>$h(-x)=-h(x)$</small>
$\quad\quad\quad=g(x)-h(x)$

이때 $f(x)+f(-x)=2g(x)$이므로
$2g(x)=5x^4+3x^2+2$
$$\therefore g(x)=\frac{5}{2}x^4+\frac{3}{2}x^2+1$$
$$\therefore \int_{-2}^{2}f(-x)dx=\int_{-2}^{2}\{g(x)-h(x)\}dx$$
$$=\int_{-2}^{2}g(x)dx-\int_{-2}^{2}h(x)\,dx$$
$$=2\int_{0}^{2}g(x)dx \qquad \text{<small>$h(x)$는 기함수이므로</small>}$$
$\qquad\qquad\qquad\qquad\qquad \text{<small>}\int_{-2}^{2}h(x)=0\text{</small>}$
$$=2\int_{0}^{2}\Big(\frac{5}{2}x^4+\frac{3}{2}x^2+1\Big)dx$$
$$=2\Big[\frac{1}{2}x^5+\frac{1}{2}x^3+x\Big]_{0}^{2}=44$$

071

정적분의 성질에 의하여
$$\int_{-1}^{1}f(x)dx=\int_{-1}^{0}f(x)dx+\int_{0}^{1}f(x)dx$$
이때 주어진 조건에서 $\displaystyle\int_{-1}^{0}f(x)dx=\int_{0}^{1}f(x)dx$이므로
$$\int_{-1}^{1}f(x)dx=\int_{0}^{1}f(x)dx+\int_{0}^{1}f(x)dx$$
$$\therefore \int_{-1}^{1}f(x)dx=2\int_{0}^{1}f(x)dx$$
$\displaystyle\int_{-1}^{1}f(x)dx=2\int_{0}^{1}f(x)dx$에서 이차함수 $f(x)$는 우함수이다.

이때 $f(0)=-1$이므로
$f(x)=ax^2-1$ $(a\neq0$인 상수$)$
로 놓을 수 있다.
$\displaystyle\int_{-1}^{1}f(x)dx=2\int_{0}^{1}f(x)dx$이고,
$\displaystyle\int_{-1}^{1}f(x)dx=\int_{0}^{1}f(x)dx$이므로
$2\displaystyle\int_{0}^{1}f(x)dx=\int_{0}^{1}f(x)dx$ $\quad\therefore \displaystyle\int_{0}^{1}f(x)dx=0$
$$\int_{0}^{1}f(x)dx=\int_{0}^{1}(ax^2-1)dx$$
$$=\Big[\frac{a}{3}x^3-x\Big]_{0}^{1}=\frac{a}{3}-1=0$$
$\therefore a=3$
따라서 $f(x)=3x^2-1$이므로
$f(2)=3\times2^2-1=11$

답 ①

다른 풀이
$f(0)=-1$이므로
$f(x)=ax^2+bx-1$ $(a\neq0,\ a,\ b$는 상수$)$
로 놓으면
$$\int_{0}^{1}f(x)dx=\int_{0}^{1}(ax^2+bx-1)dx=\Big[\frac{a}{3}x^3+\frac{b}{2}x^2-x\Big]_{0}^{1}$$
$$=\frac{a}{3}+\frac{b}{2}-1=0 \qquad \cdots\cdots ㉠$$
$$\int_{-1}^{0}f(x)dx=\int_{-1}^{0}(ax^2+bx-1)dx=\Big[\frac{a}{3}x^3+\frac{b}{2}x^2-x\Big]_{-1}^{0}$$
$$=\frac{a}{3}-\frac{b}{2}-1=0 \qquad \cdots\cdots ㉡$$
㉠, ㉡을 연립하여 풀면 $a=3,\ b=0$
따라서 $f(x)=3x^2-1$이므로 $f(2)=11$

072

조건 ㈎에 의하여 삼차함수 $f(x)$는 기함수이므로
$f(x)=ax^3+bx$ $(a\neq0,\ a,\ b$는 상수$)$
로 놓으면
$f'(x)=3ax^2+b$
조건 ㈏에 의하여 $f(1)=-4,\ f'(1)=0$이므로
$a+b=-4,\ 3a+b=0$
위의 두 식을 연립하여 풀면 $a=2,\ b=-6$
즉, $\underline{f'(x)=6x^2-6=6(x+1)(x-1)}$이므로
$\qquad\qquad\qquad \text{<small>}x\leq-1$ 또는 $x\geq1$에서 $f'(x)\geq0$
 $-1<x<1$에서 $f'(x)<0\text{</small>}$
$|f'(x)|=\begin{cases} 6x^2-6 & (x\leq-1 \text{ 또는 } x\geq1) \\ -6x^2+6 & (-1<x<1) \end{cases}$
$|f'(x)|$가 우함수이므로 $x|f'(x)|$는 기함수이다.
$$\therefore \int_{-1}^{1}(x-2)|f'(x)|dx=\int_{-1}^{1}\{x|f'(x)|-2|f'(x)|\}dx$$
$$=2\int_{0}^{1}\{-2|f'(x)|\}dx$$
$$=-4\int_{0}^{1}(-6x^2+6)dx$$
$$=-4\Big[-2x^3+6x\Big]_{0}^{1}=-16$$

답 -16

다른 풀이

$f'(x)=6x^2-6=6(x+1)(x-1)$이므로

$$\int_{-1}^{1}(x-2)|f'(x)|dx=\int_{-1}^{1}(x-2)|6(x+1)(x-1)|dx$$
$$=-6\int_{-1}^{1}(x-2)(x+1)(x-1)dx$$
$$=-6\int_{-1}^{1}(x^3-2x^2-x+2)dx$$
$$=-12\int_{0}^{1}(-2x^2+2)dx$$
$$=-12\left[-\frac{2}{3}x^3+2x\right]_{0}^{1}=-16$$

073

$$\int_{0}^{n}f(x)dx=\int_{0}^{n}(3x^2+4ax+b)dx$$
$$=\left[x^3+2ax^2+bx\right]_{0}^{n}=n^3+2an^2+bn$$

$\therefore n^3+2an^2+bn=n^2$ ...... ㉠

㉠에 $n=1$을 대입하면 $1+2a+b=1$에서

$2a+b=0$ ...... ㉡

㉠에 $n=2$를 대입하면 $8+8a+2b=4$에서

$4a+b=-2$ ...... ㉢

㉡, ㉢을 연립하여 풀면

$a=-1$, $b=2$

$\therefore f(x)=3x^2-4x+2$

$$g(x)=\int_{-1}^{x}f(x)f'(t)dt=f(x)\int_{-1}^{x}f'(t)dt$$
$$=f(x)\left[f(t)\right]_{-1}^{x}=f(x)\{f(x)-f(-1)\}$$

이므로

$g(3)=f(3)\times\{f(3)-f(-1)\}=17\times(17-9)=136$

답 136

074

$F'(x)=f(x)$로 놓으면

$$\lim_{h\to 0}\frac{1}{h}\int_{2-3h}^{2+h}f(x)dx$$
$$=\lim_{h\to 0}\frac{F(2+h)-F(2-3h)}{h}$$
$$=\lim_{h\to 0}\frac{\{F(2+h)-F(2)\}-\{F(2-3h)-F(2)\}}{h}$$
$$=\lim_{h\to 0}\frac{F(2+h)-F(2)}{h}-\lim_{h\to 0}\frac{F(2-3h)-F(2)}{-3h}\times(-3)$$
$$=F'(2)+3F'(2)=4F'(2)=8$$

$F'(2)=2$, 즉 $f(2)=2$이므로

$4+2a+2=2$ $\therefore a=-2$

답 -2

075

$F(x)=\int_{0}^{x}f(t)dt$의 양변을 x에 대하여 미분하면

$F'(x)=f(x)=x^2+4x+k$

함수 $F(x)$가 극값을 갖지 않으려면 이차방정식 $x^2+4x+k=0$의 판별식을 D라고 할 때

$\dfrac{D}{4}=2^2-k\le 0$ $\therefore k\ge 4$

따라서 실수 k의 최솟값은 4이다.

답 ④

076

$$f(x)=\int_{0}^{x}(t^2+at+b)dt=\left[\frac{1}{3}t^3+\frac{1}{2}at^2+bt\right]_{0}^{x}$$
$$=\frac{1}{3}x^3+\frac{1}{2}ax^2+bx$$

이므로 $f'(x)=x^2+ax+b$

$f(x)$가 $x=3$에서 극솟값 0을 가지므로 $f(3)=0$, $f'(3)=0$

$f(3)=0$에서 $9+\frac{9}{2}a+3b=0$

$\therefore 3a+2b=-6$ ...... ㉠

$f'(3)=0$에서 $9+3a+b=0$

$\therefore 3a+b=-9$ ...... ㉡

㉠, ㉡을 연립하여 풀면 $a=-4$, $b=3$

$\therefore f(x)=\frac{1}{3}x^3-2x^2+3x$, $f'(x)=x^2-4x+3$

$f'(x)=x^2-4x+3=(x-1)(x-3)=0$에서

$x=1$ 또는 $x=3$

함수 $f(x)$의 증가와 감소를 표로 나타내면 다음과 같다.

x	$\cdots$	1	$\cdots$	3	$\cdots$
$f'(x)$	+	0	−	0	+
$f(x)$	↗	극대	↘	극소	↗

따라서 함수 $f(x)$는 $x=1$에서 극댓값을 가지므로 구하는 극댓값은

$$f(1)=\frac{1}{3}-2+3=\frac{4}{3}$$

답 ③

다른 풀이

$f(x)=\int_{0}^{x}(t^2+at+b)dt$의 양변을 x에 대하여 미분하여 $f'(x)$를 구할 수도 있다.

즉, $f'(x)=x^2+ax+b$

077

$$f(x)=6x^2+x+\int_{0}^{2}(x+1)f(t)dt$$
$$=6x^2+x+x\int_{0}^{2}f(t)dt+\int_{0}^{2}f(t)dt$$

$\int_{0}^{2}f(t)dt=k$ (k는 상수)로 놓으면

$f(x)=6x^2+(k+1)x+k$이므로

$$\int_{0}^{2}f(t)dt=\int_{0}^{2}\{6t^2+(k+1)t+k\}dt$$
$$=\left[2t^3+\frac{1}{2}(k+1)t^2+kt\right]_{0}^{2}$$
$$=16+2(k+1)+2k$$
$$=4k+18=k$$

$3k=-18$ $\therefore k=-6$

따라서 $f(x)=6x^2-5x-6$이므로

$f(2)=24-10-6=8$

답 ④

078

$$\lim_{x \to 0} \frac{1}{x} \int_0^x (x+t+2)f'(t)dt$$

$$=\lim_{x \to 0} \frac{1}{x} \left\{ \int_0^x xf'(t)dt + \int_0^x (t+2)f'(t)dt \right\}$$

$$=\lim_{x \to 0} \frac{1}{x} \left\{ x\int_0^x f'(t)dt + \int_0^x (t+2)f'(t)dt \right\}$$

$$=\lim_{x \to 0} \int_0^x f'(t)dt + \lim_{x \to 0} \frac{1}{x} \int_0^x (t+2)f'(t)dt$$

$$=\lim_{x \to 0} \{f(x)-f(0)\} + \lim_{x \to 0} \frac{1}{x} \int_0^x (t+2)f'(t)dt$$

$$=\lim_{x \to 0} \frac{1}{x} \int_0^x (t+2)f'(t)dt$$

함수 $(t+2)f'(t)$의 부정적분 중 하나를 $F(t)$라고 하면

$F'(t)=(t+2)f'(t)$이므로

$$\lim_{x \to 0} \frac{1}{x} \int_0^x (t+2)f'(t)dt = \lim_{x \to 0} \frac{F(x)-F(0)}{x}$$

$$=F'(0)=2f'(0)$$

이때 $f(x)=6x^6+5x^5+4x^4+2x$에서

$f'(x)=36x^5+25x^4+16x^3+2$

이므로 $2f'(0)=2\times 2=4$

$$\therefore \lim_{x \to 0} \frac{1}{x} \int_0^x (x+t+2)f'(t)dt=2f'(0)=4$$

답 4

079

주어진 극한에서 $x \to 1$일 때 극한값이 존재하고 (분모) $\to 0$이
므로 (분자) $\to 0$이다. 즉,

$$\lim_{x \to 1} \left\{ \int_1^x f(t)dt - f(x) \right\} = \int_1^1 f(t)dt - f(1)$$

$$=0-f(1)=0$$

이므로 $f(1)=0$

다항함수 $f(x)$의 한 부정적분을 $F(x)$라고 하면

$$\int_1^x f(t)dt = \Big[F(t) \Big]_1^x = F(x)-F(1)$$

$$\therefore \lim_{x \to 1} \frac{\displaystyle\int_1^x f(t)dt - f(x)}{x^2-1}$$

$$=\lim_{x \to 1} \frac{\displaystyle\int_1^x f(t)dt}{x^2-1} - \lim_{x \to 1} \frac{f(x)-f(1)}{x^2-1} \ (\because f(1)=0)$$

$$=\lim_{x \to 1} \left\{ \frac{F(x)-F(1)}{x-1} \times \frac{1}{x+1} \right\} - \lim_{x \to 1} \left\{ \frac{f(x)-f(1)}{x-1} \times \frac{1}{x+1} \right\}$$

$$=\frac{1}{2}F'(1) - \frac{1}{2}f'(1)=2 \qquad \cdots\cdots \ ㉠$$

다항함수 $f(x)$의 한 부정적분이 $F(x)$이므로

$F'(x)=f(x)$

따라서 $F'(1)=f(1)=0$이므로 ㉠에서

$$-\frac{1}{2}f'(1)=2 \qquad \therefore f'(1)=-4$$

답 ①

080

> **접근**
>
> $F(x)$가 $(x-2)^2$으로 나누어떨어지므로 $F(2)=0$, $F'(2)=0$임을
> 이용한다.

$F(x)$를 $(x-2)^2$으로 나누었을 때의 몫을 $Q(x)$라고 하면

$F(x)=(x-2)^2 Q(x)$

위의 식의 양변을 x에 대하여 미분하면

$$F'(x)=2(x-2)Q(x)+(x-2)^2 Q'(x)$$

$$=(x-2)\{2Q(x)+(x-2)Q'(x)\}$$

$\therefore F(2)=0, \ F'(2)=0$

$$F(x)=f(x)-4x+3\int_2^x f(t)dt \qquad \cdots\cdots \ ㉠$$

㉠의 양변에 $x=2$를 대입하면

$F(2)=f(2)-8+0 \qquad \therefore f(2)=8 \ (\because F(2)=0)$

㉠의 양변을 x에 대하여 미분하면

$F'(x)=f'(x)-4+3f(x)$

위의 식의 양변에 $x=2$를 대입하면

$F'(2)=f'(2)-4+3f(2)$

$\therefore f'(2)=-20 \ (\because F'(2)=0, \ f(2)=8)$

$\therefore f(2)f'(2)=8\times(-20)=-160$

답 ①

081

$\displaystyle\int_0^1 f(t)dt=a, \ \int_0^1 g(t)dt=b \ (a, b$는 상수)로 놓으면

$$f(x)=3x^2+\int_0^1 \{f(t)+g(t)\}dt$$

$$=3x^2+\int_0^1 f(t)dt+\int_0^1 g(t)dt$$

$$=3x^2+a+b$$

$$g(x)=-2x^3+\int_0^1 \{f(t)+2g(t)\}dt$$

$$=-2x^3+\int_0^1 f(t)dt+2\int_0^1 g(t)dt$$

$$=-2x^3+a+2b$$

이므로

$$a=\int_0^1 (3t^2+a+b)dt=\Big[t^3+(a+b)t \Big]_0^1=1+a+b$$

에서 $1+b=0 \qquad \therefore b=-1$

$$b=\int_0^1 (-2t^3+a+2b)dt=\Big[-\frac{1}{2}t^4+(a+2b)t \Big]_0^1=-\frac{1}{2}+a+2b$$

에서 $a+b=\frac{1}{2}, \ a-1=\frac{1}{2} \qquad \therefore a=\frac{3}{2}$

따라서 $f(x)=3x^2+\frac{1}{2}, \ g(x)=-2x^3-\frac{1}{2}$이므로

$$\frac{g(0)}{f(0)}=\frac{-\dfrac{1}{2}}{\dfrac{1}{2}}=-1$$

답 ②

082

$$g(x)=\int_0^x (x-t)f(t)dt \qquad \cdots\cdots \ ㉠$$

$$=x\int_0^x f(t)dt - \int_0^x tf(t)dt$$

위의 식의 양변을 x에 대하여 미분하면

$$g'(x)=\int_0^x f(t)dt+xf(x)-xf(x)$$

$$=\int_0^x f(t)dt=\int_0^x (t^2-2t)dt$$

$$=\Big[\frac{1}{3}t^3-t^2 \Big]_0^x=\frac{1}{3}x^3-x^2$$

$$\therefore g(x)=\int g'(x)dx=\int\left(\frac{1}{3}x^3-x^2\right)dx$$
$$=\frac{1}{12}x^4-\frac{1}{3}x^3+C \ (단, C는 \ 적분상수이다.)$$

이때 ㉠에 $x=0$을 대입하면
$$g(0)=\int_0^0(x-t)f(t)dt=0$$

이므로 $C=0$

즉, $g(n)=\frac{1}{12}n^4-\frac{1}{3}n^3$이므로 $g(n)>0$에서
$$\frac{1}{12}n^4-\frac{1}{3}n^3>0, \ \frac{1}{12}n^3(n-4)>0$$

n은 자연수이므로 $n-4>0 \ (\because n>0)$

$\therefore n>4$

따라서 자연수 n의 최솟값은 5이다.

답 5

083

$xf(x)=4x^3+x^2\int_0^2 f'(t)dt+\int_2^x f(t)dt$의 양변을 x에 대하여

미분하면
$$f(x)+xf'(x)=12x^2+2x\int_0^2 f'(t)dt+f(x)$$
$$xf'(x)=12x^2+2x\int_0^2 f'(t)dt$$
$$\therefore f'(x)=12x+2\int_0^2 f'(t)dt$$

이때 $\int_0^2 f'(t)dt=a \ (a는 \ 상수)$라고 하면
$$f'(x)=12x+2a$$

이므로
$$\int_0^2 f'(t)dt=\int_0^2(12t+2a)dt=\left[6t^2+2at\right]_0^2$$
$$=24+4a$$

즉, $24+4a=a$이므로

$3a=-24 \quad \therefore a=-8$

$$\therefore \int_0^2 f'(t)dt=-8$$

한편 $xf(x)=4x^3+x^2\int_0^2 f'(t)dt+\int_2^x f(t)dt$의 양변에 $x=2$를

대입하면
$$2f(2)=32+4\int_0^2 f'(t)dt+\int_2^2 f(t)dt$$
$$=32+4\times(-8)=0$$

$\therefore f(2)=0$

$f'(x)=12x-16$이므로
$$f(x)=\int(12x-16)dx$$
$$=6x^2-16x+C \ (단, C는 \ 적분상수이다.)$$

$f(2)=0$에서 $24-32+C=0 \quad \therefore C=8$

따라서 $f(x)=6x^2-16x+8$이므로 방정식 $f(x)=0$, 즉

$6x^2-16x+8=0$의 모든 실근의 합은 이차방정식의 근과 계수의

관계에 의하여 (판별식을 D라고 하면 $\frac{D}{4}=(-8)^2-6\times 8=16>0$

$-\frac{-16}{6}=\frac{8}{3}$ 이므로 서로 다른 두 실근을 갖는다.)

답 ③

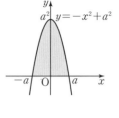

07 정적분의 활용

084

함수 $y=-x^2+a^2$의 그래프가 오른쪽

그림과 같으므로 주어진 곡선과 x축으로

둘러싸인 부분의 넓이는
$$\int_{-a}^a(-x^2+a^2)dx$$
$$=2\int_0^a(-x^2+a^2)dx$$
$$=2\left[-\frac{1}{3}x^3+a^2x\right]_0^a$$
$$=2\left(-\frac{1}{3}a^3+a^3\right)$$
$$=\frac{4}{3}a^3$$

즉, $\frac{4}{3}a^3=36$이므로

$a^3=27 \quad \therefore a=3$

답 ③

085

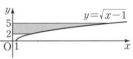

$y=\sqrt{x-1}$의 양변을 제곱하면

$y^2=x-1 \quad \therefore x=y^2+1$

따라서 구하는 넓이는
$$\int_2^5(y^2+1)dy=\left[\frac{1}{3}y^3+y\right]_2^5$$
$$=\left(\frac{125}{3}+5\right)-\left(\frac{8}{3}+2\right)$$
$$=42$$

답 42

086

$\int_0^{2020}f(x)dx=\int_3^{2020}f(x)dx$에서
$$\int_0^{2020}f(x)dx-\int_3^{2020}f(x)dx=0$$
$$\int_0^3 f(x)\,dx+\int_3^{2020}f(x)dx-\int_3^{2020}f(x)dx=0$$
$$\therefore \int_0^3 f(x)dx=0$$

$f(x)$는 최고차항의 계수가 1인 이차함수이므로

$f(x)=x^2+ax+b \ (a, b는 \ 상수)$

로 놓으면
$$\int_0^3 f(x)\,dx=\int_0^3(x^2+ax+b)dx$$
$$=\left[\frac{1}{3}x^3+\frac{a}{2}x^2+bx\right]_0^3$$
$$=9+\frac{9}{2}a+3b=0$$

$\therefore 3a+2b=-6$ ...... ㉠

또, $f(4)=3$이므로 $16+4a+b=3$

$\therefore 4a+b=-13$ ...... ㉡

⊙, ⓒ을 연립하여 풀면 $a=-4$, $b=3$
$\therefore f(x)=x^2-4x+3$
곡선 $y=f(x)$와 x축의 교점의 x좌표는
$x^2-4x+3=0$에서 $(x-1)(x-3)=0$
$\therefore x=1$ 또는 $x=3$
따라서 구하는 넓이는
$$\int_1^3 |x^2-4x+3|\,dx=-\int_1^3 (x^2-4x+3)\,dx$$
$$=-\left[\frac{1}{3}x^3-2x^2+3x\right]_1^3=\frac{4}{3}$$

답 ④

다른 풀이

$f(x)$는 x^2의 계수가 1인 이차함수이고, 곡선 $y=f(x)$와 x축과의 교점의 x좌표는 1, 3이므로 구하는 넓이는 다음과 같이 구할 수도 있다.

$$\left|\frac{1}{6}(3-1)^3\right|=\frac{4}{3}$$

087

곡선 $y=-x^2+(a+2)x-2a$와 x축의 교점의 x좌표는
$-x^2+(a+2)x-2a=0$에서
$x^2-(a+2)x+2a=0$, $(x-a)(x-2)=0$
$\therefore x=a$ 또는 $x=2$
$0<a<2$이므로 함수 $y=f(x)$의 그래프는 오른쪽 그림과 같다.

이때 색칠한 두 부분의 넓이가 같으므로
$$\int_0^2 \{-x^2+(a+2)x-2a\}\,dx=0$$
$$\left[-\frac{1}{3}x^3+\frac{a+2}{2}x^2-2ax\right]_0^2=0$$
$$-\frac{8}{3}+2(a+2)-4a=0$$
$$-2a+\frac{4}{3}=0 \qquad \therefore a=\frac{2}{3}$$
따라서 $f(x)=-x^2+\frac{8}{3}x-\frac{4}{3}$이므로
$$f(1)=-1+\frac{8}{3}-\frac{4}{3}=\frac{1}{3}$$

답 $\frac{1}{3}$

풍쌤 비법

곡선 $y=f(x)$와 x축으로 둘러싼 두 도형의 넓이를 각각 S_1, S_2라고 할 때,
$S_1=S_2$이면 $\displaystyle\int_a^r f(x)\,dx=0$

088

$$\int_{-2}^3 f(x)\,dx=\int_{-2}^0 f(x)\,dx+\int_0^3 f(x)\,dx$$
$$=-S_1+S_2=-6+15=9$$
$$\therefore \int_{-2}^3 \{f(x)-1\}\,dx=\int_{-2}^3 f(x)\,dx-\int_{-2}^3 1\,dx$$
$$=9-\left[x\right]_{-2}^3$$
$$=9-5=4$$

답 4

089

$$y=-(x-4)^2+a+16$$
$$y=-x^2+8x+a의 그래프는 직선$$
$x=4$에 대하여 대칭이고, P와 Q의 넓이의 비가 1 : 2이므로 오른쪽 그림에서 빗금친 부분의 넓이는 P의 넓이와 같다.

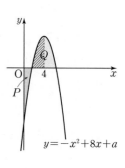

$$\therefore \int_0^4 (-x^2+8x+a)\,dx$$
$$=\left[-\frac{x^3}{3}+4x^2+ax\right]_0^4$$
$$=\frac{128}{3}+4a=0$$
$$4a=-\frac{128}{3} \qquad \therefore a=-\frac{32}{3}$$

답 ②

090

곡선 $y=-3x^2+4x$와 직선 $y=x$의 교점의 x좌표는 $-3x^2+4x=x$에서
$3x^2-3x=0$, $3x(x-1)=0$
$\therefore x=0$ 또는 $x=1$
따라서 구하는 넓이는

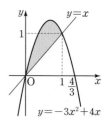

$$\int_0^1 \{(-3x^2+4x)-x\}\,dx$$
$$=\int_0^1 (-3x^2+3x)\,dx$$
$$=\left[-x^3+\frac{3}{2}x^2\right]_0^1=\frac{1}{2}$$

답 ③

간단 풀이

곡선 $y=-3x^2+4x$와 직선 $y=x$의 교점의 x좌표는 0, 1이므로 구하는 넓이는
$$\left|\frac{-3}{6}(1-0)^3\right|=\frac{1}{2}$$

풍쌤 비법

포물선 $y=ax^2+bx+c$와 직선 $y=mx+n$의 교점의 x좌표를 α, β라고 하면 포물선과 직선으로 둘러싸인 부분의 넓이 S는

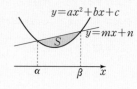

$$S=\left|\frac{a}{6}(\beta-\alpha)^3\right|$$

091

두 곡선 $y=x^2-4x-9$, $y=-3x^2+4x+3$의 교점의 x좌표는
$x^2-4x-9=-3x^2+4x+3$에서
$4x^2-8x-12=0$, $x^2-2x-3=0$
$(x+1)(x-3)=0 \qquad \therefore x=-1$ 또는 $x=3$
따라서 두 곡선 $y=x^2-4x-9$, $y=-3x^2+4x+3$으로 둘러싸인 부분의 넓이 S는

$$S=\int_{-1}^{3}\{(-3x^2+4x+3)-(x^2-4x-9)\}dx$$
$$=\int_{-1}^{3}(-4x^2+8x+12)dx$$
$$=-4\int_{-1}^{3}(x^2-2x-3)dx$$
$$=-4\left[\frac{1}{3}x^3-x^2-3x\right]_{-1}^{3}$$
$$=-4\left\{(9-9-9)-\left(-\frac{1}{3}-1+3\right)\right\}$$
$$=-4\times\left(-\frac{32}{3}\right)=\frac{128}{3}$$
$$\therefore\ 3S=128$$

답 128

간단 풀이

두 곡선 $y=x^2-4x-9$, $y=-3x^2+4x+3$의 교점의 x좌표가 -1, 3이므로

$$S=\left|\frac{1-(-3)}{6}\{3-(-1)\}^3\right|=\frac{128}{3}$$

풍쌤 비법

두 포물선 $y=ax^2+bx+c$, $y=a'x^2+b'x+c'$의 교점의 x좌표를 α, β라고 하면 두 곡선으로 둘러싸인 부분의 넓이 S는

$$S=\left|\frac{a-a'}{6}(\beta-\alpha)^3\right|$$

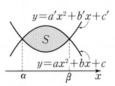

092

곡선 $y=3x-x^2$과 직선 $y=mx$의 교점의 x좌표는 $3x-x^2=mx$에서

$$x^2+(m-3)x=0$$
$$x(x+m-3)=0$$
$$\therefore\ x=0\ \text{또는}\ x=3-m$$

따라서 곡선 $y=3x-x^2$과 직선 $y=mx$로 둘러싸인 부분의 넓이는

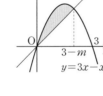

$$\int_{0}^{3-m}(3x-x^2-mx)dx=\int_{0}^{3-m}\{-x^2+(3-m)x\}dx$$
$$=\left[-\frac{1}{3}x^3+\frac{1}{2}(3-m)x^2\right]_{0}^{3-m}$$
$$=\frac{1}{6}(3-m)^3$$

즉, $\frac{1}{6}(3-m)^3=\frac{1}{6}$이므로

$$(3-m)^3=1,\ 3-m=1\qquad\therefore\ m=2$$

답 ⑤

간단 풀이

곡선 $y=3x-x^2$과 직선 $y=mx$의 교점의 x좌표가 0, $3-m$이므로 곡선 $y=3x-x^2$과 직선 $y=mx$로 둘러싸인 부분의 넓이는

$$\left|\frac{-1}{6}(3-m-0)^3\right|=\frac{1}{6}(3-m)^3$$

093

곡선 $y=x^2$을 x축에 대하여 대칭이동하면 $y=-x^2$

곡선 $y=-x^2$을 x축의 방향으로 1만큼, y축의 방향으로 5만큼 평행이동하면

$$y=-(x-1)^2+5=-x^2+2x+4$$
$$\therefore\ g(x)=-x^2+2x+4$$

두 곡선 $y=x^2$, $y=g(x)$의 교점의 x좌표는 $x^2=-x^2+2x+4$에서

$$2x^2-2x-4=0$$
$$x^2-x-2=0,\ (x+1)(x-2)=0$$
$$\therefore\ x=-1\ \text{또는}\ x=2$$

따라서 구하는 넓이는

$$\int_{-1}^{2}\{(-x^2+2x+4)-x^2\}dx$$
$$=\int_{-1}^{2}(-2x^2+2x+4)dx$$
$$=\left[-\frac{2}{3}x^3+x^2+4x\right]_{-1}^{2}$$
$$=\frac{20}{3}-\left(-\frac{7}{3}\right)=9$$

답 ③

간단 풀이

$g(x)=-x^2+2x+4$이고 두 포물선 $y=x^2$, $y=g(x)$의 교점의 x좌표가 -1, 2이므로 구하는 넓이는

$$\left|\frac{1-(-1)}{6}\{2-(-1)\}^3\right|=9$$

094

$$-f(x-1)+4=-\{(x-1)^2+3(x-1)\}+4$$
$$=-(x^2+x-2)+4$$
$$=-x^2-x+6$$

두 곡선 $y=f(x)$, $y=-f(x-1)+4$의 교점의 x좌표는 $x^2+3x=-x^2-x+6$에서

$$2x^2+4x-6=0,\ x^2+2x-3=0$$
$$(x+3)(x-1)=0\qquad\therefore\ x=-3\ \text{또는}\ x=1$$

따라서 두 곡선 $y=f(x)$, $y=-f(x-1)+4$로 둘러싸인 부분의 넓이는

$$\int_{-3}^{1}\{(-x^2-x+6)-(x^2+3x)\}dx$$
$$=\int_{-3}^{1}(-2x^2-4x+6)dx$$
$$=\left[-\frac{2}{3}x^3-2x^2+6x\right]_{-3}^{1}$$
$$=\frac{10}{3}+18=\frac{64}{3}$$

즉, $p=3$, $q=64$이므로

$$q-p=64-3=61$$

답 61

참고

곡선 $y=-f(x-1)+4$는 곡선 $y=f(x)$를 x축에 대하여 대칭이동한 후 x축의 방향으로 1만큼, y축의 방향으로 4만큼 평행이동한 것이다.

095

곡선 $y=x^n$과 직선 $y=1$의 교점의 x좌표는 $x^n=1$에서
$x^n-1=0$, $(x-1)(x^{n-1}+x^{n-2}+\cdots+1)=0$
$\therefore x=1$ $(\because x\geq0)$
따라서
$$S_n=\int_0^1 (1-x^n)dx$$
$$=\left[x-\frac{1}{n+1}x^{n+1}\right]_0^1$$
$$=1-\frac{1}{n+1}=\frac{n}{n+1}$$
이므로
$$S_2\times S_3\times S_4\times\cdots\times S_{99}=\frac{2}{3}\times\frac{3}{4}\times\frac{4}{5}\times\cdots\times\frac{99}{100}$$
$$=\frac{2}{100}=\frac{1}{50}$$

답 ④

096

두 곡선 $y=f(x)$, $y=g(x)$가 $x=t$에서 같은 직선에 접하므로
$f(t)=g(t)$, $f'(t)=g'(t)$
$f(t)=g(t)$에서 $t^4+a=-t^4+t^2$
$\therefore a=-2t^4+t^2$ ...... ㉠
또, $f'(x)=4x^3$, $g'(x)=-4x^3+2x$이므로
$f'(t)=g'(t)$에서 $4t^3=-4t^3+2t$
$8t^3-2t=0$, $4t^3-t=0$
$t(2t+1)(2t-1)=0$
$\therefore t=-\frac{1}{2}$ 또는 $t=0$ 또는 $t=\frac{1}{2}$
이때 ㉠에서 $a>0$이면 $t\neq0$이므로
$t=-\frac{1}{2}$ 또는 $t=\frac{1}{2}$ ...... ㉡
㉡을 ㉠에 대입하면
$a=-\frac{1}{8}+\frac{1}{4}=\frac{1}{8}$

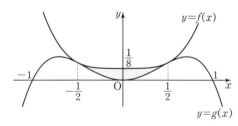

두 함수 $f(x)=x^4+\frac{1}{8}$, $g(x)=-x^4+x^2$의 그래프가 위의 그림과
같으므로 구하는 넓이는
$$\int_{-\frac{1}{2}}^{\frac{1}{2}}\left\{\left(x^4+\frac{1}{8}\right)-(-x^4+x^2)\right\}dx=\int_{-\frac{1}{2}}^{\frac{1}{2}}\left(2x^4-x^2+\frac{1}{8}\right)dx$$
$$=2\int_0^{\frac{1}{2}}\left(2x^4-x^2+\frac{1}{8}\right)dx$$
$$=2\left[\frac{2}{5}x^5-\frac{1}{3}x^3+\frac{1}{8}x\right]_0^{\frac{1}{2}}$$
$$=2\left(\frac{1}{80}-\frac{1}{24}+\frac{1}{16}\right)=\frac{1}{15}$$

답 ①

097

$P(0, 2n+1)$이므로 함수 $f(x)=nx^2$에 대하여 $n=1$이면
$P(0, 3)$, $f(x)=x^2$
이때 점 Q는 함수 $f(x)=x^2$의 그래프 위의 점 중에서 y좌표가 1
이고 제1사분면 위에 있는 점이므로 그 x좌표는
$1=x^2$ $\therefore x=1$ $(\because x>0)$
$\therefore Q(1, 1)$
직선 PQ의 방정식은
$y-3=\frac{1-3}{1-0}(x-0)$ $\therefore y=-2x+3$

선분 PQ와 곡선 $y=f(x)$ 및 y축으로 둘러싸
인 부분은 오른쪽 그림의 색칠한 부분과 같
다.
따라서 구하는 넓이는

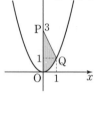

$$\int_0^1 \{(-2x+3)-x^2\}dx$$
$$=\int_0^1 (-x^2-2x+3)dx$$
$$=\left[-\frac{1}{3}x^3-x^2+3x\right]_0^1$$
$$=\frac{5}{3}$$

답 ③

다른 풀이

사다리꼴의 넓이를 이용하여 다음과 같이 구할 수도 있다.
$$\frac{1}{2}\times(1+3)\times1-\int_0^1 x^2 dx=2-\left[\frac{1}{3}x^3\right]_0^1=2-\frac{1}{3}=\frac{5}{3}$$

098

점 P의 처음 위치를 x_0이라고 하면 $t=4$에서의 점 P의 위치는
$$x_0+\int_0^4 (5-2t)dt=x_0+\left[5t-t^2\right]_0^4=x_0+4$$
즉, $x_0+4=12$이므로 $x_0=8$
따라서 점 P의 처음 위치는 8이다.

답 ⑤

099

물체가 최고 높이에 도달할 때의 속도는 0 m/s이므로
$30-10t=0$에서 $t=3$
따라서 물체는 3초 후에 최고 높이에 도달하므로 물체의 최고 높이
는
$$35+\int_0^3 (30-10t)dt=35+\left[30t-5t^2\right]_0^3$$
$$=35+(90-45)$$
$$=80 \text{ (m)}$$

답 80 m

풍쌤 비법

물체의 속도가 0인 경우
(1) 물체가 정지할 때
(2) 물체가 운동 방향을 바꿀 때
(3) 똑바로 위로 쏘아 올린 물체가 최고 높이에 도달할 때

$$35+\int_0^t (30-10t)dt=35+\Big[30t-5t^2\Big]_0^t$$
$$=35+30t-5t^2$$
$$=-5(t-3)^2+80$$

이므로 $t=3$일 때 최고 높이는 80 m이다.

100

정지할 때의 속도는 0이므로 $v(t)=0$에서

$24-3t=0$ $\therefore t=8$

따라서 자동차가 제동을 건 후 8초 후에 정지하므로 정지할 때까지 달린 거리는

$$\int_0^8 |24-3t|dt=\int_0^8 (24-3t)dt$$
$$=\Big[24t-\frac{3}{2}t^2\Big]_0^8$$
$$=192-96=96\ (\text{m})$$

답 96 m

101

두 점 P, Q가 시각 $t=a$에서 만나려면 시각 $t=a$에서의 두 점의 위치가 같아야 함을 이용한다.

두 점 P, Q가 출발 후 $t=a$에서 다시 만나므로 시각 $t=a$에서의 두 점의 위치는 서로 같다.

시각 $t=a$에서의 점 P의 위치는

$$0+\int_0^a (3t^2+t)dt=\Big[t^3+\frac{1}{2}t^2\Big]_0^a=a^3+\frac{1}{2}a^2$$

시각 $t=a$에서의 점 Q의 위치는

$$0+\int_0^a (2t^2+3t)dt=\Big[\frac{2}{3}t^3+\frac{3}{2}t^2\Big]_0^a=\frac{2}{3}a^3+\frac{3}{2}a^2$$

즉, $a^3+\frac{1}{2}a^2=\frac{2}{3}a^3+\frac{3}{2}a^2$이므로

$$\frac{1}{3}a^3-a^2=0,\ \frac{1}{3}a^2(a-3)=0 \quad \therefore a=3\ (\because a>0)$$

답 3

시각 $t=3$에서의 두 점 P, Q의 위치는

$$3^3+\frac{1}{2}\times 3^2=\frac{63}{2}$$

102

점 P가 다시 원점으로 돌아오는 데 걸리는 시간을 $t=a\ (a>0)$라고 하면 $t=a$에서 점 P의 위치는 0이므로

$$\int_0^a (2t-t^2)dt=\Big[t^2-\frac{1}{3}t^3\Big]_0^a=a^2-\frac{1}{3}a^3=0$$

$$\frac{1}{3}a^3-a^2=0,\ \frac{1}{3}a^2(a-3)=0$$

$$\therefore a=3\ (\because a>0)$$

즉, 점 P는 $t=3$일 때 다시 원점에 위치하므로 점 P가 움직인 거리는

$$\int_0^3 |v(t)|dt=\int_0^3 |2t-t^2|dt$$
$$=\int_0^2 (2t-t^2)dt+\int_2^3 (-2t+t^2)dt$$
$$=\Big[t^2-\frac{1}{3}t^3\Big]_0^2+\Big[-t^2+\frac{1}{3}t^3\Big]_2^3$$
$$=\frac{4}{3}+\frac{4}{3}=\frac{8}{3}$$

답 ③

103

점 P의 시각 $t=0$에서의 위치가 원점이고 $0\le t\le 4$에서 $v(t)\ge 0$이므로 점 P의 시각 $t=4$에서의 위치는 $0\le t\le 4$에서 속도 $v(t)$의 그래프와 t축으로 둘러싸인 부분의 넓이와 같다.

따라서 구하는 위치는

$$\frac{1}{2}\times(2+4)\times 2=6$$

답 6

$$v(t)=\begin{cases} 2t & (0\le t<1) \\ 2 & (1\le t<3) \\ -2t+8 & (3\le t\le 4) \end{cases}$$ 이므로 점 P의 시각 $t=4$에서의 위치는

$$0+\int_0^4 v(t)dt=\int_0^1 v(t)dt+\int_1^3 v(t)dt+\int_3^4 v(t)dt$$
$$=\int_0^1 2tdt+\int_1^3 2dt+\int_3^4 (-2t+8)dt$$
$$=\Big[t^2\Big]_0^1+\Big[2t\Big]_1^3+\Big[-t^2+8t\Big]_3^4$$
$$=1+4+1=6$$

104

시각 $t=0$에서 시각 $t=7$까지 점 P가 움직인 거리는 함수 $v(t)$의 그래프와 t축으로 둘러싸인 부분의 넓이와 같으므로

$$\int_0^7 |v(t)|dt=\frac{1}{2}\times 2\times 2+\frac{1}{2}\times 5\times 1$$
$$=\frac{9}{2}$$

답 ③

$$v(t)=\begin{cases} 2t & (0\le t<1) \\ -2t+4 & (1\le t<2) \\ -\frac{1}{5}t+\frac{2}{5} & (2\le t\le 7) \end{cases}$$ 이므로 점 P가 시각 $t=0$에서 $t=7$까지 움직인 거리는

$$\int_0^7 |v(t)|dt=\int_0^1 2tdt+\int_1^2 (-2t+4)dt-\int_2^7 \Big(-\frac{1}{5}t+\frac{2}{5}\Big)dt$$
$$=\Big[t^2\Big]_0^1+\Big[-t^2+4t\Big]_1^2-\Big[-\frac{1}{10}t^2+\frac{2}{5}t\Big]_2^7$$
$$=1+1-\Big(-\frac{5}{2}\Big)=\frac{9}{2}$$

105

함수 $v(t)$의 그래프는 오른쪽 그림과 같다.

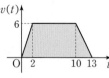

승강기가 1층부터 꼭대기 층까지 움직인 거리는 함수 $v(t)$의 그래프와 t축으로 둘러싸인 부분의 넓이와 같으므로

$$\int_0^{13} |v(t)|\,dt = \frac{1}{2} \times (8+13) \times 6 = 63\,(\text{m})$$

답 ②

다른 풀이

$$\int_0^{13} |v(t)|\,dt = \int_0^2 3t\,dt + \int_2^{10} 6\,dt + \int_{10}^{13}(-2t+26)\,dt$$
$$= \left[\frac{3}{2}t^2 \right]_0^2 + \left[6t \right]_2^{10} + \left[-t^2+26t \right]_{10}^{13}$$
$$= 6+48+9 = 63\,(\text{m})$$

106

ㄱ은 옳지 않다.

$t=2$와 $t=4$에서 속도의 부호가 바뀌므로 운동 방향이 바뀐다.

즉, 점 P는 움직이는 동안 방향을 2번 바꿨다.

ㄴ은 옳다.

$t=4$일 때 점 P의 위치는

$$\int_0^4 v(t)\,dt = \frac{1}{2} \times 2 \times 2 - \frac{1}{2} \times 2 \times 2 = 0$$

이므로 원점이다.

ㄷ도 옳다.

시각 $t=0$에서 $t=6$까지 점 P가 움직인 거리는

$$\int_0^6 |v(t)|\,dt = \frac{1}{2} \times 2 \times 2 + \frac{1}{2} \times 2 \times 2 + \frac{1}{2} \times 2 \times 2 = 6$$

따라서 옳은 것은 ㄴ, ㄷ이다.

답 ④

107

접근

점 P가 출발할 때의 운동 방향과 반대 방향으로 움직이면 속도의 부호가 바뀜을 이용한다.

이차함수 $y=f'(t)$의 그래프가 두 점 $(1, 0)$, $(3, 0)$을 지나므로
$$f'(t) = a(t-1)(t-3)\ (a>0)$$
으로 놓을 수 있다.

곡선 $y=f'(t)$가 점 $(0, 3)$을 지나므로 $f'(0)=3$에서
$$3a=3 \qquad \therefore a=1$$
$$\therefore f'(t) = (t-1)(t-3)\ (\text{단}, t \geq 0)$$

점 P의 시각 t에서의 위치 $f(t)$에 대하여 속도는 $f'(t)$이다. 점 P는 $f'(t)>0$일 때 양의 방향, $f'(t)<0$일 때 음의 방향으로 움직인다.

점 P가 출발할 때의 운동 방향에 대하여 반대 방향으로 움직인 시간은 $f'(t) \leq 0$에서

└ 출발할 때 $f'(t) \geq 0$이므로 $f'(t) \leq 0$인 t의 값의 범위를 구한다.

$$(t-1)(t-3) \leq 0$$
$$\therefore 1 \leq t \leq 3$$

따라서 구하는 거리는

$$\int_1^3 |f'(t)|\,dt = \int_1^3 |(t-1)(t-3)|\,dt$$
$$= -\int_1^3 (t^2-4t+3)\,dt$$
$$= -\left[\frac{1}{3}t^3 - 2t^2 + 3t \right]_1^3$$
$$= \frac{4}{3}$$

답 $\dfrac{4}{3}$

108

오른쪽 그림과 같이 세 구간 $[0, a]$, $[a, c]$, $[c, d]$에서 속도 $v(t)$를 나타내는 그래프와 t축으로 둘러싸인 부분의 넓이를 순서대로 A, B, C라고 하면

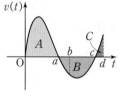

$$A = \int_0^a |v(t)|\,dt = \int_0^a v(t)\,dt$$
$$B = \int_a^c |v(t)|\,dt = -\int_a^c v(t)\,dt$$
$$C = \int_c^d |v(t)|\,dt = \int_c^d v(t)\,dt$$

이때 $\displaystyle\int_0^a |v(t)|\,dt = \int_a^d |v(t)|\,dt$이므로

$$A = B + C \qquad \cdots\cdots \,\text{㉠}$$

ㄱ은 옳지 않다.

$0 \leq t \leq a$에서 $v(t) \geq 0$이므로 점 P는 $t=0$에서 $t=a$까지 양의 방향으로 A만큼 움직인다.

또, $a \leq t \leq c$에서 $v(t) \leq 0$이므로 점 P는 $t=a$에서 $t=c$까지 음의 방향으로 B만큼 움직인다.

이때 ㉠에 의하여 $A>B$이므로 점 P는 $t=c$가 될 때까지 원점을 다시 지나지 못한다.

이후 $c \leq t \leq d$에서 $v(t) \geq 0$이므로 점 P는 $t=c$에서 $t=d$까지 다시 양의 방향으로 C만큼 움직이므로 점 P는 출발하고 나서 원점을 다시 지날 수 없다.

ㄴ은 옳다.

$$\int_0^c v(t)\,dt = \int_0^a v(t)\,dt + \int_a^c v(t)\,dt = A - B$$
$$\int_c^d v(t)\,dt = C$$

이때 ㉠에서 $A=B+C$, 즉 $A-B=C$이므로

$$\int_0^c v(t)\,dt = \int_c^d v(t)\,dt$$

ㄷ도 옳다.

오른쪽 그림과 같이 색칠한 부분의 넓이를 S_1, 빗금친 부분의 넓이를 S_2라고 하면

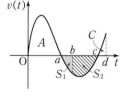

$$S_1 = -\int_a^b v(t)\,dt,$$
$$S_2 = -\int_b^c v(t)\,dt\,\text{이고}$$
$$S_1 + S_2 = B \qquad \cdots\cdots \,\text{㉡}$$

$$\begin{cases} \displaystyle\int_0^b v(t)\,dt = A - S_1 \\ \displaystyle\int_b^d |v(t)|\,dt = S_2 + C \end{cases} \qquad \cdots\cdots \,\text{㉢}$$

이때 ㉠에서 $A=B+C$, 즉 $B=A-C$이므로 ㉡을 대입하면
$$S_1+S_2=A-C$$
$$\therefore A-S_1=C+S_2$$
㉢에 의하여
$$\int_0^b v(t)dt=\int_b^d |v(t)|dt$$
따라서 옳은 것은 ㄴ, ㄷ이다.

답 ④

109

$y=3x^2+2>0$이므로
$$S(h)=\int_{1-h}^{1+h}(3x^2+2)dx=\Big[x^3+2x\Big]_{1-h}^{1+h}$$
$$=(1+h)^3+2(1+h)-(1-h)^3-2(1-h)$$
$$=2h^3+10h$$
$$\therefore \lim_{h\to 0+}\frac{S(h)}{h}=\lim_{h\to 0+}\frac{2h^3+10h}{h}$$
$$=\lim_{h\to 0+}(2h^2+10)=10$$

답 10

110

$$y=x|x-1|=\begin{cases} x(x-1) & (x\geq 1) \\ -x(x-1) & (x<1) \end{cases}$$
따라서 구하는 넓이는
$$\int_0^1 \{-x(x-1)\}dx+\int_1^2 x(x-1)dx$$
$$=\int_0^1 (-x^2+x)dx+\int_1^2 (x^2-x)dx$$
$$=\Big[-\frac{1}{3}x^3+\frac{1}{2}x^2\Big]_0^1+\Big[\frac{1}{3}x^3-\frac{1}{2}x^2\Big]_1^2$$
$$=\frac{1}{6}+\frac{5}{6}=1$$

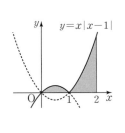

답 ②

111

$f'(x)=3x^2-2x-2$이므로
$$f(x)=\int f'(x)dx=\int (3x^2-2x-2)dx$$
$$=x^3-x^2-2x+C\ (단, C는 적분상수이다.)$$
이때 $f(2)=0$이므로
$$8-4-4+C=0 \quad \therefore C=0$$
$$\therefore f(x)=x^3-x^2-2x=x(x+1)(x-2)$$
따라서 함수 $y=f(x)$의 그래프가 오른쪽
그림과 같으므로 구하는 넓이는
$$\int_{-1}^0 (x^3-x^2-2x)dx$$
$$\qquad\qquad +\int_0^2 (-x^3+x^2+2x)dx$$
$$=\Big[\frac{1}{4}x^4-\frac{1}{3}x^3-x^2\Big]_{-1}^0+\Big[-\frac{1}{4}x^4+\frac{1}{3}x^3+x^2\Big]_0^2$$
$$=\frac{5}{12}+\frac{8}{3}=\frac{37}{12}$$

답 $\frac{37}{12}$

112

$$\int_0^6 f(x)dx$$
$$=\int_0^3 f(x)dx+\int_3^6 f(x)dx$$
$$=\int_0^3 f(x)dx+\int_3^6 \{f(x-3)+4\}dx\ (\because 조건 ㈎)$$
$$=\int_0^3 f(x)dx+\int_3^6 f(x-3)dx+\int_3^6 4dx$$
$$=\int_0^3 f(x)dx+\int_0^3 f(x)dx+\Big[4x\Big]_3^6$$
$$=2\int_0^3 f(x)dx+12$$
이때 조건 ㈏에서 $\int_0^6 f(x)dx=0$이므로
$$2\int_0^3 f(x)dx+12=0$$
$$\therefore \int_0^3 f(x)dx=-6$$
$$\int_0^6 f(x)dx=\int_0^3 f(x)dx+\int_3^6 f(x)dx=-6+\int_3^6 f(x)dx=0$$
$$\therefore \int_3^6 f(x)dx=6 \qquad\qquad\quad \cdots\cdots ㉠$$
따라서 구하는 넓이는
$$\int_6^9 f(x)dx=\int_6^9 \{f(x-3)+4\}dx\ (\because 조건 ㈎)$$
$$=\int_6^9 f(x-3)dx+\int_6^9 4dx$$
$$=\int_3^6 f(x)dx+\Big[4x\Big]_6^9$$
$$=6+12=18\ (\because ㉠)$$

$f(x)$는 증가하는 함수이므로 조건 ㈏에 의하여 $6\leq x\leq 9$에서 $f(x)>0$

답 ④

참고

곡선 $y=f(x-3)+4$는 곡선 $y=f(x)$를 x축의 방향으로 3만큼, y축의 방향으로 4만큼 평행이동한 것이다.

간단 풀이

다음과 같이 조건을 만족시키는 가장 간단한 함수 $f(x)$의 그래프를 그려 넓이를 구할 수도 있다.

함수 $f(x)$는 실수 전체의 집합에서 증가하고, 조건 ㈎에 의하여 x축의 방향으로 3만큼, y축의 방향으로 4만큼 평행이동하여도 자기 자신이 되므로 $f(x)$를 기울기가 $\frac{4}{3}$인 일차함수로 생각해 보자.

또, 조건 ㈏에 의하여 그래프가 점 $(3, 0)$을 지나고 이 점에 대하여 대칭이 되는 오른쪽 그림과 같은 함수 $f(x)=\frac{4}{3}x-4$를 생각할 수 있다.

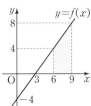

└ 조건 ㈎, ㈏를 모두 만족시킨다.

따라서 구하는 넓이는
$$\frac{1}{2}\times(4+8)\times 3=18$$

113

접근

$f(x)=f(-x)$이므로 $f(x)$는 우함수이고, 그 그래프가 y축에 대하여 대칭임을 이용한다.

$f(x)$는 우함수이고, $A+C=B$이므로

$\dfrac{B}{2}=A=C$

따라서 $x \geq 0$에서 곡선 $y=f(x)$와 x축으로 둘러싸인 두 부분의 넓이가 서로 같으므로

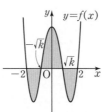

$\displaystyle\int_0^2 (x^2-4)(x^2-k)dx=0$

$\displaystyle\int_0^2 \{x^4-(4+k)x^2+4k\}dx=0$

$\left[\dfrac{1}{5}x^5-\dfrac{4+k}{3}x^3+4kx\right]_0^2=0$

$\dfrac{32}{5}-\dfrac{8}{3}(4+k)+8k=0$

$\dfrac{16}{3}k=\dfrac{64}{15}$ $\therefore k=\dfrac{4}{5}$

답 ②

풍쌤 비법

두 곡선 $y=f(x)$, $y=g(x)$로 둘러싸인 두 부분의 넓이를 각각 S_1, S_2라고 할 때, $S_1=S_2$이면

$\displaystyle\int_a^b \{f(x)-g(x)\}dx=0$

114

오른쪽 그림과 같이 곡선 $y=f(x)$와 x축으로 둘러싸인 두 부분의 넓이를 각각 A, B라고 하면

$\displaystyle\int_0^5 f(x)dx<0$

이므로

$A<B$

오른쪽 그림과 같이 $A=B_1$을 만족시키는 x의 값을 α $(2<\alpha<5)$라 하고, $B_2=C$를 만족시키는 x의 값을 β $(\beta>5)$라고 하자.

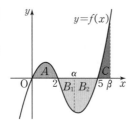

$\displaystyle\int_0^2 f(x)dx=-\int_2^\alpha f(x)dx$에서

$\displaystyle\int_0^2 f(x)dx+\int_2^\alpha f(x)dx=0$

$\therefore \displaystyle\int_0^\alpha f(x)dx=0$ ...... ㉠

또,

$-\displaystyle\int_\alpha^5 f(x)dx=\int_5^\beta f(x)dx$에서

$\displaystyle\int_\alpha^5 f(x)dx+\int_5^\beta f(x)dx=0$

$\therefore \displaystyle\int_\alpha^\beta f(x)dx=0$ ...... ㉡

㉠+㉡을 하면 $\displaystyle\int_0^\alpha f(x)dx+\int_\alpha^\beta f(x)dx=0$

$\therefore \displaystyle\int_0^\beta f(x)dx=0$

한편 $t>\beta$인 모든 t에 대하여 $f(t)>0$이므로

$\displaystyle\int_\beta^t f(x)dx>0$ $\therefore \displaystyle\int_0^t f(x)dx>0$

따라서 $\displaystyle\int_0^t f(x)dx=0$을 만족시키는 양수 t는 α, β의 2개이다.

답 ②

115

$f(x)=|x^2-2|=\begin{cases} x^2-2 & (x \leq -\sqrt{2} \text{ 또는 } x \geq \sqrt{2}) \\ -x^2+2 & (-\sqrt{2}<x<\sqrt{2}) \end{cases}$

함수 $f(x)=|x^2-2|$의 그래프와 직선 $y=k$가 서로 다른 세 점에서 만나려면 오른쪽 그림과 같이 $k=2$이어야 한다.

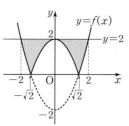

이때 $x \neq 0$에서 함수 $f(x)=|x^2-2|$의 그래프와 직선 $y=2$가 만나는 점의 x좌표는

$x^2-2=2$에서

$x^2-4=0$, $(x+2)(x-2)=0$

$\therefore x=-2$ 또는 $x=2$

곡선 $y=f(x)$와 직선 $y=2$로 둘러싸인 부분의 넓이는 곡선 $y=x^2-2$와 직선 $y=2$로 둘러싸인 부분의 넓이에서 곡선 $y=-x^2+2$와 x축으로 둘러싸인 부분의 넓이의 2배를 뺀 것과 같으므로

$\displaystyle\int_{-2}^2 \{2-(x^2-2)\}dx-2\int_{-\sqrt{2}}^{\sqrt{2}} (-x^2+2)dx$

$=2\displaystyle\int_0^2 (-x^2+4)dx-4\int_0^{\sqrt{2}} (-x^2+2)dx$

$=2\left[-\dfrac{1}{3}x^3+4x\right]_0^2-4\left[-\dfrac{1}{3}x^3+2x\right]_0^{\sqrt{2}}$

$=\dfrac{32}{3}-\dfrac{16\sqrt{2}}{3}$

즉, $a=\dfrac{32}{3}$, $b=-\dfrac{16}{3}$이므로

$a+b=\dfrac{32}{3}-\dfrac{16}{3}=\dfrac{16}{3}$

답 $\dfrac{16}{3}$

다른 풀이

곡선 $y=f(x)$와 직선 $y=2$로 둘러싸인 부분의 넓이는 직사각형의 넓이를 이용하여 다음과 같이 구할 수도 있다.

$4 \times 2-2\displaystyle\int_0^{\sqrt{2}} (-x^2+2)dx-2\int_{\sqrt{2}}^2 (x^2-2)dx$

$=8-2\left[-\dfrac{1}{3}x^3+2x\right]_0^{\sqrt{2}}-2\left[\dfrac{1}{3}x^3-2x\right]_{\sqrt{2}}^2$

$=8-2 \times \dfrac{4\sqrt{2}}{3}-2\left(-\dfrac{4}{3}+\dfrac{4\sqrt{2}}{3}\right)$

$=\dfrac{32}{3}-\dfrac{16\sqrt{2}}{3}$

116

함수 $f(x)=x^2+2$ $(x \geq 0)$의 역함수가 $g(x)$이므로 $y=f(x)$의 그래프와 $y=g(x)$의 그래프는 직선 $y=x$에 대하여 대칭이다.

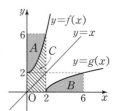

오른쪽 그림에서

$A=B$

이므로

$$\int_0^2 f(x)dx+\int_2^6 g(x)dx=C+B$$
$$=C+A$$
$$=2\times 6=12$$

답 12

117

(i) $0\leq x<1$일 때, $[x]=0$이므로
$\qquad f(x)=x^2$

(ii) $1\leq x<2$일 때, $[x]=1$이므로
$\qquad f(x)=1+(x-1)^2$

따라서 곡선 $y=f(x)$와 x축 및 직선 $x=2$
로 둘러싸인 부분의 넓이는

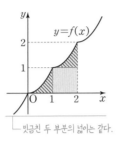

ㄴ빗금친 두 부분의 넓이는 같다.

$$2\int_0^1 x^2dx+1\times 1=2\left[\frac{1}{3}x^3\right]_0^1+1$$
$$=\frac{2}{3}+1=\frac{5}{3}$$

즉, $p=3$, $q=5$이므로
$p+q=3+5=8$

답 8

118

$\lim\limits_{x\to\infty}\dfrac{f(x)}{x^2}=-1$에서 $f(x)$는 x^2의 계수가 -1인 이차함수이다.

$\lim\limits_{x\to 1}\dfrac{f(x)}{x-1}=-6$에서 $x\to 1$일 때 극한값이 존재하고 (분모) $\to 0$
이므로 (분자) $\to 0$이어야 한다.

즉, $\lim\limits_{x\to 1}f(x)=0$이므로 $f(1)=0$

$\therefore \lim\limits_{x\to 1}\dfrac{f(x)}{x-1}=\lim\limits_{x\to 1}\dfrac{f(x)-f(1)}{x-1}=f'(1)=-6$

$f(x)=-x^2+ax+b$ (a, b는 상수)로 놓으면
$f'(x)=-2x+a$
$f'(1)=-6$에서 $-2+a=-6$ $\quad\therefore a=-4$
$f(1)=0$에서 $-1+a+b=0$ $\quad\therefore b=5$

즉, $f(x)=-x^2-4x+5$이므로 함수
$y=f(x)$의 그래프와 x축의 교점의 x좌표는
$-x^2-4x+5=0$에서
$x^2+4x-5=0$, $(x+5)(x-1)=0$
$\therefore x=-5$ 또는 $x=1$

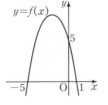

따라서 구하는 넓이는

$$\int_{-5}^1(-x^2-4x+5)dx$$
$$=\left[-\frac{1}{3}x^3-2x^2+5x\right]_{-5}^1$$
$$=\frac{8}{3}-\left(-\frac{100}{3}\right)=36$$

답 ③

119

주어진 다리의 지면을 x축, 포물선의 축을 y축에 놓으면 아치의 폭
이 4 m이므로 포물선을 나타내는 이차함수의 식은
$y=a(x+2)(x-2)$ $(a<0)$
로 놓을 수 있다.
이때 $x=0$일 때 아치의 높이가 2 m이므로

$-4a=2$ $\quad\therefore a=-\dfrac{1}{2}$

따라서 이차함수의 식은
$$y=-\frac{1}{2}(x+2)(x-2)$$
$$=-\frac{1}{2}(x^2-4)$$
$$=-\frac{1}{2}x^2+2$$

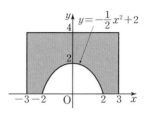

색칠한 부분의 넓이는 가로의 길이가 6이고 세로의 길이가 4인 직
사각형의 넓이에서 곡선 $y=-\dfrac{1}{2}x^2+2$와 x축으로 둘러싸인 부분
의 넓이를 뺀 것과 같으므로 구하는 넓이는

$$6\times 4-\int_{-2}^2\left(-\frac{1}{2}x^2+2\right)dx=24-2\int_0^2\left(-\frac{1}{2}x^2+2\right)dx$$
$$=24-2\left[-\frac{1}{6}x^3+2x\right]_0^2$$
$$=24-\frac{16}{3}=\frac{56}{3}\ (\text{m}^2)$$

답 ②

120

주어진 그림을 직선 MN을 x축, 선분
MN의 중점이 원점에 오도록 좌표평
면 위에 놓으면 오른쪽 그림과 같다.

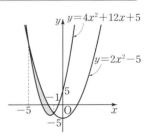

$f(x)=ax(x^2-3)$에서
$f'(x)=a(x^2-3)+ax\times 2x$
$\qquad =3ax^2-3a$
$\qquad =3a(x+1)(x-1)$
$f'(x)=0$에서 $x=-1$ 또는 $x=1$
이때 $f(-1)=\sqrt{3}$이므로
$2a=\sqrt{3}$ $\quad\therefore a=\dfrac{\sqrt{3}}{2}$ $\quad$ $f(x)$는 $x=-1$에서 극댓값 $\sqrt{3}$을 갖고
$\qquad\qquad\qquad\qquad\qquad x=1$에서 극솟값 $-\sqrt{3}$을 갖는다.

따라서 $f(x)=\dfrac{\sqrt{3}}{2}x(x^2-3)=\dfrac{\sqrt{3}}{2}(x^3-3x)$이므로 구하는 넓이
는

$$\int_{-\sqrt{3}}^0\left\{\frac{\sqrt{3}}{2}(x^3-3x)\right\}dx+\int_0^{\sqrt{3}}\left\{-\frac{\sqrt{3}}{2}(x^3-3x)\right\}dx$$
$$=-2\int_0^{\sqrt{3}}\frac{\sqrt{3}}{2}(x^3-3x)dx$$
$$=-\sqrt{3}\left[\frac{1}{4}x^4-\frac{3}{2}x^2\right]_0^{\sqrt{3}}=\frac{9\sqrt{3}}{4}$$

답 ④

121

▸ 접근
두 합성함수 $y=(f\circ g)(x)$, $y=(g\circ f)(x)$의 식을 각각 구하여 두
함수의 그래프의 교점의 x좌표를 구한다.

$(f\circ g)(x)=f(g(x))=f(2x+3)$
$\qquad\qquad\qquad =(2x+3)^2-4$
$\qquad\qquad\qquad =4x^2+12x+5$
$(g\circ f)(x)=g(f(x))=g(x^2-4)$
$\qquad\qquad\qquad =2(x^2-4)+3$
$\qquad\qquad\qquad =2x^2-5$

두 곡선 $y=4x^2+12x+5$,
$y=2x^2-5$의 교점의 x좌표는 $4x^2+12x+5=2x^2-5$에서

Ⅲ. 적분   131

$x^2+6x+5=0$, $(x+5)(x+1)=0$

$\therefore x=-5$ 또는 $x=-1$

따라서 구하는 넓이는

$$\int_{-5}^{-1}\{(2x^2-5)-(4x^2+12x+5)\}dx$$

$$=\int_{-5}^{-1}(-2x^2-12x-10)dx$$

$$=\left[-\frac{2}{3}x^3-6x^2-10x\right]_{-5}^{-1}$$

$$=\frac{14}{3}-\left(-\frac{50}{3}\right)=\frac{64}{3}$$

답 ④

간단 풀이

$(f\circ g)(x)=4x^2+12x+5$, $(g\circ f)(x)=2x^2-5$이고 두 포물선 $y=4x^2+12x+5$, $y=2x^2-5$의 교점의 x좌표가 -5, -1이므로 구하는 넓이는

$$\left|\frac{4-2}{6}\{-1-(-5)\}^3\right|=\frac{64}{3}$$

122

$f(x)=x^4-2x^2+2$에서

$f'(x)=4x^3-4x=4x(x+1)(x-1)$

$f'(x)=0$에서 $x=-1$ 또는 $x=0$ 또는 $x=1$

함수 $f(x)$의 증가와 감소를 표로 나타내면 다음과 같다.

x	$\cdots$	-1	$\cdots$	0	$\cdots$	1	$\cdots$
$f'(x)$	$-$	0	$+$	0	$-$	0	$+$
$f(x)$	$\searrow$	1	$\nearrow$	2	$\searrow$	1	$\nearrow$

즉, $A(-1, 1)$, $B(1, 1)$ 또는 $A(1, 1)$, $B(-1, 1)$이므로 두 점 A, B를 이은 직선의 방정식은 $y=1$이다.

따라서 구하는 넓이는

$$\int_{-1}^{1}(x^4-2x^2+2-1)dx$$

$$=2\int_{0}^{1}(x^4-2x^2+1)dx$$

$$=2\left[\frac{1}{5}x^5-\frac{2}{3}x^3+x\right]_{0}^{1}$$

$$=\frac{16}{15}$$

답 ④

123

곡선 $y=x^2-\dfrac{3}{n^2}$과 직선 $y=\dfrac{1}{n^2}$의 교점의 x좌표는 $x^2-\dfrac{3}{n^2}=\dfrac{1}{n^2}$에서

$x^2-\dfrac{4}{n^2}=0$, $\left(x+\dfrac{2}{n}\right)\left(x-\dfrac{2}{n}\right)=0$

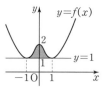

$\therefore x=-\dfrac{2}{n}$ 또는 $x=\dfrac{2}{n}$

$\therefore S(n)=\displaystyle\int_{-\frac{2}{n}}^{\frac{2}{n}}\left\{\dfrac{1}{n^2}-\left(x^2-\dfrac{3}{n^2}\right)\right\}dx=2\int_{0}^{\frac{2}{n}}\left(\dfrac{4}{n^2}-x^2\right)dx$

$=2\left[\dfrac{4}{n^2}x-\dfrac{1}{3}x^3\right]_{0}^{\frac{2}{n}}=\dfrac{32}{3n^3}$

$\dfrac{32}{3n^3}<\dfrac{1}{18}$에서 $n^3>192$이고, $5^3<192<6^3$이므로 자연수 n의 최솟값은 6이다.

답 6

124

두 곡선 $y=f(x)$와 $y=g(x)$는 직선 $y=x$에 대하여 대칭이므로 두 곡선 $y=f(x)$와 $y=g(x)$로 둘러싸인 부분의 넓이는 곡선 $y=f(x)$와 직선 $y=x$로 둘러싸인 부분의 넓이의 2배이다.

곡선 $y=f(x)$와 직선 $y=x$의 교점의 x좌표는

$x^3+x^2+x=x$에서 $x^2(x+1)=0$ $\therefore x=-1$ 또는 $x=0$

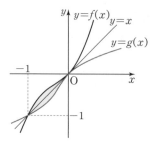

따라서 구하는 넓이는

$$2\int_{-1}^{0}\{(x^3+x^2+x)-x\}dx=2\left[\dfrac{1}{4}x^4+\dfrac{1}{3}x^3\right]_{-1}^{0}=\dfrac{1}{6}$$

답 ②

125

함수 $y=\sqrt[m]{x}$에서 x와 y를 서로 바꾸면 $x=\sqrt[m]{y}$

$\therefore y=x^m$

즉, 함수 $y=\sqrt[m]{x}$의 역함수가 $y=x^m$ $(x\geq0)$이므로 S_1은 곡선 $y=x^m$과 x축 및 직선 $x=1$로 둘러싸인 부분의 넓이와 같다.

$\therefore S_1=\displaystyle\int_{0}^{1}x^m dx=\left[\dfrac{1}{m+1}x^{m+1}\right]_{0}^{1}=\dfrac{1}{m+1}$

S_3은 곡선 $y=x^n$과 x축 및 직선 $x=1$로 둘러싸인 부분의 넓이이므로

$S_3=\displaystyle\int_{0}^{1}x^n dx=\left[\dfrac{1}{n+1}x^{n+1}\right]_{0}^{1}=\dfrac{1}{n+1}$

주어진 정사각형의 넓이가 1이므로 $S_1+S_2+S_3=1$

이때 $S_1:S_2:S_3=4:5:3$이므로

$S_1=\dfrac{4}{4+5+3}=\dfrac{1}{3}$, $S_2=\dfrac{5}{4+5+3}=\dfrac{5}{12}$, $S_3=\dfrac{3}{4+5+3}=\dfrac{1}{4}$

즉, $\dfrac{1}{m+1}=\dfrac{1}{3}$, $\dfrac{1}{n+1}=\dfrac{1}{4}$이므로 $m=2$, $n=3$

$\therefore m-n=2-3=-1$

답 ②

126

직선 AB의 방정식은

$y-1=\dfrac{4-1}{2-(-1)}(x+1)$ $\therefore y=x+2$

닫힌구간 $[-1, 2]$에서 $x^2\leq x+2$이므로 곡선 $y=x^2$과 직선 AB, 즉 $y=x+2$로 둘러싸인 부분의 넓이를 S_1이라고 하면

$S_1=\displaystyle\int_{-1}^{2}\{(x+2)-x^2\}dx=\int_{-1}^{2}(-x^2+x+2)dx$

또, 닫힌구간 $[-1, 2]$에서 $f(x)\geq x+2$이므로 곡선

$y=f(x)$와 직선 $y=x+2$로 둘러싸인 부분의 넓이를 S_2라고 하면

$S_2=\displaystyle\int_{-1}^{2}\{f(x)-(x+2)\}dx$

$S_1=S_2$이므로

$\displaystyle\int_{-1}^{2}(-x^2+x+2)dx=\int_{-1}^{2}\{f(x)-(x+2)\}dx$

$-\displaystyle\int_{-1}^{2}x^2dx+\int_{-1}^{2}(x+2)dx=\int_{-1}^{2}f(x)dx-\int_{-1}^{2}(x+2)dx$

$\displaystyle\int_{-1}^{2}f(x)dx+\int_{-1}^{2}x^2dx=2\int_{-1}^{2}(x+2)dx$

$\therefore \displaystyle\int_{-1}^{2}\{f(x)+x^2\}dx=2\int_{-1}^{2}(x+2)dx$

$\qquad\qquad\qquad =2\Big[\dfrac{1}{2}x^2+2x\Big]_{-1}^{2}=15$

$\therefore \displaystyle\int_{-1}^{2}\{f(x)+x^2+2x-4\}dx$

$\quad =\displaystyle\int_{-1}^{2}\{f(x)+x^2\}dx+\int_{-1}^{2}(2x-4)dx$

$\quad =15+\Big[x^2-4x\Big]_{-1}^{2}$

$\quad =15-9=6$

답 ①

127

$x\ge0$일 때, 곡선 $y=ax^2$과 직선 $y=1$의 교점의 x좌표는

$ax^2=1$에서 $\quad x^2=\dfrac{1}{a}$

$\therefore x=\dfrac{1}{\sqrt{a}}\ (\because x\ge0)$

또, $x\ge0$일 때, 곡선 $y=x^2$과 직선 $y=1$의 교점의 x좌표는

$x^2=1$에서 $\quad x=1\ (\because x\ge0)$

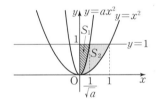

이때 두 곡선 $y=ax^2\,(a>1)$, $y=x^2$은 각각 y축에 대하여 대칭이므로 위의 그림과 같이 곡선 $y=ax^2$과 y축 및 직선 $y=1$로 둘러싸인 도형의 넓이를 S_1, 곡선 $y=x^2$과 y축 및 직선 $y=1$로 둘러싸인 도형의 넓이를 S_2라고 하면 $3S_1=S_2$이다.

즉, $3\displaystyle\int_{0}^{\frac{1}{\sqrt{a}}}(1-ax^2)dx=\int_{0}^{1}(1-x^2)dx$이므로

$3\Big[x-\dfrac{a}{3}x^3\Big]_{0}^{\frac{1}{\sqrt{a}}}=\Big[x-\dfrac{1}{3}x^3\Big]_{0}^{1}$

$3\Big(\dfrac{1}{\sqrt{a}}-\dfrac{1}{3\sqrt{a}}\Big)=1-\dfrac{1}{3},\ \dfrac{2}{\sqrt{a}}=\dfrac{2}{3}$

$\sqrt{a}=3 \qquad \therefore a=9$

답 ④

128

곡선 $y=f(x)$ 위의 점 $(t,\,f(t))$에서의 접선의 방정식은

$y=f'(t)(x-t)+f(t)=f'(t)x-tf'(t)+f(t)$

이것이 $y=(t+1)x+g(t)$와 일치해야 하므로

$f'(t)=t+1,\ g(t)=-tf'(t)+f(t)$

$\therefore f(x)=\displaystyle\int f'(x)dx=\int(x+1)dx$

$\qquad\quad =\dfrac{1}{2}x^2+x+C$ (단, C는 적분상수이다.)

이때 $f(0)=2$이므로 $\quad C=2$

$\therefore f(x)=\dfrac{1}{2}x^2+x+2$

$f'(x)=x+1$이므로

$g(x)=-xf'(x)+f(x)$

$\qquad =-x(x+1)+\dfrac{1}{2}x^2+x+2$

$\qquad =-\dfrac{1}{2}x^2+2$

두 곡선 $y=f(x)$와 $y=g(x)$의 교점의 x좌표는

$\dfrac{1}{2}x^2+x+2=-\dfrac{1}{2}x^2+2$에서

$x^2+x=0,\ x(x+1)=0$

$\therefore x=-1$ 또는 $x=0$

따라서 두 곡선 $y=f(x)$, $y=g(x)$로 둘러싸인 부분의 넓이는

$\displaystyle\int_{-1}^{0}\Big\{\Big(-\dfrac{1}{2}x^2+2\Big)-\Big(\dfrac{1}{2}x^2+x+2\Big)\Big\}dx$

$=\displaystyle\int_{-1}^{0}(-x^2-x)dx$

$=\Big[-\dfrac{1}{3}x^3-\dfrac{1}{2}x^2\Big]_{-1}^{0}$

$=-\Big(\dfrac{1}{3}-\dfrac{1}{2}\Big)=\dfrac{1}{6}$

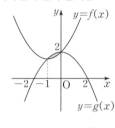

답 ③

▶간단 풀이◀

$f(x)=\dfrac{1}{2}x^2+x+2$, $g(x)=-\dfrac{1}{2}x^2+2$이고 두 포물선 $y=f(x)$, $y=g(x)$의 교점의 x좌표가 -1, 0이므로 구하는 넓이는

$\left|\dfrac{\dfrac{1}{2}-\Big(-\dfrac{1}{2}\Big)}{6}\{0-(-1)\}^3\right|=\dfrac{1}{6}$

129

$y=2x^2-10x+13$에서 $\quad y'=4x-10$

접점의 좌표를 $(a,\,2a^2-10a+13)$이라고 하면 접선의 기울기는

$4a-10$이므로 접선의 방정식은

$y-(2a^2-10a+13)=(4a-10)(x-a)$

이 직선이 점 $(3,\,-1)$을 지나므로

$-1-(2a^2-10a+13)=(4a-10)(3-a)$

$a^2-6a+8=0,\ (a-2)(a-4)=0$

$\therefore a=2$ 또는 $a=4$

즉, 두 접선의 방정식은 $\quad y=-2x+5,\ y=6x-19$

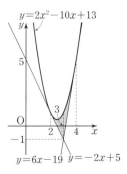

따라서 구하는 넓이는

$$\int_2^3 \{(2x^2-10x+13)-(-2x+5)\}dx$$
$$+\int_3^4 \{(2x^2-10x+13)-(6x-19)\}dx$$
$$=\int_2^3 (2x^2-8x+8)dx+\int_3^4 (2x^2-16x+32)dx$$
$$=\left[\frac{2}{3}x^3-4x^2+8x\right]_2^3+\left[\frac{2}{3}x^3-8x^2+32x\right]_3^4$$
$$=\frac{2}{3}+\frac{2}{3}=\frac{4}{3}$$

답 ②

130

규칙 ㈎에 의하여 점 $P_1\left(1, \dfrac{1}{3}\right)$은 곡선 $y=ax^2\,(a>0)$ 위의 점이

므로 $a=\dfrac{1}{3}$

즉, 곡선의 방정식은 $y=\dfrac{1}{3}x^2$

또, 규칙 ㈏에 의하여 직선 P_1P_2의 방정식은

$$y=-\frac{1}{3}\times1\times x+2\times\frac{1}{3}\times1^2$$
$$\therefore y=-\frac{1}{3}x+\frac{2}{3}$$

직선 $y=-\dfrac{1}{3}x+\dfrac{2}{3}$와 곡선 $y=\dfrac{1}{3}x^2$의 교점의 x좌표는

$\dfrac{1}{3}x^2=-\dfrac{1}{3}x+\dfrac{2}{3}$에서

$x^2+x-2=0$, $(x+2)(x-1)=0$

$\therefore x=-2$ 또는 $x=1$

$\therefore P_2\left(-2, \dfrac{4}{3}\right)$

따라서 구하는 넓이는 $-2\le x\le0$에서 직선 $y=-\dfrac{1}{3}x+\dfrac{2}{3}$와 곡선

$y=\dfrac{1}{3}x^2$으로 둘러싸인 부분의 넓이이므로

$$\int_{-2}^0 \left\{\left(-\frac{1}{3}x+\frac{2}{3}\right)-\frac{1}{3}x^2\right\}dx=\left[-\frac{1}{6}x^2+\frac{2}{3}x-\frac{1}{9}x^3\right]_{-2}^0$$
$$=\frac{10}{9}$$

답 ②

131

오른쪽 그림과 같이 각 부분의 넓이를 차례대로 S_1, S_2, S_3, S_4라고 하면 사다리꼴 OACB의 넓이가 곡선 $y=f(x)$와 x축으로 둘러싸인 부분의 넓이와 같으므로

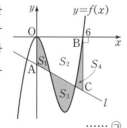

$S_1+S_2+S_4=S_2+S_3$

$\therefore S_1+S_4=S_3$ ...... ㉠

이때 직선 l의 방정식을 $y=ax+b$ (a, b는 상수)라고 하면 ㉠에 의하여

$$\int_0^6 (x^3-6x^2-ax-b)dx=\left[\frac{1}{4}x^4-2x^3-\frac{a}{2}x^2-bx\right]_0^6$$
$$=-108-18a-6b=0$$
$$\therefore b=-3a-18$$

직선 l의 방정식은 $y=ax-3a-18$, 즉 $y=a(x-3)-18$이므로 직선 l은 a의 값에 관계없이 항상 점 $(3, -18)$을 지난다.

따라서 점 $D(3, -18)$이므로 삼각형 ODB의 넓이는

$$\frac{1}{2}\times6\times18=54$$

답 54

132

점 A의 시각 t에서의 위치 x는

$$x=10+\int_0^t (2t-4)dt=10+\left[t^2-4t\right]_0^t$$
$$=t^2-4t+10=(t-2)^2+6$$

따라서 점 A는 $t=2$일 때 원점에서 가장 가까이 있으며, 그때의 점 A의 위치는 6이다.

답 ④

133

$$v(t)=2t^2-8t+a=2(t-2)^2+a-8$$

이므로 $v(t)$는 $t=2$일 때 최솟값 $a-8$을 갖는다.

시각 $t=0$에서 $t=3$까지 점 P의 위치의 변화량은

$$\int_0^3 v(t)dt$$

시각 $t=0$에서 $t=3$까지 점 P가 움직인 거리는

$$\int_0^3 |v(t)|dt$$

이때 시각 $t=0$에서 $t=3$까지 점 P의 위치의 변화량과 시각 $t=0$에서 $t=3$까지 점 P가 움직인 거리가 같으므로

$$\int_0^3 v(t)dt=\int_0^3 |v(t)|dt$$

따라서 시각 $t=0$에서 $t=3$까지 $v(t)\ge0$이어야 하므로

$a-8\ge0$ $\therefore a\ge8$ ——— ($v(t)$의 최솟값) ≥0이어야 한다.

즉, 실수 a의 최솟값은 8이다.

답 8

134

물체가 최고 높이에 도달할 때의 속도는 0 m/s이므로

$a-10t=0$에서 $t=\dfrac{1}{10}a$

최고 높이에 도달할 때까지 물체가 움직인 거리는

$$\int_0^{\frac{1}{10}a} |v(t)|dt=\int_0^{\frac{1}{10}a} |a-10t|dt$$
$$=\int_0^{\frac{1}{10}a} (a-10t)dt$$
$$=\left[at-5t^2\right]_0^{\frac{1}{10}a}=\frac{1}{20}a^2 \text{ (m)}$$

이때 최고 높이가 20 m 이상이 되어야 하므로

$\dfrac{1}{20}a^2\ge20$에서 $a^2\ge20^2$ $\therefore a\ge20\ (\because a>0)$

따라서 최고 높이가 20 m 이상이 되도록 하는 a의 최솟값은 20이다.

답 ③

135

$v(t)=t^4-8t^3+16t^2$에서

$v'(t)=4t^3-24t^2+32t=4t(t-2)(t-4)$

$v'(t)=0$에서 $t=2$ 또는 $t=4$ $(\because t>0)$

따라서 $2\leq t\leq 4$에서 $v'(t)\leq 0$이므로 점 P의 속도가 감소하기 시작하여 다시 증가할 때까지 점 P가 움직인 거리는

$$\int_2^4 |v(t)|\,dt=\int_2^4 v(t)\,dt=\int_2^4 (t^4-8t^3+16t^2)\,dt$$
$$=\left[\frac{1}{5}t^5-2t^4+\frac{16}{3}t^3\right]_2^4=\frac{256}{15}\,(\text{m})$$

즉, $p=15$, $q=256$이므로

$q-p=256-15=241$

답 ②

참고

$v(t)=t^4-8t^3+16t^2=t^2(t-4)^2$이므로 임의의 실수 t에 대하여

$v(t)\geq 0$

$\therefore |v(t)|=v(t)$

136

점 P의 시각 t에서의 위치를 $x(t)$라고 하면

$$x(t)=-\frac{5}{2}+\int_0^t v(t)\,dt=-\frac{5}{2}+\int_0^t (3t^2-9t+6)\,dt$$
$$=-\frac{5}{2}+\left[t^3-\frac{9}{2}t^2+6t\right]_0^t=t^3-\frac{9}{2}t^2+6t-\frac{5}{2}$$

점 P의 위치가 원점이면 $x(t)=0$이므로

$t^3-\frac{9}{2}t^2+6t-\frac{5}{2}=0$, $2t^3-9t^2+12t-5=0$

$(t-1)^2(2t-5)=0$ $\therefore t=1$ 또는 $t=\frac{5}{2}$

따라서 구하는 모든 시각의 합은

$1+\frac{5}{2}=\frac{7}{2}$

답 ④

137

출발 후 10초 동안 운행한 거리는

$$\int_0^{10} t\,dt=\left[\frac{1}{2}t^2\right]_0^{10}=50$$

$t=10$일 때 속도는 10이므로

$k=10$

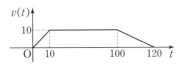

이때 10초와 100초 사이 운행한 거리는

$$\int_{10}^{100} 10\,dt=\left[10t\right]_{10}^{100}=900$$

100초에서부터 열차가 정지할 때까지 운행한 거리는

$$\int_{100}^{120} \frac{1}{2}(120-t)\,dt=\frac{1}{2}\left[120t-\frac{1}{2}t^2\right]_{100}^{120}=100$$

따라서 구하는 거리는

$50+900+100=1050$

답 1050

다른 풀이

구하는 거리는 사다리꼴의 넓이를 이용하여 다음과 같이 구할 수도 있다.

$\frac{1}{2}\times(90+120)\times10=1050$

138

두 점 P, Q의 시각 t $(0\leq t\leq 8)$에서의 속도를 각각 $f(t)$, $g(t)$라고 하면

$f(t)=2t^2-8t$, $g(t)=t^3-10t^2+24t$

x초 후의 두 점 P, Q 사이의 거리는

$$\left|\int_0^x f(t)\,dt-\int_0^x g(t)\,dt\right|$$
$$=\left|\int_0^x \{f(t)-g(t)\}\,dt\right|$$
$$=\left|\int_0^x \{(2t^2-8t)-(t^3-10t^2+24t)\}\,dt\right|$$
$$=\left|\int_0^x (-t^3+12t^2-32t)\,dt\right|$$
$$=\left|\left[-\frac{1}{4}t^4+4t^3-16t^2\right]_0^x\right|$$
$$=\left|-\frac{1}{4}x^4+4x^3-16x^2\right|$$
$$=\left|\frac{1}{4}x^4-4x^3+16x^2\right| \qquad \cdots\cdots \text{㉠}$$

㉠에서 $h(x)=\frac{1}{4}x^4-4x^3+16x^2$이라고 하면

$h'(x)=x^3-12x^2+32x=x(x-4)(x-8)$

$h'(x)=0$에서 $x=0$ 또는 $x=4$ 또는 $x=8$

$0\leq x\leq 8$에서 함수 $h(x)$의 증가와 감소를 표로 나타내면 다음과 같다.

x	0	$\cdots$	4	$\cdots$	8
$h'(x)$	0	+	0	−	0
$h(x)$	0	↗	극대	↘	0

즉, $0\leq x\leq 8$에서 $h(x)\geq 0$이고 $x=4$일 때 $h(x)$는 극대이면서 최대이다.

따라서 ㉠에서 두 점 P, Q 사이의 거리의 최댓값은

$|h(4)|=\left|\frac{1}{4}\times4^4-4\times4^3+16\times4^2\right|=64$

답 64

139

30 m를 달리는 데 걸린 시간을 x초라고 하면

$$\int_0^x v(t)\,dt=\int_0^x \left(\frac{3}{5}t^2+\frac{2}{5}t\right)dt=\left[\frac{1}{5}t^3+\frac{1}{5}t^2\right]_0^x$$
$$=\frac{1}{5}x^3+\frac{1}{5}x^2=30$$

$t\geq 0$일 때 $v(t)\geq 0$이므로 x초 동안 달린 거리는 $\int_0^x v(t)\,dt$

$x^3+x^2-150=0$, $(x-5)(x^2+6x+30)=0$

$\therefore x=5$ $(\because x^2+6x+30>0)$

즉, 30 m를 달리는 데 5초가 걸리므로 그 이후로는 5초일 때의 속도 $v(5)=\frac{3}{5}\times5^2+\frac{2}{5}\times5=17\,(\text{m/s})$을 유지하며 달린다.

따라서 나머지 10초 동안 자동차가 달린 거리는

$17 \times 10 = 170 \, (\text{m})$
이므로 15초 동안 자동차가 달린 거리는
$30 + 170 = 200 \, (\text{m})$

답 ⑤

140

물이 멈출 때의 속도는 0이므로
$v(t) = 3t - t^2 = -t(t-3) = 0$에서 $t = 3 \, (\because t > 0)$
이때 물이 수도관을 따라 흘러온 길이를 l이라고 하면
$$l = \int_0^3 (3t - t^2)dt = \left[\frac{3}{2}t^2 - \frac{1}{3}t^3\right]_0^3 = \frac{9}{2}$$
따라서 흘러나온 물의 양은
(수도관의 단면의 넓이) × (물이 흘러나온 길이)
$$= (\pi \times 2^2) \times \frac{9}{2} = 18\pi$$

답 ④

141

두 점 P, Q의 시각 t에서의 위치를 각각 $x_P(t)$, $x_Q(t)$라고 하면
$$x_P(t) = 4 + \int_0^t (3t^2 - 4t + 1)dt$$
$$= 4 + \left[t^3 - 2t^2 + t\right]_0^t$$
$$= t^3 - 2t^2 + t + 4$$
$$x_Q(t) = \int_0^t (6t^2 - 16t + 10)dt$$
$$= \left[2t^3 - 8t^2 + 10t\right]_0^t$$
$$= 2t^3 - 8t^2 + 10t$$
이때 두 점 P, Q가 만나려면 $x_P(t) = x_Q(t)$, 즉 $x_Q(t) - x_P(t) = 0$
이어야 한다.
$$x_Q(t) - x_P(t) = (2t^3 - 8t^2 + 10t) - (t^3 - 2t^2 + t + 4)$$
$$= t^3 - 6t^2 + 9t - 4$$
$$= (t-1)^2(t-4) = 0$$
$\therefore t = 1$ 또는 $t = 4$
따라서 두 점 P, Q는 $t = 1$, $t = 4$에서 만나므로
$n = 2$

답 ②

142

A지점에서 굴린 공의 t초 후의 속도 $v_1(t)$ m/s는
$v_1(t) = 4 - t$
이므로 $v_1(t) = 0$에서 $t = 4$
즉, 4초 후 공이 멈추므로 두 지점 A, B 사이의 거리는
$$\int_0^4 v_1(t)dt = \int_0^4 (4-t)dt = \left[4t - \frac{1}{2}t^2\right]_0^4 = 8 \, (\text{m})$$
한편 B지점에서 굴린 공의 t초 후의 속도 $v_2(t)$ m/s는
$v_2(t) = a - 0.5t = a - \frac{1}{2}t$
이므로 $v_2(t) = 0$에서 $t = 2a$

즉, $2a$초 후 공이 멈추므로 두 지점 A, B 사이의 거리는
$$\int_0^{2a} v_2(t)dt = \int_0^{2a} \left(a - \frac{1}{2}t\right)dt$$
$$= \left[at - \frac{1}{4}t^2\right]_0^{2a} = a^2 \, (\text{m})$$
따라서 $a^2 = 8$이므로 $a = 2\sqrt{2} \, (\because a > 0)$

답 ④

143

두 점 P, Q의 시각 t에서의 위치를 각각 $x_P(t)$, $x_Q(t)$라고 하면
$$x_P(t) = 0 + \int_0^t (2t - 1)dt = \left[t^2 - t\right]_0^t = t^2 - t$$
$$x_Q(t) = 0 + \int_0^t (-6t^2 + 2t + 5)dt = \left[-2t^3 + t^2 + 5t\right]_0^t$$
$$= -2t^3 + t^2 + 5t$$
따라서 선분 PQ의 중점 M의 시각 t에서의 위치는
$$\frac{x_P(t) + x_Q(t)}{2} = \frac{(t^2 - t) + (-2t^3 + t^2 + 5t)}{2}$$
$$= -t^3 + t^2 + 2t = -t(t+1)(t-2)$$
점 M이 다시 원점을 지나면 점 M의 위치는 0이므로
$-t(t+1)(t-2) = 0$에서 $t = 2 \, (\because t > 0)$
따라서 점 M이 다시 원점을 지날 때까지 걸리는 시간은 2초이다.

답 ④

144

정사각형의 둘레의 길이가 40이므로 두 점 P, Q가 움직인 거리의
합이 40의 배수이면 두 점이 만나게 된다.
이때 두 점 P, Q가 출발한 후 10초 동안 움직인 거리를 각각 s_P, s_Q
라고 하면
$$s_P = \int_0^{10} v_P(t)dt = \int_0^{10} (7t + 3)dt = \left[\frac{7}{2}t^2 + 3t\right]_0^{10} = 380$$
$$s_Q = \int_0^{10} v_Q(t)dt = \int_0^{10} (3t + 2)dt = \left[\frac{3}{2}t^2 + 2t\right]_0^{10} = 170$$
$\therefore s_P + s_Q = 380 + 170 = 550$
즉, 10초 동안 두 점 P, Q가 움직인 거리의 합이 550이고
$550 = 40 \times 13 + 30$
이므로 두 점 P, Q는 10초 동안 13번 만난다.

답 13

풍쌤 비법

도형의 둘레 위를 움직이는 두 점

두 점이 둘레의 길이가 l인 도형 위의 한 점을 동시에 출발하여
이 도형의 둘레를 돌 때, 두 점이 만나는 경우는 다음과 같다.
(1) 두 점이 같은 방향으로 움직일 때
  ➡ 두 점이 움직인 거리의 차가 kl (k는 음이 아닌 정수)일
    때 만난다.
(2) 두 점이 반대 방향으로 움직일 때
  ➡ 두 점이 움직인 거리의 합이 kl (k는 자연수)일 때 만난다.

145

→ 접근 ──────────────────────
주어진 조건을 이용하여 $v(t)$의 그래프의 특징을 파악하고, $x(a)$의 정의를 이용하여 움직인 거리를 구한다.
────────────────────────────

$x(a)=\int_0^a v(t)dt$이므로 조건 ㈐에 의하여

$x(1)=\int_0^1 v(t)dt=-\dfrac{1}{3}$

$\therefore x(3)=\int_0^3 v(t)dt$

$\qquad =\int_0^1 v(t)dt+\int_1^3 v(t)dt$

$\qquad =-\dfrac{1}{3}+\dfrac{17}{3}=\dfrac{16}{3}$ ($\because$ 조건 ㈎)

조건 ㈏에서 모든 실수 t에 대하여 $v(4-t)=v(4+t)$이므로 $v(t)$의 그래프는 다음 그림과 같이 직선 $x=4$에 대하여 대칭이다.

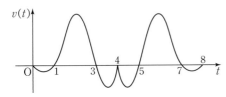

따라서 점 P가 $t=4$에서 $t=7$까지 움직인 거리는 $t=1$에서 $t=4$까지 움직인 거리와 같으므로 구하는 거리는

$\int_1^3 v(t)dt-\int_3^4 v(t)dt$

$=\dfrac{17}{3}-\left\{\int_0^4 v(t)dt-\int_0^3 v(t)dt\right\}$ ($\because$ 조건 ㈎)

$=\dfrac{17}{3}-\{x(4)-x(3)\}$

$=\dfrac{17}{3}-\left(\dfrac{10}{3}-\dfrac{16}{3}\right)=\dfrac{23}{3}$ ($\because$ 조건 ㈐)

답 ③

146

ㄱ은 옳다.

두 점 A, C는 10초 동안 속도의 부호가 바뀌지 않으므로 운동 방향이 바뀌지 않는다.

ㄴ은 옳지 않다.

점 A의 속도 그래프에서 접선의 기울기가 0인 순간은 존재하지 않으므로 점 A에서 가속도가 0인 순간은 존재하지 않는다.

ㄷ은 옳다.

점 B는 3초 동안 두 점 A, C와 반대 방향으로 움직이다가 10초 후 세 점이 만나므로 점 B는 출발하고 나서 다시 원점을 지난다.

따라서 옳은 것은 ㄱ, ㄷ이다.

답 ③

147

$v(t)=at(t-20)$ $(a<0)$으로 놓으면 속도 $v(t)$의 그래프의 꼭짓점의 좌표가 $(10, 10)$이므로

$10=a\times 10\times(-10)$ $\qquad \therefore a=-\dfrac{1}{10}$

$\therefore v(t)=-\dfrac{1}{10}t(t-20)$

$\qquad =-\dfrac{1}{10}t^2+2t$

이때 두 지점 A, B 사이의 거리는 $t=0$에서 $t=20$까지 드론이 이동한 거리이므로

$\int_0^{20}\left|-\dfrac{1}{10}t^2+2t\right|dt=\int_0^{20}\left(-\dfrac{1}{10}t^2+2t\right)dt$

$\qquad =\left[-\dfrac{1}{30}t^3+t^2\right]_0^{20}$

$\qquad =\dfrac{400}{3}$ (m)

답 $\dfrac{400}{3}$ m

148

ㄱ은 옳다.

$t=a$일 때, 물체 A의 위치는 $\int_0^a f(t)dt$이고 물체 B의 위치는 $\int_0^a g(t)dt$이다.

주어진 그래프에서 $0\le t\le a$일 때 $f(t)\ge g(t)$이므로

$\int_0^a f(t)dt\ge\int_0^a g(t)dt$

따라서 $t=a$일 때, 물체 A가 물체 B보다 높은 위치에 있다.

ㄴ도 옳다.

$0\le t\le c$에서 물체 A와 물체 B의 시각 $t=x$에서의 높이의 차를 $F(x)$라고 하면

$F(x)=\int_0^x f(t)dt-\int_0^x g(t)dt$

$\therefore F'(x)=f(x)-g(x)$

$F'(x)=0$에서 $f(x)=g(x)$

$\therefore x=b$

$0\le x\le c$에서 함수 $F(x)$의 증가와 감소를 표로 나타내면 다음과 같다.

x	0	$\cdots$	b	$\cdots$	c
$F'(x)$		$+$	0	$-$	
$F(x)$		↗	극대	↘	

따라서 $F(x)$는 $x=b$에서 극대이면서 최대이므로 $t=b$일 때 두 물체 A, B의 높이의 차가 최대이다.

ㄷ도 옳다.

$\int_0^c f(t)dt$는 출발 후 c초 동안 물체 A가 올라간 높이이고,

$\int_0^c g(t)dt$는 출발 후 c초 동안 물체 B가 올라간 높이이다.

이때 $\int_0^c f(t)dt=\int_0^c g(t)dt$이므로 $t=c$일 때 두 물체는 같은 높이에 있다.

따라서 옳은 것은 ㄱ, ㄴ, ㄷ이다.

답 ⑤

149

$f(0)<0$이고 함수 $y=|f(x)|$는 $x=0$에서 극댓값을 가지므로 함수 $f(x)$는 $x=0$에서 극소이다.

또, 함수 $y=|f(x)|$는 $x=-1$, $x=1$에서 극솟값을 가지므로 함수 $f(x)$는 $x=-1$에서 극댓값을 갖고 $f(1)=0$이다.

따라서 두 함수 $y=f(x)$, $y=|f(x)|$의 그래프는 오른쪽 그림과 같다.

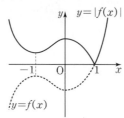

삼차함수 $f(x)$의 최고차항의 계수가 1이고 $f'(0)=0$, $f'(-1)=0$이므로

$$f'(x)=3x(x+1)$$
$$=3x^2+3x$$

$$\therefore f(x)=\int f'(x)dx=\int (3x^2+3x)dx$$
$$=x^3+\frac{3}{2}x^2+C \text{ (단, } C \text{는 적분상수이다.)}$$

이때 $f(1)=0$이므로

$$f(1)=1+\frac{3}{2}+C=0 \quad \therefore C=-\frac{5}{2}$$

$$\therefore f(x)=x^3+\frac{3}{2}x^2-\frac{5}{2}$$

$$\therefore \int_{-1}^{1}|f(x)|dx=\int_{-1}^{1}\left(-x^3-\frac{3}{2}x^2+\frac{5}{2}\right)dx$$
$$=2\int_{0}^{1}\left(-\frac{3}{2}x^2+\frac{5}{2}\right)dx$$
$$=2\left[-\frac{1}{2}x^3+\frac{5}{2}x\right]_{0}^{1}$$
$$=2\left(-\frac{1}{2}+\frac{5}{2}\right)=4$$

답 ④

150

$f(x)=\begin{cases} x-1 & (x\geq 0) \\ -x-1 & (x<0) \end{cases}$ 이므로 함수 $y=f(x)$의 그래프는 오른쪽 그림과 같다.

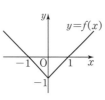

$p(t)=\int_{-a}^{t}f(x)dx$, $q(t)=\int_{t}^{a}f(x)dx$ 라고 하면

$g(t)=|p(t)|+|q(t)|$

$0\leq a<1$일 때

$f(x)<0$이고, $p(t)<0$, $q(t)<0$이므로

$g(t)=|p(t)|+|q(t)|$
$=-p(t)-q(t)$
$=-\left\{\int_{-a}^{t}f(x)dx+\int_{t}^{a}f(x)dx\right\}$
$=-\left\{\int_{-a}^{0}f(x)dx+\int_{0}^{a}f(x)dx\right\}$
$=-\left\{\int_{-a}^{0}(-x-1)dx+\int_{0}^{a}(x-1)dx\right\}$
$=-\left\{\left[-\frac{1}{2}x^2-x\right]_{-a}^{0}+\left[\frac{1}{2}x^2-x\right]_{0}^{a}\right\}$
$=-\left\{\left(\frac{1}{2}a^2-a\right)+\left(\frac{1}{2}a^2-a\right)\right\}$
$=-a^2+2a$

$\therefore h(a)=-a^2+2a \ (0\leq a<1)$ ······ ㉠

$1\leq a\leq 2$일 때

(i) $-a<t<a-2$에서 $p(t)>0$, $q(t)<0$이므로 [$t=-a$와 $t=a-2$의 중점은 $t=-1$이다.]

$g(t)=|p(t)|+|q(t)|$
$=p(t)-q(t)$
$=\int_{-a}^{t}f(x)dx-\int_{t}^{a}f(x)dx$
$=\int_{-a}^{t}f(x)dx-\left\{\int_{t}^{0}f(x)dx+\int_{0}^{a}f(x)dx\right\}$
$=\int_{-a}^{t}(-x-1)dx-\int_{t}^{0}(-x-1)dx-\int_{0}^{a}(x-1)dx$
$=\left[-\frac{1}{2}x^2-x\right]_{-a}^{t}-\left[-\frac{1}{2}x^2-x\right]_{t}^{0}-\left[\frac{1}{2}x^2-x\right]_{0}^{a}$
$=-t^2-2t$
$=1-(t+1)^2$

(ii) $a-2<t<2-a$에서 $p(t)<0$, $q(t)<0$이므로 [$t=a-2$와 $t=2-a$의 중점은 $t=0$이다.]

$g(t)=|p(t)|+|q(t)|$
$=-a^2+2a$
$=1-(a-1)^2$

(iii) $2-a<t<a$에서 $p(t)<0$, $q(t)>0$이므로 [$t=2-a$와 $t=a$의 중점은 $t=1$이다.]

$g(t)=|p(t)|+|q(t)|$
$=-p(t)+q(t)$
$=-\int_{-a}^{t}f(x)dx+\int_{t}^{a}f(x)dx$
$=-\left\{\int_{-a}^{0}f(x)dx+\int_{0}^{t}f(x)dx\right\}+\int_{t}^{a}f(x)dx$
$=-\int_{-a}^{0}(-x-1)dx-\int_{0}^{t}(x-1)dx+\int_{t}^{a}(x-1)dx$
$=-\left[-\frac{1}{2}x^2-x\right]_{-a}^{0}-\left[\frac{1}{2}x^2-x\right]_{0}^{t}+\left[\frac{1}{2}x^2-x\right]_{t}^{a}$
$=-t^2+2t$
$=1-(t-1)^2$

(i), (ii), (iii)에서

$$g(t)=\begin{cases} 1-(t+1)^2 & (-a<t<a-2) \to t=-1 \text{일 때 최댓값 } 1 \\ 1-(a-1)^2 & (a-2<t<2-a) \to 1-(a-1)^2\leq 1 \\ 1-(t-1)^2 & (2-a<t<a) \to t=1 \text{일 때 최댓값 } 1 \end{cases}$$

$\therefore h(a)=1 \ (1\leq a\leq 2)$ ······ ㉡

㉠, ㉡에서 함수 $y=h(a)$의 그래프는 오른쪽 그림과 같으므로

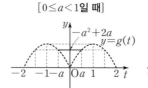

$\int_{0}^{2}h(a)da=\int_{0}^{1}(-a^2+2a)da$
$\qquad\qquad\qquad +\int_{1}^{2}1da$
$=\left[-\frac{1}{3}a^3+a^2\right]_{0}^{1}+\left[a\right]_{1}^{2}$
$=\frac{2}{3}+1=\frac{5}{3}$

답 ②

참고

$y=g(t)$의 그래프는 다음 그림과 같다.

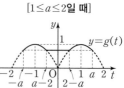

[$0\leq a<1$일 때] [$1\leq a\leq 2$일 때]

151

$f(x)=\int_1^x 6(t^2-2at)dt$에서

$f'(x)=6(x^2-2ax)=6x(x-2a)$

$f'(x)=0$에서 $x=0$ 또는 $x=2a$

(i) $0<a<\dfrac{1}{2}$일 때

└ $2a<1$

$-1\leq x\leq 1$에서 함수 $f(x)$의 증가와 감소를 표로 나타내면 다음과 같다.

x	-1	$\cdots$	0	$\cdots$	$2a$	$\cdots$	1
$f'(x)$		$+$	0	$-$	0	$+$	
$f(x)$		↗	극대	↘	극소	↗	

따라서 $-1\leq x\leq 1$에서 최댓값 M은 $f(0)$, $f(1)$ 중에서 큰 값이고, 최솟값 m은 $f(-1)$, $f(2a)$ 중에서 작은 값이다.

$f(x)=\int_1^x 6(t^2-2at)dt=6\left[\dfrac{1}{3}t^3-at^2\right]_1^x$

$\qquad =2x^3-6ax^2+6a-2$

이므로

$f(0)=6a-2,\ f(1)=0,\ f(-1)=-4,\ f(2a)=-8a^3+6a-2$

ⓘ $0<a<\dfrac{1}{3}$일 때

$M=f(1)=0$이고,

$f(-1)-f(2a)=8a^3-6a-2=2(a-1)(2a+1)^2<0$

이므로

$m=f(-1)=-4$

따라서 $M-m=4$가 성립한다.

ⓘⓘ $\dfrac{1}{3}\leq a<\dfrac{1}{2}$일 때

$M=f(0)=6a-2$이고, $f(-1)-f(2a)<0$이므로

$m=f(-1)=-4$

이때 $M-m=4$이므로

$6a-2-(-4)=4,\ 6a=2$ $\therefore a=\dfrac{1}{3}$

(ii) $a\geq\dfrac{1}{2}$일 때

└ $2a\geq 1$

$-1\leq x\leq 1$에서 함수 $f(x)$의 증가와 감소를 표로 나타내면 다음과 같다.

x	-1	$\cdots$	0	$\cdots$	1
$f'(x)$		$+$	0	$-$	
$f(x)$	-4	↗	극대	↘	0

따라서 $-1\leq x\leq 1$에서 $f(x)$는 $x=0$에서 극대이면서 최대이고 $x=-1$에서 최소이다.

$\therefore M=6a-2,\ m=-4$

그런데 $M-m=4$이어야 하는데 이를 만족시키는 a의 값이 $a\geq\dfrac{1}{2}$에서 존재하지 않는다.

(i), (ii)에 의하여 a의 값의 범위는

$0<a\leq\dfrac{1}{3}$

따라서 a의 최댓값은 $\dfrac{1}{3}$이다.

답 ①

152

$f(x)=\int_2^x(3t^2-2nt-4)dt$

$\qquad =\left[t^3-nt^2-4t\right]_2^x$

$\qquad =x^3-nx^2-4x+4n$

$\qquad =(x-n)(x-2)(x+2)$

ㄱ은 옳지 않다.

$n=2$일 때, 방정식 $f(x)=0$은 $(x-2)^2(x+2)=0$이므로 서로 다른 두 실근 -2, 2를 갖는다.

ㄴ은 옳다.

$n=0$일 때, $f(x)=x(x-2)(x+2)$이므로

$f(-x)=-x\times(-x-2)(-x+2)$

$\qquad\quad =-x(x-2)(x+2)$

$\qquad\quad =-f(x)$

$\therefore f(x)=-f(-x)$

ㄷ도 옳다.

$g(x)=\int_0^x(x-t)f(t)dt$

$\quad =x\int_0^x f(t)dt-\int_0^x tf(t)dt$

$\quad =x\int_0^x(t^3-nt^2-4t+4n)dt-\int_0^x(t^4-nt^3-4t^2+4nt)dt$

$\quad =x\left(\dfrac{1}{4}x^4-\dfrac{1}{3}nx^3-2x^2+4nx\right)$

$\qquad\quad -\left(\dfrac{1}{5}x^5-\dfrac{1}{4}nx^4-\dfrac{4}{3}x^3+2nx^2\right)$

$\quad =\dfrac{1}{20}x^5-\dfrac{1}{12}nx^4-\dfrac{2}{3}x^3+2nx^2$

이때 $g(x)=-g(-x)$이면 $n=0$이므로

└ $g(x)$가 기함수이므로 짝수 차수의 항이 없다.

$f(x)=x^3-4x$

$\therefore f(x)=-f(-x)$

따라서 옳은 것은 ㄴ, ㄷ이다.

답 ④

다른 풀이

ㄴ은 옳다.

$n=0$일 때, 오른쪽 그림과 같이 함수 $y=f(x)$의 그래프는 원점에 대하여 대칭이므로 $f(x)=-f(-x)$이다.

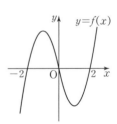

153

원의 중심이 y축 위에 있으므로 원의 방정식을

$x^2+(y-a)^2=1\ (a>0)$ ······ ㉠

로 놓을 수 있다.

$y=x^2$을 ㉠에 대입하면

$y+(y-a)^2=1$

$\therefore y^2-(2a-1)y+a^2-1=0$ ······ ㉡

이때 원과 곡선이 접하므로 이차방정식 ⓒ의 판별식을 D라고 하면

$D=(2a-1)^2-4(a^2-1)=0$

$-4a+5=0$ ∴ $a=\dfrac{5}{4}$

이것을 ⓒ에 대입하면

$y^2-\dfrac{3}{2}y+\dfrac{9}{16}=0$, $16y^2-24y+9=0$

$(4y-3)^2=0$ ∴ $y=\dfrac{3}{4}$

$y=\dfrac{3}{4}$을 $y=x^2$에 대입하면

$x=\pm\dfrac{\sqrt{3}}{2}$

오른쪽 그림과 같이 원의 중심을 C, 접
점을 P, 점 P에서 x축, y축에 내린 수
선의 발을 각각 Q, H라고 하면 직각삼
각형 CHP에서

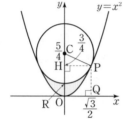

$\overline{CP}=1$, $\overline{CH}=\dfrac{5}{4}-\dfrac{3}{4}=\dfrac{1}{2}$이므로

$\angle PCR=60°$ $\lfloor \overline{CP}:\overline{CH}=2:1$

따라서 구하는 넓이는

$2\Big\{($사다리꼴 OQPC의 넓이$)-($부채꼴의 CRP의 넓이$)$

$\qquad\qquad\qquad\qquad -\displaystyle\int_0^{\frac{\sqrt{3}}{2}} x^2 dx\Big\}$

$=2\Big\{\dfrac{1}{2}\times\Big(\dfrac{5}{4}+\dfrac{3}{4}\Big)\times\dfrac{\sqrt{3}}{2}-\pi\times 1^2\times\dfrac{60}{360}-\Big[\dfrac{1}{3}x^3\Big]_0^{\frac{\sqrt{3}}{2}}\Big\}$

$=\dfrac{3\sqrt{3}}{4}-\dfrac{\pi}{3}$

답 ②

참고

반지름의 길이가 r, 중심각의 크기가 $x°$인 부채꼴의 호의 길이를 l,
넓이를 S라고 하면

$l=2\pi r\times\dfrac{x}{360}$, $S=\pi r^2\times\dfrac{x}{360}$

다른 풀이

점 P의 좌표를 (t, t^2) $(t>0)$이라고 하면 점 P에서의 접선의 기울
기는 $2t$이다.

이때 직선 CP의 방정식은

$y=-\dfrac{1}{2t}(x-t)+t^2$ ∴ $y=-\dfrac{1}{2t}x+t^2+\dfrac{1}{2}$

점 C의 좌표는 $\Big(0, t^2+\dfrac{1}{2}\Big)$이므로

$\overline{CP}=\sqrt{(t-0)^2+\Big\{t^2-\Big(t^2+\dfrac{1}{2}\Big)\Big\}^2}$

$\qquad =\sqrt{t^2+\dfrac{1}{4}}$

또, 원의 반지름의 길이가 1, 즉 $\overline{CP}=1$이므로

$\sqrt{t^2+\dfrac{1}{4}}=1$, $t^2=\dfrac{3}{4}$

∴ $t=\dfrac{\sqrt{3}}{2}$ $(∵ t>0)$

따라서 점 C의 좌표는 $\Big(0, \dfrac{5}{4}\Big)$, 점 Q의 좌표는 $\Big(\dfrac{\sqrt{3}}{2}, 0\Big)$이다.

01

$f'(x)=\begin{cases} 2 & (x\leq 1) \\ -2x+4 & (x>1) \end{cases}$ 이므로 부정적분을 구하면

$f(x)=\begin{cases} 2x+C_1 & (x<1) \\ -x^2+4x+C_2 & (x>1) \end{cases}$ (단, C_1, C_2는 적분상수이다.)

$y=f(x)$의 그래프가 점 $(1, 1)$을 지나고 $x=1$에서 연속이므로

$\displaystyle\lim_{x\to 1-}f(x)=\lim_{x\to 1+}f(x)=f(1)=1$

$\displaystyle\lim_{x\to 1-}(2x+C_1)=\lim_{x\to 1+}(-x^2+4x+C_2)=1$

$2+C_1=3+C_2=1$ ∴ $C_1=-1$, $C_2=-2$

∴ $f(x)=\begin{cases} 2x-1 & (x\leq 1) \\ -x^2+4x-2 & (x>1) \end{cases}$

∴ $f(-2)+f(2)=(-5)+2=-3$

답 ①

02

$\displaystyle\int_5^2 f(x)dx=-2$이므로 $\displaystyle\int_2^5 f(x)dx=2$

또,

$\displaystyle\int_1^2 f(x)dx=\int_1^5 f(x)dx-\int_2^5 f(x)dx$

$\qquad\qquad =5-2=3$

이므로

$\displaystyle\int_{-1}^1 f(x)dx=\int_{-1}^2 f(x)dx-\int_1^2 f(x)dx$

$\qquad\qquad =3-3=0$

∴ $\displaystyle\int_{-1}^1 \{f(x)-2x+x^2\}dx$

$=\displaystyle\int_{-1}^1 f(x)dx+\int_{-1}^1 (-2x+x^2)dx$

$=0+2\displaystyle\int_0^1 x^2 dx$

$=2\Big[\dfrac{1}{3}x^3\Big]_0^1=\dfrac{2}{3}$

답 ③

03

$f(x)=-f(-x)$이므로 함수 $y=f(x)$
의 그래프는 원점에 대하여 대칭이다.
한편 $f(x)$가 $x=b$에서 극솟값을 가지
므로 $f(x)$는 $x=-b$에서 극댓값을 갖
고, $y=f(x)$의 그래프는 오른쪽 그림과
같다.

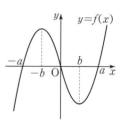

이때

$\displaystyle\int_0^a f(x)dx=-\int_{-a}^0 f(x)dx=-A$

이고

$B=\displaystyle\int_{-b}^a f(x)dx$

$\quad =\displaystyle\int_{-b}^0 f(x)dx+\int_0^a f(x)dx$

$\quad =\displaystyle\int_{-b}^0 f(x)dx-A$

이므로

$$\int_{-b}^{0} f(x)dx = A + B$$

$$\therefore \int_{0}^{b} f(x)dx = -\int_{-b}^{0} f(x)dx = -A - B$$

$$\therefore \int_{-a}^{b} |f(x)|dx = \int_{-a}^{0} f(x)dx + \int_{0}^{b} \{-f(x)\}dx$$

$$= \int_{-a}^{0} f(x)dx - \int_{0}^{b} f(x)dx$$

$$= A + A + B$$

$$= 2A + B$$

답 ⑤

04

색칠한 두 부분의 넓이가 같으므로

$$\int_{0}^{1} \{(1-x^2)-k\}dx = 0, \quad \int_{0}^{1} (-x^2+1-k)dx = 0$$

$$\left[-\frac{1}{3}x^3 + (1-k)x \right]_{0}^{1} = 0, \quad -\frac{1}{3} + 1 - k = 0$$

$$\therefore k = \frac{2}{3}$$

답 ②

05

$0 \le t \le 3$일 때 $v(t) \ge 0$이고, $3 \le t \le 5$일 때 $v(t) \le 0$이다.
따라서 처음 5초 동안 야구공이 움직인 거리는

$$\int_{0}^{5} |30-10t|dt = \int_{0}^{3} (30-10t)dt + \int_{3}^{5} (-30+10t)dt$$

$$= \left[30t - 5t^2 \right]_{0}^{3} + \left[-30t + 5t^2 \right]_{3}^{5}$$

$$= 45 + 20 = 65 \,(\text{m})$$

답 ④

다른 풀이

$v(t) = 30 - 10t = 0$에서 $t = 3$
오른쪽 그림과 같이 색칠한 두 부분의 넓이
를 각각 A, B라고 하면

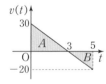

$$A = \frac{1}{2} \times 3 \times 30 = 45$$

$$B = \frac{1}{2} \times 2 \times 20 = 20$$

이므로 야구공이 움직인 거리는 $45 + 20 = 65 \,(\text{m})$

06

조건 (가)에서 $f'(x) = 3x(x-4) = 0$일 때 $x = 0$ 또는 $x = 4$
함수 $f(x)$의 증가와 감소를 표로 나타내면 다음과 같다.

x	$\cdots$	0	$\cdots$	4	$\cdots$
$f'(x)$	+	0	−	0	+
$f(x)$	↗	극대	↘	극소	↗

따라서 삼차함수 $f(x)$는 $x = 0$에서 극대, $x = 4$에서 극소이다.
조건 (다)에서 함수 $y = f(x)$의 그래프가 x축에 접하므로
$f(0) = 0$ 또는 $f(4) = 0$이어야 한다.
그런데 조건 (나)에서 $f(2) > 0$이므로 $f(0) > 0$이고 $f(4) = 0$이어야
한다.

$$f(x) = \int f'(x)dx = \int 3x(x-4)dx$$

$$= \int (3x^2 - 12x)dx$$

$$= x^3 - 6x^2 + C \,(\text{단, } C\text{는 적분상수이다.})$$

$f(4) = 0$이므로

$$64 - 96 + C = 0 \qquad \therefore C = 32$$

따라서 $f(x) = x^3 - 6x^2 + 32$이므로

$$f(1) = 27$$

답 ②

07

$$F(x) = \int_{1}^{x} f(t)dt$$

$$= \int_{1}^{x} (t-1)(5-3t)dt$$

$$= \int_{1}^{x} (-3t^2 + 8t - 5)dt$$

$$= \left[-t^3 + 4t^2 - 5t \right]_{1}^{x}$$

$$= -x^3 + 4x^2 - 5x + 2$$

$G(x) = \int_{1}^{x} F(t)dt$의 양변을 x에 대하여 미분하면

$$G'(x) = F(x)$$

$$= -x^3 + 4x^2 - 5x + 2$$

$$= -(x-1)^2(x-2)$$

$G'(x) = 0$에서 $x = 1$ 또는 $x = 2$

또, $G(1) = \int_{1}^{1} F(t)dt = 0$이므로 함수 $G(x)$의 증가와 감소를 표
로 나타내면 다음과 같다.

x	$\cdots$	1	$\cdots$	2	$\cdots$
$G'(x)$	+	0	+	0	−
$G(x)$	↗	0	↗	극대	↘

따라서 함수 $G(x)$는 $x = 2$에서 극대이면서 최대이므로
$a = 2$

답 ③

08

$g(x) = \int_{x}^{a} f(t)dt = -\int_{a}^{x} f(t)dt$의 양변을 x에 대하여 미분하면

$$g'(x) = -f(x)$$

조건 (나)에서 $x \to 1$일 때 (분모) $\to 0$이고 극한값이 존재하므로
(분자) $\to 0$이어야 한다.
즉, $\lim_{x \to 1} g(x) = 0$이고 함수 $g(x)$가 연속함수이므로 $g(1) = 0$
$g(x) = \int_{x}^{a} f(t)dt$에서 $g(a) = 0$이고, 조건 (가)에서 함수 $g(x)$가
일대일대응이므로 $a = 1$

$$\lim_{x \to 1} \frac{g(x)}{x^2-1} = \lim_{x \to 1} \frac{g(x) - g(1)}{(x+1)(x-1)} \quad (\because g(1) = 0)$$

$$= \lim_{x \to 1} \left\{ \frac{1}{x+1} \times \frac{g(x) - g(1)}{x-1} \right\}$$

$$= \frac{1}{2} \times g'(1) = -\frac{1}{2}f(1)$$

이므로 $-\frac{1}{2}f(1)=-\frac{1}{2}$

$\therefore f(1)=1$

$\therefore a+f(1)=2$

답 ⑤

09

함수 $y=g(x)$는 함수 $y=f(x)$의 역함
수이므로 $y=f(x)$의 그래프와
$y=g(x)$의 그래프는 직선 $y=x$에 대
하여 대칭이다.

오른쪽 그림에서
$A=B$
이므로

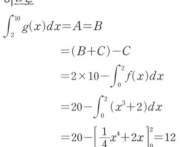

$\int_2^{10} g(x)dx=A=B$

$\qquad =(B+C)-C$

$\qquad =2\times 10-\int_0^2 f(x)dx$

$\qquad =20-\int_0^2 (x^3+2)dx$

$\qquad =20-\left[\frac{1}{4}x^4+2x\right]_0^2=12$

답 ③

10

ㄱ은 옳다.

0<t≤7에서 $v(t)$의 그래프는 t축과 서로 다른 두 점에서 만나
므로 점 P는 출발한 후 $t=7$일 때까지 운동 방향을 두 번 바꾼
다.

ㄴ은 옳지 않다.

$t=2$에서 $t=3$까지 점 P가 움직인 거리는

$\int_2^3 |v(t)|dt=1\times 1=1$

ㄷ도 옳지 않다.

$3\le t\le 4$일 때 $v(t)=-3t+10$이므로

$-3t+10=0$에서 $t=\frac{10}{3}$

따라서 $t=7$일 때 점 P의 위치는

$\int_0^7 v(t)dt=\frac{1}{2}\times\left(1+\frac{10}{3}\right)\times 1-\frac{1}{2}\times\left(6-\frac{10}{3}\right)\times 2$

$\qquad\qquad\qquad\qquad +\frac{1}{2}\times 1\times 1$

$\qquad =\frac{13}{6}-\frac{8}{3}+\frac{1}{2}=0$

이므로 $t=7$일 때 점 P는 원점에 있다.

따라서 옳은 것은 ㄱ이다.

답 ①

다른 풀이

ㄷ은 옳지 않다.

$v(t)=\begin{cases} \frac{1}{2}t & (0\le t<2) \\ 1 & (2\le t<3) \\ -3t+10 & (3\le t<4) \\ t-6 & (4\le t\le 7) \end{cases}$ 이므로 $t=7$일 때 점 P의 위치는

$\int_0^7 v(t)dt=\int_0^2 \frac{1}{2}tdt+\int_2^3 1dt+\int_3^4 (-3t+10)dt$

$\qquad\qquad\qquad\qquad\qquad +\int_4^7 (t-6)dt$

$\qquad =\left[\frac{1}{4}t^2\right]_0^2+\left[t\right]_2^3+\left[-\frac{3}{2}t^2+10t\right]_3^4+\left[\frac{1}{2}t^2-6t\right]_4^7$

$\qquad =1+1-\frac{1}{2}-\frac{3}{2}=0$

즉, $t=7$일 때 점 P의 위치는 원점이다.

미니 모의고사 - 2회

01

$f(x)=\int (4x^3+3x^2-2x)dx$에서

$f'(x)=\frac{d}{dx}\int (4x^3+3x^2-2x)dx$

$\qquad =4x^3+3x^2-2x$

점 $(1, f(1))$에서의 접선의 기울기는

$f'(1)=4+3-2=5$

이므로 접선의 방정식은

$y-f(1)=5(x-1)$ ······ ㉠

㉠이 원점을 지나므로

$-f(1)=-5$ $\therefore f(1)=5$

이때

$f(x)=\int (4x^3+3x^2-2x)dx$

$\qquad =x^4+x^3-x^2+C$ (단, C는 적분상수이다.)

$f(1)=5$이므로 $1+C=5$

$\therefore C=4$

$\therefore f(0)=C=4$

답 ④

02

방정식 $f(x)-g(x)=0$의 두 실근이 $x=-1$ (중근), $x=3$이므로

$f(x)-g(x)=a(x+1)^2(x-3)(a>0)$

으로 놓을 수 있다.

주어진 그림에서 $f(0)=2, g(0)=5$이므로

$f(0)-g(0)=-3a=-3$

$\therefore a=1$

$\therefore f(x)-g(x)=(x+1)^2(x-3)$

$\therefore \int_{-1}^3 \{f(x)+x^2\}dx-\int_{-1}^3 \{g(x)-5x\}dx$

$\qquad =\int_{-1}^3 \{f(x)-g(x)+x^2+5x\}dx$

$\qquad =\int_{-1}^3 \{(x+1)^2(x-3)+x^2+5x\}dx$

$\qquad =\int_{-1}^3 \{x^3-x^2-5x-3+x^2+5x\}dx$

$\qquad =\int_{-1}^3 (x^3-3)\,dx=\left[\frac{x^4}{4}-3x\right]_{-1}^3$

$\qquad =\frac{81}{4}-9-\frac{1}{4}-3=8$

답 ③

03

$0 \leq x \leq a$일 때, $x(x-a) \leq 0$이므로

$$\int_0^a |f(x)|dx = -\int_0^a f(x)dx$$

즉, $-\displaystyle\int_0^a f(x)dx = \int_a^{a+2} f(x)dx$이므로

$$\int_0^a f(x)dx + \int_a^{a+2} f(x)dx = 0$$

$$\therefore \int_0^{a+2} f(x)dx = 0$$

이때

$$\int_0^{a+2} f(x)dx = \int_0^{a+2} (x^2-ax)dx$$

$$= \left[\frac{1}{3}x^3 - \frac{a}{2}x^2\right]_0^{a+2}$$

$$= \frac{1}{3}(a+2)^3 - \frac{a}{2}(a+2)^2$$

$$= \frac{1}{6}(a+2)^2(2a+4-3a)$$

$$= \frac{1}{6}(a+2)^2(4-a)$$

이므로 $\quad \dfrac{1}{6}(a+2)^2(4-a)=0$

$a>0$이므로 $\quad a=4$

따라서 $f(x)=x(x-4)$이므로

$f(2)=-4$

답 ①

04

곡선 $y=x^2-4x$와 직선 $y=ax$의 교점의 x좌표는 $x^2-4x=ax$에서

$x^2-(a+4)x=0$

$x\{x-(a+4)\}=0$

$\therefore x=0$ 또는 $x=a+4$

곡선 $y=x^2-4x$와 직선 $y=ax$로 둘러싸인 부분의 넓이는

$$\int_0^{a+4} \{ax-(x^2-4x)\}dx = \int_0^{a+4} \{-x^2+(a+4)x\}dx$$

$$= \left[-\frac{1}{3}x^3 + \frac{a+4}{2}x^2\right]_0^{a+4}$$

$$= -\frac{1}{3}(a+4)^3 + \frac{1}{2}(a+4)^3$$

$$= \frac{(a+4)^3}{6}$$

즉, $\dfrac{(a+4)^3}{6}=36$이므로 $\quad (a+4)^3=6^3$

$a+4=6 \quad \therefore a=2$

답 ③

간단 풀이

곡선 $y=x^2-4x$와 직선 $y=ax$의 교점의 x좌표가 0, $a+4$이므로 곡선과 직선으로 둘러싸인 부분의 넓이는

$$\left|\frac{1}{6}\{(a+4)-0\}^3\right| = \frac{(a+4)^3}{6} (\because a>0)$$

즉, $\dfrac{(a+4)^3}{6}=36$이므로 $\quad (a+4)^3=6^3$, $a+4=6 \quad \therefore a=2$

05

오른쪽 그림과 같이 색칠한 두 부분의 넓이를 각각 A, B라고 하면

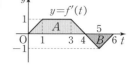

$A = \dfrac{1}{2} \times (2+4) \times 1 = 3$

$B = \dfrac{1}{2} \times 2 \times 1 = 1$

6초 후의 점 P의 위치는

$$a = f(6) = f(0) + \int_0^6 f'(t)dt$$

$$= A-B = 3-1 = 2$$

6초 동안 점 P가 움직인 거리는

$$b = \int_0^6 |f'(t)|dt = A+B = 3+1 = 4$$

$\therefore a+b = 2+4 = 6$

답 ③

06

삼차함수 $f(x)$의 한 부정적분 $F(x)$는 사차함수이고 $F'(x)=f(x)=0$에서 $\quad x=a$ 또는 $x=b$ 또는 $x=c$

$\displaystyle\int_a^b f(x)dx = F(b)-F(a)=5$에서

$F(b)-1=5$이므로 $\quad F(b)=6$

또, $\displaystyle\int_a^c f(x)dx = F(c)-F(a)=2$에서

$F(c)-1=2$이므로 $\quad F(c)=3$

따라서 함수 $y=F(x)$의 그래프는 다음 그림과 같다.

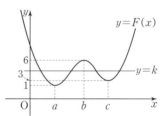

방정식 $F(x)=k$가 서로 다른 네 실근을 가지려면 함수 $y=F(x)$의 그래프와 직선 $y=k$가 서로 다른 네 점에서 만나야 하므로 k의 값의 범위는 $3<k<6$이다.

따라서 구하는 모든 정수 k의 값의 합은 $\quad 4+5=9$

답 ②

07

(ⅰ) $x \leq 0$일 때

$$f(x) = \int_0^1 t|t-x|dt = \int_0^1 (t^2-xt)dt$$

$$= \left[\frac{1}{3}t^3 - \frac{1}{2}xt^2\right]_0^1 = \frac{1}{3} - \frac{1}{2}x$$

(ⅱ) $0<x<1$일 때

$$f(x) = \int_0^1 t|t-x|dt$$

$$= \int_0^x t(x-t)dt + \int_x^1 t(t-x)dt$$

$$= \left[\frac{1}{2}xt^2 - \frac{1}{3}t^3 \right]_0^x + \left[\frac{1}{3}t^3 - \frac{1}{2}xt^2 \right]_x^1$$

$$= \frac{1}{3}x^3 - \frac{1}{2}x + \frac{1}{3}$$

(iii) $x \geq 1$일 때

$$f(x) = \int_0^1 t|t-x|dt = \int_0^1 t(x-t)dt$$

$$= \left[\frac{1}{2}xt^2 - \frac{1}{3}t^3 \right]_0^1 = \frac{1}{2}x - \frac{1}{3}$$

$$\therefore \int_{-1}^2 f(x)dx$$

$$= \int_{-1}^0 \left(\frac{1}{3} - \frac{1}{2}x \right)dx + \int_0^1 \left(\frac{1}{3}x^3 - \frac{1}{2}x + \frac{1}{3} \right)dx$$

$$+ \int_1^2 \left(\frac{1}{2}x - \frac{1}{3} \right)dx$$

$$= \left[\frac{1}{3}x - \frac{1}{4}x^2 \right]_{-1}^0 + \left[\frac{1}{12}x^4 - \frac{1}{4}x^2 + \frac{1}{3}x \right]_0^1 + \left[\frac{1}{4}x^2 - \frac{1}{3}x \right]_1^2$$

$$= \frac{7}{12} + \frac{1}{6} + \frac{5}{12} = \frac{7}{6}$$

답 ②

08

주어진 그래프에서

$f(x) = a(x+1)(x-3) \ (a<0)$

로 놓을 수 있다.

또, 함수 $y=g(x)$의 그래프는 두 점 $(3, 0)$, $(0, 3)$을 지나므로

$g(x) = -x+3$

이때 함수 $y=f(x)$의 그래프가 점 $(0, 3)$을 지나므로

$3 = -3a \quad \therefore a = -1$

$\therefore f(x) = -(x+1)(x-3) = -x^2+2x+3$

$$\therefore F(x) = \int_0^x \{f(t)-g(t)\}dt$$

$$= \int_0^x \{(-t^2+2t+3)-(-t+3)\}dt$$

$$= \int_0^x (-t^2+3t)dt \qquad \cdots\cdots \ \bigcirc$$

$\bigcirc$의 양변을 x에 대하여 미분하면

$F'(x) = -x^2+3x = -x(x-3)$

$F'(x)=0$에서 $x=0$ 또는 $x=3$

함수 $F(x)$의 증가와 감소를 표로 나타내면 다음과 같다.

x	$\cdots$	0	$\cdots$	3	$\cdots$
$F'(x)$	$-$	0	$+$	0	$-$
$F(x)$	$\searrow$	극소	$\nearrow$	극대	$\searrow$

ㄱ은 옳다.

위의 표에서 함수 $F(x)$는 $1<x<3$에서 $F'(x)>0$이므로 증가한다.

ㄴ도 옳다.

위의 표에서 함수 $F(x)$는 $x=0$에서 극솟값을 갖는다.

ㄷ은 옳지 않다.

$$F(0) = \int_0^0 (-t^2+3t)dt = 0$$

$$F(3) = \int_0^3 (-t^2+3t)dt = \left[-\frac{1}{3}t^3 + \frac{3}{2}t^2 \right]_0^3 = \frac{9}{2}$$

이므로 함수 $y=F(x)$의 그래프와 직선 $y=3$은 오른쪽 그림과 같다.

즉, 방정식 $F(x)=3$의 실근의 개수는 3이다.

따라서 옳은 것은 ㄱ, ㄴ이다.

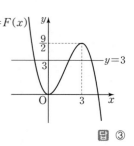

답 ③

09

두 곡선 $y=ax^3$, $y=-\frac{1}{a}x^3$의 교점의 x좌표는

$ax^3 = -\frac{1}{a}x^3$에서 $\left(a+\frac{1}{a} \right)x^3=0 \quad \therefore x=0 \ (\because a>0)$

$0 \leq x \leq 2$에서 $ax^3 \geq -\frac{1}{a}x^3$이므로 구하는 넓이는

$$\int_0^2 \left\{ ax^3 - \left(-\frac{1}{a} \right)x^3 \right\}dx = \left(a+\frac{1}{a} \right)\int_0^2 x^3 dx$$

$$= \left(a+\frac{1}{a} \right)\left[\frac{1}{4}x^4 \right]_0^2$$

$$= 4\left(a+\frac{1}{a} \right)$$

이때 $a>0$이므로 산술평균과 기하평균의 관계에 의하여

$4\left(a+\frac{1}{a} \right) \geq 4 \times 2\sqrt{a \times \frac{1}{a}} = 8$ (단, 등호는 $a=1$일 때 성립한다.)

따라서 구하는 넓이의 최솟값은 8이다.

답 ③

참고

산술평균과 기하평균의 관계

$a>0$, $b>0$일 때

$\frac{a+b}{2} \geq \sqrt{ab}$ (단, 등호는 $a=b$일 때 성립한다.)

10

시각 t에서 두 점 P, Q의 위치를 각각 $x_P(t)$, $x_Q(t)$라고 하면

$$x_P(t) = \int_0^t (-2t+4)dt = -t^2+4t$$

$$x_Q(t) = \int_0^t (2t-4)dt = t^2-4t$$

이므로 출발 후 다시 만나는 데 걸리는 시간은

$-t^2+4t = t^2-4t$, $t(t-4)=0 \quad \therefore t=4 \ (\because t>0)$

$\therefore t_1 = 4$

또, 두 점 P, Q 사이의 거리 d는

$d = |(t^2-4t)-(-t^2+4t)| = |2t^2-8t|$

$\quad = |2(t-2)^2-8|$

$0<t<4$에서 거리 d는 $t=2$일 때 최대이므로 $t_2=2$

$\therefore t_1+t_2 = 4+2 = 6$

답 6